COMER PARA NÃO MORRER

Michael Greger
com Gene Stone

COMER PARA NÃO MORRER

Conheça o poder dos alimentos capazes
de prevenir e até reverter doenças

Tradução de Bruno Casotti

Copyright © 2015 by NutritionFacts.org Inc.

TÍTULO ORIGINAL
How Not to Die

PREPARAÇÃO
Ilana Goldfeld
Elisa Duque

REVISÃO TÉCNICA
Maria de Fátima Azevedo

REVISÃO
Elisa Menezes
Carolina Rodrigues

DIAGRAMAÇÃO
Ilustrarte Design e Produção Editorial

DESIGN DE CAPA
Aline Ribeiro | linesribeiro.com

FOTOGRAFIA
Sutto Norbert Zsolt

CIP–BRASIL. CATALOGAÇÃO NA PUBLICAÇÃO
SINDICATO NACIONAL DOS EDITORES DE LIVROS, RJ

G832c

    Greger, Michael, 1972-
      Comer para não morrer : conheça o poder dos alimentos capazes de prevenir e até reverter doenças / Michael Greger com Gene Stone; tradução Bruno Casotti. - 1. ed. - Rio de Janeiro : Intrínseca, 2018.
      496 p. ; 23 cm.

    Tradução de: How not to die
    Inclui bibliografia e índice
    ISBN 978-85-510-0185-1

    1. Nutrição. 2. Saúde - Aspectos nutricionais. 3. Hábitos alimentares. 4. Qualidade de vida. I. Casotti, Bruno. II. Título.

18-47855   CDD: 613.2
                                             CDU: 613.2

[2018]
Todos os direitos desta edição reservados à
Editora Intrínseca Ltda.
Av. das Américas, 500, bloco 12, sala 303
22640-904 – Barra da Tijuca
Rio de Janeiro – RJ
Tel./Fax: (21) 3206-7400
www.intrinseca.com.br

Para minha avó
Frances Greger

Sumário

Prefácio à edição brasileira	9
Prefácio	11
Introdução	17

PARTE 1

1	Como não morrer de doenças cardíacas	35
2	Como não morrer de doenças pulmonares	50
3	Como não morrer de doenças no cérebro	63
4	Como não morrer de câncer no sistema digestório	85
5	Como não morrer de infecções	103
6	Como não morrer de diabetes	128
7	Como não morrer de hipertensão arterial	153
8	Como não morrer de doenças do fígado	175
9	Como não morrer de câncer do sangue	189
10	Como não morrer de doença dos rins	200
11	Como não morrer de câncer de mama	215
12	Como não morrer de depressão suicida	238
13	Como não morrer de câncer de próstata	253
14	Como não morrer de mal de Parkinson	268
15	Como não morrer de causas iatrogênicas	283

PARTE 2

Introdução	301
Os Doze por Dia do dr. Greger	319
Feijões	324
Frutas vermelhas	337
Outras frutas	345
Vegetais crucíferos	354
Verduras	361
Outras verduras e legumes	373
Semente de linhaça	391
Oleaginosas e sementes	395
Ervas e temperos	404
Grãos integrais	426
Bebidas	436
Exercícios físicos	451
Conclusão	459
Agradecimentos	465
Apêndice: suplementos	467
Notas	473
Índice	475

Prefácio à edição brasileira

Comer é um ato de prazer para muitas pessoas, principalmente para aquelas com um acesso seguro à alimentação, que não precisam se preocupar em saber quando será sua próxima refeição. Mas será que esse prazer que a comida nos oferece vale a pena quando coloca em risco nossa saúde? Eu me arrisco a dizer que o ser humano tem uma natureza imediatista e por isso valoriza muito mais o ato de comer um doce que lhe oferece prazer instantâneo, mesmo sabendo que isso pode afetar sua saúde, do que o bem-estar que sentiria se deixasse de comê-lo. Essa definição ficou muito clara para mim quando ouvi do meu pai a seguinte frase: "Muitas vezes é necessário trocarmos uma porção de prazer por uma porção de bem-estar." E o livro *Comer para não morrer* nos ensina perfeitamente como achar o equilíbrio entre a saúde do corpo e o prazer pela comida com informações científicas detalhadas de alimentos específicos e grupos alimentares, além de trazer dicas de receitas saborosíssimas.

Descobrir a quantidade que precisamos ou devemos ingerir de cada alimento para prevenir doenças e fortalecer nosso organismo é libertador. Nos sentimos cada vez mais responsáveis por nossa saúde e consequentemente fazemos escolhas alimentares mais conscientes. Ficamos menos dependentes das indústrias farmacêutica e alimentícia porque conseguimos entender o motivo pelo qual escolhemos ingerir certo alimento, podendo ser exclusivamente por saúde ou por prazer. O mais importante é ter o conhecimento e a consciência do que ingerimos.

Acredito que dentro de uma alimentação saudável podemos comer de tudo. Porém precisamos entender quanto, quando e por que estamos ingerindo certos alimentos. Se temos a consciência de que o açúcar é nocivo para a saúde, tomar refrigerante todos os dias pode ser uma má ideia. Mas ao mesmo tempo sabemos que açúcar é gostoso, nos dá prazer e precisa ser consumido com muita moderação, então não precisamos abrir mão da sobremesa do restaurante predileto, da caixa de chocolate do Dia dos Namorados ou do doce da casa da vovó. O importante, dentro de uma alimentação saudável, é equilibrar a quantidade e a qualidade de cada alimento, conhecer suas funções e observar o que nos faz bem e o que nos faz mal. O nome disso é autoconhecimento, e só conquistamos isso quando prestamos atenção no que comemos e por que comemos.

Hoje temos mais pessoas morrendo de doenças relacionadas ao consumo excessivo de comida do que pessoas morrendo de fome. Estamos num momento da história da humanidade em que a comida pode ser uma grande aliada para uma vida saudável e para a prevenção de doenças. Porém a comida também está causando muitas doenças crônicas que testemunhamos na sociedade atual. Ou seja, comida é uma ferramenta poderosa que pode nos trazer a cura ou provocar doenças.

Não existe um alimento vilão e um superalimento para todo mundo. Tudo depende da quantidade, da qualidade e de quem está consumindo. Por exemplo, um suco verde com couve pode fazer muito bem a quem está com anemia, mas pode prejudicar o quadro da pessoa que tem hipotireoidismo ou trombose. E, neste livro, o dr. Michael Greger nos mune com poderosas ferramentas de conhecimento para nos libertarmos do medo e da adoração excessiva por alimentos específicos. Ele nos fornece o caminho para a busca da saúde e do equilíbrio.

Por enquanto a forma mais eficaz que temos para prevenir problemas no nosso corpo é uma boa alimentação baseada em vegetais. Alimentos ricos em fibras, vitaminas, minerais, antioxidantes e muitos fitoquímicos podem prevenir e curar uma quantidade infinita de doenças, desde proteger contra doenças do coração, do sistema nervoso, do sistema digestório ou na pele até curar um câncer. Graças ao avanço nas pesquisas e ao profissionalismo de pessoas como o dr. Michael Greger, temos a oportunidade de colocar em prática a velha e famosa frase da medicina: "Faça do alimento o seu remédio." Este livro é uma grande ferramenta para conseguirmos viver melhor conhecendo e saboreando o que a natureza tem a nos oferecer.

Bela Gil
Especialista em Alimentação Natural e Nutrição Holística

Prefácio

Tudo começou com minha avó.

Eu era criança quando os médicos a liberaram para morrer em casa. Diagnosticada com doença cardíaca em estágio terminal, ela já tinha feito tantas cirurgias de ponte de safena que os médicos basicamente não tinham uma estrutura vascular com a qual trabalhar — as cicatrizes de cada cirurgia dificultavam o procedimento seguinte até que, por fim, nada mais podia ser feito. Com uma dor alucinante no peito, ela ficou confinada a uma cadeira de rodas. Os médicos lhe disseram que haviam esgotado todas as possibilidades — sua vida havia acabado aos 65 anos.

O que inspira muitas pessoas a seguir a carreira médica é o fato de terem assistido na infância a um parente querido adoecer ou mesmo morrer. Mas, no meu caso, foi ver minha avó melhorar.

Logo depois de ela chegar em casa para viver seus últimos dias, o programa de TV *60 Minutes* exibiu um segmento com Nathan Pritikin, um pioneiro em medicina do estilo de vida que se tornara conhecido por reverter quadros terminais de doenças cardíacas. Ele havia acabado de abrir um novo centro na Califórnia, e minha avó, em desespero, atravessou o país para se tornar uma das primeiras pessoas a receber seus cuidados. Era um programa de internação em que todos eram submetidos a uma dieta à base de vegetais, conhecida pelos especialistas pelo termo em inglês *plant-base diet*, e, em seguida, a uma rotina gradativa de exercícios. Minha avó chegou à instituição na cadeira de rodas e saiu de lá andando.

Jamais me esquecerei disso.

Minha avó até foi mencionada na biografia de Pritikin, *Pritikin: The Man Who Healed America's Heart* — ela foi descrita como uma das "pessoas à beira da morte".

Em uma cadeira de rodas, Frances Greger, do norte de Miami, Flórida, chegou a Santa Barbara para uma das primeiras sessões com Pritikin. A senhora Greger sofria de doença arterial coronariana, angina e claudicação intermitente; sua saúde estava tão debilitada que ela não conseguia mais andar devido às dores intensas no peito e nas pernas. Depois de três semanas, ela não só havia se livrado da cadeira de rodas como também estava caminhando dezesseis quilômetros diariamente.[1]

Por ser tão jovem na época, só uma coisa nessa história importava para mim: eu poderia brincar com a vovó de novo. Entretanto, com o passar dos anos, comecei a entender o que aquilo significava. A medicina de então nem sequer considerava possível reverter cardiopatias. Remédios eram dados para tentar retardar a progressão, e as cirurgias eram realizadas para contornar artérias entupidas a fim de tentar aliviar os sintomas, mas se assumia que a doença pioraria até causar a morte do paciente. No entanto, agora sabemos que nosso organismo começa a se curar sozinho assim que nos abstemos de dietas que entopem os vasos sanguíneos e que em muitos casos é possível desobstruí-los sem auxílio de medicamentos ou cirurgia.

Quando minha avó tinha 65 anos, a medicina a sentenciou à morte. Graças a uma dieta e um estilo de vida saudáveis, ela conseguiu aproveitar com os seis netos mais 31 anos. A mulher que chegou a ser informada pelos médicos de que tinha apenas semanas de vida morreu aos 96 anos. Sua recuperação quase milagrosa não apenas inspirou um de seus netos a se tornar médico como concedeu a ela saúde o bastante para vê-lo se formar na faculdade de medicina anos depois.

Quando me graduei, gigantes como o dr. Dean Ornish, presidente e fundador de uma organização sem fins lucrativos chamada Instituto de Pesquisa em Medicina Preventiva, já tinham provado, acima de qualquer dúvida, que o que Pritikin mostrara era verdade. Usando a mais alta tecnologia da época — tomografia por emissão de pósitrons,[2] angiografia coronária quantitativa[3] e ventriculografia com radionuclídeos[4] —, o dr. Ornish e seus colegas demonstraram que a abordagem de mais baixa tecnologia — dieta e mudanças no estilo de vida — pode inegavelmente reverter a nossa maior assassina: a doença arterial coronariana.

Os estudos do dr. Ornish e de seus colegas foram publicados mundialmente em algumas das revistas médicas de maior prestígio, porém a prática médica pouco mudou. Por quê? Por que os médicos continuavam a tratar apenas os sintomas, receitando remédios e usando procedimentos no estilo desentupidor industrial? Por que tentavam apenas retardar aquilo que escolheram acreditar ser inevitável: uma morte precoce?

Esse foi o meu gatilho: eu abri os olhos para o fato deprimente de que há outras forças atuando na medicina além da ciência. O sistema de saúde dos Estados

PREFÁCIO | 13

Unidos opera de acordo com um modelo de pagamento por procedimento, em que médicos recebem pelos comprimidos e tratamentos que prescrevem, o que recompensa a quantidade em vez de a qualidade. Nós, médicos, não somos reembolsados pelo tempo gasto aconselhando os pacientes sobre os benefícios de uma alimentação saudável. Se os médicos fossem pagos de acordo com os resultados alcançados, haveria um incentivo financeiro para tratar as causas das doenças associadas a hábitos prejudiciais. Enquanto o modelo de reembolso não for alterado, não espero grandes mudanças na assistência ou na educação médicas.[5]

Aparentemente, apenas um quarto das faculdades de medicina oferece um curso intensivo dedicado à nutrição.[6] Lembro que, durante minha primeira entrevista para o curso de medicina da Universidade Cornell, o entrevistador afirmou enfaticamente: "Nutrição é algo supérfluo no campo da saúde." E ele era pediatra! Naquele momento percebi que teria um longo caminho pela frente. Olhando em retrospecto, acho que o único profissional da área médica que já me perguntou sobre a dieta de um familiar meu foi o veterinário.

Tive a honra de ser aceito por dezenove faculdades de medicina. Escolhi a Universidade Tufts, já que esta ostentava a formação mais longa em nutrição: o equivalente a 21 horas — embora isso representasse menos de 1% do currículo.

Durante meu aprendizado, representantes da grande indústria farmacêutica me ofereceram incontáveis jantares requintados e altas gratificações, mas não recebi um telefonema sequer da grande indústria do brócolis. Há um motivo para acompanharmos na televisão os últimos lançamentos de medicamentos: os orçamentos enormes da indústria promovem a divulgação deles. E é baixa a probabilidade de veicularem um anúncio sobre batata-doce ou de o grande público tomar conhecimento das recentes descobertas acerca do poder dos alimentos na saúde e na longevidade, e a razão é a mesma em ambos os casos: há pouca motivação em termos de lucro.

Na faculdade de medicina, mesmo em nossas reles 21 horas de formação em nutrição, não houve nenhuma menção ao uso da alimentação como método para tratar doenças crônicas, que dirá revertê-las. Só tomei conhecimento desse tipo de prática por causa do meu histórico familiar.

O questionamento que me perseguiu durante os estudos foi: se a cura para o nosso assassino número um pode se perder em um labirinto, o que mais poderia estar perdido no meio da literatura médica? Fiz da busca por essa resposta a minha missão de vida.

Passei a maior parte dos anos em que morei em Boston vasculhando as prateleiras empoeiradas do porão da Biblioteca de Medicina Countway, em Harvard. Comecei a exercer a medicina, mas independentemente da quantidade diária de pacientes que eu atendesse na clínica ou mesmo das famílias inteiras cuja vida mudei, eu sabia que se tratava de apenas uma gota no oceano. Então resolvi viajar.

Contando com a ajuda da associação de estudantes de medicina, meu objetivo era dar palestras em todas as faculdades de medicina dos Estados Unidos a cada dois anos a fim de influenciar uma geração inteira de novos médicos. Eu não queria que mais um médico se formasse sem esse instrumento — o poder dos alimentos — em sua caixa de ferramentas. Minha avó sobrevivera à doença cardiovascular, então talvez os avós de outras pessoas também pudessem fazê-lo.

Houve períodos em que eu ministrava quarenta palestras por mês. Chegava a uma cidade para fazer uma conferência no café da manhã do Rotary Club, fazia uma apresentação na faculdade de medicina no horário do almoço e depois falava a um grupo de voluntariado à noite. Meu chaveiro só tinha uma chave, pois eu estava morando no carro. Acabei fazendo mais de mil apresentações pelo mundo.

Obviamente, esse estilo de vida era insustentável. Meu casamento acabou por causa disso. Com mais pedidos de palestras do que eu era capaz de atender, comecei a pôr todas as minhas descobertas anuais em uma série de DVDs, *Latest in Clinical Nutrition*. É surpreendente essa coleção já ter quase quarenta volumes. Desde aquela época, cada centavo que ganho com esses DVDs vai diretamente para instituições de caridade, assim como o dinheiro que recebo por minhas palestras e pela venda de livros, incluindo o que você está lendo agora.

A influência do dinheiro, por mais corruptora que seja na medicina, parece ser ainda mais nociva no campo da nutrição, em que é forte a impressão de que todo mundo tem a própria marca de suplemento de óleo de cobra ou um aparelho capaz de realizar mágicas. Dogmas estão arraigados, e os dados são frequentemente escolhidos a dedo para sustentar noções preconcebidas.

É verdade que tenho que controlar minhas próprias inclinações. Embora minha motivação original tenha sido a saúde, com o passar dos anos me tornei um grande aliado dos animais. Três gatos e um cachorro ditam as regras na nossa casa, e passei boa parte da carreira atuando com orgulho como diretor de saúde pública na Sociedade Humanitária dos Estados Unidos, uma instituição protetora dos animais. Assim como ocorre a muitas pessoas, para mim é importante o bem-estar dos animais criados para o consumo, mas sou acima de tudo médico, e minha prioridade sempre foi a de cuidar dos pacientes, oferecer criteriosamente a melhor orientação de acordo com o conjunto de evidências disponível.

Na clínica, pude alcançar centenas de pessoas; na estrada, milhares. Mas, como abrangia questões de vida ou morte, esse conhecimento tinha que atingir milhões. E eis que apareceu Jesse Rasch, filantropo canadense que compartilhava minha visão de tornar gratuitas e acessíveis as informações sobre nutrição baseadas em evidências científicas. A fundação criada por ele e sua mulher, Julie, disponibilizou todo o meu trabalho na internet; assim nasceu o NutritionFacts.org. Agora posso trabalhar de pijama em casa e alcançar mais gente do que jamais consegui enquanto viajava pelo mundo.

A NutritionFacts.org é hoje uma organização autossustentável sem fins lucrativos com mais de mil vídeos de curta duração sobre todos os tópicos de nutrição que se possa imaginar, na qual posto diariamente novos vídeos e artigos. Tudo no site é gratuito para todos, o tempo todo. Não há anúncios, nenhum patrocínio de empresa. É um trabalho puramente voluntário.

Há mais de uma década, época em que comecei esse trabalho, eu achava que a resposta era educar os educadores, instruir a profissão. Contudo, devido à democratização da informação, os médicos já não detêm o monopólio do conhecimento sobre a saúde. Quando se trata de receitas seguras e simples relativas a estilo de vida, tenho percebido que pode ser mais efetivo capacitar os indivíduos diretamente. Em 2012, uma pesquisa de opinião sobre consultas médicas nos Estados Unidos indicou que, a cada cinco fumantes, apenas um era aconselhado a parar de fumar.[7] Assim como não é necessário esperar que o médico lhe oriente a parar de fumar, você também não precisa esperar para começar a se alimentar de maneira mais saudável. Dessa forma, juntos, podemos mostrar a meus colegas de profissão o verdadeiro poder de uma vida saudável.

É possível percorrer de bicicleta a distância entre a minha atual casa e a Biblioteca Nacional de Medicina dos Estados Unidos, a maior biblioteca médica do mundo. Só em 2014 foram publicados mais de 24 mil estudos sobre nutrição na literatura médica. Agora tenho um time de pesquisadores, uma equipe maravilhosa e um exército de voluntários que me ajudam a escavar montanhas de novas informações. Este livro não é apenas mais uma plataforma por meio da qual posso compartilhar minhas descobertas, mas uma oportunidade há muito desejada de compartilhar conselhos e ferramentas sobre como pôr em prática essa ciência que muda e *salva* vidas em nosso cotidiano.

Acho que minha avó ficaria orgulhosa.

Introdução

COMO EVITAR, DETER E REVERTER NOSSOS PRINCIPAIS ASSASSINOS

Pode ser que não exista essa história de morrer de velhice. Um estudo feito a partir de mais de 42 mil autópsias consecutivas verificou que, em 100% dos casos examinados, os centenários — aqueles que vivem além dos cem anos — sucumbiram a doenças. Embora a maioria fosse considerada — inclusive pelos respectivos médicos — saudável pouco antes de morrer, nenhum deles "morreu de velhice".[1] Até pouco tempo atrás, a idade avançada era considerada uma doença,[2] porém o envelhecimento em si não é uma causa de morte. Na verdade, as responsáveis são as doenças, mais comumente os ataques cardíacos.[3]

A maioria das mortes nos Estados Unidos poderia ser evitada e está relacionada ao que comemos.[4] Nossa dieta é a causa número um de mortes prematuras e também a causa número um de invalidez.[5] Nesse contexto, seria normal deduzir que a dieta é também o tópico número um de ensino nas escolas de medicina, certo?

Infelizmente não é. De acordo com recentes pesquisas de opinião realizadas nos Estados Unidos, apenas um quarto das faculdades de medicina possui nutrição na grade curricular — e quando isso acontece oferece apenas um único módulo —, menos que os 37% de trinta anos atrás.[6] Apesar de a maior parte do público evidentemente considerar os médicos fontes "muito confiáveis" de informações sobre nutrição,[7] seis em cada sete médicos recém-formados consideraram que os profissionais não são treinados de maneira adequada para dar aos pacientes conselhos sobre dieta.[8] Um estudo constatou que as pessoas às vezes sabem mais sobre nutrição básica do que seus médicos, concluindo que "os médicos deveriam ter mais conhecimento sobre nutrição do que seus pacientes, porém esses resultados sugerem que isso não é necessariamente o que acontece".[9]

Para remediar essa situação, um projeto de lei foi apresentado na assembleia legislativa do estado da Califórnia exigindo que os médicos fizessem um curso de nutrição de pelo menos doze horas em qualquer momento dos quatro anos seguintes à aprovação da proposta. Surpreendentemente a Associação de Médicos da Califórnia se manifestou fortemente *contra* o projeto de lei, assim como outros grupos médicos importantes, incluindo a Academia de Medicina da Família da Califórnia.[10] O projeto de lei recebeu emendas que reduziram o mínimo obrigatório de doze horas em quatro anos para sete horas e, depois, para zero.

Entretanto, o conselho médico da Califórnia tem, sim, uma exigência: um curso de doze horas sobre clínica da dor e cuidados paliativos para doentes terminais.[11] Essa disparidade entre a preocupação com a prevenção e a mera mitigação do sofrimento poderia ser uma metáfora para a medicina moderna: em vez de "uma maçã por dia para uma vida sadia", "um médico por dia para uma vida enferma".

Em 1903, Thomas Edison previu que "o médico do futuro não prescreverá medicamentos, mas instruirá os pacientes sobre os cuidados com o corpo, sobre a dieta e sobre a causa e prevenção de doenças".[12] Infelizmente, bastam apenas alguns minutos assistindo a anúncios de remédios na TV, que imploram ao espectador que "consulte o médico" sobre esse ou aquele medicamento, para saber que a previsão de Edison não se concretizou. Um estudo com milhares de pacientes constatou que o tempo médio que os clínicos gerais dedicam para falar sobre nutrição é de cerca de dez segundos.[13]

Mas, espere aí, estamos no século XXI! Será que não podemos comer o que quisermos e simplesmente tomar medicamentos quando começarmos a ter problemas de saúde? Para muitos pacientes e até mesmo para colegas médicos, essa parece ser a mentalidade dominante. O gasto global com medicamentos que precisam de prescrição médica ultrapassa 1 trilhão de dólares por ano, e os Estados Unidos correspondem a um terço desse mercado.[14] Por que gastamos tanto com remédios? Muita gente supõe que a causa de nossa morte está programada em nossos genes. Pressão arterial alta aos 55, ataque cardíaco aos sessenta, talvez câncer aos setenta e assim por diante... Contudo, quando se trata da maioria das principais doenças que levam ao óbito, a ciência mostra que nossos genes costumam ser responsáveis por apenas 10% a 20% do risco, no máximo.[15] Por exemplo, como será visto neste livro, os índices de doenças fatais, como as cardíacas e os principais tipos de câncer, podem diferir seu valor em até cem vezes de acordo com diferentes povos pelo mundo. No entanto, quando alguém se muda de um país de baixo risco para outro de alto risco, seus índices quase sempre passam a ser os do novo ambiente[16] — nova dieta, novas doenças. Portanto, embora um americano de sessenta anos residente de São Francisco tenha 5% de chance de ter um ataque cardíaco dentro de cinco anos, se ele se mudar para o Japão e passar a comer e a viver como os japoneses, seu risco no período de cinco anos cairá para apenas 1%. Americanos de ascendência nipônica na casa dos quarenta anos podem ter o mesmo risco de ataque cardíaco dos japoneses na casa dos sessenta. Com efeito, a mudança para o estilo de vida americano envelheceu seu coração em vinte anos.[17]

A Mayo Clinic, uma organização sem fins lucrativos da área da saúde, estima que quase 70% dos americanos tomam pelo menos um remédio seguindo prescrições médicas.[18] Mas, apesar de o número de americanos medicados ser maior do que o daqueles que não são, sem falar no influxo constante de remédios sempre mais novos e mais caros no mercado, não estamos vivendo muito mais do que os indivíduos de outros países. Em termos de expectativa de vida, os Estados Unidos estão em 27º ou 28º lugar entre as 34 maiores democracias de livre mercado. Na Eslovênia, as pessoas vivem mais do que os americanos.[19] E os anos a mais que estamos vivendo não são necessariamente saudáveis ou vibrantes. Em 2011, uma perturbadora análise sobre mortalidade e morbidade foi publicada no *Journal of Gerontology*. Estariam os americanos vivendo mais agora em comparação à geração anterior? Tecnicamente sim. Mas seriam esses anos a mais necessariamente saudáveis? Não. E a situação se agrava: na verdade, estamos tendo menos anos saudáveis agora do que já tivemos.[20]

Eis o que isso significa: em 1998, uma pessoa de vinte anos podia esperar viver mais 58 anos, enquanto uma de vinte anos em 2006 podia esperar ter mais 59 anos de vida. Contudo, um indivíduo de vinte anos da década de 1990 poderia viver dez desses anos com uma doença crônica, enquanto agora é mais provável viver treze desses anos com doença cardíaca, câncer, diabetes ou com as sequelas de um derrame. Assim, parece ser um passo para a frente e três para trás. Os pesquisadores também observaram que estamos vivendo dois anos a menos em termos de capacidade funcional, ou seja, perdemos dois anos durante os quais já não somos capazes de realizar atividades básicas da vida, como caminhar quatrocentos metros, ficar em pé ou sentado por duas horas consecutivas sem precisar deitar, ou ficar em pé sem o auxílio de um equipamento especial.[21] Em outras palavras, estamos vivendo mais, porém estamos vivendo *mais doentes*.

Com esses índices crescentes de enfermidade, nossos filhos poderão até morrer mais cedo. Uma reportagem especial publicada no *The New England Journal of Medicine* intitulada "A Potential Decline in Life Expectancy in the United States in the 21st Century" ["Um possível declínio da expectativa de vida nos Estados Unidos no século XXI"] concluiu que "o aumento constante da expectativa de vida observado na era moderna poderá chegar ao fim em breve, e os jovens de hoje poderão, em média, levar vidas menos saudáveis e possivelmente até mais curtas do que as de seus pais".[22]

Na faculdade de saúde pública, os estudantes aprendem que há três níveis de medicina preventiva. O primeiro deles é a prevenção primária, como tentar evitar que indivíduos com risco de doenças cardíacas sofram o primeiro ataque cardíaco. Um exemplo disso seria o médico receitar estatina ao paciente com colesterol alto. A prevenção secundária ocorre quando a doença já está instalada e tenta-se evitar o agravamento do quadro, como sofrer um segundo ataque cardíaco. Assim, o médico pode acrescentar aspirina ou outro medicamento ao tratamento. No terceiro nível da medicina preventiva, o foco está em ajudar os pacientes a administrarem problemas de saúde de longo prazo, portanto, o médico pode, por exemplo, receitar um programa de reabilitação cardíaca com o objetivo de prevenir dores e piora na condição física.[23] Em 2000, foi proposto um quarto nível. O que poderia ser essa quarta forma de prevenção? Reduzir as complicações de todos os remédios e cirurgias dos primeiros três níveis.[24] Mas as pessoas parecem esquecer um quinto conceito, chamado prevenção primordial, apresentado pela primeira vez pela Organização Mundial da Saúde em 1978. Décadas depois, finalmente esse conceito está sendo adotado pela Associação Americana do Coração.[25]

A prevenção primordial foi concebida como uma estratégia para evitar que fatores de risco de doenças crônicas se espalhem de forma epidêmica por sociedades inteiras. Isso significa não apenas prevenir doenças crônicas, mas também os fatores de risco que as desencadeiam.[26] Por exemplo, em vez de tentar impedir que alguém com colesterol alto sofra um ataque cardíaco, por que não evitar que esse indivíduo tenha colesterol alto (que leva ao ataque cardíaco)?

Com isso em mente, a Associação Americana do Coração propôs o "The Simple 7", uma lista de sete recomendações que podem levar a uma vida mais saudável: não fumar, não estar acima do peso, ser "muito ativo" (definido como o equivalente a caminhar no mínimo 22 minutos por dia), se alimentar de forma mais saudável (por exemplo, ingerir muitas frutas, legumes e verduras), ter o colesterol abaixo do valor de referência, ter pressão arterial normal e ter taxas glicêmicas normais.[27] O objetivo da associação é reduzir em 20% as mortes por doenças cardíacas até 2020.[28] Se mais de 90% dos ataques cardíacos podem ser evitados com mudanças no estilo de vida do paciente,[29] por que estabelecer uma meta tão modesta? Até mesmo o objetivo de 25% foi "considerado impraticável".[30] O pessimismo da associação pode ter algo a ver com a realidade assustadora da dieta americana média.

INTRODUÇÃO | 21

Uma análise do comportamento relativo à saúde de 35 mil adultos nos Estados Unidos foi publicada na revista da Associação Americana do Coração. A maioria dos participantes não fumava, cerca de metade cumpria a recomendação semanal de exercícios físicos e um terço da amostra fazia tudo de acordo com as demais categorias, exceto a alimentação. Suas dietas foram avaliadas em uma escala de zero a cinco a fim de verificar se alcançavam um mínimo de comportamento alimentar saudável, como cumprir as metas recomendadas de consumo de frutas, legumes, verduras e grãos integrais ou beber menos de três latas de refrigerante por semana. Sabe quantos participantes obtiveram pelo menos quatro dos cinco pontos para uma alimentação saudável? Cerca de 1%.[31] Se a Associação Americana do Coração alcançar seu objetivo "ousado"[32] de uma melhora de 20% até 2020, pode ser que subamos para 1,2%.

Antropólogos da medicina identificaram várias grandes eras de doenças humanas, a começar pela Era das Pestilências e da Fome, que terminou em grande parte pelo advento da Revolução Industrial, ou o estágio em que estamos agora, a Era das Doenças Degenerativas e Provocadas pelo Homem.[33] Essa alteração reflete as mudanças das causas de morte ao longo do século passado. Em 1900, nos Estados Unidos, as três principais causas de morte eram doenças infecciosas: pneumonia, tuberculose e doença diarreica.[34] Agora, as causas são em grande parte doenças relacionadas ao estilo de vida do paciente: cardiopatias, câncer e doenças pulmonares crônicas.[35] Estaria isso ocorrendo apenas porque os antibióticos têm nos permitido viver tempo o bastante para sofrer doenças degenerativas? Não. O surgimento dessas epidemias de doenças crônicas foi acompanhado de mudanças radicais nas práticas alimentares. Um excelente exemplo disso é o que vem acontecendo, nas últimas décadas, com os índices de doenças em países emergentes, período em que tais nações adotaram rotinas alimentares parecidas com as dos americanos.

No mundo todo, em 1990 a maioria dos anos de vida saudável era perdida por causa da subnutrição, como ocorre com as doenças diarreicas em crianças desnutridas. Agora o maior fardo é atribuído à hipertensão arterial, uma doença relacionada ao excesso alimentar.[36] A pandemia de doenças crônicas tem sido atribuída em parte à mudança quase universal para uma dieta dominada por alimentos de fonte animal e processados — em outras palavras, mais carne, laticínios, ovo, óleos, refrigerante, açúcar e grãos refinados.[37] A China talvez seja o exemplo estudado mais a fundo. Ali, uma transformação da dieta à base de vegetais, tradicional no país, foi acompanhada de um rápido aumento no número de casos de doenças crônicas relacionadas a hábitos alimentares, como obesidade, diabetes, doenças cardiovasculares e câncer.[38]

Por que suspeitamos que haja uma ligação entre essas mudanças na alimentação e as doenças? Afinal, sociedades em rápida industrialização passam por muitas transformações. Como os cientistas conseguem analisar os efeitos de alimentos específicos? Para isolar as possíveis implicações de diferentes componentes da dieta, os pesquisadores podem acompanhar ao longo do tempo a alimentação e as doenças de grandes grupos de indivíduos. Tomemos, por exemplo, a carne. Para verificar o efeito que o aumento do consumo de carne pode ter nos índices de doenças, pesquisadores estudaram ex-vegetarianos. Pessoas que não ingeriam carne, mas que passaram a fazê-lo pelo menos uma vez por semana tiveram um aumento de 146% nas chances de ter alguma doença cardíaca, uma predisposição 152% maior a derrames, uma elevação de 166% na tendência à diabetes e de 231% na expectativa de ganho de peso. Durante os doze anos posteriores à transição da dieta vegetariana para a onívora, o consumo de carne foi associado a uma redução de 3,6 anos na expectativa de vida.[39]

Contudo, até vegetarianos podem ter índices elevados de doença crônica se consumirem muitos alimentos processados. Tomemos a Índia como exemplo. Nesse país, os índices de diabetes, doenças cardíacas, obesidade e derrame aumentaram em uma velocidade muito maior do que se poderia esperar levando-se em conta um aumento relativamente pequeno no consumo de carne *per capita*. Isso foi atribuído à redução do "conteúdo de alimentos vegetais não processados de sua dieta", incluindo uma mudança do arroz integral para o branco e a substituição de alimentos básicos tradicionais da Índia — como lentilhas, frutas, legumes, verduras, grãos integrais, oleaginosas e sementes — por carboidratos refinados, lanches industrializados e produtos fast-food.[40] Em geral, a linha divisória entre alimentos promotores de saúde e alimentos promotores de doenças parece não ter tanta relação com o aumento do consumo de alimentos de origem animal em detrimento dos alimentos de origem vegetal, mas sim com o consumo de alimentos vegetais não processados — também chamados de integrais — *versus* a maioria de todas as outras coisas.

Com essa finalidade, foi desenvolvido um índice de qualidade de dieta que reflete em uma escala de zero a cem o percentual de calorias que as pessoas obtêm de alimentos vegetais não processados e ricos em nutrientes.[41] Quanto maior a pontuação do indivíduo, mais ele está propenso à perda de gordura corporal[42] e menores se tornam os riscos de sofrer de obesidade abdominal,[43] pressão arterial alta[44] e nível elevado de triglicerídeos.[45] Ao comparar as dietas de cem mulheres com câncer de mama com as de 175 mulheres saudáveis, pesquisadores concluíram que uma porcentagem mais alta de alimentos vegetais não processados no índice mencionado (maior que 30% em comparação a menos de 18%) pode reduzir em mais de 90% as chances de desenvolver câncer de mama.[46]

Infelizmente, a maioria dos americanos mal consegue passar de dez pontos. A dieta-padrão no país atinge onze pontos em cem. De acordo com estimativas do Departamento de Agricultura dos Estados Unidos, 32% de nossas calorias provêm de alimentos de origem animal, 57% de alimentos de origem vegetal processados e apenas 11% de grãos integrais, feijões, frutas, legumes, verduras e oleaginosas.[47] Isso significa que, em uma escala de um a dez, a dieta americana estaria em um.

Comemos quase como se o futuro não importasse. E, de fato, existem dados para sustentar tal afirmação. Um estudo intitulado "Death Row Nutrition: Curious Conclusions of Last Meals" ["Nutrição no corredor da morte: conclusões curiosas sobre as últimas refeições] analisou durante um período de cinco anos os pedidos de última refeição feitos por centenas de indivíduos a serem executados nos Estados Unidos. Revelou-se que os valores nutricionais dessas refeições não diferiam muito dos da alimentação habitual dos americanos.[48] Se continuarmos a comer como se estivéssemos saboreando nossa última refeição na vida, esta será servida bem antes do esperado.

Qual é o percentual de americanos que cumprem todas as sete recomendações da Associação Americana do Coração? Dos 1.933 homens e mulheres pesquisados, a maioria seguia duas ou três, porém dificilmente algum chegava às sete. Na verdade, um único indivíduo podia se gabar de cumprir todas as sete recomendações[49] — uma pessoa em quase duas mil. Como comentou um presidente recente da Associação Americana do Coração: "Isso deveria fazer com que todos nós parássemos para refletir por um momento."[50]

A verdade é que a adesão a apenas quatro das recomendações relativas a um estilo de vida saudável pode ter um forte impacto na prevenção de doenças crônicas: não fumar, não ser obeso, fazer meia hora de exercícios por dia e se alimentar de maneira mais saudável, o que é definido como consumir mais frutas, legumes, verduras e grãos integrais e menos carne. Verificou-se que essas quatro indicações respondem por 78% do risco de doença crônica. Se você começar do zero e conseguir cumprir todas as quatro, pode ser que elimine 90% do risco de desenvolver diabetes, mais de 80% do risco de ter um ataque cardíaco e 50% do risco de sofrer um derrame e reduza em mais de um terço o risco de câncer em geral.[51] Para alguns tipos de câncer, como o de cólon — o segundo câncer que mais mata —, parece que até 71% dos casos são evitáveis por meio de um rol semelhante de mudanças simples na dieta e no estilo de vida.[52]

Talvez seja a hora de pararmos de culpar a genética e focarmos os mais de 70% que estão diretamente sob nosso controle.[53] Nós temos o poder.

24 | COMER PARA NÃO MORRER

★ ★ ★

Será que todo esse estilo de vida saudável também se traduz em uma vida mais longa? Os Centros para Controle e Prevenção de Doenças (CDC, na sigla em inglês) acompanharam cerca de oito mil americanos com pelo menos vinte anos de idade durante seis anos. Foi verificado que três comportamentos fundamentais em seus estilos de vida exerciam um impacto enorme na mortalidade: as pessoas podem reduzir substancialmente seu risco de morte prematura se não fumarem, tiverem uma dieta mais saudável e realizarem atividades físicas o suficiente. E as definições dos CDC eram bem abrangentes. Por não fumar, os centros só queriam dizer não fumar *atualmente*. Uma "dieta saudável" era entendida apenas por estar entre os 40% que melhor cumprem as fracas diretrizes alimentares do governo federal. E "fisicamente ativo" significava uma média diária de pelo menos 21 minutos de exercícios moderados. Indivíduos que adotavam pelo menos *um* desses três comportamentos tinham um risco 40% menor de morrer naquele período de seis anos. Aqueles que adotavam dois dos três diminuíam em mais da metade as chances de morrer, e aqueles que adotavam todos os três comportamentos reduziam em 82% as chances de morrer nesse período.[54]

É claro que as pessoas às vezes mentem sobre a qualidade da sua alimentação. Quão precisas são essas informações se elas se baseiam nos relatos dos próprios participantes? Um estudo semelhante sobre comportamentos saudáveis e sobrevivência não colheu apenas informações dos próprios pesquisados sobre a qualidade de sua alimentação: os pesquisadores também mediram a concentração de vitamina C que os participantes tinham na corrente sanguínea — o nível dessa vitamina no sangue era considerado "um bom biomarcador de ingestão de alimentos vegetais" e, por isso, foi usado como um indicador de dieta saudável. As conclusões se sustentaram. A queda do risco de mortalidade entre aqueles que tinham hábitos mais saudáveis era equivalente a rejuvenescer quatorze anos[55] — é como voltar quatorze anos no tempo, mas não com um remédio ou uma máquina do tempo, apenas se alimentando e vivendo de forma mais saudável.

Falemos um pouco sobre envelhecimento. Em cada uma de suas células, você tem 46 filamentos de DNA enrolados formando cromossomos. Na ponta de cada cromossomo há uma capinha chamada telômero, que impede seu DNA de se desenrolar. Pense nele como as pontas de plástico dos cadarços de seus sapatos. No entanto, toda vez que suas células se dividem, um pedacinho dessa capa se perde. E, quando se perde o telômero por completo, suas células podem morrer.[56] Embora esta seja uma simplificação exagerada,[57] os telômeros são considerados o "pavio" de sua vida: eles começam a encurtar assim que você nasce e, quando eles acabam, sua vida também acaba. Na verdade, cientistas forenses podem pegar o DNA de uma mancha de sangue e fazer uma estimativa aproximada da idade que a pessoa tinha com base no comprimento dos telômeros.[58]

Isso parece material para uma boa cena de *CSI*, mas será que existe algo que você possa fazer para retardar o ritmo com que seu pavio queima? A ideia é que, se puder atrasar esse relógio celular, pode ser que consiga retardar o processo de envelhecimento e viver mais.[59] Então o que precisaria ser feito para evitar que a capinha do telômero queimasse? Bem, o hábito de fumar é associado à triplicação da velocidade de perda do telômero,[60] portanto o primeiro passo é simples: pare de fumar. Mas o que você come todos os dias também pode impactar a velocidade com que perde seus telômeros. O consumo de frutas,[61] legumes, verduras[62] e outros alimentos ricos em antioxidantes[63] foi associado a telômeros protetores mais longos. Em contrapartida, o consumo de grãos refinados,[64] refrigerante,[65] carne (incluindo peixe)[66] e laticínios[67] foi relacionado a telômeros encurtados. E se você tivesse uma dieta composta de vegetais não processados e mantivesse distância dos processados e de alimentos de origem animal? O envelhecimento celular poderia ser retardado?

A resposta está em uma enzima achada em Matusalém. Esse foi o nome dado a um pinheiro encontrado nas Montanhas Brancas da Califórnia que, na época, era o ser vivo mais antigo de que se tinha conhecimento e que agora deve estar perto de seu aniversário de 4.800 anos. Ele já tinha centenas de anos antes do início da construção das pirâmides do Egito. Há uma enzima nas raízes desse tipo de pinheiro que parece aumentar seu tempo de vida em alguns milhares de anos e que de fato reconstrói telômeros[68] — os cientistas lhe deram o nome de telomerase. Depois que descobriram o que deveriam procurar, os pesquisadores constataram que ela também está presente em células humanas. A questão, então, passou a ser: como podemos estimular a atividade dessa enzima que desafia o envelhecimento?

Em busca de respostas, um pesquisador pioneiro, o dr. Dean Ornish, juntou--se à dra. Elizabeth Blackburn, que recebeu o prêmio Nobel de Medicina em 2009 pela descoberta da telomerase. Em um estudo financiado parcialmente pelo Departamento de Defesa dos Estados Unidos, os dois descobriram que três meses de nutrição à base de vegetais e alimentos integrais e outras mudanças saudáveis poderiam estimular de modo significativo a atividade da telomerase. Esse foi o único experimento que já demonstrou tal resultado.[69] O artigo sobre a pesquisa foi publicado em uma das revistas médicas de maior prestígio do mundo. O editorial que o acompanhou concluiu que esse estudo decisivo "deveria encorajar as pessoas a adotar um estilo de vida saudável a fim de evitar ou combater o câncer e doenças relacionadas à idade".[70]

Então o dr. Ornish e a dra. Blackburn conseguiram retardar o envelhecimento com uma dieta e um estilo de vida saudáveis? Em um estudo de acompanhamento feito cinco anos depois do inicial e publicado recentemente, foram medidos os comprimentos dos telômeros dos participantes. No grupo de controle (o grupo dos que não mudaram o estilo de vida), os telômeros previsivelmente encolheram com a idade. Mas, no grupo de vida saudável, os telômeros não só encolheram menos como *cresceram*. Cinco anos depois, os telômeros estavam mais longos, em média, do que no início, sugerindo que um estilo de vida saudável pode estimular a atividade da enzima telomerase e *reverter* o envelhecimento celular.[71]

Pesquisas subsequentes mostraram que os telômeros não cresceram apenas porque o grupo de hábitos saudáveis estava se exercitando mais ou perdendo peso. A perda de peso por meio da restrição de calorias ou mesmo um programa de exercícios mais vigoroso não foram capazes de aumentar o comprimento dos telômeros, portanto parece que o ingrediente ativo é a qualidade, e não a quantidade, dos alimentos consumidos. Quando as pessoas continuaram com a mesma dieta de antes, parece que não teve importância o quanto suas porções eram pequenas, o quanto de peso elas perdiam ou mesmo o quanto elas se exercitavam; um ano depois, elas não viram nenhum benefício.[72] Em contrapartida, indivíduos com a dieta à base de vegetais fizeram metade da quantidade de exercícios, tiveram a mesma perda de peso apenas três meses depois[73] e alcançaram uma proteção significativa dos telômeros.[74] Em outras palavras, não foi a perda de peso nem os exercícios que reverteram o envelhecimento celular, foi a comida.

Algumas pessoas temiam que o estímulo à atividade da telomerase poderia em teoria aumentar o risco de câncer, pois se sabe que tumores sequestram a enzima telomerase e a usam para assegurar a própria imortalidade.[75] Entretanto, como será visto no Capítulo 13, o dr. Ornish e seus colegas usaram a mesma dieta e mudanças no estilo de vida para conter e aparentemente *reverter* a progressão do câncer em certas circunstâncias. Além disso, será visto como a mesma dieta também pode reverter doenças cardíacas.

E as nossas principais causas de morte? Pelo que se constatou, uma dieta preponderantemente à base de vegetais pode ajudar a prevenir, tratar ou reverter *cada uma* de nossas quinze maiores causas de morte. Neste livro, percorrerei essa lista, com um capítulo sobre cada um dos itens a seguir:

INTRODUÇÃO | 27

MORTALIDADE NOS ESTADOS UNIDOS

		Mortes por ano
1.	Doença arterial coronariana[76]	375.000
2.	Doenças pulmonares (câncer de pulmão,[77] doença pulmonar obstrutiva crônica [DPOC] e asma)[78]	296.000
3.	Você vai se surpreender! (ver Capítulo 15)	225.000
4.	Doenças cerebrais (derrame[79] e Alzheimer[80])	214.000
5.	Câncer no aparelho digestivo (colorretal, de pâncreas e de esôfago)[81]	106.000
6.	Infecções (respiratória e sanguínea)[82]	95.000
7.	Diabetes[83]	76.000
8.	Hipertensão arterial[84]	65.000
9.	Doenças hepáticas (cirrose e câncer)[85]	60.000
10.	Câncer hematológico (leucemia, linfoma e mieloma)[86]	56.000
11.	Doenças renais[87]	47.000
12.	Câncer de mama[88]	41.000
13.	Suicídio[89]	41.000
14.	Câncer de próstata[90]	28.000
15.	Doença de Parkinson[91]	25.000

Não há dúvidas de que os medicamentos prescritos pelos médicos podem ajudar no caso de algumas dessas doenças. Por exemplo, você pode tomar estatinas para o colesterol a fim de diminuir o risco de sofrer um ataque cardíaco, engolir diferentes comprimidos e injetar insulina para diabetes e tomar um monte de diuréticos e outros remédios contra hipertensão, mas existe apenas uma dieta unificadora que pode ajudar a prevenir, deter ou até reverter todas essas causas de morte. Ao contrário dos medicamentos, não há diferença entre uma dieta para o funcionamento ideal do fígado e outra para um melhor desempenho dos rins; uma dieta saudável para o coração é saudável para o cérebro e para o pulmão; a que ajuda a prevenir o câncer vem a ser a *mesma* que pode prevenir o diabetes tipo 2 e todas as outras causas de morte da lista das quinze principais. Diferentemente dos remédios — que só têm como alvo funções específicas, podem ter efeitos colaterais perigosos e tratar apenas os sintomas da doença —, uma dieta saudável pode beneficiar todos os sistemas orgânicos de uma vez, tem efeitos colaterais *bons* e pode tratar a causa subjacente da enfermidade.

A dieta unificadora que melhor previne e trata muitas dessas doenças crônicas é uma à base de vegetais e alimentos integrais, definida como um modelo de nutrição que incentiva o consumo de alimentos vegetais não refinados e desencoraja o de carnes, laticínios, ovos e alimentos processados.[92] Neste livro, não defendo uma dieta vegetariana ou vegana. Defendo uma dieta que tem como base evidências científicas, e a melhor análise dos dados que temos atualmente sugere que, quanto mais alimentos vegetais integrais comermos, melhor; tanto para obter seus benefícios nutritivos quanto para substituir opções menos saudáveis.

A maioria das consultas a médicos é motivada por doenças relacionadas ao estilo de vida do paciente, o que significa que são doenças que podem ser prevenidas.[93] Como médicos, eu e meus colegas não fomos treinados para tratar a raiz do problema, mas as consequências por meio de uma quantidade de medicamentos suficiente para uma vida inteira e que tratam apenas os fatores de risco, como pressão arterial alta, taxas glicêmicas altas e colesterol alto. Essa abordagem tem sido comparada a secar o chão em torno de uma pia que está transbordando em vez de simplesmente fechar a torneira.[94] As empresas farmacêuticas estão mais do que felizes por vender para você um novo rolo de papel-toalha todos os dias pelo resto de sua vida enquanto a água continua a jorrar. Como explica o dr. Walter Willett, chefe do Departamento de Nutrição da faculdade de saúde pública da Universidade de Harvard: "O problema inerente é que a maioria das estratégias farmacológicas nos países ocidentais não se dedica às causas subjacentes das doenças, que não são deficiências de medicamentos."[95]

Tratar a causa não apenas é mais seguro e barato como pode ter melhores resultados. Então por que não há mais colegas médicos fazendo isso? Não só os médicos não foram treinados para isso como não recebem por isso. Ninguém lucra com a medicina do estilo de vida (a não ser o paciente!), portanto esta não é uma vertente que recebe muita atenção nem na formação nem na prática médica.[96] Essa é simplesmente a forma como a estrutura atual funciona. O sistema médico é configurado para recompensar em termos financeiros a prescrição de remédios e procedimentos, e não a de produtos agrícolas. Depois de provar que a doença arterial coronária pode ser revertida sem medicamentos nem cirurgia, o dr. Ornish achou que seus estudos teriam um efeito significativo sobre as tradições das práticas médicas. Afinal, ele encontrou, com efeito, uma cura para o nosso assassino número um! Mas ele estava enganado — não sobre suas descobertas de fato importantes a respeito da alimentação e reversão de doenças, mas sobre quanta influência a parte comercial da medicina tem sobre a prática médica. Em suas próprias palavras, o dr. Ornish percebeu que "o reembolso é um determinante com muito mais poder na prática médica do que a pesquisa".[97]

Embora existam grupos interessados em lutar arduamente para manter o *status quo* — como as indústrias farmacêutica e a de alimentos processados —, há um setor corporativo que na verdade se beneficia ao manter as pessoas saudáveis: a indústria de seguros. A Kaiser Permanente, a maior operadora de planos de saúde dos Estados Unidos, publicou uma atualização nutricional para médicos em sua revista oficial, informando a seus quase quinze mil médicos que uma alimentação saudável pode ser "melhor alcançada com uma dieta à base de vegetais, o que definimos como um regime que incentiva o consumo de alimentos vegetais integrais e desencoraja o de carnes, laticínios e ovos, bem como o de todos os refinados e processados".[98]

"Muitas vezes os médicos ignoram os possíveis benefícios de uma boa nutrição e se apressam em prescrever medicamentos em vez de dar aos pacientes a oportunidade de se recuperar por meio de uma alimentação saudável e uma vida ativa [...] Os médicos deveriam considerar a recomendação de uma dieta à base de vegetais a todos os seus pacientes, sobretudo aqueles com hipertensão arterial, diabetes, doença cardiovascular ou obesidade."[99] Primeiro, os médicos deveriam dar aos pacientes uma chance de eles próprios se recuperarem por meio de uma nutrição à base de vegetais.

O principal aspecto negativo descrito pela atualização nutricional da Kaiser Permanente é que essa dieta pode funcionar um pouco bem demais. Se as pessoas passarem a ter dietas à base de vegetais enquanto ainda estão tomando medicamentos, a pressão sanguínea delas, ou a taxa glicêmica, pode cair tanto que os médicos teriam que ajustar os medicamentos ou cortá-los por completo. Ironicamente, o "efeito colateral" da dieta pode ser não ter mais que tomar remédios. O artigo termina com um mantra familiar: são necessárias mais pesquisas. Contudo, nesse caso: "são necessárias mais pesquisas para encontrar maneiras de tornar dietas à base de vegetais o novo padrão..."[100]

Estamos distantes da previsão feita por Thomas Edison em 1903, porém minha esperança é a de que este livro possa ajudar você a entender que a maioria das principais causas de morte e invalidez é mais evitável do que inevitável. O motivo primordial pelo qual as doenças são repassadas na família de geração em geração pode ser o fato de que as *dietas* tendem a ser repassadas de geração em geração.

No que se refere à maioria das principais causas de morte, fatores não genéticos como a dieta podem responder por pelo menos 80% a 90% dos casos. Conforme observei anteriormente, isso se baseia no fato de que os índices de doença cardiovascular e dos principais tipos de câncer diferem de cinco a cem vezes ao redor do mundo. Estudos sobre migração mostram que não se trata apenas de genética: quando as pessoas se mudam de áreas de baixo risco para outras de alto risco, a probabilidade da doença quase sempre aumenta muito, igualando-se à do novo ambiente.[101] Além disso, mudanças radicais em índices de doenças dentro de uma única geração evidenciam a primazia de fatores externos. A mortalidade por câncer de cólon no Japão nos anos 1950 era inferior a um quinto da observada nos Estados Unidos (incluindo americanos de ascendência japonesa).[102] Mas agora os índices de câncer no Japão são tão ruins quanto os nos Estados Unidos, um crescimento atribuído, em parte, a um aumento de cinco vezes no consumo de carne.[103]

Pesquisas nos mostram que gêmeos idênticos separados no nascimento terão doenças diferentes de acordo com os hábitos de cada um deles. Um estudo recente financiado pela Associação Americana do Coração comparou os estilos de vida e as artérias de quase quinhentos gêmeos. Constatou-se que fatores relacionados à dieta e ao estilo de vida adotados claramente superavam os genéticos.[104] Você compartilha 50% dos genes com seu pai e os outros 50%, com sua mãe, portanto, se um dos dois sofre um ataque cardíaco, você sabe que herdou parte dessa suscetibilidade. No entanto, mesmo entre gêmeos idênticos, que têm exatamente os mesmos genes, um deles pode morrer de forma prematura de ataque cardíaco e o outro pode ter uma vida longa e saudável com artérias limpas, dependendo do que come e de como vive. Mesmo que sua mãe *e* seu pai tenham sofrido de alguma doença cardíaca, seus hábitos alimentares podem levar você a ter um coração saudável — seu histórico familiar não precisa se tornar seu destino.

Não é pelo fato de ter nascido com genes ruins que você não possa efetivamente desligá-los. Como será mostrado nos capítulos sobre câncer de mama e doença de Alzheimer, mesmo que tenha nascido com um genótipo de alto risco, você tem um enorme controle sobre o destino de sua saúde. A epigenética, um novo campo da ciência que estuda esse controle da atividade dos genes, está em alta. As células da pele têm aparência e função muito diferentes das dos ossos, das do cérebro e das do coração, mas cada uma de nossas células tem o mesmo complemento de DNA. O que as faz agir de forma diferente é o fato de cada uma delas ter diferentes genes ligados ou desligados. Esse é o poder da epigenética. Mesmo DNA, mas resultados diferentes.

Vou dar um exemplo de como esse efeito pode ser impressionante. Pense em uma simples abelha. As rainhas e as operárias são geneticamente idênticas, porém as primeiras põem até dois mil ovos por dia, enquanto as operárias são funcionalmente estéreis. A abelha rainha vive até três anos; a operária pode viver apenas três semanas.[105] A diferença entre as duas é a dieta: quando a rainha da colmeia está morrendo, uma larva é apanhada por abelhas enfermeiras para ser alimentada com uma secreção chamada geleia real. Quando a larva come essa geleia, a ação da enzima que bloqueava a expressão dos genes reais é suspensa e uma nova abelha rainha emerge.[106] A rainha tem os mesmos genes de qualquer operária, mas, por causa do que ela comeu, diferentes genes agem e, como resultado, sua vida e sua expectativa de vida são alteradas de forma radical.

As células cancerosas podem usar a epigenética contra nós, silenciando os genes supressores de tumor, que, de outro modo, poderiam conter o câncer. Portanto, mesmo que você tenha nascido com genes bons, o câncer pode às vezes encontrar um jeito de fazer com que eles não atuem. Várias drogas de quimioterapia têm sido desenvolvidas para restaurar as defesas naturais do nosso corpo, porém seu uso tem sido limitado devido a sua elevada toxicidade.[107] Entretanto, diversos compostos químicos muito presentes no reino vegetal, inclusive em feijões, verduras e frutas vermelhas, parecem ter naturalmente o mesmo efeito.[108] Por exemplo, mostrou-se que pingar chá-verde em células de câncer de cólon, esôfago ou próstata reativa a ação de genes bloqueada pelo câncer.[109] E isso não foi demonstrado apenas em uma placa de Petri. Três horas após comermos uma xícara de broto de brócolis, a enzima usada pelo câncer para promover a diminuição de nossas defesas é suprimida na corrente sanguínea[110] em uma extensão igual ou maior à da enzima do agente de quimioterapia criado especificamente para esse propósito,[111] sem os efeitos colaterais tóxicos.[112]

E se tivéssemos uma dieta repleta de alimentos vegetais? No estudo "Gene Expression Modulation by Intervention with Nutrition and Lifestyle (GEMINAL)" [Modulação da expressão gênica através da intervenção na nutrição e no estilo de vida], o dr. Ornish e seus colegas fizeram biópsias em homens com câncer de próstata antes e depois de submetê-los a três meses de mudanças significativas no estilo de vida, incluindo uma dieta à base de vegetais e alimentos integrais. Sem qualquer quimioterapia ou radioterapia, foram observadas mudanças benéficas na expressão gênica de quinhentos genes distintos. Em apenas alguns meses, a expressão de genes que previnem doenças foi estimulada e oncogenes que promovem câncer de mama e de próstata foram suprimidos.[113] Qualquer que seja a herança genética que herdamos de nossos pais, aquilo que comemos pode afetar a interação desses genes com nossa saúde. O poder está principalmente em nossas mãos e em nossos pratos.

Este livro é dividido em duas partes: o "por quê" e o "como". Na Parte 1, a seção sobre "por que" se alimentar de maneira saudável, explorarei o papel que a dieta pode desempenhar na prevenção, no tratamento e na reversão das quinze principais causas de morte nos Estados Unidos. Na seção sobre "como" se alimentar de maneira saudável, apresentada na Parte 2, examinarei mais de perto os aspectos práticos de uma alimentação saudável. Por exemplo, veremos na Parte 1 *por que* os feijões e as verduras estão entre os alimentos mais saudáveis do planeta. Em seguida, na Parte 2, daremos uma olhada em *como* comê-los e qual é a melhor maneira de fazer isso: exploraremos questões como quantas verduras comer todos os dias e se elas são melhores cozidas, enlatadas, frescas ou congeladas. Veremos na Parte 1 por que é importante consumir pelo menos nove porções de frutas, legumes e verduras diariamente, e depois a Parte 2 ajudará você a decidir entre comprar produtos orgânicos ou convencionais. Tentarei responder a todas as perguntas comuns que recebo todos os dias e, em seguida, oferecer dicas condizentes com a realidade para fazer compras e planejar as refeições a fim de facilitar ao máximo que você e sua família se alimentem melhor.

Além de escrever mais livros, pretendo continuar ministrando palestras em faculdades de medicina e falando em hospitais e conferências por tanto tempo quanto puder. Continuarei tentando acender a centelha que, acima de tudo, levou meus colegas à profissão de curar: ajudar as pessoas a melhorarem. Faltam ferramentas no estojo de instrumentos de muitos médicos, faltam intervenções poderosas que possam fazer com que muitos de nossos pacientes fiquem bem de novo, em vez de apenas retardar o declínio deles. Continuarei trabalhando para tentar mudar o sistema, mas você, leitor, não precisa esperar. Você pode começar agora ao seguir as recomendações presentes em cada capítulo. Alimentar-se de maneira mais saudável é mais fácil do que você pensa, não é caro e pode salvar sua vida.

PARTE 1

PARTE 1

CAPÍTULO 1

Como não morrer de doenças cardíacas

Imagine se terroristas criassem um bioagente que se espalhasse impiedosamente, tirando a vida de quatrocentos mil americanos todos os anos. Isso equivale a uma pessoa a cada 83 segundos, sem trégua ou descanso, dia após dia, ano após ano. A pandemia seria sempre notícia de primeira página, estaria 24 horas no noticiário, todos os dias. Nós mobilizaríamos o Exército e reuniríamos as melhores mentes da medicina em uma sala a fim de descobrir uma cura para essa praga do bioterrorismo. Em suma, nada nos impediria até os criminosos serem detidos.

Felizmente, não estamos perdendo centenas de milhares de indivíduos por ano para uma ameaça que pode ser prevenida... ou estamos?

Na verdade, estamos. Essa arma biológica específica pode não ser um germe liberado por terroristas, porém mata mais americanos *anualmente* do que a soma de todas as nossas perdas em guerras passadas. Ela pode ser detida, mas não em um laboratório, e sim em nossas mercearias, cozinhas e salas de jantar. No que diz respeito às armas para combatê-la, não precisamos de vacinas nem de antibióticos. Um simples garfo resolve.

Então o que está acontecendo? Se essa epidemia está presente em uma escala tão grande e ainda assim pode ser evitada, por que não fazemos mais em relação a isso?

O assassino a que estou me referindo é a doença arterial coronariana, e ela está afetando quase todo mundo que é criado seguindo a dieta americana padrão.

Nosso principal assassino

O principal assassino nos Estados Unidos é um tipo diferente de terrorista: são depósitos de gordura nas paredes das artérias, chamados de placas ateroscleróticas.

Na maioria dos americanos criados à base da dieta convencional, essa placa se acumula dentro das artérias coronárias, os vasos sanguíneos que irrigam o coração e o abastecem com sangue rico em oxigênio. Essa formação de placa, conhecida como aterosclerose — das palavras gregas *athára* (papa feita com farinha) e *sklerós* (duro) —, provoca o enrijecimento das artérias por acúmulo de uma substância viscosa rica em colesterol e que se desenvolve na camada interna dos vasos sanguíneos. Esse processo ocorre ao longo de décadas, ocupando aos poucos o espaço dentro das artérias e estreitando o caminho por onde o sangue flui. Quando as pessoas tentam fazer algum esforço, a restrição da circulação sanguínea nas vias de acesso do coração pode acabar causando angina, que é uma dor no peito e a sensação de pressão na mesma região. Se a placa se rompe, pode se formar um coágulo de sangue dentro da artéria. Esse bloqueio repentino do fluxo sanguíneo pode causar o ataque cardíaco, danificando ou até matando parte do coração.

Quando você pensa em doença arterial coronariana, pode ser que venha à sua mente amigos ou entes queridos que sofreram durante anos com dor no peito e dificuldade respiratória antes de enfim sucumbirem. Entretanto, para a maioria dos americanos que morrem de repente desse mal, o primeiro sintoma pode ser o último.[1] Isso é chamado de "morte súbita por parada cardíaca" — é quando a morte ocorre uma hora depois do início do sintoma. Em outras palavras, pode ser que você só perceba que está em risco quando já for tarde demais. Pode estar se sentindo perfeitamente bem em um momento e falecer uma hora depois. Por isso, o crucial é prevenir a doença cardíaca antes mesmo de você de fato descobrir que a tem.

Meus pacientes com frequência me perguntavam: "A doença cardíaca não é uma consequência do envelhecimento?" Eu entendo o motivo desse equívoco comum. Afinal, dentro da média de expectativa de vida, o coração bate literalmente bilhões de vezes. Será que ele enguiça depois de um tempo? Não.

Um grande conjunto de evidências mostra que havia enormes áreas do mundo onde a epidemia da doença arterial coronariana não existia. Por exemplo, no famoso Projeto China-Cornell-Oxford (conhecido como o Estudo da China), pesquisadores investigaram os hábitos alimentares e a incidência de doenças crônicas entre centenas de milhares de moradores da parte rural da China. Por exemplo, na província de Guizhou, região que compreende meio milhão de pessoas, nem uma única morte entre homens com menos de 65 anos pôde ser atribuída à aterosclerose ao longo de três anos.[2]

Nos anos 1930 e 1940, médicos formados no Ocidente que trabalhavam em uma extensa rede de hospitais missionários na África subsaariana notaram que

COMO NÃO MORRER DE DOENÇAS CARDÍACAS | 37

muitas doenças crônicas que assolavam populações no chamado mundo desenvolvido estavam basicamente ausentes na maior parte daquele continente. Em Uganda, país com milhões de habitantes no leste da África, a doença arterial coronariana foi descrita como "quase inexistente".[3]

Mas será que os habitantes desses países estavam apenas morrendo prematuramente por causa de outras doenças, sem viver o bastante para desenvolver uma doença cardíaca? Não. Os médicos compararam autópsias de ugandenses com as de americanos que haviam morrido com a mesma idade. Descobriram que das 632 pessoas autopsiadas em Saint Louis, Missouri, 136 tinham morrido de ataque cardíaco. Mas e nos 632 ugandenses da mesma faixa etária? Um único ataque cardíaco. Comparada a dos americanos, a incidência de ataques cardíacos nos ugandenses era cem vezes menor. Os médicos ficaram tão impressionados que examinaram outras oitocentas mortes em Uganda. Entre os mais de 1.400 ugandenses que passaram por autópsia, os pesquisadores encontraram apenas um cadáver com uma pequena lesão curada no coração, o que significa que o ataque sequer foi fatal. Desde aquela época, a doença coronariana permanece como a principal causa de morte no mundo industrializado, enquanto no centro da África ela era tão rara que matava menos de um indivíduo em mil.[4]

Estudos sobre imigração mostram que essa resistência dos africanos à doença cardiovascular não é algo genético. Quando as pessoas se mudam de áreas de baixo risco para outras de alto risco, a incidência da doença dispara à medida que adotam os hábitos da dieta e de vida dos novos lares.[5] Os índices extraordinariamente baixos de doença cardíaca na China rural e em regiões da África foram atribuídos ao notável colesterol baixo dessas populações. Embora sejam bem diferentes entre si, a dieta chinesa e algumas dietas africanas têm pontos em comum: ambas são centradas em alimentos de origem vegetal, como grãos, legumes e verduras. Por ingerir tanta fibra e tão pouca gordura animal, a média de seus níveis de colesterol é inferior a 150 mg/dL,[6,7] semelhante à de pessoas com dietas contemporâneas à base de vegetais.[8]

Então, o que tudo isso significa? Significa que a doença cardíaca pode ser uma questão de escolha.

Se olhasse os dentes de pessoas que viveram mais de dez mil anos antes da invenção da escova de dentes, você notaria que elas não tinham quase nenhuma cárie.[9] Elas jamais passaram fio dental e, ainda assim, nada de cárie. Isso porque as barras de chocolate recheadas ainda não tinham sido inventadas. O motivo pelo qual as pessoas têm cáries hoje é o fato de o prazer que elas obtêm com quitutes açucarados compensar o custo e o desconforto da cadeira do dentista. Eu, sem dúvida, me permito esse agrado de vez em quando, pois tenho um bom plano odontológico! Mas e se, em vez da placa bacteriana em nossos dentes, estivermos falando da placa aterosclerótica se formando em nossas artérias? Já não estamos falando apenas de raspar o tártaro. Estamos falando de vida e morte.

A doença coronariana é a razão número um pela qual nós e nossos entes queridos morreremos. É claro que depende de cada um tomar as próprias decisões sobre o que comer e como viver, mas será que não deveríamos tentar fazer essas escolhas com consciência, procurando nos educar sobre as consequências previsíveis de nossas ações? Assim, da mesma forma que evitamos alimentos doces que apodrecem nossos dentes, podemos evitar a gordura trans, a gordura saturada e os alimentos cheios de colesterol, que entopem nossas artérias.

Vamos dar uma olhada na progressão da doença arterial coronariana ao longo da vida e aprender como escolhas alimentares simples, feitas em qualquer fase, podem prevenir, impedir e até revertê-la antes que seja tarde demais.

Óleo de peixe é balela?

Graças, em parte, à recomendação da Associação Americana do Coração de que indivíduos com grande risco de doença cardíaca conversem com seus médicos sobre suplemento de ômega-3 em óleo de peixe,[10] essas cápsulas se tornaram uma indústria de muitos bilhões de dólares. Hoje consumimos mais de cem mil toneladas de óleo de peixe todos os anos.[11]

Mas o que a ciência diz sobre o tema? Seriam os supostos benefícios da suplementação de óleo de peixe para a prevenção e o tratamento de doenças cardíacas apenas história de pescador? O *Journal of the American Medical Association* publicou uma revisão sistemática e metanálise dos melhores ensaios clínicos randomizados que estimaram os efeitos de gorduras ômega-3 sobre expectativa de vida, morte cardíaca, morte súbita, ataque cardíaco e derrame. Os estudos incluíam análises não apenas sobre suplementos de óleo de peixe, mas também sobre os efeitos de aconselhar as pessoas a consumir mais a substância. O que eles descobriram? Os pesquisadores não encontraram nenhum benefício quanto à proteção contra mortalidade em geral, mortalidade por doença cardíaca, morte súbita por parada cardíaca, ataque cardíaco ou derrame.[12]

E no caso de alguém que já teve um ataque cardíaco e está tentando prevenir outro? Também não foi constatado nenhum benefício.[13]

De onde tiramos essa ideia de que as gorduras ômega-3 nos peixes e os suplementos de óleo de peixe fazem bem? Havia uma crença de que os esquimós eram imunes às doenças cardíacas, porém isso se revelou um mito completo.[14] Contudo, alguns estudos iniciais pareciam promissores. Por exemplo, o famoso estudo DART, nos anos 1980, com dois mil homens, verificou que pessoas aconselhadas a comer peixes gordurosos tiveram uma redução de 29% na mortalidade.[15] Isso é impressionante e, portanto, não é de se admirar que a pesquisa tenha recebido muita atenção. No entanto, as pessoas parecem ter esquecido a sequência do estudo, o DART 2, que teve como resultado o exato oposto. Realizado pelo mesmo grupo de pesquisadores, o DART 2 foi um estudo ainda maior, com três mil homens, mas dessa vez os participantes aconselhados a tomar óleo de peixe e sobretudo aqueles que receberam cápsulas de óleo de peixe tiveram um *aumento* no risco de doenças cardíacas.[16, 17]

Depois de reunir todos os estudos, os pesquisadores concluíram que já não havia nenhuma justificativa para o uso de ômega-3 na prática clínica diária.[18] Então o que os médicos devem fazer quando os pacientes seguirem a orientação da Associação Americana do Coração e perguntarem sobre suplementos de óleo de peixe? Como explica o diretor de Lipídios e Metabolismo do Instituto Cardiovascular do Monte Sinai: "Devido a essa e outras metanálises negativas, nosso trabalho [como médicos] deve ser o de interromper a muito anunciada suplementação de óleo de peixe em todos os nossos pacientes [...]".[19]

A doença cardíaca começa na infância

Em 1953, um estudo publicado no *Journal of the American Medical Association* mudou radicalmente nossa compreensão sobre o desenvolvimento da doença arterial coronariana. Pesquisadores realizaram uma série de trezentas autópsias em baixas americanas da Guerra da Coreia, com uma média de idade em torno de 22 anos. Um dado que os surpreendeu foi o de que 77% dos soldados já apresentavam evidências visíveis de aterosclerose coronariana. Alguns até tinham artérias 90% bloqueadas ou mais.[20] O estudo "mostrou com clareza que mudanças ateroscleróticas aparecem nas artérias coronárias anos e décadas antes da idade em que a doença arterial coronariana (DAC) se torna um problema clinicamente reconhecido".[21]

Estudos posteriores com vítimas de morte acidental com idade entre três e 26 anos identificaram estrias lipídicas, o primeiro estágio da aterosclerose, em quase todas as crianças americanas de dez anos.[22] Quando chegamos aos vinte e aos trinta anos, essas estrias podem se desenvolver até se tornarem placas como as vistas nos jovens soldados americanos da Guerra da Coreia. E, quando alcançamos quarenta ou cinquenta anos, elas podem começar a nos matar.

Àqueles com mais de dez anos lendo isto, a pergunta não é se você quer ou não ter uma alimentação mais saudável para *prevenir* a doença arterial coronariana, mas se quer ou não *revertê-la*, pois é muito provável que já a tenha desenvolvido.

Com que idade estrias lipídicas começam a aparecer? A aterosclerose pode começar até antes do nascimento. Pesquisadores italianos examinaram as artérias de fetos espontaneamente abortados e recém-nascidos prematuros que morreram logo depois do parto. Constatou-se que as artérias de fetos cujas mães tinham níveis elevados de colesterol LDL apresentavam uma tendência maior a ter lesões arteriais.[23] Essa descoberta sugere que o início da aterosclerose pode se dar não apenas por um problema nutricional da infância, como também no período de gestação.

As grávidas evitarem fumar e beber álcool hoje já é lugar-comum. Também nunca é cedo demais para começar a se alimentar de maneira mais saudável para a próxima geração.

De acordo com William C. Roberts, editor-chefe da *American Journal of Cardiology*, o colesterol é o único fator crítico de risco para a formação da placa aterosclerótica — o colesterol LDL elevado em nosso sangue, mais especificamente.[24] De fato, o LDL é chamado de colesterol "ruim" por ser o veículo por meio do qual o colesterol é depositado em nossas artérias. Autópsias de milhares de jovens vítimas de acidentes mostraram que o nível de aterosclerose de suas artérias estava diretamente relacionado à quantidade de colesterol no sangue.[25] Para reduzir de modo expressivo os níveis de colesterol LDL, é necessário reduzir significativamente a ingestão de três coisas: a gordura trans, proveniente de alimentos processados e também natural na carne e nos laticínios; a gordura saturada, muito encontrada em produtos de origem animal e em junk-food; e, em menor extensão, o colesterol dietético, encontrado apenas em alimentos de origem animal, sobretudo em ovos.[26]

Notou um padrão aqui? Todas as três coisas que impulsionam o colesterol ruim — o fator de risco número um de nosso principal assassino — provêm da ingestão de produtos de origem animal e de junk-food processada. É possível que isso explique por que populações com dietas que tradicionalmente giram em torno de alimentos vegetais integrais permaneceram livres da epidemia de doença cardíaca.

"É o colesterol, seu estúpido!"

O dr. Roberts não apenas é editor-chefe da *American Journal of Cardiology* há mais de trinta anos como também é diretor-executivo do Baylor Heart and Vascular Institute, autor de mais de mil artigos científicos e de mais de uma dezena de livros sobre cardiologia. Ele é um especialista na área.

Em seu editorial "It's the Cholesterol, Stupid!" ["É o colesterol, seu estúpido!"], o dr. Roberts argumentou (conforme observado antes) que só existe um fator de risco verdadeiro para a doença arterial coronariana: o colesterol.[27] De acordo com ele, você pode ser obeso, diabético, sedentário e fumante e *ainda assim* não desenvolver aterosclerose, contanto que o nível de colesterol em seu sangue seja baixo o bastante.

O nível de colesterol LDL ideal é de provavelmente 50 mg/dL ou 70 mg/dL e, pelo que parece, quanto mais baixo, melhor. É esse o valor no sangue de um recém-nascido e que também é detectado em populações livres de doenças cardíacas. Em tentativas de reduzir o colesterol, é com esse valor que se interrompe a progressão da aterosclerose.[28] Um LDL em torno de 70 mg/dL corresponde a uma leitura de colesterol total em torno de 150 mg/dL, o nível abaixo do qual nenhuma morte por doença arterial coronariana foi relatada no famoso Estudo de Framingham — um projeto para identificação de fatores de doenças cardíacas que se estendeu por gerações.[29] Portanto, a meta da população deve ser um nível de colesterol inferior a 150 mg/dL. "Se esse objetivo fosse adotado", escreveu o dr. Roberts, "o grande flagelo do mundo ocidental basicamente seria eliminado."[30]

O colesterol médio nos Estados Unidos é muito mais elevado do que 150 mg/dL; está em torno de 200 mg/dL. Se o resultado de seu exame de sangue for um colesterol total de 200 mg/dL, seu médico talvez o tranquilize, falando que o nível está normal. Mas, em uma sociedade em que é normal morrer devido a doenças cardíacas, ter um nível de colesterol "normal" não deve ser uma boa coisa.

Para se tornar praticamente invulnerável a ataques cardíacos, é necessário ter um colesterol LDL abaixo de 70 mg/dL, pelo menos. Dr. Roberts observou que só há duas maneiras de conseguir isso em nossa população: submeter mais de cem milhões de americanos a uma vida inteira tomando medicamentos ou recomendar a todos eles uma dieta centrada em alimentos vegetais integrais.[31]

Portanto, a escolha está entre os remédios ou a dieta. Todos os planos de saúde cobrem estatinas para reduzir o colesterol, então por que mudar a dieta se você pode apenas engolir um comprimido diariamente pelo resto da vida?

Infelizmente, conforme será visto no Capítulo 5, esses remédios nem de longe funcionam como as pessoas pensam e, além disso, causam efeitos colaterais indesejáveis.

Quer batata frita com esse Lipitor?

O remédio Lipitor, uma estatina (atorvastatina) usada para reduzir o colesterol, tornou-se o mais vendido de todos os tempos, gerando mais de 140 bilhões de dólares em vendas globais.[32] Essa classe de drogas angariou tanto entusiasmo na comunidade médica que há boatos de que algumas autoridades da área da saúde americanas teriam defendido que fosse adicionada ao abastecimento público de água, como acontece com o fluoreto.[33] Uma revista de cardiologia chegou a dar a sugestão irônica de que restaurantes de fast-food oferecessem, além dos pacotinhos de ketchup, condimentos "McEstatina" para ajudar a neutralizar os efeitos das escolhas alimentares pouco saudáveis dos clientes.[34]

Para aqueles com alto risco de doença cardíaca que não querem ou não conseguem reduzir os níveis de colesterol naturalmente com mudanças na dieta, os benefícios das estatinas, em geral, sobrepõem os riscos. Contudo, tais drogas possuem, sim, efeitos colaterais, como o risco de danos hepáticos ou musculares. Alguns médicos pedem exames de sangue regulares a pacientes que tomam esses remédios justamente porque precisam monitorar a toxicidade do fígado. Também é possível constatar no sangue a presença de produtos da degradação muscular, porém biópsias revelam que usuários dessas drogas apresentam evidências de lesões musculares mesmo sem exibir nenhum sintoma de dor ou fraqueza muscular e sem indícios disso nos exames de sangue.[35] O declínio da força e do desempenho musculares, às vezes, associado a esses medicamentos pode não soar como algo relevante para indivíduos mais jovens, mas eles podem expor os idosos a um risco maior de queda e de lesão.[36]

Outras preocupações surgiram recentemente. Em 2012, a Food and Drug Administration (FDA), a agência de vigilância sanitária dos Estados Unidos, anunciou novos rótulos de segurança obrigatórios em estatinas para advertir médicos e pacientes sobre os potenciais efeitos colaterais relacionados ao cérebro, como perda de memória e confusão mental. Essa classe medicamentosa também parecia aumentar o risco de desenvolvimento de diabetes.[37] Em 2013, um estudo com vários milhares de pacientes com câncer de mama relatou que o uso prolongado desses remédios também pode duplicar o risco de câncer de mama invasivo em mulheres.[38] A maior causa de mortes de mulheres é a doença cardíaca, não o câncer, portanto os benefícios das estatinas podem ainda superar os riscos, mas por que aceitar um risco se é possível baixar o colesterol naturalmente?

Tem sido demonstrado que dietas à base de vegetais reduzem o colesterol com tanta eficiência quanto estatinas de primeira linha, mas sem os riscos.[39] Na verdade, os "efeitos colaterais" de uma alimentação saudável tendem a ser bons: a *proteção* do fígado e do cérebro e *menos* risco de câncer e diabetes, como será explorado ao longo deste livro.

Doença arterial coronariana é reversível

Nunca é cedo demais para começar a se alimentar de maneira saudável, mas poderia ser tarde demais? Pioneiros da medicina do estilo de vida como Nathan Pritikin, Dean Ornish e Caldwell Esselstyn Jr. acolheram pacientes com doença cardíaca avançada e os submeteram à dieta à base de vegetais seguida por populações asiáticas e africanas nas quais doenças cardíacas não eram epidêmicas. A esperança deles era a de que uma alimentação saudável o bastante interrompesse o processo da enfermidade e impedisse seu progresso.

Mas, em vez disso, algo milagroso aconteceu.

A doença arterial coronariana de seus pacientes começou a retroceder. Eles estavam *melhorando*. Assim que eles interromperam a dieta entupidora de artérias, seus corpos conseguiram dissolver parte das placas formadas. Artérias foram desobstruídas sem remédios ou cirurgia, mesmo em alguns casos de pacientes com lesões em três artérias coronárias. Isso sugere que seus corpos o tempo todo queriam se curar, porém nunca haviam tido a chance.[40]

Vou lhe contar o que tem sido chamado de "o segredo mais bem guardado da medicina":[41] em condições apropriadas, o corpo se cura. Se você bate a canela com força em uma mesa de centro, essa parte da perna pode ficar vermelha, inchada e dolorida, mas ela vai curar naturalmente se você aguardar enquanto o corpo opera sua mágica. E se você continuar batendo o mesmo local do corpo três vezes por dia, digamos, no café da manhã, no almoço e no jantar? Aí ele nunca será curado.

Você poderia ir ao médico e reclamar que sua canela está doendo. "Sem problema", diria ele, sacando um receituário para prescrever analgésicos. Você voltaria para casa, ainda batendo a canela três vezes por dia, mas os comprimidos para dor fariam com que se sentisse *muito* melhor. Ainda bem que a medicina moderna existe! É isso que acontece quando as pessoas tomam nitroglicerina para dor no peito. A medicina pode oferecer um alívio tremendo, porém não está fazendo nada para tratar a causa subjacente.

Seu corpo deseja recuperar a saúde, mas você precisa permitir que isso aconteça. Caso continue se machucando três vezes por dia, o processo de cura é interrompido. Pense no cigarro e no risco de câncer de pulmão: uma das coisas mais incríveis que aprendi na faculdade de medicina é que, quinze anos depois de parar de fumar, seu risco de desenvolver câncer de pulmão se aproxima ao de alguém que passou a vida sem fumar.[42] Seus pulmões podem limpar todo o acúmulo de alcatrão e, com o tempo, é quase como se você nunca tivesse fumado.

Seu corpo quer ser saudável. E todas as noites de sua vida de fumante, quando você adormece, esse processo de cura é reiniciado até que... *bam!* — você acende o primeiro cigarro na manhã seguinte. Assim como pode ferir de novo seus pulmões a cada trago, pode ferir de novo suas artérias a cada mordida. Pode optar pela moderação e dar pancadas em si mesmo com um martelo *menor*, mas por que se ferir, para começo de conversa? Você pode optar por parar de se prejudicar, abandonar o caminho que está trilhando e deixar o processo de cura natural de seu corpo levá-lo de volta à saúde.

Endotoxinas comprometendo suas artérias

Dietas prejudiciais à saúde afetam não apenas a estrutura das artérias, como podem afetar também o seu funcionamento. As artérias não são apenas tubos inertes através dos quais o sangue flui — elas são dinâmicas, órgãos vivos. Sabemos há quase duas décadas que uma única refeição de fast-food — no estudo original foi usado o Sausage and Egg McMuffin, composto por pão, hambúrguer de salsicha, queijo e ovo — pode enrijecer as artérias em poucas horas, reduzindo à metade a capacidade delas de relaxar normalmente.[43] E, assim que esse estado inflamatório começa a diminuir, cinco òu seis horas depois... hora do lanche! Você pode dar outro golpe nelas com mais uma carga de comida nociva. Isso deixa muitos americanos presos em uma zona de perigo: a da inflamação crônica de baixa intensidade. Os danos internos causados por refeições que não são saudáveis se manifestam não apenas décadas depois, mas no aqui e agora, poucas horas depois da ingestão.

Quando o assunto começou a ser estudado, os pesquisadores culpavam a gordura animal ou a proteína animal, mas, nos últimos tempos, a atenção deles se voltou para toxinas bacterianas conhecidas como "endotoxinas". Certos alimentos, como as carnes, parecem abrigar bactérias que podem, vivas ou mortas, desencadear inflamações, mesmo quando o alimento é totalmente cozido. As endotoxinas não são destruídas por temperaturas de cozimento, suco

COMO NÃO MORRER DE DOENÇAS CARDÍACAS | 45

gástrico ou enzimas digestivas, portanto, depois de uma refeição de alimentos com base animal, elas podem acabar no seu intestino. Supõe-se que elas então sejam transportadas pela gordura saturada através da parede intestinal, chegando à corrente sanguínea, onde podem desencadear a reação inflamatória nas artérias.[44]

Isso pode ajudar a explicar a velocidade extraordinária com que o alívio sobrevém a pacientes cardíacos quando são submetidos a uma alimentação composta sobretudo de alimentos vegetais, incluindo frutas, legumes, verduras, grãos integrais e feijões. O dr. Ornish relatou uma redução de 91% em ataques de angina em pacientes submetidos a uma dieta à base de plantas acompanhada de[45] ou sem[46] exercícios físicos, isso apenas algumas semanas após o início do tratamento. Essa rápida resolução da dor no peito ocorreu bem antes de o corpo poder remover as placas das artérias, sugerindo que as dietas à base de vegetais não apenas ajudam a limpar as artérias como também melhoram as funções desempenhadas por elas diariamente. Em contraste, os pacientes do grupo de controle, que foram orientados a seguir os conselhos de seus médicos, tiveram um *aumento* de 186% nos ataques de angina.[47] Não surpreende que o estado deles tenha piorado, considerando que mantiveram a dieta que comprometia seu sistema vascular.

Há décadas temos conhecimento do intenso poder das mudanças alimentares. Por exemplo, foi publicado na *American Heart Journal* em 1977 um estudo intitulado "Angina and Vegan Diet" ["Angina e dieta vegana"]. As dietas veganas são exclusivamente à base de vegetais, abolindo a carne, os laticínios e os ovos. Médicos descreveram casos como o do senhor F. W. (é comum usar iniciais para proteger o sigilo do paciente), um homem de 65 anos com uma angina tão grave que ele tinha de fazer pausas a cada nove ou dez passos, não conseguia nem andar até a caixa de correio de casa. Ele adotou uma dieta vegana e, dias depois, a dor havia diminuído. Ao que consta, após alguns meses ele estava subindo montanhas e sem dor.[48]

Você não está pronto para começar a se alimentar de maneira mais saudável? Bem, há uma nova classe de remédios para angina, como a ranolazina. Um executivo de uma empresa farmacêutica sugeriu que seu produto fosse usado por pessoas incapazes de "seguir as mudanças alimentares substanciais exigidas para adotar uma dieta vegana".[49] O medicamento custa mais de 2 mil dólares por ano, mas os efeitos colaterais são relativamente pequenos, e funciona... tecnicamente falando. Na dose mais alta, o Ranexa conseguiu prolongar a duração de exercícios em 33,5 segundos.[50] Mais de meio minuto! Não parece que quem escolher tomar o remédio estará subindo montanhas em um futuro próximo.

Castanha-do-pará para controlar o colesterol?

Será que uma única porção de castanha-do-pará pode reduzir os níveis de colesterol de modo mais rápido do que as estatinas e mantê-los baixos mesmo um mês após essa única ingestão?

Essa foi uma das descobertas mais loucas que já vi. Pesquisadores do Brasil — de onde mais? — serviram a dez homens e mulheres uma única refeição, a qual continha de uma a oito castanhas-do-pará. Em comparação ao grupo de controle que não comeu nenhuma castanha, uma simples porção de quatro castanhas-do-pará surpreendentemente melhorou os níveis de colesterol quase na mesma hora. Os níveis de LDL, conhecido como colesterol "ruim", estavam mais baixos em espantosos vinte pontos apenas nove horas após a ingestão das castanhas-do-pará.[51] Nem mesmo remédios são capazes de agir tão depressa.[52]

Eis a parte de fato insana da pesquisa: os pesquisadores voltaram e mediram o nível de colesterol dos participantes do estudo trinta dias depois. Mesmo um mês após comer uma única porção de castanhas-do-pará, seus níveis de colesterol se mantiveram baixos.

Em geral, quando um estudo surge na literatura médica mostrando algum resultado como esse — bom demais para ser verdade —, os médicos esperam para ver os resultados se repetirem antes de mudar a forma como praticam a medicina e de renovar as recomendações aos pacientes, ainda mais quando o estudo é feito com apenas dez indivíduos e quando as descobertas parecem incríveis demais para serem dignas de crédito. Entretanto, quando a intervenção é barata, fácil, inofensiva e saudável — estamos falando de quatro castanhas-do-pará por mês —, o ônus da prova, na minha opinião, é de algum modo revertido. Eu acho que a atitude razoável nesses casos é adotar esse hábito até que se prove o contrário.

Contudo, é melhor não consumir mais do que essa dose: as castanhas-do-pará são tão ricas no mineral selênio que comer quatro delas todo *dia* pode, na verdade, fazer com que você ultrapasse o limite diário tolerável de selênio. Entretanto, isso não é algo com o qual precise se preocupar se estiver comendo apenas quatro castanhas-do-pará por mês.

Siga o dinheiro

Pesquisas que mostram que a doença arterial coronariana pode ser revertida com uma dieta à base de vegetais — com ou sem outras mudanças relativas a um estilo de vida saudável — têm sido publicadas há décadas em algumas das revistas médicas mais prestigiadas do mundo. Por que essas notícias ainda não acarretaram mudanças nas políticas públicas?

Em 1977, a Comissão para Nutrição e Necessidades Humanas do Senado dos Estados Unidos tentou fazer exatamente isso. Conhecida como Comissão McGovern, ela lançou o *Dietary Goals for the United States* [Metas dietéticas para os Estados Unidos], um relatório que aconselhava os americanos a reduzir o consumo de alimentos de base animal e aumentar o daqueles à base de vegetais. Como recorda um dos fundadores do Departamento de Nutrição da Universidade de Harvard: "Os produtores de carne, leite e ovos ficaram muito chateados."[53] Um eufemismo. Sob pressão da indústria, não apenas o objetivo de "reduzir o consumo de carne" foi retirado do relatório, como a comissão de nutrição do Senado foi desfeita. Há boatos de que vários senadores proeminentes perderam disputas eleitorais por apoiarem o relatório.[54]

Em anos mais recentes, descobriu-se que muitos membros da Comissão Consultiva de Diretrizes Alimentares dos Estados Unidos tinham ligações financeiras com tudo, desde empresas de barras de chocolate recheado a entidades como o Council on Healthy Lifestyles, do McDonald's, e o Beverage Institute for Health and Wellness, da Coca-Cola. Uma integrante da comissão chegou a atuar como "lobista" para o fabricante de mistura para bolos Duncan Hines e depois como "lobista" oficial da Crisco antes de ajudar a escrever o documento oficial *Dietary Guidelines for Americans* [Diretrizes alimentares para os americanos].[55]

Como observou um comentarista na *Food and Drug Law Journal*, historicamente, os relatórios da Comissão Consultiva de Diretrizes Alimentares não continham:

> *[...] nenhuma discussão a respeito das pesquisas científicas sobre as consequências do consumo de carne para a saúde. Se de fato discutisse essas pesquisas, a comissão não conseguiria justificar sua recomendação de consumo de carne, uma vez que as pesquisas mostrariam que isso aumenta os riscos de doenças crônicas, ao contrário das resoluções das diretrizes. Assim, ao simplesmente ignorar as pesquisas, a comissão consegue chegar a uma conclusão que de outro modo pareceria imprópria.[56]*

E o que dizer dos médicos? Por que meus colegas não adotaram com entusiasmo essas pesquisas que demonstram o poder de uma nutrição saudável?

Infelizmente, a história da medicina tem muitos exemplos da sociedade médica rejeitando a precisão científica quando esta vai contra a sabedoria convencional predominante. Há até um nome para isso: "Efeito Tomate". A expressão foi cunhada na *Journal of the American Medical Association* em referência ao fato de que os tomates já foram considerados venenosos e evitados durante séculos na América do Norte, apesar da quantidade esmagadora de evidências indicando o contrário.[57]

É ruim o bastante que a maioria das faculdades de medicina nem sequer exija um único curso de nutrição,[58] mas é ainda pior quando organizações médicas importantes fazem *lobby* ativo *contra* um ensino melhor sobre nutrição para os médicos.[59] Quando cobraram o apoio da Academia Americana de Médicos de Família (AAFP, na sigla em inglês) para a educação de pacientes sobre uma alimentação saudável, na época em que a instituição foi repreendida por sua nova e orgulhosa relação corporativa com a Coca-Cola, um vice-presidente executivo da academia tentou reprimir os protestos explicando que a aliança tinha precedentes — afinal, eles já haviam tido relações com a PepsiCo e o McDonald's durante um tempo.[60] Mesmo antes disso, eles já haviam mantido ligações financeiras com Philip Morris, o fabricante de cigarros.[61]

Esse argumento não pareceu aplacar as críticas, então o executivo da AAFP citou a declaração da política da Associação Americana de Dietética [ADA, na sigla em inglês] de que "não há alimentos bons ou ruins, apenas dietas boas ou ruins". Não há alimentos ruins? É sério? A indústria de cigarros costumava difundir uma ideia semelhante: fumar em si não era ruim, apenas fumar "em excesso".[62] Parece familiar? Tudo com moderação.

A Associação Americana de Dietética, que produz uma série de fichas técnicas de nutrição com diretrizes para manter uma alimentação saudável, também tem suas próprias conexões com empresas. Quem escreve esses informativos? Fontes da indústria alimentícia pagam 20 mil dólares à associação por ficha técnica para participar explicitamente do processo de elaboração do material. Portanto, podemos aprender sobre ovos com a American Egg Board, do setor produtor de ovos, e sobre os benefícios dos chicletes com o Wrigley Science Institute, instituto da empresa homônima produtora de goma de mascar.[63]

Em 2012, a Associação Americana de Dietética mudou seu nome para Academia de Nutrição e Dietética, mas parece que suas políticas permaneceram inalteradas. A instituição ainda recebe milhões de dólares todo ano de empresas de junk-food, carne, laticínios, refrigerante e barras de chocolate. Em troca, a academia lhes permite oferecer seminários educativos oficiais para instruir dietistas sobre o que dizer a seus clientes.[64] Quando você vê o título "dietista registrado", é nesse grupo que ele está registrado. Felizmente, um movimento dentro da comunidade de dietistas americanos — exemplificado pela formação da organização Dietitians for Professional Integrity [Dietistas pela Integridade Profissional] — começou a se opor a essa tendência.

Mas e os médicos enquanto indivíduos? Por que todos os meus colegas não estão dizendo aos pacientes para suspender os lanches em cadeias de fast-food? Não ter tempo suficiente durante as consultas é uma desculpa comum citada pelos médicos, mas a justificativa mais citada por eles como razão para não indicar uma alimentação mais saudável a pacientes com colesterol alto é por acreditarem que estes podem "temer privações relacionadas a conselhos alimentares".[65] Em outras palavras, os médicos percebem que os pacientes se sentiriam privados de toda a junk-food que estão comendo. Você consegue imaginar um médico dizendo "É, eu gostaria de dizer a meus pacientes para pararem de fumar, mas sei o quanto eles adoram isso"?

O dr. Neal Barnard, presidente da Comissão de Médicos para Medicina Responsável, escreveu um editorial contundente para a revista de ética da Associação Médica Americana sobre como os médicos deixaram de ser espectadores — sem ter participação ativa —, ou mesmo estimuladores, do hábito de fumar para liderarem a luta contra o tabaco. Os médicos perceberam que eram mais eficientes ao aconselhar os pacientes a deixar o cigarro quando eles próprios já não tinham mais manchas de tabaco nos dedos.

Hoje, diz o dr. Barnard, "as dietas à base de vegetais são o equivalente nutricional a parar de fumar".[66]

CAPÍTULO 2

Como não morrer de doenças pulmonares

A pior morte que já testemunhei foi causada por câncer de pulmão. Eu estava fazendo a residência médica em um hospital público em Boston. Evidentemente, pessoas morrendo atrás das grades é algo ruim para as estatísticas das prisões; por isso, os detentos com doenças terminais eram encaminhados ao hospital onde eu trabalhava para passar os últimos dias, mesmo não havendo muito a ser feito.

Era verão, e a ala dos prisioneiros não tinha ar-condicionado — pelo menos não para eles. Nós, médicos, podíamos nos refugiar nos confins resfriados do posto de enfermagem, mas os presos, algemados às camas, jaziam prostrados em meio ao calor do último andar do prédio alto de tijolos. Quando eram conduzidos pelo corredor diante de nós, seus tornozelos unidos por uma corrente deixavam para trás um rastro de suor.

Na noite em que o homem morreu, eu estava em um de meus plantões de 36 horas. Na época, tínhamos uma carga horária de trabalho de 117 horas semanais. É incrível que as mortes não tenham sido por culpa nossa. Durante a noite, éramos apenas dois: eu e um médico que tinha dois empregos e preferia dormir em vez de fazer por merecer o salário de 1.000 dólares. Então, a maior parte do tempo eu ficava por conta própria para cuidar de centenas de pacientes ali, alguns deles os mais doentes entre os doentes. Foi em uma dessas noites que, atordoado por causa das poucas horas de sono, fui chamado.

Até então, todas as mortes que eu tinha presenciado eram aquelas em que os pacientes ou faleciam ao chegar ao hospital, ou morriam durante paradas cardíacas, enquanto tentávamos desesperadamente — e quase sempre sem êxito — ressuscitá-los.

COMO NÃO MORRER DE DOENÇAS PULMONARES | 51

Mas aquele homem era diferente.

Estava com os olhos arregalados, ofegante, as mãos algemadas e agarrando-se à cama. O câncer estava enchendo seus pulmões de líquido. Ele estava sendo afogado pelo câncer de pulmão.

Enquanto ele se debatia implorando em desespero, minha mente estava no modo médico, concentrada em protocolos e procedimentos, porém não havia muito a ser feito. O homem precisava de morfina, mas a substância era mantida no outro lado da ala. Ou seja, não daria tempo de me deslocar até lá para pegar a droga, muito menos de voltar com ela até o paciente. Eu não era popular no andar da prisão. Certa vez, denunciei um guarda por bater em um preso doente e fui recompensado com ameaças de morte. Não havia jeito de me deixarem passar pelos portões com a rapidez necessária. Implorei à enfermeira para tentar pegar o remédio, mas ela não voltou a tempo.

A tosse do homem se tornou um gargarejo. "Vai ficar tudo bem", eu disse. Na mesma hora, pensei: "Que coisa estúpida para dizer a alguém que está morrendo asfixiado." Mais uma figura de autoridade sendo condescendente ao acrescentar uma nova mentira à lista de todas as que já tinham lhe contado ao longo da vida. Impotente, abandonei a postura de médico e a substituí pelo lado humano. Peguei sua mão, e ele agarrou a minha com toda a força, puxando-me para perto do rosto riscado de lágrimas, tomado de pânico. "Estou aqui. Bem aqui", falei. Nós dois mantivemos contato visual enquanto ele sufocava bem na minha frente. Eu me senti como se estivesse vendo alguém sendo torturado até a morte.

Respire fundo. Agora imagine como seria não conseguir respirar. Todos nós precisamos cuidar de nossos pulmões.

As doenças pulmonares ocupam o segundo lugar do ranking de causas de morte nos Estados Unidos e são responsáveis por tirar trezentas mil vidas a cada ano. E, assim como o principal assassino do país, a doença cardíaca, elas são em grande medida preveníveis. As doenças pulmonares se manifestam de muitas formas, porém os três tipos que mais matam são o câncer de pulmão, a doença pulmonar obstrutiva crônica (DPOC) e a asma.

O câncer de pulmão é o câncer que mais mata americanos. A maioria das 160 mil mortes que acontecem todos os anos por esse tipo de câncer é resultado direto do hábito de fumar. Entretanto, uma dieta saudável pode ajudar a mitigar os efeitos negativos que o tabaco causa no DNA, bem como ajudar a impedir que a doença se espalhe.

A DPOC mata cerca de 140 mil pessoas por ano, seja por causa dos danos às paredes de pequenos sacos de ar que existem nos pulmões (enfisema), seja devido às vias aéreas inflamadas e espessadas, obstruídas por um muco denso (bronquite crônica). Embora não haja cura para as cicatrizes pulmonares permanentes causadas pela DPOC, uma dieta rica em frutas, legumes e verduras pode ajudar a retardar a progressão da enfermidade e melhorar o funcionamento dos pulmões para os cerca de treze milhões de vítimas da doença.

Por fim, a asma, responsável por tirar três mil vidas a cada ano, é uma das doenças crônicas mais comuns entre crianças, ainda que possa ser largamente evitada com uma dieta mais saudável. Pesquisas sugerem que mais algumas porções diárias de frutas, legumes e verduras podem reduzir tanto o número de casos de asma durante a infância quanto o de crises de asma entre pessoas portadoras da doença.

CÂNCER DE PULMÃO

São diagnosticados cerca de 220 mil casos anuais de câncer de pulmão nos Estados Unidos. Nesse mesmo período, a doença causa mais mortes do que a soma desses três outros tipos de câncer: o de cólon, o de mama e o de pâncreas.[1] Sempre há quase quatrocentos mil americanos vivendo sob a nuvem sombria do câncer de pulmão.[2] Diferentemente da doença cardíaca, que ainda precisa ser reconhecida como resultado direto de uma dieta entupidora de artérias, há um amplo reconhecimento de que o tabaco é, de longe, a causa mais comum do câncer de pulmão. De acordo com a Associação Americana de Pulmão, fumar tabaco contribui para até 90% de todas as mortes por câncer de pulmão. Os homens fumantes têm uma probabilidade 23 vezes maior — e as mulheres, treze vezes maior — de desenvolver câncer de pulmão do que os não fumantes. E os fumantes não estão apenas prejudicando a si mesmos; a cada ano milhares de mortes têm sido atribuídas a pessoas que se encaixam na categoria de fumante passivo. Os não fumantes têm um risco de 20% a 30% maior de desenvolver câncer de pulmão quando se submetem com frequência à fumaça de cigarro.[3]

As advertências em maços de cigarro estão em toda parte agora, mas durante muito tempo a conexão entre o hábito de fumar e o câncer de pulmão foi omitida por poderosos grupos de interesse — assim como hoje é omitida a maioria das conexões entre certos alimentos e outras importantes causas de morte. Por exemplo, na década de 1980, a Philip Morris, principal fabricante de cigarros dos Estados Unidos, lançou o notório Projeto Whitecoat. A corporação contratou médicos para publicar estudos redigidos por *ghost writers* com o objetivo de negar as associações entre o fumo passivo e casos de doenças pulmonares. Esses estudos selecionaram a dedo vários relatórios científicos para esconder e distorcer as evidências sobre os perigos de ser fumante passivo. Tal encobrimento, combinado às campanhas inteligentes de marketing da indústria de cigarro, que incluíam anúncios semelhantes a desenhos animados, ajudou a atrair gerações de americanos para os seus produtos.[4]

Se, apesar de todas as provas e advertências, você é fumante, o passo mais importante que pode dar é parar. Agora. Por favor. Os benefícios de largar o cigarro são imediatos. De acordo com a Sociedade Americana do Câncer, apenas vinte minutos depois de parar de fumar, seu ritmo cardíaco e sua pressão arterial caem. Em algumas semanas, sua circulação sanguínea e sua função pulmonar melhoram. Em alguns meses, as células varredoras — que ajudam a limpar os pulmões, removem o muco e reduzem o risco de infecção — voltam a crescer. E em um ano seu risco de sofrer de doença arterial coronariana relacionada ao hábito de fumar diminui pela metade em relação ao de quem continua fumando.[5] Conforme dito no Capítulo 1, o corpo humano possui uma capacidade milagrosa de se curar, contanto que não continuemos a feri-lo. Mudanças simples na alimentação podem ajudar a reverter os danos gerados pelos carcinógenos da fumaça de tabaco.

Abasteça-se de brócolis

Primeiro, é importante entender os efeitos tóxicos do cigarro nos pulmões. A fumaça de tabaco contém substâncias químicas que enfraquecem o sistema imunológico do corpo, tornando-o mais suscetível a doenças e prejudicando sua capacidade de destruir células cancerígenas. Ao mesmo tempo, a fumaça de tabaco pode danificar o DNA da célula, aumentando as chances de células do câncer se formarem e se desenvolverem.[6]

Para avaliar o poder das intervenções alimentares na prevenção de danos ao DNA, cientistas costumam estudar fumantes crônicos. Os pesquisadores reuniram um grupo de fumantes de longa data e pediram a eles que consumissem 25 vezes mais brócolis do que o americano médio — em outras palavras, um único talo por dia. Comparados a fumantes que evitaram os brócolis, os que comeram o alimento sofreram 41% menos mutações de DNA na corrente sanguínea durante dez dias. Isso teria ocorrido apenas porque os brócolis estimularam a atividade de enzimas desintoxicantes no fígado, o que ajudou a remover os carcinógenos antes que eles pudessem chegar às células dos fumantes? Não. Mesmo quando o DNA foi extraído dos corpos dos pacientes e exposto a uma conhecida substância química que o danifica, o material genético daqueles que se alimentaram com os brócolis mostrou danos significativamente menores, o que sugere que o consumo de legumes como o brócolis pode tornar o corpo mais resistente em um nível subcelular.[7]

Mas não pense que isso significa que a ingestão de um talo de brócolis antes de fumar um maço de Marlboro vermelho apagará por completo os efeitos cancerígenos da fumaça de cigarro. Não apagará. Contudo, enquanto você está tentando parar de fumar, verduras e legumes como brócolis, repolho e couve-flor podem ajudar a evitar mais danos.

É possível que os benefícios dos vegetais da família do brócolis (os crucíferos) não parem aí. Embora o câncer de mama seja o câncer mais comum entre as americanas, o câncer de pulmão é, na verdade, a principal causa de morte desse grupo. Cinco anos após o diagnóstico, cerca de 85% das mulheres com câncer de mama não sucumbiram à doença, porém os números se invertem quando se trata de câncer de pulmão: 85% das mulheres morrem em cinco anos após o diagnóstico de câncer de pulmão. Noventa por cento dessas mortes se devem à metástase, a disseminação do câncer para outras partes do corpo.[8]

Certos compostos presentes no brócolis podem ter o potencial de suprimir a disseminação metastática. Em um estudo de 2010, cientistas colocaram uma camada de células de câncer pulmonar humano em uma placa de Petri e abriram uma faixa no meio. Vinte e quatro horas depois, as células de câncer haviam voltado a crescer ali, e trinta horas depois a abertura havia sido completamente preenchida. No entanto, quando os cientistas pingaram alguns compostos de vegetais crucíferos nas células de câncer, o avanço foi retardado.[9] Pesquisas médicas ainda precisam confirmar se a ingestão de brócolis ajuda pacientes com câncer a viver por mais tempo, mas o bom das intervenções saudáveis na dieta é que elas não têm aspectos negativos e podem ser adicionadas a qualquer outro tratamento escolhido.

Cigarro *versus* couve

Pesquisadores descobriram que a couve — a hortaliça de cor verde-escura conhecida como a "rainha das verduras" — pode ajudar a controlar os níveis de colesterol. Eles selecionaram trinta homens com colesterol alto para que consumissem três ou quatro doses diárias de suco de couve durante três meses. Isso é como comer o equivalente a treze quilos de couve, a quantidade que o americano médio consome em um século. Então o que aconteceu? Os homens ficaram verdes e passaram a fazer fotossíntese?

Não. O que a couve fez foi reduzir substancialmente o colesterol ruim (LDL) e ainda estimular o colesterol bom (HDL)[10] na mesma medida que uma corrida de 480 quilômetros o faria.[11] Ao fim do estudo, a atividade antioxidante no sangue da maioria dos pacientes havia disparado. Mas, curiosamente, a atividade antioxidante de uma minoria permanecia baixa. Como era de se esperar, essa minoria era composta pelos fumantes. O que se supôs foi que os radicais livres criados pelo cigarro desempenharam um papel ativo, esgotando as substâncias antioxidantes do corpo. Quando o hábito de fumar anula os efeitos que oitocentas xícaras de couve podem ter de aumentar a produção de antioxidantes, você se dá conta de que é hora de largar o cigarro.

Cúrcuma e o bloqueio de carcinógenos

O tempero comum na Índia, o cúrcuma, que dá ao curry em pó a característica cor dourada, pode também prevenir alguns danos ao DNA causados pelo hábito de fumar. A partir de 1987, o Instituto Nacional do Câncer americano testou mais de mil substâncias diferentes para a atividade "quimiopreventiva" (relacionada à prevenção do surgimento do câncer). Apenas poucas dezenas delas se qualificaram nos ensaios clínicos, mas entre as mais promissoras está a curcumina, pigmento amarelo do cúrcuma.[12]

Os agentes quimiopreventivos podem ser classificados em subgrupos com base no estágio de desenvolvimento do câncer que ajudam a combater. Dois deles, os bloqueadores de carcinógenos e os antioxidantes, ajudam a prevenir o início do desencadeamento da mutação de DNA. Já os antiproliferativos atuam impedindo que tumores cresçam e se espalhem. A curcumina é especial porque parece pertencer a todos os três grupos, o que significa que pode ser capaz de prevenir e/ou impedir o crescimento de células de câncer.[13]

Pesquisadores estudaram os efeitos da curcumina na capacidade de vários carcinógenos em alterar o DNA e verificaram que ela era, de fato, um efetivo antimutagênico contra substâncias reconhecidamente cancerígenas.[14] Mas esses experimentos foram feitos *in vitro* — ou seja, em um tubo de ensaio em laboratório. Afinal, não seria ético expor humanos aos odiosos carcinógenos para observar se eles desenvolveriam câncer. Entretanto, alguém teve a brilhante ideia de encontrar um grupo de pessoas que já tinham, por escolha própria, carcinógenos correndo nas veias. Os fumantes!

Uma maneira de medir o nível de substâncias químicas causadoras de mutações no DNA no corpo é pingar uma amostra de urina em uma cultura de bactérias em placa de Petri. As bactérias, assim como todas as vidas na Terra, compartilham o DNA como uma linguagem genética comum. Como seria de esperar, os cientistas que fizeram esse experimento descobriram que a urina dos não fumantes causou muito menos mutações no DNA; afinal, eles tinham muito menos carcinógenos em seus sistemas. Mas, quando os fumantes consumiram cúrcuma, o índice de mutação no DNA caiu 38%.[15] Eles não receberam pílulas de cúrcuma; apenas ingeriram menos de uma colher de chá por dia do tempero comum que se encontra na mercearia. É claro que o cúrcuma não pode mitigar por completo os efeitos do cigarro. Mesmo depois de os participantes ingerirem cúrcuma durante um mês, a capacidade da urina dos fumantes de danificar o DNA ainda era superior à da urina dos não fumantes. Todavia, os fumantes que tornam o cúrcuma um alimento essencial de sua dieta podem ajudar a diminuir parte dos danos.

Os efeitos anticancerígenos da curcumina vão além da capacidade de prevenir mutações no DNA. Parece que ela também ajuda a regular a morte programada de células. As células do corpo humano são programadas para morrer naturalmente a fim de abrir espaço para novas células, por meio de um processo conhecido como apoptose (do grego *ptosis*, cair, e *apo*, separar). De certa forma, seu corpo está se reconstruindo a intervalos de meses[16] com o material de construção que você lhe fornece por meio da dieta. Algumas células, porém, ficam vivas mais tempo do que o ideal, mais especificamente, as células de câncer. De algum modo, por incapacitarem o próprio mecanismo de suicídio, elas não morrem quando deveriam. Como continuam a se desenvolver e se dividir, as células de câncer podem acabar formando tumores e se espalhar pelo corpo.

Mas como a curcumina afeta esse processo? Parece que ela tem a capacidade de reprogramar o mecanismo de autodestruição das células de câncer. Todas as células contêm os chamados receptores de morte, que desencadeiam a sequência de autodestruição, mas as de câncer podem inabilitar os próprios receptores de morte. No entanto, parece que a curcumina é capaz de reativá-los.[17] Ela também pode matar células de câncer diretamente, ao ativar "enzimas de execução" chamadas de caspases, as quais cortam em pedaços as proteínas das células, destruindo-as por dentro.[18] Ao contrário da maioria das drogas de quimioterapia, contra as quais as células de câncer podem desenvolver resistência com o passar do tempo, a curcumina afeta vários mecanismos de morte celular simultaneamente, tornando mais difícil para as células de câncer se protegerem da destruição.[19]

Verificou-se que a curcumina é eficiente contra diversas outras células de câncer *in vitro*, incluindo as de câncer de mama, cérebro, sangue, cólon, rins, fígado,

COMO NÃO MORRER DE DOENÇAS PULMONARES | 57

pulmão e pele. Por motivos não muito bem compreendidos, a curcumina parece não interferir em células não cancerosas.[20] Infelizmente, o cúrcuma ainda precisa ser examinado em estudos médicos para prevenção ou tratamento de câncer de pulmão, mas, como não há nenhum aspecto negativo em doses culinárias, minha sugestão é tentar encontrar formas de incorporar esse tempero em sua dieta. Há várias sugestões de como fazê-lo na Parte 2.

Fumaça indireta na alimentação

Apesar de a maior parte das incidências de câncer de pulmão ser atribuída ao hábito de fumar, cerca de um quarto de todos os casos ocorre em pessoas que nunca fumaram.[21] Embora uma parcela deles seja integrada por fumantes passivos, outra causa contribuidora pode ser um tipo diferente de fumaça com potencial carcinogênico: o vapor da fritura.

Quando uma gordura é aquecida para atingir a temperatura necessária de fritura, quer seja gordura animal ou vegetal — como banha de porco e os óleos para cozinhar, respectivamente —, substâncias químicas voláteis e tóxicas, com propriedades mutagênicas (capazes de causar mutações genéticas), são liberadas no ar.[22] Isso acontece antes mesmo de a temperatura de "ponto de fumaça" ser alcançada.[23] Se você frita alimentos em casa, uma boa ventilação na cozinha pode reduzir o risco de câncer de pulmão.[24]

O risco também pode depender do que está sendo fritado. Um estudo com mulheres na China verificou que fumantes que fritavam carne todos os dias mexendo-a depressa na frigideira tinham quase três vezes mais chances de ter câncer de pulmão quando comparadas às fumantes que fritavam outros alimentos da mesma forma diariamente.[25] Supôs-se que isso acontecia devido a um grupo de carcinógenos chamado aminas heterocíclicas. Elas são formadas quando o tecido muscular é submetido a temperaturas altas (ver Capítulo 11).

Pode ser difícil separar os efeitos da fumaça de carne dos efeitos de comer carne em si, mas um estudo recente com churrasco e grávidas tentou desemaranhá-los. Quando se grelha uma carne, produz-se hidrocarbonetos policíclicos aromáticos (HPAs), que estão entre os prováveis carcinógenos da fumaça de cigarro. Os pesquisadores descobriram não apenas que a ingestão de carne grelhada no terceiro trimestre da gravidez estava associada ao peso menor dos bebês ao nascerem, como também que as mães que eram expostas apenas à fumaça de carne tendiam a dar à luz bebês com déficit de peso. A exposição à fumaça de carne também estava associada a um tamanho de cabeça menor, um indicador do volume cerebral.[26] Estudos sobre poluição do ar sugerem que a exposição pré-natal a policíclicos pode acarretar efeitos adversos no futuro desenvolvimento cognitivo da criança (manifestado por um QI significativamente mais baixo, por exemplo).[27]

Até morar ao lado de um restaurante pode representar um perigo à saúde. Cientistas estimaram o risco de desenvolver algum câncer entre aqueles que residem perto de exaustores de restaurantes de culinária chinesa, americana e churrascarias. Embora a exposição à fumaça de fritura dos três tipos de restaurante resulte em níveis ameaçadores de HPAs, os estabelecimentos de culinária chinesa provaram ser os piores. Isso foi atribuído à quantidade de peixe que se cozinha,[28] pois constatou-se que a fumaça de peixe frito contém níveis altos de HPAs capazes de danificar o DNA de células pulmonares.[29] Devido ao alarmante risco de câncer, os pesquisadores concluíram que não seria seguro ficar perto do exaustor de um restaurante de culinária chinesa por mais de um ou dois dias por mês.[30]

E o aroma tentador de bacon chiando no fogo? A fumaça produzida pela fritura de bacon contém uma classe de carcinógenos chamadas nitrosaminas.[31] Embora toda carne possa liberar fumaça carcinogênica, as carnes processadas, como o bacon, podem ser as piores: um estudo acadêmico da Davis University of California verificou que a fumaça de bacon causa quatro vezes mais mutações de DNA do que a de hambúrguer frito a temperaturas semelhantes.[32]

E o bacon de tempeh? O tempeh é um produto fermentado, feito a partir da soja e usado para preparar uma série de substitutos para a carne. Pesquisadores compararam os efeitos mutagênicos no DNA decorrentes da fumaça de frituras de bacon, carne bovina e tempeh. A fumaça de bacon e a de hambúrguer eram mutagênicas, mas a de tempeh, não. Entretanto, comer alimentos fritos continua não sendo uma boa ideia. Apesar de nenhuma mudança no DNA ter sido detectada depois da exposição à fumaça de tempeh, o tempeh frito em si causou algumas mutações no DNA (embora em grau 45 vezes menor do que a carne bovina e 346 vezes menor do que o bacon). Os pesquisadores indicaram que essas descobertas poderiam explicar a maior incidência de doenças respiratórias e câncer de pulmão entre cozinheiros e a menor incidência em geral entre vegetarianos.[33]

Se você precisa estar em meio à fritura de bacon ou de ovos, seria mais seguro fazer isso no quintal com uma grelha. Estudos mostram que, em comparação ao preparo em uma área ao ar livre, o número de partículas depositadas nos pulmões aumenta em dez vezes em um ambiente fechado.[34]

DOENÇA PULMONAR OBSTRUTIVA CRÔNICA

A doença pulmonar obstrutiva crônica (DPOC), como o enfisema ou a bronquite crônica, é um distúrbio que dificulta a respiração e piora com o tempo. Além de falta de ar, pode provocar tosse violenta, produção excessiva de muco, chiado ao respirar e pressão no peito. A condição afeta mais de 24 milhões de americanos.[35]

O hábito de fumar é de longe a principal causa da DPOC, porém outros fatores podem contribuir, como a exposição prolongada a ar poluído. Infelizmente, não há cura para essa doença, mas há uma boa notícia: a dieta saudável pode ajudar a preveni-la e a impedir seu agravamento.

Dados de cinquenta anos atrás mostram que uma grande ingestão de frutas, legumes e verduras está, sem dúvida, associada a uma boa função pulmonar.[36] Apenas uma porção a mais de frutas todos os dias pode significar um risco 24% menor de morrer por DPOC.[37] Por outro lado, dois estudos parecidos das Universidades de Columbia e Harvard constataram que o consumo de carne curada — como bacon, mortadela, presunto, salsicha, linguiça e salame — pode aumentar o risco de DPOC.[38,39] Supôs-se que isso se devia aos conservantes de nitrito na carne, que podem imitar as propriedades de subprodutos de nitrito da fumaça de cigarro, prejudiciais aos pulmões.[40]

E se você já tem a doença? Será que os mesmos alimentos que parecem prevenir a DPOC podem ser usados para tratá-la? Nós não sabíamos a resposta até que um estudo decisivo foi publicado em 2010. Mais de cem pacientes com DPOC foram divididos de maneira aleatória em dois grupos: metade foi instruída a aumentar o consumo de frutas, legumes e verduras, enquanto o restante manteve a dieta normal. Durante os três anos seguintes, os participantes com dieta-padrão pioraram progressivamente, como esperado. Em contrapartida, a evolução da doença foi interrompida no grupo que consumiu mais frutas, legumes e verduras. Não apenas sua função pulmonar não piorou como na verdade *melhorou* um pouco. Os pesquisadores sugeriram que isso se devia a uma combinação dos efeitos antioxidantes e anti-inflamatórios das frutas, legumes e verduras, junto a uma potencial redução do consumo de carne, que se acredita agir como pró-oxidante.[41]

A questão é: uma dieta com mais alimentos vegetais não processados pode ajudar a prevenir essa grande causa de mortes e a impedir sua progressão.

ASMA

A asma é uma doença inflamatória caracterizada por recorrentes crises em que as vias aéreas se estreitam e incham, provocando falta de ar, chiado no peito e tosse. Pode começar em qualquer idade, mas em geral surge na infância, sendo uma das doenças crônicas mais comuns nessa faixa etária. A prevalência da asma tem aumentado a cada ano,[42] com 25 milhões de pessoas sofrendo dessa condição nos Estados Unidos, das quais sete milhões são crianças.[43]

60 | COMER PARA NÃO MORRER

Um estudo pioneiro demonstrou recentemente que os índices de asma variam de forma radical pelo mundo. O Estudo Internacional de Asma e Alergias na Infância [ISAAC, na sigla em inglês] acompanhou mais de um milhão de pessoas em quase cem países, o que fez dele a pesquisa mais abrangente já realizada sobre essa doença. O estudo verificou uma discrepância de vinte a sessenta vezes na ocorrência de asma, alergias e eczema.[44] Por que a prevalência de rinoconjuntivite (coceira nos olhos e nariz escorrendo) varia de 1% em crianças de algumas áreas da Índia, por exemplo, a 45% em outros lugares?[45] Embora fatores como poluição do ar e índices de fumantes possam colaborar para este quadro, as associações mais relevantes não foram feitas com o que estava entrando nos pulmões, mas com o que estava entrando no estômago.[46]

Adolescentes que moravam em áreas onde se consome mais grãos, legumes, verduras, oleaginosas e alimentos com amido apresentaram uma tendência significativamente menor de exibir sintomas crônicos de dificuldade respiratória, rinoconjuntivite alérgica e eczema alérgico.[47] Meninos e meninas que comiam duas ou mais porções de legumes e verduras por dia pareciam ter apenas metade das chances de sofrer com asma alérgica.[48] Em geral, a prevalência de asma e sintomas de doenças respiratórias parece ser menor em populações que consomem mais alimentos de origem vegetal.[49]

Já os alimentos de origem animal têm sido associados a um risco maior de asma. Um estudo com mais de cem mil adultos na Índia verificou que os que comiam carne diariamente, ou mesmo de vez em quando, tinham uma tendência bem maior a sofrer de asma do que os que excluíam carne e ovos por completo da dieta.[50] O consumo de ovos (assim como o de refrigerantes) têm sido relacionado a crises de asma em crianças e a sintomas respiratórios como chiado respiratório, falta de ar e tosse induzida por exercícios.[51] Constatou-se que o banimento de ovos e laticínios da dieta melhora a função pulmonar de crianças em apenas oito semanas.[52]

O mecanismo pelo qual a dieta influi na inflamação das vias aéreas pode ter relação com a fina camada de líquido que constitui a interface entre o revestimento interno do sistema respiratório e o ar. Usando os antioxidantes obtidos por meio do consumo de frutas, legumes e verduras, esse líquido age como a primeira linha de defesa do organismo contra os radicais livres, que, na asma, contribuem para a hipersensibilidade e a contração das vias aéreas e para a produção de muco.[53] Subprodutos da oxidação podem ser medidos na expiração e são reduzidos de maneira expressiva pela adoção de uma dieta majoritariamente à base de vegetais.[54]

Então, se os asmáticos comem menos frutas, legumes e verduras, a função pulmonar deles deteriora? Pesquisadores da Austrália experimentaram retirar essas classes alimentares da dieta de pacientes com asma para ver o que acontecia. Em duas semanas, os sintomas da doença pioraram de modo significativo. Curiosamente, a alimentação

COMO NÃO MORRER DE DOENÇAS PULMONARES | 61

com poucas frutas, legumes e verduras usada no estudo — uma restrição a não mais do que uma porção de frutas e duas de legumes e verduras por dia — é típica de países ocidentais. Em outras palavras, a dieta que eles usaram no estudo para prejudicar a função pulmonar e piorar a asma dos participantes foi, de fato, a americana padrão.[55]

Que tal melhorar da asma ao ingerir mais frutas, legumes e verduras? Pesquisadores repetiram o experimento, mas, dessa vez, aumentaram o consumo desses alimentos para sete porções por dia. Esse simples ato de adicionar mais algumas frutas, legumes e verduras à rotina diária acabou reduzindo à metade o índice de agravamento da doença entre os participantes do estudo.[56] Esse é o poder de uma alimentação saudável.

Se o problema são os antioxidantes, por que não apenas tomar um suplemento de antioxidantes? Afinal, engolir um comprimido é mais fácil do que comer uma maçã. O motivo é simples: os suplementos aparentemente não funcionam. Estudos têm mostrado repetidamente que esse tipo de suplemento não tem nenhum efeito benéfico sobre doenças respiratórias ou alérgicas, o que enfatiza a importância de consumir alimentos integrais em vez de tentar tomar componentes isolados ou extratos em formato de comprimido.[57] Por exemplo, o Estudo de Saúde das Enfermeiras, de Harvard, verificou que as mulheres que obtinham altos níveis de vitamina E por meio de uma dieta rica em oleaginosas pareciam ter menos da metade do risco de ter asma das que não seguiam a mesma dieta, porém não foi constatado nenhum benefício nas que tomavam suplementos de vitamina E.[58]

Quem você acha que se saiu melhor: um grupo de pacientes com asma que consumiu sete porções diárias de frutas, legumes e verduras ou um grupo que consumiu três porções e ainda tomou quinze comprimidos, cada um "equivalente a uma porção"? Como era de esperar, os comprimidos não causaram nenhum efeito aparente. As melhorias na função pulmonar e no controle da asma só ficaram evidentes depois de os participantes aumentarem a ingestão de frutas, legumes e verduras *de verdade*, o que sugere fortemente que o consumo de alimentos integrais é a melhor opção.[59]

Se o acréscimo de algumas porções diárias de frutas, legumes e verduras pode ter um efeito tão significativo assim, o que aconteceria se pessoas que sofrem de asma fossem submetidas a uma dieta exclusivamente à base de vegetais? Pesquisadores na Suécia resolveram testar essa modalidade alimentar em um grupo de pacientes em estado grave de asma que não estavam se recuperando, mesmo após serem submetidos aos melhores tratamentos médicos. A amostra era composta por 35 pacientes com asma de longa data diagnosticada por médicos, vinte dos quais haviam sido hospitalizados devido a crises agudas nos dois anos anteriores. Um deles recebera um total de 23 infusões intravenosas emergenciais, outro relatou ter sido hospitalizado mais de cem vezes e um terceiro tivera parada cardíaca após uma crise e precisara ser reanimado e posto em um respirador.[60] Eram casos bem sérios.

Dos 24 pacientes que seguiram a dieta à base de vegetais, 70% melhoraram após quatro meses e 90% melhoraram em um ano. E todos eram indivíduos que, no ano anterior à mudança, não haviam obtido nenhum progresso.[61]

Depois de apenas um ano se alimentando de forma mais saudável, todos os pacientes, exceto dois, conseguiram reduzir as doses de remédio para asma ou abandonar por completo esteroides e outros medicamentos. Houve melhora de acordo com parâmetros objetivos, como função pulmonar e capacidade de esforço físico; ao mesmo tempo, subjetivamente, alguns pacientes relataram que sua melhora foi tão considerável que se sentiam como se "tivessem uma nova vida".[62]

Não houve grupo de controle, portanto o efeito placebo poderia explicar parte da melhora, mas o bom de uma dieta mais saudável é que só há efeitos colaterais positivos. Além da melhora no controle da asma, os participantes do estudo perderam em média oito quilos e seu colesterol e pressão sanguínea melhoraram. Portanto, no que se refere ao risco-benefício, não há dúvidas de que vale a pena tentar adotar uma dieta à base de vegetais.

As doenças pulmonares mais letais variam bastante quanto a manifestação e prognóstico. Conforme observado, o hábito de fumar é de longe a principal causa de câncer de pulmão e DPOC, porém, doenças como a asma se desenvolvem tipicamente durante a infância e podem estar associadas a uma série de fatores que contribuem para o quadro, como peso baixo ao nascer e infecções respiratórias frequentes. Embora largar o cigarro ainda seja a maneira mais efetiva de evitar os piores tipos de doença pulmonar, também é possível ajudar o corpo a reforçar suas defesas por meio de uma dieta rica em alimentos vegetais protetores. O mesmo tipo de dieta que parece auxiliar pacientes com asma em estado grave pode também ajudar a evitar a ocorrência de todas as três enfermidades.

Se você é um dos milhões de americanos que já sofre de doença pulmonar, largar o cigarro e mudar a dieta ainda podem fazer diferença. Nunca é tarde demais para começar a viver e comer de maneira mais saudável. O poder restaurador do corpo humano é impressionante, porém seu organismo precisa da sua ajuda. Ao comer alimentos que contêm compostos que combatem o câncer e ingerir bastante frutas, legumes e verduras ricos em antioxidantes, você pode fortalecer suas defesas e respirar com mais facilidade.

Ao atender pacientes, sempre que sinto que não disponho de tempo suficiente para conversar com eles sobre seu hábito de fumar ou sua alimentação ruim, eu paro e me lembro da morte horrível daquele homem em Boston. Ninguém merece morrer daquele jeito. Eu gostaria de acreditar que esse não precisa ser o destino de ninguém.

CAPÍTULO 3

Como não morrer de doenças do cérebro

O pai da minha mãe morreu de derrame, e a mãe dela, de doença de Alzheimer.

Quando criança, eu adorava visitar minha avó em Long Island. Nós morávamos no oeste, então eu tinha que ir de avião — às vezes sozinho! Ela era a avó perfeita e totalmente coruja. Queria me levar a lojas de brinquedos, mas eu, um nerd, só queria ir à biblioteca. Quando voltávamos para casa — eu cheio de livros nos braços —, minha avó me deixava sentado no sofá grande e fundo, sem sapatos, é claro, para ler e desenhar. Depois, trazia-me muffins de mirtilo, que ela fazia com uma grande batedeira elétrica que ocupava metade da bancada da cozinha.

Mais tarde, a mente da minha avó começou a falhar. A essa altura, eu estava na faculdade de medicina, mas meu conhecimento recém-adquirido foi inútil. Ela mudara. Minha avó, antes meiga e imponente, passou a atirar coisas nas pessoas e a praguejar. Sua cuidadora me mostrou as marcas de dentes em seu braço, o qual minha avó, antes amável e encantadora, tinha mordido.

Esse é o horror desse tipo de enfermidade. Ao contrário de um problema com o pé, as costas ou mesmo outro órgão vital, as doenças do cérebro podem atacar o seu *eu*.

As duas mais graves são o derrame, que mata quase 130 mil americanos a cada ano,[1] e a doença de Alzheimer, que mata quase 85 mil.[2] A maioria dos derrames cerebrais pode ser pensada como um "ataque cerebral": são como os ataques cardíacos, mas as placas que se rompem nas artérias interrompem o fluxo sanguíneo para áreas do cérebro, e não para áreas do coração. Já o Alzheimer é mais como um ataque da mente.

O Alzheimer é uma das doenças mais penosas, física e emocionalmente, tanto para as vítimas quanto para quem cuida delas. Ao contrário do derrame, que pode matar em um instante e sem qualquer aviso, o Alzheimer envolve um declínio mais lento e sutil durante meses ou anos. Em vez de placas de colesterol nas artérias, novelos de uma substância chamada amiloide se desenvolvem no próprio tecido cerebral, o que está associado à perda de memória e, por fim, à morte.

Embora as patologias de derrame e Alzheimer sejam distintas, um fator crucial as une: evidências cada vez maiores sugerem que uma dieta saudável pode ajudar a prevenir os dois.

DERRAME

Em cerca de 90% dos derrames cerebrais,[3] o fluxo sanguíneo para parte do cérebro é interrompido, privando o órgão de oxigênio e matando a área alimentada pela artéria entupida. Isso é chamado de derrame isquêmico (do latim, *ischaemia*, que significa "parar o sangue"). Entre os casos de derrame, uma pequena porcentagem é hemorrágica, causada quando um vaso sanguíneo se rompe no cérebro. Os danos acarretados dependem de qual área é privada de oxigênio (ou do ponto em que o sangramento ocorreu) e de quanto tempo durou a privação. Pessoas que têm um derrame breve talvez precisem lutar apenas contra uma fraqueza no braço ou na perna, enquanto as que sofrem um grande derrame podem desenvolver paralisia, perder a capacidade de fala ou, como é muito frequente, morrer.

Às vezes, a obstrução dura apenas um instante — tempo insuficiente para ser notado, porém ainda assim o bastante para matar uma pequena área do cérebro. Esses derrames silenciosos podem se multiplicar e reduzir aos poucos a função cognitiva até que uma demência completa se desenvolva.[4] O objetivo, então, é reduzir o risco tanto dos grandes derrames, que podem matar você de forma fulminante, quanto dos miniderrames, que o matam com o passar dos anos. Analogamente à doença cardíaca, uma dieta saudável pode reduzir o risco de derrame, ao baixar o colesterol e a pressão sanguínea e, ao mesmo tempo, melhorar o fluxo sanguíneo e a capacidade antioxidante.

Fibras! Fibras! Fibras!

Além de seus efeitos na saúde do intestino — um fato já bem conhecido —, um alto consumo de fibras parece reduzir o risco de câncer de cólon[5] e de mama,[6] diabetes,[7] doença cardíaca,[8] obesidade[9] e morte prematura.[10] Vários estudos mostram que ingerir bastante fibra também pode ajudar a evitar o derrame.[11] Infelizmente, menos de 3% dos americanos cumprem a recomendação diária de

COMO NÃO MORRER DE DOENÇAS DO CÉREBRO | 65

consumo mínimo de fibras.[12] Isso significa que a dieta de 97% dos americanos é deficitária em relação a esse componente. As fibras se concentram de forma natural em apenas um lugar: nos alimentos vegetais não processados. Os alimentos processados têm menos fibra, enquanto os derivados de animais não têm fibra alguma — os animais têm ossos para mantê-los de pé, já as plantas têm fibras.

Aparentemente, não é preciso muita fibra para eliminar o risco de derrame. Um aumento de apenas sete gramas por dia pode estar associado a uma redução de 7% no risco.[13] Derrames diferentes em pessoas diferentes: dependendo, claro, de quanta fibra elas comeram. É fácil acrescentar sete gramas de fibra à dieta: isso equivale a uma tigela de farinha de aveia com frutas vermelhas ou a uma porção de feijão cozido.

Como as fibras protegem o cérebro? Não temos certeza absoluta. Sabemos que elas ajudam a controlar o colesterol[14] e os níveis de açúcar no sangue,[15] o que pode ajudar na redução da quantidade de placas capazes de entupir as artérias do cérebro. Dietas ricas em fibras também podem baixar a pressão arterial,[16] o que reduz o risco de sangramentos no cérebro. Mas os cientistas não precisam saber o mecanismo exato para você agir com base nesse conhecimento. Como diz a passagem bíblica: "Um homem lança a semente à terra [...] a semente germina e cresce, embora ele não saiba como." Se tivesse adiado a semeadura até entender a biologia por trás da germinação da semente, o agricultor das Escrituras não teria durado muito tempo. Então por que não se adiantar e consumir mais alimentos vegetais não processados, colhendo assim os benefícios da ingestão de fibras?

Nunca é cedo demais para começar a se alimentar de maneira mais saudável. Embora o derrame seja considerado uma doença de pessoas mais velhas — somente 2% das mortes por derrame ocorrem em indivíduos com menos de 45 anos[17] —, o acúmulo de fatores de risco pode ter início na infância. Em um estudo notável publicado recentemente, selecionou-se centenas de crianças para serem acompanhadas durante um período de 24 anos, do ensino fundamental à vida adulta. Os pesquisadores constataram que a baixa ingestão de fibras desde cedo estava associada ao enrijecimento de artérias que conduzem ao cérebro, um fator de risco crucial quando se trata de derrame. Já aos catorze anos, eram evidentes as disparidades na saúde arterial dos adolescentes que consumiam quantidades diferenciadas de fibras em sua rotina alimentar.[18]

Mais uma vez, parece que não foi preciso um esforço muito grande. Uma maçã a mais, um quarto de xícara de brócolis extra ou apenas duas colheres de sopa de feijão por dia durante a infância poderiam resultar em um efeito significativo na saúde das artérias no futuro.[19] Se você quer *mesmo* ser proativo, os melhores estudos científicos[20] sugerem que é possível minimizar o risco de derrame ao consumir todos os dias um mínimo de 25 gramas de fibras solúveis (que se dissolvem na água, como as encontradas em feijões, aveia, oleaginosas e frutas vermelhas) *e* 47 gramas de fibras insolúveis (que não se dissolvem na água, encontradas em especial em grãos integrais, como o arroz e o trigo integrais). É verdade que seria necessário ter uma dieta extraordinariamente saudável para alcançar esse nível de ingestão de fibras, bem superior ao que é determinado de modo arbitrário pela maioria das autoridades de saúde.[21] Em vez de serem condescendentes com você em decorrência do que consideram "alcançável"[22] pelas massas, eu gostaria que as autoridades apenas lhe informassem aquilo que a ciência diz e deixassem a escolha por sua conta.

Potássio

Pegue uma planta, qualquer uma, e queime-a até virar cinzas. Jogue as cinzas em uma panela com água, deixe ferver, remova as cinzas da superfície e, por fim, restará um resíduo branco conhecido como potassa [em inglês, *potash: pot* (panela) e *ash* (cinza)]. A potassa tem sido usada há milênios para fazer de tudo, de sabão e vidro a fertilizante e alvejante. Só em 1807 um químico inglês descobriu que esse "álcali vegetal" continha um elemento desconhecido, que ele chamou de *pot-ash-ium*, ou seja, potássio.

Eu menciono isso apenas para enfatizar a fonte primária de potássio em sua dieta: os vegetais. Cada célula do corpo precisa de potássio para funcionar, e você precisa obtê-lo de sua dieta. Durante a maior parte da história humana, comíamos tantas plantas que obtínhamos mais de dez mil miligramas de potássio todos os dias.[23] Atualmente, menos de *2%* dos americanos alcança a ingestão diária recomendada de 4.700 miligramas.[24]

O principal motivo é simples: nós não comemos uma quantidade suficiente de alimentos vegetais não processados.[25] O que o potássio tem a ver com o derrame? Uma análise de todos os melhores estudos sobre a relação entre o potássio e duas de nossas principais causas de morte — o ataque cardíaco e o derrame — determinou que um aumento de 1.640 miligramas por dia na ingestão de potássio está associado a uma redução de 21% do risco de derrame.[26] Isso não é suficiente para fazer com que o potássio do americano médio suba ao nível em que deveria estar, mas ainda assim é o bastante para reduzir substancialmente o risco de derrame. Imagine o quanto seu risco diminuiria se você duplicasse ou triplicasse a ingestão de alimentos vegetais integrais.

A banana, embora venha sendo promovida por seu teor de potássio, não é, na verdade, muito rica nesse mineral. De acordo com o banco de dados atual do

Departamento de Agricultura dos Estados Unidos, essa fruta não está nem na lista dos mil alimentos com os níveis mais altos de potássio — ela ocupa a posição 1.616, bem depois das Reese's Pieces, que são pastilhas feitas com manteiga de amendoim.[27] Seria necessário comer uma dúzia de bananas por dia para chegar à quantidade mínima de potássio recomendada.

Mas quais são, de fato, os alimentos ricos em potássio? As fontes mais saudáveis entre os alimentos não processados comuns provavelmente são as verduras, os feijões e a batata-doce.[28]

Frutas cítricas

Uma boa notícia para todos os leitores amantes da laranja: a ingestão de frutas cítricas tem sido associada a um risco reduzido de derrame — uma redução ainda maior do que a verificada com a ingestão de maçãs.[29] Se eu posso compará-las? Eu acabei de fazer isso! A chave pode estar em um fitonutriente dos cítricos chamado hesperidina, que parece aumentar o fluxo sanguíneo em todo o corpo, incluindo o cérebro. Com uma máquina conhecida como fluxômetro Doppler, os cientistas podem medir o fluxo sanguíneo por meio de um raio laser através da pele. Quando essa máquina é utilizada em pessoas enquanto lhes é administrada uma solução contendo a quantidade de hesperidina encontrada em duas xícaras de suco de laranja, a pressão sanguínea delas diminui e o fluxo sanguíneo geral aumenta. Quando os indivíduos beberam suco de laranja, em vez de solução de hesperidina, seu fluxo sanguíneo melhorou ainda mais. Em outras palavras, os efeitos redutores de derrame presentes na laranja vão muito além dos verificados na hesperidina.[30] Em se tratando de alimentos, o todo costuma ser maior do que a soma de suas partes.

Não é preciso uma máquina para medir os efeitos positivos das frutas cítricas no fluxo sanguíneo. Em um estudo, cientistas recrutaram mulheres que sofriam de sensibilidade ao frio devido a um fluxo de sangue fraco — mulheres com mãos, pés e dedos dos pés cronicamente frios — e as colocaram em uma sala com ar-condicionado forte. As integrantes do grupo experimental beberam uma solução contendo fitonutrientes de frutas cítricas de verdade, enquanto as do outro grupo (o de controle) beberam um placebo (uma bebida com aroma artificial de laranja). As que beberam o placebo ficaram cada vez mais frias — devido ao fluxo sanguíneo menor, a temperatura das pontas de seus dedos caiu quase cinco graus Celsius ao longo do estudo. Já as pontas dos dedos das participantes que beberam cítricos de verdade esfriaram com menos da metade da rapidez, porque o fluxo sanguíneo delas permaneceu mais estável. (Os pesquisadores também fizeram os dois grupos de mulheres mergulharem as mãos em água muito gelada e constataram que as que beberam cítricos se recuperaram 50% mais depressa do que as do grupo de controle.)[31]

Portanto, comer algumas laranjas antes de praticar *snowboard* pode ajudar a impedir que os dedos dos pés e das mãos fiquem gelados. E, se é bom ter os dedos quentinhos, é melhor ainda ter o risco de derrame reduzido com uma maior ingestão de cítricos.

Duração de sono ideal e derrame

A privação de sono — ou mesmo o excesso de horas dormidas — está associada a um risco maior de derrame.[32] Mas quanto tempo de sono pode ser muito pouco? Quanto pode ser demais?

Cientistas do Japão foram os primeiros a fazer um grande estudo voltado a essas questões. Eles acompanharam quase cem mil homens e mulheres de meia-idade durante quatorze anos. Para integrar o primeiro grupo foram selecionados participantes que dormiam até quatro horas por noite ou que dormiam pelo menos dez horas; para o segundo grupo, reuniram pessoas que dormiam em média sete horas por noite. Quando compararam os dois grupos, os integrantes do primeiro tiveram uma probabilidade cerca de 50% maior de morrer de derrame.[33]

Um estudo recente feito com 150 mil americanos examinou a questão mais a fundo. Foram encontrados índices maiores de derrame entre indivíduos que dormiam até seis horas ou pelo menos nove horas por noite. Aqueles com menor risco tinham em torno de sete ou oito horas de sono por noite.[34] Grandes estudos na Europa,[35] China[36] e em outros lugares[37] confirmaram que o tempo de sete ou oito horas parece estar associado ao menor risco. Não sabemos ao certo se a relação é de causa e efeito, mas, até que tenhamos mais informações, por que não adotar esse índice como meta? Durma bem!

Antioxidantes e derrame

Premiado com a Medalha Nacional de Ciência, a maior honraria por conquista científica nos Estados Unidos, o reverenciado bioquímico Earl Stadtman tem atribuída a ele a seguinte frase: "O envelhecimento é uma doença. A expectativa de vida humana apenas reflete o acúmulo de danos nas células causados por

COMO NÃO MORRER DE DOENÇAS DO CÉREBRO | 69

radicais livres. Quando há danos o suficiente, as células não conseguem mais sobreviver direito e desistem."[38]

Proposto pela primeira vez em 1972,[39] esse conceito — agora chamado de teoria mitocondrial do envelhecimento — sugere que os danos causados pelos radicais livres à fonte de energia de suas células, conhecida como mitocôndria, levam à perda de energia e potência das células com o passar do tempo. Esse processo pode ser um pouco como carregar a bateria do seu iPod repetidas vezes; a cada nova recarga, a capacidade se torna menor.

Mas o que exatamente são os radicais livres, e o que podemos fazer em relação a eles?

Eis a minha melhor tentativa de simplificar a biologia quântica da fosforilação oxidativa: as plantas obtêm sua energia da luz solar. Você pega uma planta e a põe sob a luz solar, e, por meio de um processo chamado fotossíntese, a clorofila que está nas folhas aproveita a energia da luz solar e a transfere para pequeninos blocos de construção de matéria chamados elétrons.

A planta começa com elétrons de baixa energia e, usando a energia da luz solar, carrega-os e os transforma em elétrons de alta energia. Dessa maneira, as plantas armazenam a energia da luz solar. Então, quando você come um vegetal (ou os animais que o comeram), esses elétrons (na forma de carboidratos, proteína e gordura) são enviados para todas as suas células. Sua mitocôndria pega, então, os elétrons cheios de energia do vegetal utiliza-os como fonte energética — ou seja, como combustível —— e aos poucos libera a energia deles. Veja bem, esse processo tem que ocorrer de maneira precisa, extremamente controlada, porque esses elétrons estão cheios de energia e, portanto, são voláteis, como a gasolina.

Na verdade, gasolina, petróleo, óleo e carvão não são chamados de combustíveis fósseis à toa. Os tanques de nossos carros são abastecidos principalmente por uma matéria vegetal pré-histórica que armazenou a energia da luz solar que brilhou milhões de anos atrás como elétrons de alta energia.

E, assim como seria perigoso riscar um fósforo em uma lata de gasolina e liberar toda a energia dela de uma só vez, seu corpo precisa ser cauteloso. É por isso que suas células pegam esses mesmos elétrons de alta energia das plantas que você come e liberam a energia de forma controlada, como um fogão a gás: um pouco de cada vez até a energia acabar. Seu corpo, então, passa esses elétrons gastos para uma molécula importantíssima da qual talvez você já tenha ouvido falar: o oxigênio. Na verdade, o modo como venenos — como o cianeto — podem matar é impedindo o corpo de transferir esses elétrons gastos e dá-los ao oxigênio.

Felizmente, o oxigênio adora elétrons, embora talvez um pouco demais. Enquanto seu corpo demora para fazer isso, liberando aos poucos a energia dos elétrons, o oxigênio está esperando com impaciência na outra ponta. O oxigênio adoraria pôr suas mãozinhas sujas nos elétrons de alta energia, mas seu corpo diz:

— Espere aí. Temos que fazer isso devagar, espere a sua vez e se acalme. Nós vamos lhe dar o seu elétron, mas só depois de retirarmos a energia para torná-lo seguro para você.

Então a molécula de oxigênio fica toda magoada e diz:

— Eu posso lidar com um desses elétrons turbinados a qualquer hora!

Fazendo beicinho, ela espia um elétron de alta energia desgarrado, sentado em campo aberto. Ela olha para um lado, depois para o outro e se lança sobre ele. Nosso corpo não é perfeito; ele não tem como ficar de olho no oxigênio o tempo todo. Cerca de 1 a 2%[40] de todos os elétrons de alta energia que passam por suas células têm possibilidade de vazar para onde o oxigênio pode pegá-los.

Quando põe as mãos em um elétron de alta energia, a molécula de oxigênio se transforma no Hulk, deixando de ser um oxigênio modesto e se tornando um superóxido, que é um tipo de radical livre. Radical livre, conforme o próprio nome indica, é uma molécula que pode ser instável, fora de controle e violentamente reativa. O superóxido está cheio de energia e pode começar a destruir a célula, derrubando material e colidindo com o DNA.

Quando entra em contato com o DNA, o superóxido pode danificar seus genes, que, se não forem consertados, podem causar mutações em seus cromossomos, passíveis de levar ao câncer.[41] Felizmente, o corpo chama seu esquadrão de defesa, conhecido como *anti*oxidantes, que entram em cena e gritam:

— Largue esse elétron!

—Você quer acabar comigo, dona vitamina C? Então mostre do que é capaz! — reage o superóxido.

Então, os antioxidantes se lançam sobre o superóxido, lutam e retiram dali o elétron supercarregado, deixando para trás o pobre oxigênio.

O fenômeno pelo qual as moléculas de oxigênio se apossam de elétrons desgarrados e enlouquecem é chamado nos círculos científicos de estresse oxidante ou oxidativo. De acordo com a teoria, o dano celular resultante é o que, em essência, causa o envelhecimento. O envelhecimento e a doença têm sido considerados "a oxidação do corpo". As manchas marrons da idade no dorso da mão? São apenas gordura oxidada sob a pele. O estresse oxidativo é considerado o motivo pelo qual todos nós adquirimos rugas, perdemos parte da memória e os sistemas de nossos órgãos enguiçam à medida que ficamos mais velhos. De acordo com a teoria nós basicamente estamos enferrujando.

Você pode retardar esse processo oxidante comendo alimentos que contenham muitos antioxidantes. É possível ver se um alimento é rico em antioxidantes partindo-o ao meio, expondo-o ao ar (oxigênio) e vendo o que acontece: se ele fica marrom, está oxidando. Pense em nossas duas frutas mais populares: maçã e banana: elas ficam marrons rapidamente, o que significa que não possuem muitos antioxidantes. (No caso da maçã, a maioria dos antioxidantes está na casca.) Corte uma manga ao meio e o que acontece? Nada, porque ela tem muitos antioxidantes. Como impedir que a salada de frutas fique marrom? Adicione suco de limão, que contém vitamina C, um antioxidante. Os antioxidantes podem impedir que sua comida oxide e podem fazer o mesmo dentro do seu corpo.

Uma das doenças que os alimentos ricos em antioxidantes podem ajudar a prevenir é o derrame. Pesquisadores suecos acompanharam mais de trinta mil idosas durante um período de doze anos e constataram que as que comiam os alimentos mais ricos em antioxidantes tinham os menores riscos de derrame.[42] Descobertas semelhantes foram relatadas a respeito de um grupo mais jovem de homens e mulheres na Itália.[43] Assim como foi visto no caso das doenças pulmonares,[44] os *suplementos* de antioxidantes não parecem ter efeito.[45] Os poderes da mãe natureza não podem ser postos em um comprimido.

Sabendo disso, os cientistas resolveram identificar os alimentos mais ricos em antioxidantes. Dezesseis pesquisadores percorreram o mundo e divulgaram um banco de dados sobre o poder antioxidante de mais de três mil alimentos, bebidas, ervas, temperos e suplementos. Eles examinaram de tudo, desde cereais Cap'n Crunch até folhas secas maceradas de baobá, uma árvore africana. Avaliaram dezenas de marcas de cerveja para ver qual delas continha mais antioxidantes (a Santa Claus, de Eggenberg, Áustria, foi uma das primeiras colocadas).[46] Infelizmente, cervejas representam a quarta maior fonte de antioxidantes da dieta dos americanos.[47] Você pode checar a lista em inglês para ver a classificação de seus alimentos e bebidas preferidos neste link: http://bit.ly/antioxidantfoods.

Mas não precisa colar a lista de 138 páginas na porta da geladeira. Eis uma regra simples: em média, os alimentos vegetais contêm *64 vezes* mais antioxidantes do que os alimentos de origem animal. Como os pesquisadores explicam: "Alimentos ricos em antioxidantes têm origem no reino vegetal, enquanto a carne, o peixe e outros alimentos do reino animal são pobres em antioxidantes."[48] Até o alimento vegetal menos saudável que me vem à mente, a boa e velha alface-americana (que é 96% água!),[49] contém dezessete unidades (daμmol usando um ensaio FRAP modificado) de poder antioxidante. Para dar uma perspectiva: algumas frutas vermelhas têm mais de mil unidades, o que faz a alface-americana parecer ridícula. Mas compare as dezessete unidades da alface-americana com o salmão fresco, que tem apenas três unidades. Frango?

Apenas cinco unidades de poder antioxidante. Leite desnatado ou ovo cozido? Só quatro unidades. E Egg Beaters, produto que clama ser um substituto para os ovos, tem um redondo zero. A equipe da pesquisa concluiu: "As dietas constituídas sobretudo de alimentos de origem animal são, portanto, pobres em conteúdo antioxidante, enquanto as dietas baseadas sobretudo em uma variedade de alimentos de origem vegetal são ricas em antioxidantes, devido aos milhares de fitoquímicos antioxidantes bioativos encontrados nas plantas que são conservados em muitos alimentos e bebidas."[50]

Não há nenhuma necessidade de selecionar alimentos específicos para aumentar a ingestão de antioxidantes (embora as cerejas tenham até 714!); você pode apenas se esforçar para incluir uma variedade de frutas, legumes, verduras, ervas e temperos em cada refeição. Assim, pode fornecer a seu corpo, de modo contínuo, antioxidantes para ajudar a evitar um derrame e outras doenças relacionadas à idade.

Antioxidantes em uma pitada

Ervas e temperos parecem ser a categoria de alimento que mais tem antioxidantes.

Digamos que você prepare um bom e saudável prato de macarrão de trigo integral com molho marinara. Juntos, eles podem alcançar uma pontuação de oitenta unidades de poder antioxidante (o macarrão tem cerca de vinte unidades e o molho, sessenta). Acrescente um punhado de brócolis cozidos no vapor e pode ser que você acabe tendo uma deliciosa refeição de 150 unidades. Nada mal. Agora salpique uma única colher de chá de orégano seco ou manjerona, a irmã mais doce e suave do orégano. Isso por si só pode duplicar o poder antioxidante de sua refeição, chegando a mais de trezentas unidades.[51]

Que tal uma tigela de farinha de aveia no café da manhã? Acrescentando apenas meia colher de chá de canela, você pode elevar o poder antioxidante de sua refeição de vinte para 120 unidades. E, se conseguir aguentar a intensidade, o acréscimo de uma pitada de cravo-da-índia pode levar seu modesto café da manhã a uma pontuação de antioxidantes de 160 unidades.

As refeições à base de vegetais tendem a ser ricas em antioxidantes, porém tirar um tempinho para temperar a sua vida pode deixar seu prato ainda mais saudável.

COMO NÃO MORRER DE DOENÇAS DO CÉREBRO | 73

Aparentemente as dietas ricas em antioxidantes protegem contra o derrame ao impedir a circulação de gorduras oxidadas capazes de danificar as paredes sensíveis dos pequenos vasos sanguíneos do cérebro.[52] Podem também ajudar a diminuir o enrijecimento arterial,[53] impedir a formação de coágulos sanguíneos[54] e reduzir a pressão sanguínea[55] e inflamações. Os radicais livres podem desfigurar as proteínas em nossos corpos a ponto de torná-las irreconhecíveis para nossos sistemas imunológicos.[56] A resposta inflamatória que isso desencadeia pode ser evitada ao saturarmos nossos organismos com antioxidantes o bastante. Embora todos os alimentos vegetais não processados possam ter efeitos anti-inflamatórios,[57] alguns são mais bem-sucedidos que outros. Verificou-se que frutas e vegetais com muitos antioxidantes — como as frutas vermelhas e as verduras — podem extinguir inflamações sistêmicas significativamente melhor do que o mesmo número de porções de frutas e vegetais com poucos antioxidantes mais comuns, como a banana e a alface.[58]

Os alimentos que escolhemos fazem diferença.

DOENÇA DE ALZHEIMER

Ao lidar com os pacientes, ter que comunicar o diagnóstico de câncer era uma das coisas que eu mais temia, mas isso era superado pelo diagnóstico de Alzheimer. Não só por causa do fardo psicológico para o paciente, mas por causa da carga emocional que se abate sobre os entes queridos. A Alzheimer's Foundation estima que quinze milhões de amigos e familiares dedicam anualmente mais de quinze bilhões de horas não remuneradas a cuidar de entes queridos que talvez sequer os reconheçam.[59]

Apesar dos bilhões de dólares gastos em pesquisas, ainda não existe cura nem tratamento eficiente para a doença, que invariavelmente progride para a morte. Em suma, o Alzheimer está alcançando um estado de crise, em termos emocionais, econômicos e até científicos. Nas duas décadas passadas, foram publicados mais de 73 mil artigos sobre a doença, o que dá cerca de cem por dia; mas tem havido muito pouco avanço clínico no tratamento e mesmo na compreensão da doença. E é provável que uma cura total seja impossível, considerando que a perda da função cognitiva em pacientes com Alzheimer pode ser definitiva devido aos danos irreparáveis nas redes neuronais — não se pode recuperar a vida de células nervosas mortas. Mesmo que as empresas farmacêuticas consigam descobrir um meio de interromper a progressão da doença, para muitos pacientes os danos já estão feitos, e a personalidade do indivíduo pode estar perdida para sempre.[60]

A boa notícia, que serviu de título para um artigo de um cientista experiente do Centro de Pesquisa para Alzheimer, é que a "doença de Alzheimer é incurável, porém prevenível".[61] Mudanças na dieta e no estilo de vida poderiam prevenir milhões de casos por ano.[62] Como? Está se formando um consenso de que "o que é bom para o nosso coração é bom para a nossa cabeça",[63] porque se atribui ao entupimento de artérias no cérebro por placas ateroscleróticas um papel essencial no desenvolvimento do Alzheimer.[64] Não surpreende, portanto, que no artigo "Dietary and Lifestyle Guidelines for the Prevention of Alzheimer's Disease" [Orientações de dieta e estilo de vida para prevenção da doença de Alzheimer], publicado na revista *Neurobiology of Aging* em 2014, o ponto central no que se refere à alimentação tenha sido: "Verduras, leguminosas (feijões, ervilhas e lentilhas) e grãos integrais deveriam substituir carnes e laticínios como os alimentos básicos da dieta."[65]

Alzheimer é um distúrbio vascular?

Em 1901, uma mulher chamada Auguste foi levada pelo marido a um manicômio em Frankfurt, Alemanha. Ela foi descrita como uma mulher delirante, esquecida, desorientada, que "não conseguia desempenhar as tarefas domésticas".[66] Foi examinada pelo dr. Alzheimer e se tornaria o objeto de estudo do caso que tornou Alzheimer um nome conhecido.

Na autópsia, o médico descreveu as placas e os novelos no cérebro que dali por diante identificariam a doença. Entretanto, perdida na empolgação da descoberta de uma nova enfermidade, uma pista pode ter passado despercebida. Ele escreveu "*Die größeren Hirngefäße sind arteriosklerotisch verändert*", que se traduz como "Os vasos cerebrais maiores mostram mudança aterosclerótica". O dr. Alzheimer estava descrevendo o endurecimento de artérias no cérebro da paciente.[67]

Em geral pensamos na aterosclerose como uma doença do coração, mas ela tem sido descrita como "uma patologia onipresente que envolve praticamente o organismo humano inteiro".[68] Você tem vasos sanguíneos em cada um de seus órgãos, incluindo o cérebro. O conceito de "demência cardiogênica", proposto pela primeira vez nos anos 1970, sugeria que, como o cérebro em envelhecimento é muito sensível à falta de oxigênio, a falta de um fluxo sanguíneo adequado poderia levar ao declínio cognitivo.[69] Hoje temos um substancial conjunto de evidências associando fortemente a aterosclerose ao Alzheimer.[70]

Autópsias têm apontado que pacientes com Alzheimer tendem a ter um número significativamente maior de placas ateroscleróticas e estreitamentos de artérias no cérebro.[71,72,73] Em repouso, a quantidade por minuto de sangue circulando

COMO NÃO MORRER DE DOENÇAS DO CÉREBRO | 75

no cérebro — também chamado de fluxo sanguíneo cerebral — é de um quarto do total. A partir da idade adulta, parece que o fluxo sanguíneo naturalmente diminui 0,5% por ano. Aos 65 anos, essa capacidade de circulação pode estar até 20% menor.[74] Embora por si só não seja suficiente para debilitar a capacidade cerebral, essa queda pode pôr você perto disso. Quando artérias que levam sangue ao cérebro e os vasos sanguíneos dentro dele são entupidos por placas cheias de colesterol, pode haver uma drástica redução da quantidade de sangue — e, portanto, de oxigênio — que o órgão recebe. Sustentando essa teoria, autópsias têm demonstrado que pacientes com Alzheimer apresentavam bloqueio muito significativo nas artérias que seguiam para os centros de memória do cérebro.[75] À luz dessas descobertas, alguns especialistas chegaram a sugerir que a doença de Alzheimer fosse reclassificada como um distúrbio vascular.[76]

Contudo, existem limitações para o quanto se pode depreender de autópsias. Por exemplo, talvez a demência de um indivíduo o tenha levado a uma dieta pobre, e não o contrário. Para avaliar melhor o papel das artérias entupidas do cérebro no desenvolvimento de Alzheimer, pesquisadores acompanharam cerca de quatrocentas pessoas que estavam começando a perder as faculdades mentais, o que é chamado de declínio cognitivo leve. Foram empregados exames especiais para obter imagens de artérias cerebrais e assim avaliar o grau de bloqueio arterial no cérebro de cada paciente. Os pesquisadores constataram que a cognição e a capacidade funcional das pessoas com menos estreitamento de artérias no cérebro permaneceram estáveis ao longo dos quatro anos do estudo. Os participantes com mais bloqueios arteriais tiveram uma perda significativa da função cerebral, enquanto os com os piores casos de formação de placa sofreram um rápido declínio, duplicando a probabilidade de um quadro de doença de Alzheimer plenamente desenvolvido. Os pesquisadores concluíram: "A falta de eficiência no suprimento de sangue para o cérebro tem consequências muito graves para a função cerebral."[77]

Um estudo com trezentos pacientes com Alzheimer descobriu que tratar os fatores vasculares de risco, como colesterol e pressão arterial altos, pode até retardar a progressão da doença, porém não a impedem.[78] Por essa razão, prevenção é a chave. O colesterol não apenas impulsiona a criação de placas ateroscleróticas nas artérias do cérebro, ele também pode ajudar a difundir as placas amiloides presentes no tecido cerebral das vítimas de Alzheimer.[79] O colesterol é um componente vital de nossas células, e é por isso que nosso corpo produz todo aquele de que precisa. O consumo exagerado de colesterol, e em especial o de gorduras trans e saturadas, pode aumentar seu nível no sangue.[80] Esse excesso não é considerado apenas o primeiro fator de risco para doença cardíaca,[81] como também é unanimemente reconhecido como um fator de risco para a doença de Alzheimer.[82]

Autópsias têm revelado que o cérebro de pessoas com Alzheimer tem um acúmulo de colesterol significativamente mais alto.[83] Costumávamos achar que a concentração de colesterol no cérebro não tinha relação com a quantidade presente no sangue, mas há um aumento no número de evidências dizendo o contrário.[84] O excesso de colesterol no sangue pode levar ao excesso de colesterol no cérebro, o que pode, por sua vez, contribuir para o início do acúmulo de amiloide no cérebro, como detectado em indivíduos com Alzheimer. Em um microscópio eletrônico, pode-se ver a aglomeração de fibras amiloides acima e ao redor de pequeninos cristais de colesterol.[85] E, de fato, tecnologias avançadas de obtenção de imagens, como a tomografia por emissão de pósitrons, têm mostrado uma relação direta entre a quantidade de LDL (o colesterol "ruim") no sangue e a acumulação de amiloide no cérebro.[86] Empresas farmacêuticas têm tentado capitalizar sobre essa conexão ao vender estatinas — que reduzem o colesterol — como forma de prevenção contra o Alzheimer, porém as próprias estatinas podem causar declínio cognitivo, incluindo perda de memória no longo e curto prazos.[87] Para quem não está disposto a mudar a alimentação, os benefícios das estatinas pesam mais do que os riscos,[88] mas é melhor baixar os níveis de colesterol naturalmente, alimentando-se de maneira mais saudável para ajudar a preservar o coração, o cérebro e a mente.

Genética ou dieta?

Esse conceito de dieta em relação ao Alzheimer pode ser surpreendente, porque a maior parte da imprensa não especializada trata hoje essa condição como uma doença genética. Ela afirma que são os seus genes, e não suas escolhas de estilo de vida, que determinam se você sucumbirá a essa doença. Entretanto, quando se examina a distribuição de casos de Alzheimer pelo mundo, esse argumento cai por terra.

Pelo mundo, os índices de casos de Alzheimer têm uma variação de até dez vezes, mesmo levando em conta que algumas populações vivem mais do que outras.[89] Por exemplo, na parte rural da Pensilvânia, se você conhecesse cem cidadãos idosos, a média aponta que 19 deles desenvolveriam a doença de Alzheimer durante os dez anos seguintes. Contudo, se você morasse na parte rural de Ballabgarh, Índia, essa probabilidade estaria em torno de três a cada cem.[90] Como se pode ter certeza de que algumas populações não são apenas geneticamente mais suscetíveis? Por causa de estudos de migração, em que os índices da doença no mesmo grupo étnico são comparados entre a localidade atual e sua terra natal.

COMO NÃO MORRER DE DOENÇAS DO CÉREBRO | 77

Por exemplo, os índices de Alzheimer entre homens japoneses que moram nos Estados Unidos são expressivamente mais altos do que entre aqueles que moram no Japão.[91] Os índices de Alzheimer entre africanos na Nigéria são até quatro vezes mais baixos do que os dos afro-americanos em Indianápolis.[92]

Por que morar nos Estados Unidos aumenta o risco de demência?

Um balanço das evidências sugere que a resposta está na dieta americana. É claro que em nosso novo mundo globalizado não é necessário estar no Ocidente para adotar uma dieta ocidental. No Japão, a prevalência de Alzheimer aumentou muito nas últimas décadas, o que se atribuiu à mudança de uma alimentação tradicional à base de arroz, legumes e verduras para outra com o triplo de laticínios e seis vezes mais carne. A correlação mais forte que os pesquisadores encontraram entre dieta e demência foi a que levou em conta o consumo de gordura animal: a ingestão de gordura animal aumentou quase 600% entre 1961 e 2008.[93] Uma corrente de estudo semelhante ligando dieta e demência foi promovida na China.[94] Conforme afirmou um pesquisador na *Journal of Alzheimer's Disease*, com as dietas se ocidentalizando em âmbitos globais, as previsões são de que os índices de Alzheimer continuem a aumentar, "a não ser que os padrões de dieta mudem para outros com menor dependência de produtos de origem animal".[95]

Os índices mais baixos de casos de doença de Alzheimer confirmados são encontrados na parte rural da Índia,[96] onde as pessoas seguem dietas tradicionais à base de vegetais, centradas em grãos, legumes e verduras.[97] Nos Estados Unidos, aqueles que não comem carne (incluindo aves domésticas e peixe) parecem ter o risco de desenvolver demência reduzido à metade. E, quanto mais tempo a carne for evitada, maior é a queda do risco de demência. Comparados àqueles que comiam carne mais de quatro vezes por semana, aqueles que mantinham dietas vegetarianas há pelo menos trinta anos apresentaram um risco três vezes menor de sofrer de demência.[98]

Mas é certo que fatores genéticos atuam nessa equação? Sim. Nos anos 1990, cientistas descobriram uma variante de gene chamada apolipoproteína E4, ou ApoE4, que torna a pessoa mais suscetível a sofrer de Alzheimer. Todo mundo tem alguma forma de ApoE, porém um em cada sete indivíduos tem uma cópia do gene E4 ligada à doença. Mostrou-se que, se você herda um gene ApoE4 de sua mãe ou de seu pai, seu risco de ter Alzheimer pode triplicar. Se você recebe o gene ApoE4 dos dois pais (o que ocorre com uma pessoa em cinquenta), pode acabar tendo um risco nove vezes maior.[99]

O que o gene ApoE faz? Ele produz a proteína que é o principal distribuidor de colesterol no cérebro.[100] A variante E4 é capaz de levar a um acúmulo anormal de colesterol nas células do cérebro, o que desencadearia a patologia de

Alzheimer.[101] Esse mecanismo poderia explicar o chamado paradoxo nigeriano. A maior frequência da variante ApoE4 ocorre em nigerianos,[102] que, surpreendentemente, também têm os índices mais baixos de casos de Alzheimer.[103] Espere aí. A população com o maior índice do "gene de Alzheimer" tem um dos índices mais baixos de casos de Alzheimer? Essa contradição pode ser explicada pelos níveis muito baixos de colesterol no sangue dos nigerianos, graças a uma dieta pobre em gordura animal[104] e constituída sobretudo por grãos, verduras e legumes.[105] Portanto, ao que parece, a dieta pode ganhar da genética.

Por exemplo, em um estudo com mil pessoas durante um período de duas décadas, constatou-se sem surpresa que a presença do gene ApoE4 mais do que duplicava as chances de se desenvolver Alzheimer. Entretanto, nesses mesmos indivíduos, verificou-se que o colesterol sanguíneo alto quase *triplicava* as chances. Os pesquisadores suspeitam que o controle de fatores de risco como pressão arterial alta e colesterol pode reduzir substancialmente as chances de ter Alzheimer mesmo com o temido efeito acumulado do ApoE4, diminuindo o risco de nove vezes para apenas duas.[106]

Com muita frequência, médicos e pacientes têm uma abordagem fatalista em relação a doenças degenerativas crônicas, e o Alzheimer não é exceção.[107] De acordo com eles, "está tudo nos genes, e o que tiver que ser será". Contudo, pesquisas apontam que, embora você possa ter recebido algumas cartas genéticas ruins, é possível embaralhar todo o conjunto de novo através da dieta.

Evitando o Alzheimer com alimentos vegetais

O Alzheimer se manifesta como uma doença de idosos, mas, assim como a doença cardíaca e a maioria dos tipos de câncer, ele pode demorar décadas para se desenvolver. Correndo o risco de soar como um disco arranhado (ou será que eu deveria dizer um *bug* no mp3?), nunca é cedo demais para começar a se alimentar de maneira mais saudável. As decisões alimentares que você toma agora podem influenciar diretamente sua saúde no futuro, incluindo a saúde de seu cérebro.

A maioria das vítimas de Alzheimer só é diagnosticada depois dos setenta anos,[108] porém, sabemos que o cérebro delas começa a deteriorar muito antes disso. Com base em milhares de autópsias, acredita-se que patologistas detectaram os primeiros estágios silenciosos da doença de Alzheimer — algo no cérebro similar a emaranhados — em metade dos indivíduos com cerca de cinquenta anos e mesmo em 10% daqueles na casa dos vinte anos.[109] A boa notícia é que a manifestação clínica do Alzheimer, assim como ocorre com a doença cardíaca, a doença pulmonar e o derrame, pode ser prevenida.

As diretrizes para prevenção do Alzheimer recomendam dietas à base de vegetais por causa dos alimentos que elas costumam promover e daqueles cujo consumo elas costumam desestimular.[110] Por exemplo: a dieta mediterrânea, que é mais rica em verduras, legumes, feijões, frutas e oleaginosas e mais pobre em carnes e laticínios, tem sido associada a um declínio cognitivo mais lento e um risco menor de se desenvolver Alzheimer.[111] Quando tentaram identificar os componentes protetores dessa dieta específica, os pesquisadores concluíram que os ingredientes cruciais devem ser o seu elevado conteúdo vegetal e a proporção menor de gorduras saturadas frente às não saturadas.[112] Essa conclusão se alinha com a do Estudo de Saúde Feminina de Harvard, que verificou que a maior ingestão de gordura saturada (em sua maioria, proveniente de laticínios, carne e alimentos processados) estava associada a uma trajetória significativa de piora das capacidades cognitivas e da memória. As mulheres com maior ingestão de gorduras saturadas tinham um risco de 60% a 70% maior de deterioração cognitiva com o passar do tempo. As com ingestão menor de gordura saturada tinham em média a função cerebral equivalente à de mulheres seis anos mais jovens.[113]

É provável que os benefícios de uma dieta à base de vegetais derivem dos próprios vegetais. Alimentos vegetais não processados contêm milhares de compostos com propriedades antioxidantes,[114] alguns dos quais podem transpor a barreira sangue-cérebro e gerar efeitos neuroprotetores,[115] defendendo o organismo dos radicais livres (ver página 70) — ou seja, protegendo o cérebro do "enferrujamento". O cérebro corresponde a apenas 2% do peso do corpo humano, porém pode consumir até 50% do oxigênio advindo da respiração, com potencial de liberar uma tempestade de radicais livres.[116] Pigmentos antioxidantes especiais presentes em frutas vermelhas[117] e verduras verde-escuras[118] podem conferir a elas — de todas as frutas e vegetais — a distinção de alimentos para o cérebro.

O primeiro estudo com seres humanos a mostrar que os mirtilos melhoram a capacidade de memória em idosos com deterioração cognitiva foi publicado em 2010.[119] Depois, em 2012, pesquisadores de Harvard quantificaram essas descobertas usando dados do Estudo da Saúde das Enfermeiras, no qual as dietas e a saúde de dezesseis mil mulheres foram acompanhadas a partir de 1980. Foi constatado que mulheres que consumiam pelo menos uma porção de mirtilo e duas de morango toda semana tinham índices mais baixos de declínio cognitivo — uma diferença de até dois anos e meio — comparadas às que não comiam frutas vermelhas. Esses resultados sugerem que apenas comer todo dia um punhado de frutas vermelhas, um ajuste fácil e delicioso na dieta, pode retardar o envelhecimento do cérebro em mais de dois anos.[120]

80 | COMER PARA NÃO MORRER

Até beber sucos de frutas, legumes e verduras pode ser benéfico. Um estudo que acompanhou quase duas mil pessoas durante oito anos verificou que as que bebiam suco de frutas, legumes e verduras com frequência pareciam ter um risco 76% menor de desenvolver a doença de Alzheimer. Os pesquisadores concluíram que "sucos de frutas, legumes e verduras podem ter um papel importante no adiamento da doença de Alzheimer, em especial entre aqueles com alto risco de ter a enfermidade".[121]

Os estudiosos suspeitam que o ingrediente ativo seja os polifenois, uma classe de antioxidantes poderosos com acesso ao cérebro. Se for esse o caso, o suco de uva Concord (roxa) pode ser a melhor opção,[122] embora frutas não processadas sejam em geral preferíveis a sucos.[123] Como nem sempre é época de uvas Concord, você pode substituí-las por cranberries, que também são ricos em polifenois[124] e geralmente podem ser encontrados o ano todo na forma congelada ou seca. Mais adiante neste livro, ofereço minha receita de Suco Rosa como opção de coquetel com cranberries frescos e com 25 vezes menos calorias, além de um teor de polinutrientes pelo menos oito vezes maior que o do "suco" de cranberry vendido em lojas (ver página 185).

Além de sua atividade antioxidante, os polifenois exibiram capacidade protetora em células nervosas *in vitro*, inibindo a formação das placas[125] e emaranhados[126] que caracterizam a patologia cerebral do Alzheimer. Teoricamente, eles também podem "remover"[127] metais que se acumulam em certas áreas do cérebro e que talvez colaborem para o desenvolvimento do Alzheimer e outras doenças degenerativas.[128] Os polifenois são um dos motivos pelos quais eu faço recomendações específicas para o consumo de frutas vermelhas e chá-verde na Parte 2.

Tratando Alzheimer com açafrão

Apesar dos bilhões de dólares injetados em pesquisas sobre Alzheimer, não há um tratamento eficiente para reverter a progressão da doença. Existem, porém, fármacos que podem ajudar a administrar os sintomas, embora algo vendido na mercearia faça a mesma coisa.

Mesmo que alguns benefícios extraordinários da cúrcuma tenham sido relatados em estudos de caso,[129] os melhores dados que temos envolvendo temperos e Alzheimer são sobre o açafrão. Verificou-se em um estudo duplo-cego que o açafrão, tempero derivado da flor de *Crocus sativus*, ajuda a diminuir os sintomas do mal de Alzheimer. Em um estudo de dezesseis semanas, os pacientes com Alzheimer cujo grau de demência era de leve a moderado e que tomaram cápsulas de açafrão mostraram em média uma função cognitiva significativamente melhor do que a de um grupo de pacientes que tomou um placebo.[130]

Que tal comparar o açafrão com um dos remédios para Alzheimer mais populares no mercado, a donepezila (também vendida sob a marca Aricept)? Um estudo duplo-cego (o que significa que os pesquisadores e os participantes só souberam quem estava tomando o medicamento e quem estava tomando as cápsulas com o tempero na conclusão do estudo) de 22 semanas verificou que o açafrão parece ser tão eficiente no tratamento dos sintomas do Alzheimer quanto o remédio.[131] Infelizmente, funcionar tão bem quanto o medicamento não quer dizer muito,[132] mas pelo menos o paciente não corre o risco de ter os efeitos colaterais da donepezila (os mais frequentes são náusea, vômitos e diarreia).[133]

Embora não haja uma maneira comprovada de impedir a progressão do Alzheimer, se você conhece alguém que sofre da doença, pode ser que preparar regularmente uma *paella* temperada com açafrão ajude.

Gerontotoxinas

Cada um de nós contém dezenas de bilhões de quilômetros de DNA, o suficiente para cem mil viagens de ida e volta à Lua.[134] Como nosso corpo impede que ele fique embolado? Enzimas conhecidas como sirtuínas mantêm nosso DNA belamente enrolado em torno de proteínas semelhantes a carretéis.

Embora só tenham sido descobertas há pouco tempo, as sirtuínas representam uma das áreas mais promissoras da medicina, uma vez que parecem ter relação com a longevidade e o envelhecimento saudável.[135] Estudos de autópsias mostram que a perda de atividade da sirtuína está estreitamente associada às características da doença de Alzheimer, ou seja, ao acúmulo de placas e emaranhados no cérebro.[136] A supressão dessa defesa crucial é considerada uma das características principais do Alzheimer.[137] A indústria farmacêutica está tentando produzir remédios que aumentem a atividade da sirtuína, porém, antes de mais nada, por que não impedir sua supressão? É possível fazer isso reduzindo a ingestão de produtos finais da glicação avançada, ou AGEs — conforme a sigla em inglês para *advanced glycation end products*.[138]

AGE (que significa "idade" em inglês) é uma sigla apropriada, já que esses produtos finais são considerados "gerontotoxinas",[139] o que significa que são toxinas do envelhecimento (do grego *géron*, *gérontos*, que significa "ancião", como em "geriátrico"). Supõe-se que os AGEs aceleram o processo de envelhecimento ao formar ligações cruzadas entre proteínas, causando rigidez de tecido, estresse oxidativo e inflamação. Esse processo pode ter relação com a formação de catarata e com a degeneração macular nos olhos, bem como com danos aos ossos, coração, rins e fígado.[140] Eles podem também afetar o cérebro, pois há indícios de que aceleram o lento encolhimento do órgão à medida que se envelhece[141] e suprimem suas defesas de sirtuína.[142]

Indivíduos em idade avançada com níveis altos de AGEs no corpo[143] ou na urina[144] parecem sofrer uma perda acelerada da função cognitiva. Níveis elevados de AGEs são encontrados também no cérebro de vítimas de Alzheimer.[145] De onde estão vindo esses AGEs? Alguns são produzidos no corpo e eliminados naturalmente,[146] mas, além da fumaça de cigarro,[147] outras grandes fontes são "a carne e produtos derivados de carne" expostos a métodos de cozimento em calor seco.[148] Em boa parte das vezes, os AGEs são formados quando alimentos ricos em gordura e proteína são expostos a altas temperaturas.[149]

Mais de quinhentos alimentos foram examinados para se medir o teor de AGEs; tudo, de sanduíches de lanchonetes a café e gelatinas. Em geral, carne, queijo e alimentos muito processados apresentaram os maiores teores de AGEs; e grãos, feijões, pães, verduras, legumes, frutas e leite, os menores.[150]

Os vinte produtos mais contaminados por AGEs, por porção, testados foram diversas marcas de:

1. Frango Barbecue
2. Bacon
3. Salsicha de cachorro-quente grelhada
4. Sobrecoxa de frango assada
5. Coxa de frango assada
6. Bife grelhado na frigideira
7. Peito de frango grelhado no forno
8. Peito de frango frito em óleo
9. Tiras de carne salteadas
10. Chicken Selects do McDonald's [tiras de frango empanadas]
11. Hambúrguer de peru grelhado na frigideira
12. Frango Barbecue
13. Peixe grelhado no forno
14. Chicken McNuggets do McDonald's
15. Galeto

16. Hambúrguer de peru frito em óleo
17. Frango assado
18. Hambúrguer de peru grelhado na frigideira
19. Salsicha cozida
20. Bife grelhado[151]

Dá para entender a mensagem

É verdade: o método usado para cozinhar faz diferença. Uma maçã assada tem três vezes mais AGEs do que uma crua, enquanto uma salsicha grelhada tem mais do que uma cozida. No entanto, a fonte é o que mais importa: uma maçã assada tem 45 unidades de AGEs, e uma crua, treze unidades; uma salsicha grelhada tem 10.143 unidades, comparada às 6.736 de uma cozida. Os pesquisadores recomendam preparar a carne usando métodos de aquecimento úmido, como cozinhar no vapor ou na água, mas até um peixe cozido tem dez vezes mais AGEs do que uma batata-doce assada durante uma hora. Em média, a carne tem vinte vezes mais AGEs do que alimentos muito processados, como cereais de café da manhã, e cerca de 150 vezes mais do que frutas, legumes e verduras frescos. As aves domésticas são as piores, contendo 20% mais AGEs do que a carne de boi. Os pesquisadores concluíram que mesmo uma modesta redução no consumo de carnes pode reduzir à metade a ingestão diária de AGEs.[152]

Como a supressão da sirtuína pode ser prevenida e revertida pela redução de AGEs, evitar alimentos com muitos AGEs é visto como uma possível estratégia para combater a epidemia de Alzheimer.[153]

Interromper o declínio cognitivo com exercícios físicos?

Há notícias animadoras para quem está à beira de perder as faculdades mentais. Em um estudo de 2010 publicado na *Archives of Neurology*, pesquisadores pegaram um grupo de pessoas com declínio cognitivo leve — aquelas que, por exemplo, estão começando a esquecer as coisas ou se repetindo com frequência — e as submeteram a exercícios aeróbicos durante 45 a sessenta minutos por dia, quatro vezes por semana, durante seis meses. O grupo de controle foi instruído a apenas se alongar durante o mesmo período de tempo.[154]

Testes de memória foram realizados antes e depois do estudo. Os pesquisadores constataram que no grupo de controle (alongamento), a função cognitiva continuou a se deteriorar, mas o grupo dos exercícios aeróbicos não apenas estancou o declínio como *melhorou*. Os praticantes de exercícios deram mais respostas corretas no teste depois de seis meses, o que indicou que sua memória havia melhorado.[155]

Estudos subsequentes com ressonância magnética mostraram que os exercícios aeróbicos podem de fato reverter o encolhimento dos centros cerebrais de memória relacionado à idade.[156] Nenhum efeito desse tipo foi encontrado em grupos de controle de alongamento e tonificação, nem em um grupo de exercícios de força não aeróbicos.[157] O exercício aeróbico pode ajudar a melhorar o fluxo sanguíneo cerebral e o desempenho da memória, além de ajudar a preservar o tecido cerebral.

Sejamos francos: uma vida sem lembranças não é bem uma vida. Quer essas recordações sejam todas perdidas de uma vez em um grande derrame, reduzidas aos poucos por miniderrames que deixam pequenos buracos na mente ou destruídas por doenças degenerativas como o Alzheimer, alimentar-se e viver de maneira mais saudável pode ajudar a eliminar alguns dos piores fatores de risco para as doenças cerebrais mais sérias.

Mas a chave é começar cedo. O colesterol alto e a pressão arterial alta podem começar a danificar o cérebro de quem está na casa dos vinte anos. Aos sessenta e setenta e tantos, quando os danos podem se tornar aparentes, talvez já seja tarde demais.

Assim como muitos outros órgãos, o cérebro possui uma capacidade milagrosa de se curar sozinho, de forjar novas conexões sinápticas em torno das antigas, de aprender e reaprender. Quer dizer, isso se você não continuar a danificá-lo três vezes por dia. Uma dieta sadia e exercícios físicos podem representar a melhor esperança de você permanecer atento e saudável em seus últimos anos de vida.

Felizmente, posso concluir este capítulo com um tom mais otimista do que o do início. Apesar de nosso histórico familiar, tanto minha mãe quanto meu irmão, Gene, seguem agora uma dieta saudável à base de vegetais, e minha mãe não mostra nenhum sinal de que sucumbirá ao mesmo destino de doença cerebral que tirou a vida de seus pais. Embora eu e Gene saibamos que um dia nossa mãe partirá, nossa esperança, considerando sua nova e saudável alimentação, é a de que ela não parta antes de sua morte.

CAPÍTULO 4

Como não morrer de câncer no sistema digestório

Todo ano, americanos perdem mais de cinco milhões de anos de vida por causa de inúmeros tipos de câncer que poderiam ter sido prevenidos.[1] Apenas um pequeno percentual deles pode ser atribuído a fatores puramente genéticos; o restante envolve fatores externos, em especial, a dieta.[2]

A sua pele cobre cerca de 1,8 metro quadrado. Os seus pulmões, caso fossem achatadas todas as pequeninas bolsas de ar, poderiam cobrir dezenas de metros quadrados.[3] Mas e os seus intestinos? Considerando todas as dobrinhas, alguns cientistas estimam que os intestinos cobririam centenas de metros quadrados,[4] sendo muito mais extensos do que a pele e os pulmões somados. O que você come pode muito bem ser sua principal interação com o mundo externo. Isso significa que, independentemente dos carcinógenos que podem estar à espreita no ambiente, sua maior exposição pode ser por meio da dieta.

Três dos tipos de câncer mais comuns no sistema digestório matam cerca de cem mil americanos por ano. O câncer colorretal (cólon e reto), que tira cinquenta mil vidas por ano,[5] está entre os tipos de câncer mais diagnosticados. Felizmente, está também entre os de mais fácil tratamento quando detectado cedo o bastante. O câncer de pâncreas, por outro lado, é quase uma sentença de morte para as cerca de 46 mil pessoas nas quais é detectado a cada ano.[6] Poucas sobrevivem por mais de um ano após o diagnóstico, o que significa que a prevenção é essencial. O câncer de esôfago, que afeta o tubo entre a boca e o estômago, também costuma ser fatal para as suas dezoito mil vítimas anuais.[7] Os alimentos que você come afetam indiretamente as suas chances de desenvolver câncer, agravando, por exemplo, o refluxo gastroesofágico, um fator de risco para o câncer de esôfago, ou por meio do contato direto com o revestimento interno do sistema digestório.

CÂNCER COLORRETAL

A chance de uma pessoa comum desenvolver câncer colorretal ao longo da vida fica em torno de 5%.[8] Felizmente, esse tipo de câncer é um dos mais tratáveis, uma vez que checkups feitos com regularidade permitem aos médicos detectá-lo e removê-lo antes que se espalhe. Há mais de um milhão de sobreviventes de câncer colorretal só nos Estados Unidos e, entre os que receberam o diagnóstico antes de o câncer se espalhar para além do cólon, o índice de sobrevivência é de 90% passados cinco anos do diagnóstico.[9]

No entanto, o câncer colorretal raramente apresenta sintomas nos estágios iniciais. Quando só é descoberto nos últimos estágios, o tratamento é mais difícil e menos efetivo. Dos cinquenta aos 75 anos, você deve ou fazer exame de fezes todos os anos, ou fazê-lo a cada três anos acrescentando uma retossigmoidoscopia a cada cinco anos ou uma colonoscopia a cada dez[10] (ver Capítulo 15). Embora checkups feitos com regularidade sem dúvida sejam capazes de detectar o câncer colorretal, preveni-lo é melhor ainda.

Cúrcuma

O produto interno bruto (PIB) da Índia é oito vezes menor do que o dos Estados Unidos[11] e 20% da população indiana vive abaixo da linha de pobreza.[12] Porém, os índices de câncer na Índia são muito mais baixos do que os dos Estados Unidos. Comparadas às indianas, entre as americanas a incidência de câncer colorretal chega a ser dez vezes maior; a de câncer de pulmão, dezessete vezes; câncer de endométrio e melanoma, nove vezes; câncer de rim, doze vezes; câncer de bexiga, oito vezes; câncer de mama, cinco vezes. Quanto aos homens nos Estados Unidos, a incidência de câncer colorretal é onze vezes maior; câncer de próstata, 23 vezes; melanoma, quatorze vezes; câncer nos rins, nove vezes; no pulmão e na bexiga, sete vezes.[13] Por que tamanha discrepância? O uso frequente do tempero cúrcuma na culinária indiana tem sido apontado como uma possível explicação.[14]

No Capítulo 2, vimos como a curcumina, o pigmento amarelo do cúrcuma, pode ser eficiente contra células de câncer *in vitro*. Entretanto, muito pouco da curcumina consumida é absorvido pela corrente sanguínea, portanto essa substância pode nunca chegar a ter contato suficiente com tumores fora do sistema digestório.[15] Mas o que não é absorvido pelo sangue acaba no cólon, possibilitando que haja um impacto nas células que revestem a parede interna do intestino grosso, onde pólipos cancerosos se desenvolvem.

COMO NÃO MORRER DE CÂNCER NO SISTEMA DIGESTÓRIO | 87

O surgimento do câncer colorretal pode ser dividido em três estágios. O primeiro sinal podem ser os chamados "focos de criptas aberrantes", aglomerados anormais de células ao longo do revestimento interno do cólon. Em seguida, vêm os pólipos que crescem na superfície interna. Supõe-se que o estágio final ocorra quando um pólipo benigno se torna canceroso. O câncer pode então destruir a parede do cólon e se espalhar pelo corpo. Até que ponto a curcumina pode bloquear cada estágio do câncer colorretal?

Ao estudarem fumantes, que tendem a ter muitos focos de criptas aberrantes, os pesquisadores constataram que o consumo de curcumina foi capaz de em trinta dias reduzir o número dessas estruturas no reto dos pacientes em até quase 40%, de dezoito para onze. O único efeito colateral relatado foi um tom amarelado nas fezes.[16]

E se os pólipos já se desenvolveram? Constatou-se que seis meses de consumo de curcumina, junto a outro fitonutriente chamado quercetina, encontrado em frutas e hortaliças como a uva e a cebola roxa, reduziram o número e o tamanho dos pólipos em mais da metade em pacientes com um tipo hereditário de câncer colorretal. Mais uma vez, quase nenhum efeito colateral foi relatado.[17]

E se os pólipos já se transformaram em câncer? Em uma tentativa derradeira de salvar a vida de quinze pacientes com câncer colorretal avançado que não tinham respondido a nenhum dos agentes que fazem parte do tratamento-padrão de quimioterapia ou de radioterapia, oncologistas passaram a dar a eles um extrato de cúrcuma. Em dois a quatro meses de tratamento, isso pareceu ajudar a deter a doença em um terço dos pacientes — cinco em quinze.[18]

Se estivéssemos falando de um novo tipo de droga quimioterápica que só ajudou uma em três pessoas, teríamos que pesar isso contra todos os efeitos colaterais sérios. Mas, quando se fala de um extrato de planta que se mostrou incrivelmente seguro, valeria a pena levá-lo em consideração mesmo que só tivesse ajudado uma pessoa em cem. Sem nenhum aspecto negativo sério, a possibilidade de quase 35% de trazer benefícios contra o câncer em estágio terminal parece ser algo que desencadearia novas pesquisas, certo? Mas quem vai pagar por um estudo sobre algo que não pode ser patenteado?[19]

O índice baixo de câncer na Índia talvez decorra dos temperos usados por seus habitantes, mas também é possível que tenha origem nos tipos de alimento em que esses temperos são usados. O país é um dos maiores produtores do mundo de frutas, legumes e verduras, e apenas 7% da população adulta come carne diariamente. O que a maioria da população come todo dia são verduras com folhas verde-escuras e leguminosas,[20] como feijões, ervilhas secas e lentilhas, que são repletos de outra classe de compostos que combatem o câncer, os chamados fitatos.

O tamanho das fezes importa

Quanto maiores e mais frequentes forem os movimentos de seu intestino, mais saudável você é. Com base em um estudo com 23 populações em uma dúzia de países, a incidência de câncer de cólon parece disparar conforme o peso médio das fezes diárias fica menor do que cerca de 220 gramas. Populações cujo peso individual das fezes diárias fica abaixo de cem gramas parecem ter um índice de câncer de cólon três vezes maior. Uma simples balança de banheiro serve para você determinar o peso de suas fezes. Não, não dessa maneira. Basta se pesar antes e depois de "fazer".

A ligação entre o tamanho das fezes e o câncer de cólon pode estar relacionada ao "tempo de trânsito intestinal", o número de horas que a comida leva desde o momento que entra pela boca até ser despejada no vaso sanitário. Quanto maiores as fezes, mais rápido é o tempo de trânsito, já que é mais fácil para seu intestino movê-las.[21] As pessoas não têm noção de que é possível ter movimentos intestinais todos os dias e ainda assim ficar constipado: aquilo que está sendo eliminado hoje pode ter sido comido na semana passada.

O tempo que um alimento demora para ir de uma extremidade a outra pode estar relacionado ao gênero e aos hábitos alimentares individuais. Em homens com dietas à base de vegetais, a comida completa seu trajeto em apenas um ou dois dias, porém o tempo de trânsito é de pelo menos cinco dias entre aqueles que seguem dietas mais convencionais. A média em mulheres que seguem dietas à base de vegetais é de um dia ou dois, mas o tempo de trânsito intestinal médio na maioria das mulheres com alimentação convencional pode ser de quatro dias.[22] Portanto, você pode evacuar com regularidade, mas com quatro dias de atraso. Dá para medir o tempo de trânsito oroanal comendo um pouco de beterraba e observando quando as fezes vão se tornar rosadas. Se isso levar menos de 24 a 36 horas, você provavelmente está alcançando a meta saudável de 220 gramas.[23]

A constipação é o problema gastrointestinal do qual mais se reclama nos Estados Unidos, gerando milhões de consultas médicas a cada ano.[24] Contudo, além do desconforto, o esforço associado à tentativa de eliminar fezes pequenas e firmes pode ter relação com uma série de problemas de saúde, incluindo hérnia de hiato, varizes, hemorroida[25] e enfermidades dolorosas, como a fissura anal.[26]

A constipação pode ser considerada uma doença de deficiência nutricional, e nesse caso o nutriente insuficiente são as fibras.[27] Assim como pode ter escorbuto se não consumir uma quantidade adequada de vitamina C, você pode ter constipação se não ingerir fibras o bastante. Como essa substância é encontrada apenas em alimentos vegetais, não é surpresa que quanto mais plantas se consome, menor é a probabilidade de ter constipação. Por exemplo, um estudo que comparou milhares de onívoros, vegetarianos e veganos verificou que aqueles com dietas estritamente à base de vegetais têm uma probabilidade três vezes maior de evacuar diariamente.[28] Parece que os veganos têm um relógio mais pontual.

Fitatos

O câncer colorretal é a segunda maior causa de morte relacionada a câncer nos Estados Unidos,[29] mas em algumas partes do mundo quase não se ouve falar dessa doença. Os maiores índices foram registrados em Connecticut, e os menores, em Kampala, Uganda.[30] Por que o câncer colorretal é mais comum em culturas ocidentais? Em busca de respostas para essa pergunta, o renomado cirurgião Denis Burkitt passou 24 anos em Uganda. Muitos hospitais ugandenses visitados pelo dr. Burkitt nunca haviam visto um caso de câncer de cólon.[31] Ele acabou chegando à conclusão de que a ingestão de fibras era a chave,[32] uma vez que a maioria dos ugandenses tinha dietas centradas em alimentos vegetais não processados.[33]

Pesquisas subsequentes indicaram que a prevenção do câncer por meio da dieta talvez envolva algo além das fibras. Por exemplo, os índices de câncer colorretal são mais elevados na Dinamarca do que na Finlândia,[34] embora os dinamarqueses consumam um pouco mais de fibras do que os finlandeses.[35] Que outros componentes protetores forneceriam uma explicação para os baixos índices de câncer em populações com alimentação à base de vegetais? Bem, as fibras não são o único elemento dos vegetais não processados ausente em alimentos processados e à base de animais.

A resposta pode estar nos fitatos, compostos naturais encontrados em sementes de plantas — em outras palavras, em todos os grãos integrais, feijões, oleaginosas e sementes. Foi demonstrado que os fitatos eliminam o excesso de ferro do corpo, que de outro modo poderia gerar um tipo muito nocivo de radical livre chamado hidroxila.[36] Portanto, a dieta americana padrão pode ser uma praga em dobro em se tratando de câncer colorretal: a carne contém o tipo de ferro (heme) particularmente associado ao câncer colorretal[37] e carece, assim como os alimentos vegetais refinados, de fitatos para extinguir esses radicais livres forjados a ferro.

Durante muitos anos, os fitatos foram difamados como inibidores da absorção de sais minerais, e é por isso que você pode ter ouvido conselhos para assar, germinar ou molhar as oleaginosas a fim de se livrar deles. Na teoria, isso permitiria que seu corpo absorvesse mais minerais, como cálcio. Essa crença deriva de uma série de experimentos feitos em laboratório com filhotes de cachorro, em 1949, que apontou um efeito amolecedor de ossos e anticalcificantes provocado pelos fitatos.[38] Estudos subsequentes com descobertas semelhantes, feitos em ratos, alimentaram tal teoria.[39] Todavia, mais recentemente, à luz de dados relacionados a seres humanos, a imagem dos fitatos passou por uma total remodelação.[40] Aqueles que comem mais alimentos ricos em fitatos tendem a ter uma maior densidade mineral nos ossos,[41] menos perda óssea e menos fraturas do quadril.[42] Ao que parece, os fitatos protegem os ossos de maneira semelhante à de remédios para osteoporose como Fosamax,[43] mas sem apresentarem o risco de osteonecrose (apodrecimento do osso) mandibular — um efeito colateral raro associado a essa classe de drogas e que pode provocar desfiguração facial.[44]

Os fitatos também podem ajudar a proteger contra o câncer colorretal. Um estudo de seis anos realizado com cerca de trinta mil californianos identificou uma correlação entre um risco mais elevado de câncer de cólon e um maior consumo de carne. Contrariamente ao que era esperado, a carne branca pareceu ser a pior: aqueles que comiam carne vermelha pelo menos uma vez por semana tinham o dobro do risco de desenvolver câncer de cólon; e tal risco triplicou entre aqueles que consumiam frango ou peixe pelo menos uma vez por semana.[45] Verificou-se que a ingestão de feijões, que são uma excelente fonte de fitatos, ajuda a mitigar parte desse risco; portanto, suas chances de sofrer de câncer de cólon podem ser determinadas pela proporção entre o quanto você consome de carne *versus* o seu consumo de legumes ou verduras.

O risco de câncer colorretal pode diferir em até oito vezes entre os extremos alimentares: de um lado estão as dietas com muitos legumes e verduras e pouca carne; de outro, as dietas com poucos legumes e verduras e muita carne.[46] Portanto, reduzir o consumo de carne pode não ser o suficiente; também é necessário comer mais vegetais. Nos Estados Unidos, o Teste de Prevenção de Pólipos, realizado pelo Instituto Nacional do Câncer, verificou que os indivíduos que aumentavam o consumo de feijões em até menos de um quarto de xícara por dia apresentaram uma redução de até 65% nas chances de recorrência de pólipo colorretal pré-maligno.[47]

Entre todos os nutrientes maravilhosos dos feijões, por que atribuímos aos fitatos essa redução do risco? Estudos em placa de Petri mostraram que os fitatos inibem o crescimento de quase todas as células de câncer humano examinadas até agora — incluindo câncer de cólon, mama, colo de útero, próstata, fígado, pâncreas e pele[48] — e não interferem em células normais.[49] Essa é a distinção de um bom agente anticancerígeno: a capacidade de diferenciar entre as células de tumor e os tecidos normais. Quando se ingere grãos integrais, feijões, oleaginosas e sementes, os fitatos logo são absorvidos pela corrente sanguínea e prontamente apanhados por células tumorais. Os tumores concentram esses compostos com tanta eficiência que os fitatos são empregados em exames de imagens para rastrear a disseminação de um câncer pelo corpo.[50]

Os fitatos atacam as células de câncer por meio de uma combinação de atividades antioxidante, anti-inflamatória e de aumento da imunidade. Constatou-se que eles, além de afetarem diretamente as células de câncer, estimulam a atividade de células exterminadoras naturais: os glóbulos brancos, os quais formam a primeira linha de defesa do corpo, perseguindo e descartando células de câncer.[51] Os fitatos também atuam na última linha de defesa, que envolve suprimir o fornecimento de sangue para os tumores. Em alimentos vegetais, há muitos fitonutrientes que podem ajudar a bloquear a formação de novos vasos sanguíneos que alimentam os tumores, mas os fitatos parecem ser capazes também de romper linhas de abastecimento já existentes.[52] De maneira semelhante, muitos compostos vegetais possuem a habilidade de ajudar no retardo e até na contenção do crescimento de células câncerígenas,[53] mas, às vezes, os fitatos podem também levar tais células a retornar ao estado normal — em outras palavras, a parar de se comportar como câncer. Essa "reabilitação" da célula de câncer foi demonstrada *in vitro* em células de câncer de cólon,[54] bem como em células de câncer de mama,[55] fígado[56] e próstata.[57]

Os fitatos têm, sim, efeitos colaterais, porém todos são benéficos. O consumo deles em grande quantidade tem sido associado a menos doenças cardíacas, diabetes e pedras nos rins. Na verdade, alguns pesquisadores sugeriram que os fitatos sejam considerados um nutriente essencial. Como as vitaminas, eles participam de reações bioquímicas importantes no corpo, seus níveis oscilam de acordo com a ingestão na dieta e a sua insuficiência está associada a doenças que podem ser administradas com o consumo de quantidades adequadas deles. Talvez seja melhor considerar os fitatos uma espécie de "Vitamina F".[58]

Frutas vermelhas são capazes de reverter os pólipos retais?

Existem muitas formas pelas quais o potencial saudável de diferentes frutas, legumes e verduras pode ser comparado, tais como o perfil nutricional e a atividade antioxidante. O ideal seria empregar uma medida que levasse em conta a atividade biológica desempenhada de fato. Um modo de fazer isso é mensurando a supressão do crescimento de células cancerígenas. Onze frutas comuns foram testadas, pingando-se seus extratos em células de câncer que cresciam em placas de Petri. O resultado? As frutas vermelhas ficaram em primeiro lugar[59] — as cultivadas de maneira orgânica, em particular, podem suprimir o crescimento de células de câncer melhor do que as cultivadas de maneira convencional.[60] Mas o laboratório é diferente da vida real: essas descobertas só são aplicáveis se os componentes ativos do alimento são absorvidos em seu sistema e conseguem chegar aos tumores que estão surgindo. Entretanto, o câncer colorretal cresce no revestimento interno do intestino, portanto o que se ingere pode ter um efeito direto no câncer. Então os pesquisadores resolveram pôr as frutas vermelhas à prova.

A polipose adenomatosa familiar é uma forma de câncer colorretal hereditária, causada por uma mutação em genes supressores de tumores. Os indivíduos afetados desenvolvem centenas de pólipos no cólon, alguns dos quais inevitavelmente se tornam cancerosos. O tratamento pode envolver a colectomia profilática, uma medida preventiva em que o cólon é removido caso o paciente seja jovem. Certo remédio dava indícios de ter a capacidade de fazer com que os pólipos regredissem, porém, foi retirado do mercado depois de matar dezenas de milhares de pessoas.[61] Será que as frutas vermelhas também são capazes de fazer os pólipos regredirem, mas sem apresentar os efeitos colaterais fatais? Sim, elas são. Depois de nove meses de tratamento diário com framboesas pretas, a carga de pólipos de quatorze pacientes com polipose adenomatosa familiar foi reduzida à metade.[62]

Em geral, os pólipos precisam ser removidos por meio de cirurgias, mas as frutas vermelhas, ao que parece, os fizeram desaparecer naturalmente. Entretanto, o método pelo qual essas frutas foram administradas teve nada de natural. Os pesquisadores recorreram a um atalho, usando-as como supositórios. Mas não tente fazer isso em casa! Depois de eles inserirem o equivalente a 3,6 quilos de framboesas no reto dos pacientes ao longo dos nove meses, alguns pacientes apresentaram lacerações no ânus.[63] A esperança é a de que um dia as pesquisas mostrem os efeitos das frutas vermelhas no combate ao câncer à moda antiga: pela boca.

Ferro demais?

Em 2012, foram publicados os resultados de dois grandes estudos de Harvard. O primeiro, conhecido como Estudo da Saúde das Enfermeiras, começou acompanhando as dietas de cerca de 120 mil mulheres de trinta a 55 anos em 1976; o segundo, o Estudo de Acompanhamento de Profissionais da Saúde, acompanhou cerca de cinquenta mil homens de quarenta a 75 anos. A cada quatro anos, os pesquisadores entravam em contato com os participantes do estudo para ter atualizações sobre suas dietas. Em 2008, um total de 24 mil havia morrido, incluindo cerca de seis mil de doença cardíaca e nove mil de câncer.[64]

Depois de analisados os resultados, os pesquisadores constataram que o consumo de carne vermelha processada e não processada estava associado a um risco maior de morte por câncer e doença cardíaca e, em geral, à menor expectativa de vida. Eles chegaram a essa conclusão mesmo depois de verificar (ou seja, considerar como fatores que contribuem para o quadro) idade, peso, consumo de álcool, prática de exercícios físicos, hábito de fumar, histórico familiar, ingestão calórica e até ingestão de alimentos vegetais não processados, como grãos, frutas, legumes e verduras não processados. Em outras palavras, os participantes do estudo aparentemente não estavam morrendo de forma precoce por comerem menor quantidade de alguns compostos benéficos, como os fitatos em plantas. As descobertas sugerem que pode haver algo prejudicial na carne em si.

Imagine toda a organização e o planejamento necessários para acompanhar mais de cem mil indivíduos por décadas. Agora imagine um estudo cinco vezes maior. O maior estudo sobre dieta e saúde da história é o NIH-AARP, copatrocinado pelos Institutos Nacionais de Saúde [NIH, na sigla em inglês] e pela Associação Americana de Aposentados [AARP, na sigla em inglês]. Ao longo de uma década, pesquisadores acompanharam cerca de 545 mil homens e mulheres de cinquenta a 71 anos no maior estudo sobre consumo de carne e mortalidade já realizado. Os cientistas chegaram à mesma conclusão que os pesquisadores de Harvard: o consumo de carne estava associado a um risco maior de morte por câncer, por doença cardíaca e, em geral, de morte prematura. De novo: isso depois de levar em consideração outros fatores relativos à dieta e ao estilo de vida, excluindo assim a possibilidade de pessoas que comiam carne também fumarem mais, se exercitarem menos ou deixarem de ingerir frutas, legumes e verduras.[65] O editorial concomitante da *Archives of Internal Medicine*, da Associação de Médicos dos Estados Unidos (intitulado "Reducing Meat Consumption Has Multiple Benefits for the World's Health" ["A redução do consumo de carne tem múltiplos benefícios para a saúde do mundo"]), defendia uma "grande redução na ingestão total de carne".[66]

O que tem na carne que pode aumentar o risco de morte prematura? Uma das possibilidades é o ferro heme, a forma de ferro encontrada predominantemente no sangue e nos músculos. Como pode gerar radicais livres cancerígenos por agir como pró-oxidante,[67] o ferro pode ser considerado uma faca de dois gumes: sua insuficiência pode fazer com que se corra o risco de ter anemia; seu excesso aumenta o risco de câncer e doença cardíaca.

O corpo humano não tem nenhum mecanismo específico para se livrar do excesso de ferro;[68] em vez disso, os humanos evoluíram para regular de maneira exata a quantidade de ferro absorvida. Quando não se tem ferro suficiente circulando no corpo, os intestinos passam a estimular sua absorção; quando há ferro demais em circulação, os intestinos reduzem a absorção. No entanto, esse sistema semelhante a um termostato só funciona bem com a principal fonte de ferro da dieta humana: a variedade de ferro não heme encontrada predominantemente em alimentos vegetais. Após alcançar uma quantidade suficiente de ferro no sangue, o corpo bloqueia a absorção dessa substância com eficiência cinco vezes maior quando ela provém de alimentos vegetais, se comparada à oriunda de fonte animal.[69] Pode ser por isso que o ferro heme seja associado ao câncer[70] e ao risco de doença cardíaca.[71] De forma semelhante, ele é relacionado a um risco maior de diabetes, o que não ocorre com o ferro não heme.[72]

Se retirarmos o ferro do corpo das pessoas, é possível reduzir os índices de câncer? Estudos verificaram que indivíduos escolhidos de modo aleatório para doar sangue regularmente a fim de reduzir seu estoque de ferro parecem diminuir à metade os riscos de ter e morrer de novos tipos de câncer do sistema digestório em um período de cinco anos.[73] As descobertas foram tão notáveis que um editorial da *Journal of the National Cancer Institute* comentou que "esses resultados quase parecem bons demais para serem verdadeiros".[74]

Doar sangue é ótimo, mas devemos também tentar impedir o aumento excessivo de ferro. A indústria da carne está tentando produzir aditivos que "suprimem os efeitos tóxicos do ferro heme",[75] porém uma estratégia melhor poderia ser a de reforçar as fontes vegetais na dieta, pois se trata de algo que seu corpo pode administrar melhor.

Como obter ferro suficiente em uma dieta à base de vegetais

Comparados a quem come carne, os vegetarianos tendem a consumir mais ferro (aliás, mais nutrientes em geral);[76] porém, o ferro de alimentos vegetais não é absorvido com tanta eficiência quanto o ferro heme da carne. Embora isso possa ser uma vantagem na prevenção do excesso de ferro, uma em trinta mulheres que menstruam nos Estados Unidos perde mais ferro do que ingere, o que pode levar à anemia.[77] As mulheres com dietas à base de vegetais não exibem índices mais altos de anemia por deficiência de ferro do que as que comem muita carne,[78] mas todas as mulheres em idade reprodutiva precisam se assegurar de que consomem uma quantidade adequada de ferro.

Pessoas com diagnóstico de deficiência de ferro devem conversar com seu médico primeiro sobre tratamentos por meio de dieta, pois já foi demonstrado que os suplementos de ferro aumentam o estresse oxidativo.[79] As fontes mais saudáveis de ferro são grãos integrais, feijões, oleaginosas, sementes, frutas secas e folhas verdes. Evite beber chá nas refeições, pois ele pode inibir a absorção de ferro. Já o consumo de alimentos ricos em vitamina C pode melhorar a absorção do mineral — a quantidade de vitamina C em uma única laranja pode aumentar de três a seis vezes a absorção de ferro. Assim, quem está tentando estimular a absorção de ferro deve comer uma fruta, em vez de tomar uma xícara de chá.[80]

CÂNCER DE PÂNCREAS

Meu avô morreu de câncer de pâncreas. Quando o primeiro sintoma surgiu — uma dor abdominal chata —, já era tarde demais. Por isso, a importância de preveni-lo.

O câncer de pâncreas é um dos tipos mais letais da doença, com uma taxa de 6% de sobrevivência nos cinco anos após o diagnóstico. Por sorte, ele é relativamente raro, matando apenas quarenta mil americanos a cada ano.[81] Em expressivos 20% dos casos, a enfermidade está associada ao hábito de fumar tabaco.[82] Outros fatores de risco passíveis de correção incluem obesidade e grande consumo de álcool.[83] Conforme será visto, fatores alimentares específicos também podem colaborar significativamente para o desenvolvimento dessa doença mortal.

Por exemplo, o modo como a gordura na dieta pode contribuir para o câncer de pâncreas é objeto de discussão há muito tempo. A inconsistência das descobertas de pesquisas sobre o impacto da ingestão de gordura total pode decorrer, em parte, do fato de que gorduras diferentes afetam o risco de maneiras diferentes. O já mencionado estudo NIH-AARP foi abrangente o bastante para permitir identificar o tipo de gordura mais associado ao câncer de pâncreas. Essa pesquisa foi a primeira a separar o papel das gorduras de fontes vegetais, como as encontradas em oleaginosas, sementes, abacate, azeite de oliva e óleos vegetais, do papel das provindas de fontes animais, incluindo carnes, laticínios e ovos. O consumo de gordura de origem animal foi associado de maneira expressiva ao risco de câncer de pâncreas; contudo, não foi encontrada nenhuma correlação com o consumo de gorduras vegetais.[84]

Frango e o risco de câncer de pâncreas

A partir do início da década de 1970, uma série de leis restringiu o uso de amianto nos Estados Unidos, mas todos os anos milhares de americanos morrem devido à exposição a esse material. Os Centros para Controle e Prevenção de Doenças, a Academia Americana de Pediatria e a Agência de Proteção Ambiental estimaram que, em um período de trinta anos, cerca de mil casos de câncer ocorrerão entre indivíduos expostos ao amianto na escola, quando crianças.[85]

Tudo teve início gerações atrás, com trabalhadores que lidavam com esse mineral. Os primeiros tipos de câncer relacionados ao amianto ocorreram nos anos 1920, entre mineiros que escavavam essa fibra mineral. Depois veio uma segunda onda, entre construtores de navios e operários da construção civil que lidavam com ele. Agora estamos na terceira onda de doenças relacionadas ao amianto, conforme as construções em que ele foi utilizado começam a deteriorar.[86]

Como mostra a história do amianto, para detectar se alguma coisa causa câncer, os cientistas primeiro estudam os indivíduos que são muito expostos a ela. É assim que estamos aprendendo agora sobre os possíveis efeitos cancerígenos dos vírus de aves domésticas. É antiga a preocupação com a possibilidade de vírus de câncer em frangos — que, nos animais, causam verrugas — estarem sendo transmitidos para a população geral por meio do manuseio de frango fresco ou congelado.[87] Esses vírus são conhecidos por causar câncer em aves, porém, o que

COMO NÃO MORRER DE CÂNCER NO SISTEMA DIGESTÓRIO | 97

podem gerar em seres humanos ainda é desconhecido. Essa preocupação vem de estudos que mostram que trabalhadores atuantes no abate de aves e em fábricas de processamento têm um risco maior de morrer de certas classes de câncer.

O estudo mais recente, com trinta mil pessoas que trabalhavam com aves domésticas, foi elaborado especificamente para avaliar se a "exposição a vírus que causam câncer em aves domésticas — com as quais um número grande de trabalhadores tem contato, sem mencionar a população em geral — pode estar associada a riscos maiores de morte por câncer de fígado e de pâncreas". O estudo constatou que aqueles que abatem frangos têm *nove vezes* mais chances de ter esses dois tipos de câncer.[88] Só para contextualizar esse resultado: o fator de risco que é estudado com mais cuidado em relação ao câncer de pâncreas é o cigarro, mas, mesmo que você fumasse há cinquenta anos, teria "apenas" dobrado suas chances de ter câncer de pâncreas.[89]

E quem come frango? O maior estudo a abordar essa questão é o Investigação Prospectiva Europeia sobre Câncer e Nutrição [EPIC, na sigla em inglês], que acompanhou 477 mil pessoas durante uma década. Os pesquisadores encontraram um risco 72% maior de câncer de pâncreas para cada cinquenta gramas de frango consumidos diariamente.[90] E isso não é muita carne, apenas um quarto de um peito de frango.

Os pesquisadores ficaram surpresos ao ver que foi o consumo de aves domésticas, e não o de carne vermelha, que apresentou uma ligação mais direta com o câncer. Quando se encontrou um resultado semelhante para linfomas e leucemias, a equipe de pesquisa do EPIC reconheceu que, embora as drogas para crescimento dadas a frangos e perus pudessem contribuir para tal cenário, também poderia haver uma relação com os vírus de câncer encontrados em aves domésticas.[91]

O motivo pelo qual foi relativamente fácil definir a ligação entre o amianto e o câncer é o fato de o amianto causar um certo tipo de câncer incomum (mesotelioma), que era quase desconhecido antes da disseminação do uso dele.[92] Mas, como o tipo de câncer de pâncreas que se poderia adquirir comendo frango seria o mesmo que se poderia desenvolver fumando cigarro, é mais difícil identificar a relação de causa e efeito. Há doenças que pertencem apenas à indústria da carne, como a recém-descrita "doença do escovador de salame", que afeta apenas indivíduos cujo trabalho em tempo integral é remover com escova de arame o fungo branco que cresce naturalmente no salame.[93] Mas a maioria das doenças adquiridas pelos trabalhadores da indústria da carne é mais universal. Portanto, apesar das evidências convincentes que ligam a exposição a aves domésticas ao câncer de pâncreas, não espere para breve qualquer banimento de restaurantes especializados em galeto, como ocorreu com o amianto.

Tratando o câncer de pâncreas com curry

O câncer de pâncreas é uma das formas mais agressivas da doença. Quando não é tratado, a maioria dos pacientes morre de dois a quatro meses após o diagnóstico. Infelizmente, apenas 10% dos pacientes parecem responder à quimioterapia, e a maior parte deles sofre efeitos colaterais graves.[94]

A curcumina, o pigmento do tempero cúrcuma, parece ser capaz de reverter mudanças pré-malignas no câncer de cólon e, em estudos de laboratório, mostrou-se eficiente contra células de câncer de pulmão. Resultados semelhantes foram obtidos em células de câncer de pâncreas.[95] Então por que não usar a curcumina para tratar pacientes com câncer de pâncreas? Em um estudo financiado pelo Instituto Nacional do Câncer e realizado no MD Anderson Cancer Center, pacientes com câncer de pâncreas avançado receberam grandes doses de curcumina: dos 21 participantes que os pesquisadores puderam avaliar, dois responderam de maneira positiva ao tratamento. Um deles teve uma redução de 73% no tamanho do tumor, embora outro resistente à curcumina tenha acabado se desenvolvendo no seu lugar.

Entretanto, o outro paciente mostrou uma melhora constante ao longo de dezoito meses — a única vez em que os marcadores de câncer subiram foi durante um breve período de três semanas em que o tratamento com curcumina foi interrompido.[96] Sim, os tumores de apenas dois de 21 participantes reagiram, porém, esse é mais ou menos o mesmo resultado da quimioterapia, e não foi relatado nenhum efeito adverso no tratamento com curcumina. Por isso, eu sem dúvida indicaria curcumina a vítimas de câncer de pâncreas independentemente de outros tratamentos seguidos por elas. Contudo, devido ao prognóstico trágico dessa enfermidade, a prevenção é crucial. Até que tenhamos mais conhecimento sobre o câncer de pâncreas, o melhor plano é evitar o tabaco, a ingestão excessiva de álcool e a obesidade e ter uma dieta pobre em produtos de origem animal, grãos refinados e alimentos com adição de açúcar,[97] e rica em feijão, lentilha, ervilha seca e frutas secas.[98]

CÂNCER DE ESÔFAGO

O câncer de esôfago ocorre quando células de câncer se desenvolvem no esôfago, o tubo muscular que leva o alimento da boca para o estômago. Em geral, o câncer

COMO NÃO MORRER DE CÂNCER NO SISTEMA DIGESTÓRIO | 99

surge no revestimento interno do esôfago e invade as camadas externas antes de haver metástase (disseminação) para outros órgãos. No início, pode haver poucos sintomas, ou até mesmo nenhum. Mas, à medida que o câncer cresce, certa dificuldade de engolir pode surgir e se agravar.

Todo ano, ocorrem cerca de dezoito mil novos casos de câncer de esôfago e quinze mil mortes devido à doença.[99] Os principais fatores de risco incluem o hábito de fumar, o grande consumo de álcool e a doença do refluxo gastroesofágico (DRGE, também conhecida como refluxo gastroesofágico), em que o ácido do estômago gorgoleja para o esôfago, queimando a camada interna e causando uma inflamação que pode levar ao câncer. Além de evitar o tabaco e o álcool (até o consumo leve de bebida alcoólica parece aumentar o risco),[100] a atitude mais importante que se pode adotar para prevenir o câncer de esôfago é eliminar o refluxo gastroesofágico, o que, com frequência, pode ser alcançado por meio da dieta.

O refluxo gastroesofágico e o câncer de esôfago

O refluxo gastroesofágico é um dos distúrbios mais comuns do sistema digestório. Os sintomas comuns incluem azia, bem como regurgitação de conteúdo gástrico para a garganta, o que pode deixar um gosto azedo na boca. A DRGE é motivo de milhões de consultas médicas e hospitalizações a cada ano e representa o custo anual mais alto entre todas as doenças do sistema digestório nos Estados Unidos.[101] A inflamação crônica causada pelo refluxo gastroesofágico pode levar ao esôfago de Barrett, uma enfermidade pré-maligna na qual há alterações no revestimento interno do esôfago.[102] Para prevenir o adenocarcinoma, o tipo mais comum de câncer de esôfago nos Estados Unidos, essa sequência de acontecimentos precisa ser impedida — e isso significa, acima de tudo, eliminar o refluxo gastroesofágico.

Nos Estados Unidos, isso seria pedir demais. Nas últimas três décadas, a incidência de câncer de esôfago entre os americanos aumentou seis vezes[103], um crescimento maior do que os relativos ao câncer de mama e de próstata, e pode ter ocorrido sobretudo porque o número de casos de refluxo gastroesofágico está crescendo.[104] No país, uma em cada quatro pessoas (28%) sofre de azia e/ou regurgitação de ácido pelo menos uma vez por semana, em comparação a apenas 5% na população da Ásia no mesmo intervalo de tempo.[105] Isso sugere que fatores alimentares podem ter um papel crucial no desenvolvimento da doença.

Nas duas últimas décadas, 45 estudos analisaram a ligação entre dieta, esôfago de Barrett e câncer de esôfago. As associações mais consistentes com o câncer foram as com o consumo de carne e refeições com muita gordura.[106] Uma conclusão interessante foi a de que diferentes tipos de carne foram associados a cânceres em diferentes locais. A carne vermelha está substancialmente associada ao câncer de esôfago, enquanto as aves domésticas foram mais associadas ao câncer na borda entre o estômago e o esôfago.[107]

Como isso acontece? Cinco minutos após a ingestão de gordura, o esfíncter muscular no alto do estômago — que age como uma válvula para manter a comida dentro do estômago — relaxa, permitindo que ácidos subam para o esôfago.[108] Por exemplo, em um estudo, voluntários que fizeram uma refeição rica em gordura (sanduíche de salsicha, ovo e queijo do McDonald's) tiveram mais ácido refluindo para o esôfago do que aqueles que tiveram uma refeição mais pobre em gordura (*hotcakes*, as panquecas americanas do McDonald's).[109] Parte desse efeito pode se dever à liberação de um hormônio chamado colecistocinina, desencadeada pela ingestão de carne[110] e ovos[111] e que também pode fazer o esfíncter relaxar.[112] Isso ajuda a explicar por que se constatou que quem come carne têm o dobro de chances de uma inflamação no esôfago provocada por refluxo quando comparado a um vegetariano.[113]

Mesmo sem o risco de câncer, a própria DRGE pode causar dor, sangramento e estreitamento do esôfago por tecido cicatricial, o que pode afetar a deglutição. Bilhões de dólares são gastos em medicamentos para aliviar a azia e o refluxo gastroesofágico por meio da redução da quantidade de ácido produzido no estômago; porém, esses remédios podem contribuir para deficiências de nutrientes e aumento do risco de pneumonia, infecções intestinais e fratura óssea.[114] Talvez a melhor estratégia seja apenas manter o ácido em seu lugar ao minimizar a ingestão de alimentos que o fazem escapar.

Contudo, talvez a proteção oferecida por uma alimentação à base de vegetais não se restrinja à redução de alimentos. Concentrar a dieta em alimentos vegetais ricos em antioxidantes pode diminuir à metade as chances de se desenvolver câncer de esôfago.[115] Os alimentos que mais protegem contra o câncer na borda entre o esôfago e o estômago parecem ser legumes e verduras de cor vermelha, laranja e verde-escura, frutas vermelhas, maçã e frutas cítricas,[116] mas todos os alimentos vegetais não processados têm a vantagem de conter fibras.

As fibras e a hérnia de hiato

Enquanto a ingestão de gordura é associada a um risco maior de refluxo, a ingestão de fibras parece reduzir esse risco.[117] Um grande consumo de fibras pode reduzir a incidência de câncer de esôfago em até um terço,[118] ao ajudar a prevenir a causa de muitos casos de refluxo gastroesofágico: a herniação de parte do estômago para a cavidade torácica.

COMO NÃO MORRER DE CÂNCER NO SISTEMA DIGESTÓRIO | 101

A hérnia de hiato — como a enfermidade é conhecida — ocorre quando parte do estômago é empurrada para o tórax, passando pelo diafragma. Mais de um em cinco americanos sofrem de hérnia de hiato — em contrapartida, o problema é praticamente desconhecido em populações cujas dietas são à base de vegetais, com índices mais próximos de um em mil.[119] Atribui-se isso ao fato de essas pessoas terem fezes volumosas e macias, que transitam suavemente pelo corpo.[120]

Pessoas que não comem em abundância alimentos vegetais não processados têm fezes menores e mais duras, que podem transitar com dificuldade (Ver box na página 88). Quando o indivíduo costuma fazer força para defecar, com o tempo a pressão maior pode empurrar parte do estômago para cima e para fora do abdômen, permitindo ao ácido fluir para a garganta.[121]

Essa pressão recorrente devido ao esforço para evacuar pode causar outros problemas. Assim como o ato de apertar uma bolinha antiestresse cria uma bolha, a pressão pelo esforço físico no vaso sanitário pode formar pequenos sacos que se projetam para fora da parede do cólon, uma enfermidade conhecida como diverticulose. A maior pressão abdominal também pode deter o fluxo de sangue nas veias em torno do ânus, causando hemorroidas, e até empurrar o fluxo sanguíneo de volta para as pernas, gerando veias varicosas.[122] No entanto, uma alimentação rica em fibras pode aliviar a pressão em ambas as direções. Pessoas cujas dietas giram em torno de alimentos vegetais não processados tendem a ter movimentos intestinais tão sem esforço que o estômago permanece no devido lugar,[123] o que pode reduzir o refluxo de ácido relacionado a um dos cânceres mais mortais.

O morango pode reverter o desenvolvimento do câncer de esôfago?

Assim como o câncer de pâncreas, o câncer de esôfago é um dos diagnósticos mais graves que se podem imaginar. O índice de sobrevivência após cinco anos da detecção é inferior a 20%,[124] e a maioria dos portadores morre no primeiro ano após o diagnóstico.[125] Isso assinala a necessidade de prevenir, impedir ou reverter o processo da doença o mais cedo possível.

Pesquisadores decidiram fazer um teste com frutas vermelhas. Em uma experiência clínica randomizada com morango em pó em pacientes com lesões pré-malignas no esôfago, os participantes ingeriram de 28 a 56 gramas de morangos congelados a vácuo todos os dias durante seis meses, o equivalente a 450 gramas de morangos frescos por dia.[126]

Todos os participantes iniciaram o estudo com uma lesão pré-maligna leve ou moderada, mas, de maneira surpreendente, a progressão da doença foi *revertida* em 80% nos pacientes do grupo com alta dose de morango. A maioria das lesões pré-malignas regrediu de moderada para leve ou desapareceu por completo. Metade dos que fizeram o tratamento com alta dose de morango se livrou da doença.[127]

O consumo de fibras não apenas tira a pressão do trânsito intestinal. O ser humano evoluiu comendo quantidades imensas de fibras, provavelmente mais de cem gramas por dia.[128] Isso é dez vezes mais do que uma pessoa comum ingere hoje.[129] Pelo fato de as plantas não correrem como os animais, a maior parte de nossa dieta costumava consistir de muitas fibras. Além de manter o funcionamento intestinal regular, as fibras se prendem a toxinas, como o chumbo e o mercúrio, e as colocam para fora.[130] Nosso corpo foi projetado para esperar um fluxo contínuo de fibras, e por isso despeja produtos residuais, como o excesso de colesterol e estrogênio, nos intestinos, contando que tais restos sejam expelidos. Mas, quando não se enche constantemente os intestinos de alimentos vegetais, a única fonte natural de fibras, os produtos residuais indesejados são reabsorvidos e minam as tentativas do corpo de se desintoxicar. Apenas 3% dos americanos alcançam a ingestão mínima diária de fibras recomendada, o que faz dessa deficiência de nutrientes uma das mais disseminadas nos Estados Unidos.[131]

CAPÍTULO 5

Como não morrer
de infecções

Eu ainda estava na faculdade de medicina quando fui chamado para ajudar a defender Oprah Winfrey, que estava sendo processada por um criador de gado tendo em vista a lei de depreciação de alimentos do Texas (treze estados americanos têm as chamadas leis de difamação de alimentos, que tornam ilegal fazer um comentário que, de forma injusta, "implique que um produto alimentar perecível não seja seguro para consumo pelo público").[1]

Oprah tinha conversado em seu programa televisivo com Howard Lyman, um ex-criador de gado de quarta geração que condenava a alimentação canibalesca de vacas com partes de vacas — uma prática arriscada à qual se atribuiu o surgimento e a disseminação da doença da vaca louca. Ao sentir repulsa pela ideia de canibalismo, Oprah disse aos telespectadores: "Isso acabou de me fazer desistir de comer outro hambúrguer." No dia seguinte, o mercado futuro do boi gordo despencou, e o pecuarista do Texas que estava processando a apresentadora alegou ter perdido milhões.

Minha tarefa era ajudar a confirmar que os comentários de Lyman eram "baseados em investigações científicas, fatos ou dados razoáveis e confiáveis".[2] Apesar da facilidade com que fizemos isso — sem falar na violação flagrante das proteções garantidas à liberdade de expressão nos Estados Unidos —, o pecuarista do Texas conseguiu envolver Oprah em um longo e angustiante processo de apelações. Por fim, cinco anos depois, um juiz federal transitou o processo em julgado, pondo fim ao suplício de Oprah.

Em termos jurídicos, a apresentadora venceu o embate. Mas, se a indústria da carne conseguiu arrastar uma das pessoas mais ricas e poderosas dos Estados Unidos pelos tribunais durante anos e fazê-la gastar uma pequena fortuna em honorários jurídicos, que tipo de efeito assustador ela teria sobre outros que querem falar abertamente a respeito de seus produtos? Agora a indústria da carne está tentando aprovar leis que tornem ilegal tirar fotos dentro de suas instalações. Pelo visto, eles temem que as pessoas possam ficar menos dispostas a comprar seus produtos se souberem como eles são feitos.[3]

Para nossa sorte, a humanidade escapou por pouco da doença da vaca louca. Na Grã-Bretanha, quase uma geração inteira foi exposta à carne infectada, porém, apenas algumas centenas de pessoas morreram. Não tivemos a mesma sorte com a gripe suína, que, pelas estimativas dos Centros para Controle e Prevenção de Doenças, matou doze mil americanos.[4] Quase três quartos de todas as doenças em seres humanos que estão surgindo e ressurgindo provêm do reino animal.[5]

O domínio do homem sobre os animais abriu uma verdadeira caixa de Pandora de doenças infecciosas. A maioria de nossas doenças infecciosas modernas era desconhecida antes de a domesticação gerar a transmissão em massa de enfermidades de animais para populações humanas.[6] Por exemplo, a tuberculose parece ter sido originalmente adquirida por meio da domesticação de cabras,[7] porém, agora infecta quase um terço da humanidade.[8] Já o sarampo[9] e a varíola[10] podem ter surgido de vírus mutantes de gado. Domesticamos porcos e pegamos coqueluche; domesticamos galinhas e pegamos febre tifoide; e domesticamos patos e pegamos gripe.[11] A lepra pode ter vindo do búfalo-asiático e o vírus do resfriado, de cavalos.[12] Com que frequência os cavalos selvagens tinham a oportunidade de espirrar na cara de humanos antes de serem controlados e receberem rédeas? Antes disso, o que consideramos um resfriado comum era provavelmente comum apenas para eles.

Depois que vencem a barreira da espécie, os patógenos podem ser transmitidos de pessoa para pessoa. O HIV, um vírus cuja origem se atribui ao abate de primatas na África para o comércio de carne de caça,[13] causa aids, que enfraquece o sistema imunológico. As infecções oportunistas por fungos, vírus e bactérias contraídas pelos pacientes com aids — contra as quais as pessoas saudáveis são resistentes — demonstram a importância de uma função imunológica normal. O sistema imunológico não está ativo apenas quando se está de cama, doente, ardendo em febre: ele está envolvido em uma luta diária de vida ou morte para nos salvar dos patógenos que nos cercam e vivem dentro do nosso corpo.

A cada respiração inalamos milhares de bactérias,[14] e a cada mordida podemos ingerir outras milhões.[15] A maioria desses germes minúsculos é completamente inofensiva, porém, alguns podem causar doenças infecciosas graves, de vez em quando produzindo manchetes com nomes que soam sinistros, como Sars ou Ebola. Embora muitos desses patógenos exóticos recebam bastante cobertura da imprensa, um número maior de mortes ocorre devido a algumas de nossas infecções mais comuns. Por exemplo, infecções respiratórias como a gripe e a pneumonia matam quase 57 mil americanos a cada ano.[16]

Tenha em mente que você não precisa entrar em contato com alguém doente para adoecer de uma infecção. Pode haver infecções latentes dentro de seu corpo, esperando para atacar se sua função imunológica vacilar. É por isso que não basta apenas lavar as mãos; é necessário manter o sistema imunológico saudável.

Protegendo os outros

Para proteger os outros quando se está doente, é preciso praticar a boa etiqueta respiratória, tossindo ou espirrando na curva do braço. Essa prática limita a dispersão de gotículas respiratórias e também evita a contaminação das mãos. Vale a pena lembrar o slogan da Mayo Clinic: "As dez piores fontes de contágio são seus dedos." Quando tosse na mão, você pode contaminar tudo, desde botões de elevadores e interruptores de luz até bombas de gasolina e descargas de vasos sanitários.[17] Não surpreende que, durante uma onda de gripe, o vírus causador possa ser encontrado em mais de 50% das superfícies de áreas compartilhadas de domicílios e creches.[18]

O ideal é que você desinfete as mãos depois de ir ao banheiro, depois de apertar as mãos de alguém, antes de preparar qualquer comida e antes de tocar os olhos, o nariz e a boca após ter entrado em contato com superfícies compartilhadas. As últimas recomendações da Organização Mundial de Saúde defendem o uso de solução ou gel desinfetante à base de álcool mais do que lavar as mãos, para desinfetá-las durante o dia. (Em todos os estudos científicos disponíveis para análise, verificou-se que produtos contendo de 60% a 80% de álcool são mais eficientes do que o sabonete.) Só é preferível lavar as mãos nas ocasiões em que estas estão sujas ou visivelmente contaminadas por fluidos corporais. Para a descontaminação no dia a dia — ou seja, para todas as outras situações — produtos à base de álcool são o método preferível para desinfetar as mãos.[19]

Ainda assim, alguns germes sempre conseguirão passar por sua primeira linha de defesa da boa higiene das mãos. É por isso que você precisa manter o sistema imunológico funcionando o melhor possível com uma dieta e um estilo de vida saudáveis.

PREVENINDO DOENÇAS INFECCIOSAS COM O SISTEMA IMUNOLÓGICO SAUDÁVEL

O termo "sistema imunológico" deriva da palavra em latim *immunis*, que significa isento de encargos ou intocado — o que é adequado, considerando que o sistema imunológico protege o corpo de invasores externos. Composto por vários órgãos, glóbulos brancos e proteínas chamadas anticorpos, que formam alianças contra patógenos transgressores que ameaçam o corpo, o sistema imunológico — afora o sistema nervoso — é o sistema mais complexo que os humanos possuem.[20]

Sua primeira camada de proteção contra os intrusos são barreiras compostas por superfícies físicas, como a pele. Abaixo estão os glóbulos brancos, tais como os neutrófilos, que atacam e englobam os patógenos diretamente, e as células exterminadoras naturais que põem fim ao sofrimento das células do corpo quando estas se tornam cancerosas ou são infectadas por um vírus. Como as células exterminadoras naturais reconhecem os patógenos e as células infectadas? Em geral, eles são marcados para serem destruídos por anticorpos — proteínas especiais produzidas por outro tipo de glóbulo branco, conhecido como célula B, que mira como uma bomba de precisão e crava no invasor.

Cada célula B produz um tipo de anticorpo que é específico para uma assinatura molecular externa. Você não tem uma célula B que combate o pólen de grama e outra que combate bactérias; em vez disso, tem uma célula B cujo único trabalho é produzir anticorpos contra o pólen de *Romulea rosea* e outra cuja função é fabricar anticorpos contra proteínas de bactérias que vivem em passagens termais no fundo do oceano. Se cada uma de suas células B produz apenas um tipo de anticorpo, então você precisaria ter um bilhão de tipos diferentes de células B, considerando a incrível variedade de potenciais patógenos que há em nosso planeta. E você tem!

Suponhamos que um dia você esteja caminhando e de repente seja atacado por um ornitorrinco (eles têm esporões venenosos nas patas, sabia?). Durante toda a sua vida, a célula B de seu corpo que produz anticorpos contra o veneno do ornitorrinco estava à toa, sem fazer nada, até esse momento. Assim que o veneno é detectado, essa célula B específica começa a se dividir freneticamente e logo se torna um enxame inteiro de clones, cada um deles produzindo milhões de anticorpos contra o veneno do ornitorrinco. Aí você se defende da toxina e, então, vive feliz para sempre. É assim que o sistema imunológico funciona — nosso corpo não é espetacular?

Entretanto, à medida que você envelhece, a função imunológica deteriora. Seria isso apenas uma consequência inevitável do envelhecimento? Ou será que

COMO NÃO MORRER DE INFECÇÕES | 107

se deve ao fato de a qualidade da dieta também tender a cair em populações mais velhas? Para pôr à prova a hipótese de que uma nutrição inadequada pode ajudar a explicar a perda da função imunológica à medida que se envelhece, pesquisadores dividiram 83 voluntários com idades entre 65 e 85 anos em dois grupos. O grupo de controle consumiu menos de três porções diárias de frutas, legumes e verduras, enquanto o grupo experimental ingeriu pelo menos cinco porções por dia. Todos os participantes foram vacinados contra pneumonia, uma prática recomendada a todos os indivíduos acima de 65 anos.[21] O objetivo da vacinação é preparar o sistema imunológico para produzir anticorpos contra um patógeno específico da pneumonia para o caso de a pessoa ser exposta a ele. Comparados ao grupo de controle, os participantes que comeram pelo menos cinco porções de frutas, legumes e verduras tiveram uma resposta protetora de anticorpos para a vacina 82% maior — e isso apenas alguns meses depois de passarem a ingerir algumas porções a mais de frutas, legumes e verduras por dia.[22] Esse é o tipo de poder que a alimentação pode exercer sobre a função imunológica.

Certas frutas, legumes e verduras podem dar um estímulo extra à função imunológica.

Couve

Os americanos comem muito pouca couve. De acordo com o Departamento de Agricultura dos Estados Unidos, o americano médio consome 22 gramas de couve por ano.[23] Isso dá uma xícara e meia por pessoa... por década.

A couve — folhagem de cor verde-escura — não é apenas um dos alimentos de maior densidade nutricional do planeta: ela também é capaz de ajudar a combater infecções. Pesquisadores japoneses fizeram um teste em que pingaram uma quantidade mínima do vegetal sobre glóbulos brancos em uma placa de Petri — apenas cerca de um milionésimo de grama de proteína de couve-crespa. Mesmo essa quantidade minúscula foi capaz de fazer com que a produção de anticorpos nas células quintuplicasse.[24]

Na pesquisa, os cientistas japoneses usaram couve crua, mas a pouca quantidade da verdura que os americanos consomem, quando consomem, costuma ser cozida. Será que o processo de cozimento destrói os efeitos imunoestimuladores da couve? Constatou-se que, mesmo depois de ferver a verdura durante trinta minutos ininterruptos, sua capacidade de estimular a produção de anticorpos não foi minimamente afetada. Na verdade, a couve cozida pareceu funcionar ainda melhor.[25]

No entanto, essa propriedade foi descoberta em um estudo realizado em tubo de ensaio. Mesmo os entusiastas da couve não a injetam como heroína, o que presumivelmente seria a única maneira de as proteínas intactas do vegetal entrarem em contato direto com nossas células sanguíneas. Nenhum estudo clínico (ou seja, com pessoas de verdade) sobre esse alimento foi realizado até hoje. Ao que parece, a poderosa couve ainda precisa angariar dólares para que uma pesquisa seja feita. Hoje temos evidências mais fortes dos benefícios imunológicos de um primo menos pretensioso da couve, o brócolis.

Brócolis

Conforme já foi dito, a maior exposição do corpo ao mundo externo é por meio do revestimento interno dos intestinos, que pode cobrir mais de 185 metros quadrados[26] — mais ou menos a área de um apartamento grande.[27] Mas esse revestimento é muito fino: possui apenas cinquenta milionésimos de um metro. Em outras palavras, a barreira que separa a corrente sanguínea do mundo costuma ser mais fina do que uma simples folha de lenço de papel. Isso se deve ao fato de o corpo precisar absorver os nutrientes dos alimentos: se o revestimento dos intestinos fosse mais grosso, os nutrientes teriam dificuldade para atravessá--lo. É uma boa ideia a pele ser à prova d'água, assim nós não vazamos, porém, o revestimento interno dos intestinos precisa permitir a absorção tanto de líquidos quanto de nutrientes. Com uma camada tão frágil entre o interior esterilizado do corpo e o caos externo, é preciso ter um bom mecanismo de defesa funcionando para impedir a entrada de coisas ruins.

É aí que entra o sistema imunológico, especificamente um tipo especial de glóbulo branco chamado linfócito intraepitelial. Essas células têm duas funções: condicionam e consertam o fino revestimento intestinal e também atuam como primeira linha de defesa dos intestinos contra patógenos.[28] Esses linfócitos são cobertos de "receptores Ah", que ativam as células.[29] Durante anos, os cientistas não conseguiram encontrar a chave que se encaixava à fechadura do receptor Ah. Se descobríssemos como ativar essas células, poderíamos aumentar nossa imunidade.[30]

Acontece que o brócolis contém essa chave.

Quando você era criança, devem ter lhe ensinado a comer legumes e verduras, incluindo os crucíferos, como brócolis, couve-crespa, couve-flor, repolho e couve-de-bruxelas. Mas seus pais provavelmente não lhe disseram *por que* deveria comê-los. Agora sabemos que essa família de verduras contém compostos fundamentais para a manutenção das defesas intestinais do corpo. Em resumo, o brócolis é capaz de reunir os soldados do sistema imunológico.[31]

Por que, com o tempo, nosso sistema imunológico evoluiu para depender de certos vegetais? Bem, em que momento precisamos aumentar nossas defesas intestinais? Quando comemos. O corpo humano usa muita energia para manter o sistema imunológico funcionando, então por que permanecer em alerta 24 horas, direto, se comemos apenas algumas vezes por dia? Por que nosso corpo usa especificamente vegetais como um *bat sinal* para reunir as tropas? Nossa espécie evoluiu ao longo de milhões de anos ingerindo, na maior parte do tempo, ervas daninhas — plantas silvestres, incluindo verduras (ou *folhas*, como eram conhecidas na época) verde-escuras —, portanto, nosso corpo pode ter evoluído para associar os vegetais à hora da refeição. A presença de vegetais em nossos intestinos funciona como um sinal para a manutenção do sistema imunológico.[32] Assim, ao não comermos vegetais a cada refeição, podemos estar minando a estratégia de nosso corpo para nos proteger.

Curiosamente, o estímulo imunológico gerado por verduras e legumes crucíferos, como o brócolis, não apenas nos protege dos patógenos presentes na comida como também dos poluentes do meio ambiente. Estamos a todo momento expostos a um enorme conjunto de substâncias tóxicas: desde a fumaça do cigarro, do escapamento do carro, de fornos, passando pela fumaça da carne cozida, dos peixes, a laticínios e até o leite materno[33] (como consequência daquilo a que a mãe foi e está exposta). Já que alguns desses poluentes, como as dioxinas, exercem seu efeito tóxico por meio do sistema do receptor Ah, os compostos dos crucíferos podem bloqueá-los.[34]

Outras plantas também podem nos defender de invasores tóxicos. Pesquisadores no Japão descobriram que, *in vitro*, fitonutrientes presentes em alimentos vegetais como frutas, legumes, verduras, folhas de chá e feijões podem bloquear os efeitos da dioxina. Por exemplo, os cientistas constataram que níveis de fitonutrientes na corrente sanguínea obtidos com a ingestão de três maçãs ou de uma colher de sopa de cebola roxa por dia pareceram reduzir à metade a toxicidade da dioxina. O único problema foi que esses efeitos duraram apenas algumas horas, o que significa que talvez fosse necessário continuar comendo alimentos saudáveis a cada refeição a fim de manter as defesas contra patógenos, assim como as defesas contra poluentes.[35]

Contudo, a capacidade de bloquear toxinas não fica limitada apenas aos alimentos vegetais; há um produto animal que se mostrou capaz de bloquear efeitos cancerígenos das dioxinas: a urina de camelo.[36] Então, da próxima vez que você enfrentar uma crise porque seus filhos não querem comer frutas, legumes e verduras, você pode dizer: "Vai ser brócolis ou xixi de camelo. A escolha é sua."

Cor-de-rosa lhe cai bem

Já reparou que a urina fica meio rosada quando você come beterraba? Embora a cor pareça um pouco anormal, esse é um estado completamente inofensivo e temporário.[37] O fenômeno é um lembrete claro de um fato importante: ao comer alimentos vegetais, muitos fitonutrientes que contêm pigmentos e agem como antioxidantes no corpo (como o licopeno e o betacaroteno) são absorvidos pela corrente sanguínea e banham órgãos, tecidos e células.

Em outras palavras, os pigmentos da beterraba acabam na urina porque são absorvidos pelos intestinos e depois caem na corrente sanguínea, onde circulam pelo corpo até serem filtrados pelos rins. Durante essa viagem pelo corpo, o sangue também fica um pouco mais rosado.

O mesmo princípio causa o hálito de alho. Não são apenas os resíduos na boca que espantam as pessoas; são também os compostos promotores da saúde absorvidos pela corrente sanguínea quando o alho é engolido, que são então exalados com pungência pelos pulmões na respiração. Mesmo que você fizesse um enema de alho *ainda* teria hálito de alho. É por isso que esse legume pode ser usado como tratamento auxiliar em casos graves de pneumonia, já que pode ajudar a remover bactérias dos pulmões.[38]

Estimulando a atividade de células exterminadoras naturais com frutas vermelhas

De acordo com o chefe do Laboratório de Pesquisa em Botânica Bioativa, frutas vermelhas de todo tipo "se consagraram campeãs" na prevenção de doenças.[39] As supostas propriedades anticâncer de seus compostos foram atribuídas a sua aparente capacidade de neutralizar, reduzir e reparar danos resultantes do estresse oxidativo e de inflamações.[40] Mas só recentemente se descobriu que as frutas vermelhas também podem aumentar os níveis de células exterminadoras naturais.

Isso pode parecer sinistro, mas as células exterminadoras naturais são um tipo de glóbulo branco que é um membro vital da equipe de resposta rápida do sistema imunológico contra células cancerosas e infectadas por vírus. Elas são chamadas de exterminadoras naturais porque não precisam de uma exposição anterior a uma determinada doença para serem ativadas, ao contrário de algumas outras partes do sistema imunológico que só podem agir depois de um episódio de exposição, como no caso, digamos, da catapora.[41] Afinal, ninguém quer esperar um *segundo* tumor aparecer para que só então o sistema imunológico comece a lutar.

Existem cerca de dois bilhões de integrantes dessa elite de combatentes de operações especiais patrulhando a corrente sanguínea o tempo todo, porém, pesquisas indicam que podemos reforçar essas fileiras comendo mirtilo. Em um estudo, cientistas pediram a atletas que consumissem uma xícara e meia de mirtilo todos os dias, durante seis semanas, para ver se a fruta poderia reduzir o estresse oxidativo causado por corridas de longa distância.[42] A fruta foi bem-sucedida, o que não foi surpresa, mas a descoberta mais importante foi a de seu efeito nas células exterminadoras naturais. Em geral, elas diminuem em quantidade após uma longa sessão de exercícios de resistência, caindo pela metade — para um bilhão. No entanto, os atletas que consumiram mirtilo tiveram o número de células exterminadoras *dobrado* para mais de quatro bilhões.

O mirtilo pode aumentar o número de células exterminadoras naturais, mas será que existe um alimento que aumenta a *atividade* da célula exterminadora — ou seja, a eficiência com que ela combate células de câncer? Sim, parece que o cardamomo, cujas sementes são utilizadas como condimento, pode fazer isso. Pesquisadores colocaram algumas células de linfoma em uma placa de Petri e adicionaram células exterminadoras naturais, que conseguiram eliminar 5% das células de câncer. Entretanto, depois de os cientistas salpicarem um pouco de cardamomo, as células exterminadoras naturais ficaram superpotentes e erradicaram ainda mais células de câncer, até dez vezes mais do que na ausência do cardamomo.[43] Ainda não foi realizado nenhum estudo clínico para fazer testes com pacientes com câncer.

Contudo, em teoria, muffins de mirtilo com cardamomo podem aumentar o número de células exterminadoras naturais que circulam no corpo, bem como estimular a eficiência delas no combate ao câncer.

É possível prevenir o resfriado comum com probióticos?

Bebês nascidos por cesariana parecem ter um risco maior de desenvolver várias doenças alérgicas, incluindo secreção nasal alérgica, asma e talvez até alergias a alimentos.[44] (Os sintomas de alergia surgem quando o sistema imunológico reage de forma exagerada a estímulos que em geral seriam inofensivos, como o pólen de árvores.) O parto normal faz com que os intestinos do bebê sejam colonizados por bactérias da vagina da mãe. Já os bebês nascidos por cesariana são privados dessa exposição natural. Essa diferença na flora intestinal pode afetar o desenvolvimento do sistema imunológico do bebê, originando a diferença nos índices de alergia. Essa explicação é sustentada por pesquisas que mostram que a perturbação da flora vaginal durante a gravidez devido, por exemplo, ao uso de duchas ou a infecções transmitidas sexualmente, pode gerar um risco maior de a criança desenvolver asma.[45]

Essas descobertas suscitam uma questão mais ampla sobre os efeitos que as bactérias benéficas dos intestinos podem exercer sobre o sistema imunológico. Alguns estudos têm mostrado que a suplementação de bactérias benéficas (probióticos) pode melhorar a imunidade. O primeiro desses estudos demonstrou que glóbulos brancos extraídos de pessoas sob regime probiótico durante algumas semanas apresentaram uma capacidade significativamente maior de englobar e destruir potenciais invasores. Esse efeito durou pelo menos três semanas após a suspensão dos probióticos. A atividade da célula exterminadora natural contra células de câncer *in vitro* também melhorou.[46]

Melhorar a função celular em uma placa de Petri é bom, mas será que esses resultados representariam um número menor de infecções na vida real? Foram necessários mais dez anos de pesquisas para que um estudo randomizado, duplo-cego e placebo-controlado fosse realizado. (Essa categoria de estudo é considerada a melhor e mais confiável espécie de pesquisa e nela tanto os participantes quanto os pesquisadores só descobrem quem está recebendo o tratamento experimental e quem está recebendo o placebo no fim.) O estudo revelou que quem toma suplementos de probióticos pode de fato ter significativamente menos resfriados, passar menos dias doente e apresentar menos sintomas em geral.[47] Até agora, as evidências sugerem que os probióticos podem reduzir o risco de infecções no trato respiratório superior, porém elas não são suficientes para que se recomende a ingestão de comprimidos de probióticos.[48]

A não ser que você tenha sofrido uma grande alteração na flora intestinal devido a um tratamento com antibióticos ou a uma infecção intestinal, o melhor a fazer pode ser focar na alimentação das bactérias benéficas que já vivem nos intestinos.[49] Mas o que a flora amigável come? Fibras e certo tipo de amido que se encontra concentrado em feijões. Essas substâncias são chamadas de *prebióticos* — os probióticos são as bactérias benéficas em si, enquanto os prebióticos são o que as bactérias benéficas comem. Portanto, a melhor maneira de manter as bactérias benéficas felizes e bem alimentadas é ingerir muitos alimentos vegetais não processados.

Ao consumirmos produtos frescos, levamos prebióticos *e* probióticos para os intestinos. As frutas, legumes e verduras são cobertos por milhões de bactérias ácido-láticas, algumas das quais são dos mesmos tipos usados em suplementos de probióticos. Quando preparamos chucrute, por exemplo, não precisamos acrescentar uma cultura inicial porque as bactérias já estão presentes naturalmente nas

COMO NÃO MORRER DE INFECÇÕES | 113

folhas de repolho. Por isso, a inclusão de frutas, legumes e verduras crus na dieta diária pode oferecer o melhor dos dois mundos.[50]

Estimulando o sistema imunológico com exercícios físicos

E se existisse um remédio ou suplemento que reduzisse à metade o número de dias que você passa doente devido a infecções no trato respiratório superior, como o resfriado comum? Algumas companhias farmacêuticas lucrariam bilhões com isso. Mas já existe algo que pode estimular o sistema imunológico, é de graça e poderia ajudar você a ter uma redução de 25% a 50% nos dias que passa doente. E tem apenas efeitos colaterais bons. O que é?

O exercício físico.[51]

Além do mais, não é preciso fazer muita ginástica para obter resultados. Estudos constataram que, em crianças, os níveis de células do sistema imunológico que circulam no sangue aumentam quase 50% após estas correrem apenas seis minutos.[52] Na outra extremidade do ciclo da vida, a prática regular de exercícios também pode prevenir o declínio imunológico relacionado à idade. Uma pesquisa verificou que, enquanto idosas sedentárias têm 50% de chance de contrair doenças nas vias respiratórias superiores durante o outono, idosas escolhidas aleatoriamente para iniciar um programa de meia hora de caminhada diária tiveram o risco reduzido para 20%. E entre as corredoras com condicionamento, o risco era de apenas 8%.[53] Parece que a prática de exercícios físicos tornou o sistema imunológico delas mais de cinco vezes melhor no combate a infecções.

Então o que está acontecendo? Como o simples ato de se movimentar reduz a chance de contrair uma infecção? Cerca de 95% de todas as infecções começam nas superfícies (úmidas) de mucosas, inclusive nos olhos, nas narinas e na boca.[54] Essas superfícies são protegidas por anticorpos chamados IgA (forma reduzida de imunoglobulina A), que formam uma barreira imunológica, neutralizando vírus e evitando que estes penetrem no corpo. A IgA presente na saliva, por exemplo, é considerada a primeira linha de defesa contra infecções no sistema respiratório, tais como pneumonia e gripe.[55] Exercícios moderados podem ser tudo o que é preciso para aumentar os níveis de IgA e reduzir de modo substancial as chances de sofrer de sintomas de gripe. Comparadas a um grupo de controle sedentário, pessoas que praticaram exercícios aeróbicos durante trinta minutos, três vezes por semana, durante doze semanas, tiveram um aumento de 50% nos níveis de IgA na saliva e relataram significativamente menos sintomas de infecção respiratória.[56]

Embora a prática regular de atividades físicas melhore a função imunológica e reduza o risco de infecção respiratória, o esforço prolongado e intenso pode ter o efeito oposto. Quando um indivíduo deixa de ser inativo, o risco de infecção diminui, mas em determinado momento o treinamento exagerado e o estresse excessivo podem *aumentar* o risco de infeção ao debilitarem a função imunológica.[57] Nas semanas que se seguem a maratonas e ultramaratonas, corredores relatam um aumento de duas a seis vezes em infecções nas vias respiratórias superiores.[58] Também foi constatado que um dia depois de iniciarem uma competição internacional, jogadores de futebol de elite sofreram uma queda significativa na produção de IgA.[59] Essa diminuição foi associada a infecções das vias respiratórias superiores durante o treinamento. Outros estudos verificaram que os níveis de IgA podem cair até mesmo depois de uma única sessão de exercícios pesados demais.[60]

Então o que se pode fazer quando se é um atleta radical? Como se pode reduzir as chances de infecção? As recomendações tradicionais da medicina do esporte não parecem ter muito a oferecer: elas sugerem tomar a vacina contra gripe, evitar tocar os olhos ou cutucar o nariz e manter distância de pessoas doentes.[61] Ah, puxa, obrigado. Mas o motivo pelo qual essas medidas podem ser insuficientes é o fato de que as infecções respiratórias costumam ser desencadeadas por reativações de vírus latentes que já estão dentro do corpo, como o vírus Epstein-Barr, causador da mononucleose. Portanto, mesmo que você nunca entre em contato com alguém doente, assim que sua função imunológica diminui, esses vírus dormentes podem voltar e deixar você mal.

Felizmente, vários alimentos podem ajudar na conservação da imunidade de modo a manter os germes afastados.

O primeiro deles é a *chlorella*, uma alga verde e unicelular de água doce, em geral vendida em pó ou comprimida em tabletes. Pesquisadores no Japão foram os primeiros a mostrar que mães que consumiram *chlorella* apresentaram concentrações maiores de IgA no leite materno.[62] Embora suplementos de extrato de *chlorella* não tenham estimulado a função imunológica em geral,[63] há evidências de que a alga inteira pode ser eficaz. Em um estudo feito fora do Japão, em 2012, pesquisadores reuniram atletas suscetíveis a infecções no meio de um período de treinamento. No grupo de controle, que não recebeu nenhum suplemento, os níveis de IgA caíram significativamente durante exercícios intensos; mas entre os que receberam *chlorella*, os níveis de IgA permaneceram estáveis.[64]

Um alerta: um relato perturbador de um caso em Omaha, no estado de Nebraska, Estados Unidos, foi publicado recentemente, com o título "Chlorella-Induced Psychosis".[65] Uma mulher de 48 anos teve um surto psicótico dois meses depois de passar a tomar *chlorella*. Seus médicos a instruíram a interromper o uso da alga e lhe deram um remédio antipsicótico — uma semana depois, ela estava bem. Nunca antes a *chlorella* havia sido associada a psicose, por isso, a princípio, se presumiu ter sido apenas um acaso. Em outras palavras, a psicose pode ter surgido por coincidência após a mulher passar a tomar *chlorella*, e ela pode ter se sentido melhor após parar de tomar a alga por causa do efeito do antipsicótico. Mas sete semanas depois ela ainda estava tomando o remédio quando voltou a usar *chlorella* e mais uma vez entrou em estado psicótico. O uso da alga foi interrompido e a psicose passou de novo.[66] Talvez não tenha sido a *chlorella* em si o que desencadeou os episódios, mas uma impureza tóxica ou adulteração. Não se sabe. Considerando o mercado de suplementos escandalosamente mal fiscalizado, é difícil saber o que se está tomando ao comprar "alimentos" em frascos de suplementos.

Outra opção para atletas que querem manter a função imunológica é a levedura nutricional. Um estudo de 2013 constatou que, ao se consumir um tipo especial de fibra encontrado nas leveduras de pão, de cerveja e na nutricional, é possível manter os níveis de glóbulos brancos após a prática de exercícios.[67] A levedura de cerveja é amarga, porém, a nutricional tem um sabor agradável, semelhante a queijo. Fica muito boa com pipoca.

O estudo mostrou que, depois de duas horas pedalando intensamente, houve uma queda do número de monócitos (outro tipo de glóbulo branco do sistema imunológico) na corrente sanguínea de voluntários. Mas os participantes que receberam o equivalente a três quartos de uma colher de sopa de levedura nutricional antes de se exercitarem terminaram a atividade com níveis de monócitos até mais altos do que quando a iniciaram.[68]

Tudo correu muito bem em uma experiência de laboratório, mas será que o consumo de fibra de levedura de fato implica em menos doenças? Pesquisadores investigaram a questão na Maratona de Carlsbad, na Califórnia.

Corredores que consumiram o equivalente a uma colherada de levedura nutricional diariamente durante as quatro semanas que sucederam a corrida pareceram ter apenas a metade dos índices de infecção das vias respiratórias superiores quando comparados aos que tomaram placebo. Também foi interessante o fato de os corredores que tomaram levedura também terem relatado que se sentiram melhor. Quando perguntados sobre como se sentiam em uma escala de um a dez, sendo dez o melhor resultado, aqueles que tomaram o placebo responderam quatro ou cinco. Já os participantes que tomaram levedura nutricional relataram sistematicamente que se sentiam em torno de seis ou sete. Atletas de elite costumam sentir uma piora no humor antes e depois de uma maratona, porém esse estudo revelou que um pouco de levedura nutricional pode melhorar uma ampla série de estados emocionais, reduzindo as sensações de tensão, fadiga, confusão e raiva e, ao mesmo tempo, aumentando a de "vigor" experimentada pelo indivíduo.[69] Passe a pipoca!

Aumentando a imunidade com cogumelos

Você sofre de alergias sazonais? Nariz escorrendo, coceira nos olhos, espirros? Embora as alergias possam fazê-lo se sentir péssimo porque seu sistema imunológico está ocupado atacando coisas de modo desenfreado, o mesmo estado de alerta elevado pode beneficiar sua saúde geral.

Parece que quem sofre de alergia tem um risco menor de desenvolver certos tipos de câncer.[70] Sim, o seu sistema imunológico pode estar em intensa atividade abatendo coisas inofensivas como pólen ou poeira, mas essa mesma vigilância exagerada pode também derrubar tumores que estão surgindo. Seria ótimo se existisse uma maneira de estimular a parte do sistema imunológico que combate infecções e ao mesmo tempo desencorajar a que gera inflamações crônicas (e todos aqueles sintomas irritantes).

Os cogumelos talvez possam fazer isso.

Assim como a alga pode ser considerada uma planta unicelular, a levedura pode ser considerada um cogumelo unicelular. Milhares de cogumelos comestíveis crescem naturalmente, com uma produção comercial anual de milhões de toneladas em âmbito global.[71] Mas ao olhar as informações nutricionais em uma embalagem de cogumelos você verá que não há ali muita coisa além de algumas vitaminas B e minerais. Isso é tudo o que os cogumelos têm? Não. O que não se vê nas informações nutricionais é um conjunto de micronutrientes que podem estimular nossa função imunológica.[72]

Cientistas na Austrália dividiram os participantes de uma pesquisa em dois grupos. Um deles seguiu uma dieta comum, enquanto o outro, além da dieta comum, consumiu todos os dias uma xícara de cogumelos brancos cozidos. Após uma semana, os que tinham comido cogumelos mostraram um aumento de 50% nos níveis de IgA na saliva e esses níveis de anticorpos permaneceram elevados durante uma semana antes de caírem.[73] Desse modo, para manter os benefícios, tente fazer dos cogumelos um componente regular da sua dieta.

Mas espere. Se os cogumelos desencadeiam um crescimento tão expressivo na produção de anticorpos, será que não deveríamos temer a possibilidade de eles piorarem os sintomas de doenças alérgicas ou autoimunes? Pelo contrário, parece que os cogumelos podem ter um efeito *anti*-inflamatório. Estudos *in vitro* mostraram que diversos tipos de cogumelos, incluindo o branco comum, parecem enfraquecer a resposta inflamatória, potencialmente oferecendo um estímulo às funções imunológica e contra o câncer sem agravar doenças inflamatórias[74] O primeiro estudo clínico randomizado, duplo-cego e placebo-controlado sobre o assunto, publicado em 2014, confirmou um aparente efeito antialérgico em crianças com histórico de infecções recorrentes no sistema respiratório superior.[75]

Intoxicação alimentar

Os patógenos (do grego *pathos*, que significa "sofrimento", e *genos*, "produtor de") também podem ser encontrados naquilo que comemos. A doença transmitida por alimentos, ou intoxicação alimentar, é uma infecção causada por consumo de comida contaminada. De acordo com os Centros para Controle e Prevenção de Doenças, um em cada seis americanos sofre intoxicação alimentar todo ano. Cerca de 48 milhões de pessoas adoecem da enfermidade anualmente: mais do que a soma das populações da Califórnia e de Massachusetts. Mais de cem mil delas são hospitalizadas e milhares morrem só por causa de algo que comeram.[76]

Em termos de anos de vida saudável perdidos, as combinações de alimentos com patógenos mais devastadoras são as das bactérias *Campylobacter* e *Salmonella* em aves domésticas, o parasita *Toxoplasma* no porco e a bactéria *Listeria* em embutidos e laticínios.[77] Um dos motivos pelos quais os alimentos de origem animal são os principais culpados é o fato de que, em sua maioria, os patógenos transmitidos por alimentos são patógenos fecais. Como plantas não defecam, a *E. coli*, que pode ser adquirida no espinafre, não teve, de fato, origem no espinafre — a *E. coli* é um patógeno intestinal, e o espinafre não tem intestinos. Constatou-se que a aplicação de esterco em plantações aumenta em mais de cinquenta vezes as chances de contaminação por essa bactéria.[78]

Ovos e *Salmonella*

O maior fardo da saúde pública nos Estados Unidos quando se trata de intoxicação alimentar é a *Salmonella*. Ela é a principal causa de hospitalizações — e de mortes — relacionadas à intoxicação alimentar.[79] E o número de casos está crescendo. Na última década, ele aumentou 44%, sobretudo entre crianças e idosos.[80] De doze a 72 horas após a infecção, surgem as manifestações mais comuns: febre, diarreia e forte cólica abdominal.[81] A enfermidade costuma durar de quatro a sete dias, porém, entre crianças e idosos pode ser séria o bastante para exigir internação — ou até um enterro.

Muita gente associa *Salmonella* a ovo, e com bons motivos. Em 2010, por exemplo, mais de quinhentos milhões de ovos foram retirados do mercado devido a surtos de *Salmonella*.[82] Entretanto, o mantra da indústria de ovos continuou sendo: pare de reclamar; é seguro comer ovos. Em resposta a um pedido de *recall* feito em um artigo de opinião publicado no *USA Today*, o presidente do grupo de comércio e indústria United Egg Producers insistiu que "ovos completamente cozidos são ovos completamente seguros".[83] Mas o que significa "completamente cozidos"?

A própria indústria de ovos financiou pesquisas sobre a *Salmonella* e os vários jeitos de se preparar ovos. O que se descobriu? A *Salmonella* pode sobreviver em ovos mexidos, fritos dos dois lados e estrelados (fritos só de um lado, com a gema para cima). Verificou-se que o tipo estrelado é o mais arriscado. Os cientistas financiados pela indústria concluíram de forma direta: "O método estrelado deve ser considerado inseguro."[84] Em outras palavras, até a própria indústria de ovos admite que seu produto, quando preparado de uma maneira que é adotada por milhões de americanos todos os dias, em todo o país, *não* é seguro. Na verdade, sabemos disso há um tempo. Vinte anos atrás, pesquisadores da Purdue University determinaram que a *Salmonella* pode sobreviver em omeletes e rabanadas.[85] Pode sobreviver até em ovos cozidos por até oito minutos.[86]

Considerando tudo isso, não deveria surpreender que, de acordo com a Food and Drug Administration, um número estimado em 142 mil americanos adoeça todos os anos devido a ovos contaminados por *Salmonella*.[87] Ou seja, todos os anos há uma epidemia transmitida pelo ovo ocorrendo nos Estados Unidos. Mas o ovo ocupa "apenas" o décimo lugar na lista de piores combinações de alimentos com patógenos.

Aves domésticas e *Salmonella*

O consumo de frango — e não o de ovo — é, na verdade, a causa mais comum de intoxicação por *Salmonella*.[88] Nos Estados Unidos, um surto nacional de uma cepa particularmente virulenta da bactéria foi associado ao sexto maior produtor de aves domésticas do país, a Foster Farms. O episódio durou de março de 2013 a julho de 2014.[89] Mas por que durou tanto tempo? Em grande parte, porque a empresa continuou a produzir frangos contaminados, apesar de repetidas advertências dos Centros para Controle e Prevenção de Doenças.[90] Embora o número oficial de casos tenha sido de apenas centenas, os Centros para Controle e Pre-

COMO NÃO MORRER DE INFECÇÕES | 119

venção de Doenças estimam que, para cada caso confirmado de *Salmonella*, outros 38 não tenham sido notificados.[91] Isso significa que os frangos da Foster Farms podem ter deixado mais de dez mil pessoas doentes. Quando foram investigar, os funcionários do Departamento de Agricultura dos Estados Unidos constataram que 25% dos frangos examinados estavam contaminados pela mesma cepa de *Salmonella*, o que provavelmente se originou com a matéria fecal na carcaça dos frangos.[92]

O México proibiu a importação de frangos da Foster Farms, porém estes continuaram disponíveis em todos os Estados Unidos.[93] Quando o freio de um carro não funciona direito, seu fabricante anuncia um *recall* por medida de segurança. Por que o frango contaminado por *Salmonella* não foi recolhido do mercado? Certa vez, o Departamento de Agricultura tentou fechar uma empresa que estava violando repetidas vezes os padrões de segurança contra a *Salmonella*. A empresa entrou com um processo na Justiça e venceu. Os juízes do caso concluíram que, "como as habituais práticas de cozimento de carne e aves destroem o organismo *Salmonella*, a presença de *Salmonella* em produtos de carne não os torna 'prejudiciais à saúde'".[94]

Se o cozimento apropriado mata o germe, então por que centenas de milhares de americanos ainda adoecem todos os anos devido a aves contaminadas por *Salmonella*? Não é como o caso da *E.coli* e os hambúrgueres malpassados — afinal, quem não cozinha o frango o suficiente? O problema aqui é a contaminação cruzada: entre o momento em que a ave fresca ou congelada é comprada no estabelecimento comercial e o em que é levada ao forno, os germes do frango podem contaminar mãos, utensílios e superfícies da cozinha. Estudos mostraram que, em até 80% das vezes, deixar um frango fresco na tábua de cortar durante alguns minutos pode permitir que a bactéria causadora da doença passe do produto para a superfície de corte.[95] Depois, se o frango cozido for colocado de volta na mesma tábua, há 30% de chances de a carne ser contaminada mais uma vez.[96]

A resposta da Foster Farms — que queria se eximir da culpa — ao surto pode de fato provar o que é mais prudente. Em um comunicado à imprensa, ela afirmou: "Não é incomum que as aves cruas de qualquer produtor contenham a bactéria *Salmonella*. Os consumidores precisam adotar as práticas apropriadas quanto à preparação, ao manuseio e ao cozimento."[97] Em outras palavras, deve ser considerado normal um frango estar contaminado por *Salmonella*. Coma por sua própria conta e risco.

Por que os consumidores americanos são expostos a um risco tão alto? Alguns países europeus têm tido porcentagens muito baixas de contaminação de aves por *Salmonella*, como 2%. Como eles conseguem isso? Porque as leis locais proíbem a venda de frangos contaminados por *Salmonella*. Que ideia incrível! Eles não permitem a venda de aves infectadas por um patógeno responsável por deixar mais de um milhão de americanos doentes por ano.[98] Em uma publicação da indústria da carne, um professor de ciência avícola do Alabama explicou por que não temos essa política rígida: "O consumidor americano não vai pagar tanto. É simples assim." Se a indústria tivesse que bancar os custos para tornar o produto mais seguro, o preço final para o consumidor final subiria. De acordo com esse professor, "o fato é que é caro demais não vender frango contaminado por *Salmonella*".[99]

Bactérias fecais na carne

O problema da contaminação se estende bem além de um único produtor de aves. Em uma edição de 2014 da *Consumer Reports*, pesquisadores publicaram um estudo sobre o custo real de um frango barato. Eles descobriram que 97% dos peitos de frango encontrados no varejo estavam contaminados por bactérias que poderiam deixar as pessoas doentes.[100] Trinta e oito por cento das bactérias *Salmonella* encontradas eram resistentes a vários antibióticos — os Centros para Controle e Prevenção de Doenças consideram esses patógenos uma séria ameaça à saúde pública.[101]

Como a Mayo Clinic explicou de uma forma um tanto indelicada: "A maioria das pessoas é infectada por *Salmonella* ao comer alimentos que foram contaminados por fezes."[102] Mas como as fezes foram parar lá? Nos abatedouros, as aves costumam ser estripadas com um gancho de metal, que com bastante frequência perfura seus intestinos, fazendo com que as fezes sejam expelidas sobre a carne. De acordo com a última pesquisa nacional da Foods and Drugs Administration sobre carne no varejo, cerca de 90% dos frangos no varejo apresentaram evidências de contaminação por matéria fecal.[103]

Utilizando a presença de germes como *E. faecalis* e *E. faecium* como marcadores de contaminação fecal, foi constatado que 90% dos cortes de frango, 91% da carne de peru moída, 88% da carne bovina moída e 80% das costeletas de porco estão contaminados no nível do varejo pelo território nacional dos Estados Unidos.[104]

Se por um lado os surtos de infecção por *Salmonella* aumentaram; por outro, as infecções por *E. coli* de matéria fecal na carne bovina diminuíram.[105] Por que a carne de boi está se tornando mais segura e a de frango mais arriscada?[106] Um fator que pode ter contribuído para isso é o fato de o governo ter conseguido aprovar uma proibição à venda de carne bovina contaminada por uma cepa particularmente perigosa de *E. coli*. Mas por que é ilegal vender carne de boi que se sabe estar contaminada por um patógeno passível de ser mortal, mas é legal vender frango contaminado? Afinal, a *Salmonella* no frango mata mais do que a *E. coli* na carne bovina.[107]

O problema remonta a um famoso caso de 1974, quando a Associação Americana de Saúde Pública (APHA, na sigla em inglês) processou o Departamento de Agricultura dos Estados Unidos por colocar seu selo de aprovação em carnes contaminadas por *Salmonella*. Ao defender a indústria da carne, o departamento afirmou que, como "há inúmeras fontes de contaminação que podem contribuir para o problema geral", seria "injusto escolher, entre todas elas, a indústria da carne e pedir que [o departamento] exija dela a identificação de seus produtos crus como perigosos para a saúde".[108] Em outras palavras, como a *Salmonella* também tem sido associada a laticínios e ovos, não seria justo obrigar apenas a indústria da carne a tornar seus produtos mais seguros. Isso seria como a indústria do atum argumentar que não há necessidade de pôr advertências em latas de atum quanto à presença de mercúrio já que o consumidor também pode ser exposto a mercúrio se comer um termômetro.

O Tribunal de Apelações do Circuito de Washington sustentou o ponto de vista da indústria da carne, afirmando que o Departamento de Agricultura pode permitir a presença da potencialmente mortal *Salmonella* na carne porque "as donas de casa e os cozinheiros americanos em geral não são ignorantes ou estúpidos, e os métodos de preparo e cozimento de alimentos não costumam resultar em salmonelose".[109] Isso é como dizer que as minivans não precisam vir equipadas com *airbag* nem cinto de segurança e que as crianças não precisam ser transportadas em cadeirinhas no carro, pois as mães que as dirigem, levando os filhos para cima e para baixo, *em geral* não batem com o carro.

Evitando o frango para evitar infecções urinárias

De onde vêm as infecções urinárias? Nos anos 1970, estudos feitos com mulheres ao longo do tempo verificaram que o deslocamento de bactérias do reto para a área vaginal precedia o surgimento de infecções urinárias.[110] Contudo, foram necessários mais 25 anos para que técnicas de impressão digital de DNA provassem que cepas de *E.coli* que vivem nos intestinos agem como suprimento de infecções urinárias.[111]

Outros quinze anos se passaram até que os cientistas identificassem o maior culpado, a fonte primária de algumas bactérias associadas a ITUs no reto: o frango. Pesquisadores da McGill University conseguiram coletar em abatedouros a *E. coli* que causa infecção urinária, seguindo seu rastro até o abastecimento de carne e, por fim, até amostras de urina de mulheres infectadas.[112] Como resultado, temos agora uma prova direta de que as infecções urinárias podem ser zoonoses (doenças transmitidas de animais para o ser humano).[113] Essa descoberta é crucial, uma vez que mais de dez milhões de mulheres são afetadas por infecções urinárias todo ano nos Estados Unidos, ao custo de mais de 1 bilhão de dólares.[114] Pior ainda: revelou-se que muitas cepas de *E. coli* que causam infecções urinárias e estão presentes no frango tornaram-se resistentes a alguns de nossos antibióticos mais potentes.[115]

Será que não dá para resolver essa crise apenas distribuindo termômetros para carne e assegurando que as pessoas cozinhem o frango por completo? Não, por causa da questão da contaminação cruzada. Estudos mostraram que o manuseio de frango cru pode levar a uma colonização do intestino mesmo em quem não comeu o produto.[116] Nesse caso, não importa o quanto o frango seja cozido. Dá para transformá-lo em cinzas e ainda assim acabar infectado. Verificou-se que, depois da infecção, as bactérias do frango resistentes a remédios se multiplicaram a ponto de se tornarem uma grande parte da flora intestinal dos participantes da pesquisa.[117]

O motivo pelo qual a maioria das pessoas tem mais bactérias fecais na pia da cozinha do que no assento do vaso sanitário[118] é provavelmente porque elas preparam o frango na cozinha, não no banheiro. Mas e se você é muito cuidadoso? Um estudo decisivo, publicado com o título "The Effectiveness of Hygiene Procedures for Prevention of Cross-Contamination from Chicken Carcasses in the Domestic Kitchen", procurou responder a essa pergunta. Pesquisadores visitaram sessenta casas, deram a cada família um frango cru e pediram que o cozinhassem. Depois que a ave foi cozida, os cientistas retornaram e encontraram bactérias de fezes de frango — *Salmonella* e *Campylobacter*, ambas graves patógenos humanos — por toda a cozinha das famílias: na tábua de corte, em utensílios, no armário, no puxador da geladeira, no puxador do forno, na maçaneta da porta e assim por diante.[119]

É evidente que as pessoas não sabiam o que estavam fazendo, então os pesquisadores repetiram o experimento, mas dessa vez deram instruções específicas às famílias. Depois que os participantes cozinharam o frango, foi-lhes pedido que lavassem as superfícies com água quente e detergente, especificamente a tábua de corte, os utensílios, os puxadores e as maçanetas. No entanto, os pesquisadores *ainda* encontraram bactérias fecais patogênicas por toda parte.[120]

Ao ler o estudo, percebe-se que os cientistas estavam ficando um pouco exasperados. Por fim, eles insistiram para que os participantes usassem água sanitária. O pano de prato usado na limpeza foi o primeiro a ser mergulhado no desinfetante, e em seguida os participantes passaram água sanitária em todas as superfícies e deixaram que agisse por cinco minutos. Entretanto, ainda assim os pesquisadores encontraram *Salmonella* e *Campylobacter* em alguns utensílios, em um pano de prato, na bancada em torno da pia e em armários.[121] A extensão da contaminação na cozinha estava bem menor, mas mesmo assim parece que, a não ser que você trate sua cozinha como um laboratório de patologia, a única maneira de garantir que não haja patógenos fecais nela é não trazê-los para dentro de casa.

Há uma boa notícia: isso não quer dizer que se você comer frango uma única vez seus intestinos ficarão colonizados pelo resto da vida. No estudo em que alguns voluntários se infectaram depois de só manusearem a carne, as bactérias do frango que tentaram se apoderar dos intestinos pareceram viver por apenas dez dias.[122] Supõe-se que as bactérias benéficas dos intestinos conseguiram vencer os bandidos e expulsá-los. O problema, infelizmente, é que as pessoas tendem a comer frango mais de uma vez a cada dez dias, portanto elas podem estar sempre reintroduzindo esses germes de frango no organismo.

Yersinia na carne de porco

Quase cem mil americanos ficam doentes a cada ano por causa da bactéria *Yersinia*.[123] Em todos os surtos dessa bactéria cuja fonte foi identificada, constatou-se a culpa da carne de porco contaminada.[124]

Na maioria dos casos, a intoxicação alimentar por *Yersinia* provoca pouco mais que uma gastroenterite; porém, os sintomas podem se agravar e parecer uma apendicite, resultando em cirurgias de emergência desnecessárias.[125] As consequências a longo prazo de uma infecção por *Yersinia* incluem inflamação crônica de olhos, rins, coração e articulações.[126] Estudos constataram que um ano depois de contrair uma intoxicação alimentar por *Yersinia*, as vítimas parecem ter uma probabilidade 47 vezes maior de sofrer de artrite autoimune,[127] e a bactéria pode também estar relacionada ao desencadeamento de um distúrbio autoimune da tireoide conhecido como doença de Graves.[128]

O quanto os produtos de porco dos Estados Unidos estão contaminados? A revista *Consumer Reports* examinou quase duzentas amostras de diferentes cidades e verificou que havia *Yersinia* em mais de dois terços da carne de porco.[129] Isso pode estar relacionado à intensificação e superlotação que hoje caracterizam as operações industriais com porcos.[130] Como foi afirmado em um artigo da *National Hog Farmer* intitulado "Crowding Pigs Pays", os produtores de porco podem maximizar os lucros ao confinar cada porco a um espaço de pouco mais de meio metro quadrado. Isso basicamente significa comprimir um animal de noventa quilos em uma área equivalente a sessenta por noventa centímetros. Os autores do texto reconheceram que a superlotação gera problemas, incluindo ventilação inadequada e maiores riscos à saúde, porém, concluíram que às vezes "amontoar os porcos um pouco mais lhe renderá mais dinheiro".[131]

Infelizmente não há indícios de que essa situação vá mudar em um futuro próximo. Por quê? Porque a bactéria *Yersinia* não causa doença clínica em porcos.[132] Em outras palavras, isso é um problema de saúde pública, não de produção de animais — ele não afeta a indústria financeiramente. Portanto, em vez de dar a esses animais um pouco mais de espaço para respirar, a indústria do porco, em grande medida, apenas repassa à sociedade os gastos relativos a dezenas de milhares de americanos que ficam doentes todos os anos, um custo estimado em 250 milhões de dólares.[133]

A superbactéria *Clostridium difficile* na carne

Há uma nova superbactéria na área: a *Clostridium difficile*. A *C. diff*, como é mais conhecida, é uma das mais prementes ameaças bacterianas, infectando um número estimado de 250 mil americanos anualmente e matando milhares a um custo de 1 bilhão de dólares por ano.[134] Ela provoca um distúrbio chamado colite pseudomembranosa, que se manifesta como uma diarreia com cólica, dolorosa. A *C. diff* é tradicionalmente considerada uma infecção hospitalar — ou seja, que é contraída em ambientes de assistência médica —, mas nos últimos tempos descobriu-se que um terço dos casos pode estar relacionado a contato com alguém infectado.[135] Então o que está acontecendo?

Bem, outra fonte de infecção pode ser a carne. Os Centros para Controle e Prevenção de Doenças constataram que 42% das amostras examinadas de produtos de carne embalados que eram vendidos em três redes de supermercados de abrangência nacional continham a bactéria *C. diff* produtora de toxinas.[136] Ocorre que os Estados Unidos têm os mais altos níveis registrados do mundo de contaminação de carne por *C. diff*.[137]

A *C. diff* também foi encontrada no frango, no peru e na carne bovina, porém a contaminação da carne de porco foi a que recebeu mais atenção de autoridades de saúde pelo fato de o patógeno ali presente ser muito parecido com a cepa encontrada em infecções em seres humanos que não estão relacionadas a hospitais.[138] Desde 2000, existem cada vez mais registros da *C. diff* como uma das principais causas de infecções intestinais em leitões.[139] O contágio da carcaça por esse patógeno diarreico no momento do abate é considerado a fonte mais provável da contaminação da carne de porco do varejo.[140]

Em geral, a *C. diff* não faz nenhum mal: mesmo que ela chegue ao sistema digestório, as bactérias benéficas presentes no nosso corpo costumam subjugá-la.

COMO NÃO MORRER DE INFECÇÕES | 125

Contudo, ela pode ficar à espreita, aguardando a oportunidade de as bactérias benéficas não estarem presentes. Assim que a pessoa contaminada tomar um antibiótico que perturbe a flora intestinal normal, a *C. diff* pode aflorar e causar uma série de distúrbios intestinais inflamatórios, incluindo um que pode ser letal, que causa tanto mal quanto sugere seu nome: megacólon tóxico[141] (essa condição ostenta um índice de mortalidade de nada menos do que 50%).[142]

Mas o cozimento não elimina a maioria dos germes? Bem, a *C. diff* não é como a maioria dos germes. Para a maior parte das carnes, a temperatura de cozimento interna recomendada é de 71 graus Celsius, mas a *C. diff* pode sobreviver a duas horas de cozimento nessa temperatura.[143] Em outras palavras, é possível grelhar um frango na temperatura de cozimento recomendada durante duas horas seguidas e ainda assim não matar o germe.

Você já deve ter visto propagandas de antissépticos para as mãos à base de álcool que anunciam matar 99,99% de todos os germes. Bem, a *C. diff* faz parte do 0,01% — não é à toa que a chamam de superbactéria. Verificou-se que esporos residuais do patógeno são prontamente transmitidos por um aperto de mão, mesmo após o uso de antissépticos.[144] Como advertiu um dos principais pesquisadores que descobriram outra superbactéria no abastecimento de carne dos Estados Unidos, a MRSA,[145, 146] talvez as pessoas que manuseiam carne crua queiram usar luvas.

Como lidar com uma era pós-antibiótico

A dra. Margaret Chan, ex-diretora-geral da Organização Mundial de Saúde, advertiu há pouco tempo para a possibilidade de enfrentarmos um futuro em que muitos de nossos remédios milagrosos já não funcionarão. Ela afirmou: "Uma era pós-antibiótico significa na prática o fim da medicina moderna como a conhecemos. Coisas tão comuns quanto uma faringite estreptocócica ou um arranhão no joelho de uma criança poderão voltar a ser mortais."[147] Pode ser que em breve tenhamos passado da era dos milagres.

A receita da ex-diretora-geral para evitar essa catástrofe inclui um apelo global para "restringir o uso de antibióticos na produção de alimentos a finalidades terapêuticas". Em outras palavras, usar antibióticos na agropecuária apenas para tratar de animais doentes. Mas isso não está acontecendo: nos Estados Unidos, produtores de carne dão milhões de quilos de antibióticos a cada ano a animais de fazenda para promover seu crescimento ou prevenirem doenças em meio às condições em geral claustrofóbicas, estressantes e anti-higiênicas da agricultura animal industrial. Sim, médicos também receitam antibióticos com exagero. Porém, a Foods and Drugs Administration estima que 80% dos medicamentos contra micróbios vendidos nos Estados Unidos todos os anos são adquiridos hoje pela indústria da carne.[148]

Resíduos de antibióticos podem acabar ficando na carne consumida pelo público final. Estudos revelaram que traços de antibióticos como Bactrim, Cipro e Enrofloxacina foram encontrados na urina de pessoas que comiam carne, embora nenhuma delas estivesse tomando tais remédios. Os pesquisadores concluíram que "a quantidade de carne de boi, porco e frango e laticínios consumida poderia explicar a quantidade de excreção diária de vários antibióticos na urina".[149] Entretanto, esses níveis de antibióticos podem diminuir apenas cinco dias depois da retirada da carne da dieta.[150]

Quase toda grande instituição médica e de saúde pública tem se manifestado contra a prática perigosa de dar toneladas de antibióticos a animais de fazenda para engordá-los mais depressa.[151] Contudo, a força política combinada do agronegócio e da indústria farmacêutica, que lucra com a venda desses remédios, tem efetivamente impossibilitado qualquer ação legislativa ou regulatória real, tudo para que a indústria economize menos de 1 centavo de dólar por meio quilo de carne.[152]

Uma vida saudável pode ajudar você a se proteger de doenças transmitidas pelo ar e por alimentos. O consumo de mais frutas, legumes e verduras e a prática de exercícios físicos com mais frequência podem estimular seu sistema imunológico a lhe ajudar a combater infecções respiratórias como o resfriado comum. E priorizar alimentos vegetais pode impedir que você se torne mais uma vítima da intoxicação alimentar, ao reduzir sua exposição a alguns dos patógenos fecais mais mortais.

Seis anos depois de eu ajudar Oprah a se defender no processo por difamar a carne, também fui vítima de assédio judicial. A corporação Atkins me acusou de ter feito afirmações "difamatórias" em meu livro *Carbophobia: The Scary Truth About America's Low-Carb Craze*. O advogado deles alegou que minhas palavras "continuam a prejudicar a reputação da Atkins e a lhe causar danos". Sem dúvida, meu livro não poderia ter causado mais danos ao dr. Atkins do que a própria dieta dele. Veja só, ele tinha morrido no ano anterior acima do peso e — de acordo com o relatório da autópsia — vítima de um histórico de ataque cardíaco, insuficiência cardíaca congestiva e hipertensão.[153]

Todavia, os advogados estavam se referindo aos danos à Atkins Nutritionals, Inc. Mas, em vez de permitir que eles me silenciassem, postei a ameaça jurídica na internet, refutando ponto a ponto.[154] Felizmente, sob a lei, a verdade é considerada uma defesa absoluta contra a difamação.

Os advogados da Atkins nunca cumpriram a ameaça: quatro meses depois do lançamento do meu livro, a corporação entrou com o pedido de falência.

CAPÍTULO 6

Como não morrer
de diabetes

Alguns anos atrás, Millan, uma integrante da comunidade do NutritionFacts.org, fez a gentileza de me contar sua história. Aos trinta anos, ela foi diagnosticada com diabetes tipo 2. Millan lutara contra a obesidade a vida inteira e sofrera com os altos e baixos de anos de efeito sanfona. Experimentara quase todas as dietas da moda que encontrou, mas, o que não é surpresa, logo ganhara de volta qualquer que fosse o peso perdido. A diabetes não era algo desconhecido para ela. Seus pais, irmãos e uma tia eram diabéticos, então Millan achava que seu diagnóstico era inevitável — tinha relação com a idade, era genético. Não havia nada que pudesse fazer. Ou pelo menos era o que pensava.

O diagnóstico inicial de Millan foi dado em 1970, e ela viveu como diabética por vinte anos. Até que, nos anos 1990, adotou uma dieta inteiramente à base de vegetais e sua vida deu uma guinada. Hoje, seus níveis de energia estão melhores do que nunca, ela parece e se sente mais jovem e, por fim, tem conseguido manter um peso saudável. Mais de quatro décadas após receber o diagnóstico de diabetes, Millan, hoje com mais de setenta anos, está em ótima forma — ela até dá aulas de zumba de alta intensidade! Millan não encontrou nenhum remédio milagroso nem dieta com marca registrada. Apenas decidiu consumir alimentos mais saudáveis.

O nome da doença diabetes melito é composto por duas palavras: *diabetes* (do grego, "passar através ou sifão") e *mellitus* (do latim, "doce como mel"). A diabetes melito se caracteriza por níveis cronicamente elevados de açúcar no sangue, o que ocorre porque o pâncreas não está produzindo insulina (o hormônio que mantêm sob controle a quantidade de açúcar no sangue) suficiente ou porque o

COMO NÃO MORRER DE DIABETES | 129

corpo se torna resistente aos efeitos da insulina. A doença de deficiência de insulina é chamada diabetes tipo 1, já a doença de resistência à insulina é denominada diabetes tipo 2. Quando o sangue sofre um acúmulo excessivo de açúcar, este pode sobrecarregar os rins e sair pela urina.

Mas como a urina era testada antes do advento das técnicas de laboratório modernas? Ela era bebida — a urina diabética pode ter um gosto doce como o mel. Daí o nome.

A diabetes tipo 2 tem sido chamada de "peste negra do século XXI", devido a sua disseminação exponencial no mundo e seu impacto devastador na saúde. Contudo, em vez da peste bubônica, os agentes patológicos na obesidade e na diabetes tipo 2 são identificados como "dietas ricas em gordura e em calorias". E, em vez de pulgas e roedores, as causas são "propagandas e estímulos a um estilo de vida ruim".[1] Mais de vinte milhões de americanos têm hoje o diagnóstico de diabetes; o número de casos triplicou desde 1990.[2] Nesse ritmo, os Centros para Controle e Prevenção de Doenças preveem que um em cada três americanos será diabético até a metade deste século.[3] Hoje, nos Estados Unidos, a diabetes causa a cada ano cerca de cinquenta mil casos de insuficiência renal, 75 mil de amputações de extremidades inferiores, 650 mil casos de perda de visão[4] e 75 mil mortes.[5]

O nosso sistema digestório decompõe os carboidratos ingeridos, transformando-os em um açúcar simples chamado glicose, o principal combustível que move todas as células do corpo. Para ir da corrente sanguínea para as células, a glicose precisa de insulina. Pense na insulina como a chave que destranca a porta das células para permitir que a glicose entre. A cada refeição que fazemos, o pâncreas libera insulina para ajudar a transportar a glicose para as células. Sem esse hormônio, as células não podem receber a glicose e, como resultado, esta se acumula no sangue. Com o tempo, esse açúcar extra pode danificar os vasos sanguíneos — é por isso que a diabetes pode levar a cegueira, insuficiência renal, ataque cardíaco e derrame. A alta concentração de açúcar no sangue também pode danificar os nervos, gerando um distúrbio conhecido como neuropatia, que pode causar dormência, formigamento e dor. Devido aos danos nos vasos sanguíneos e nervos, os diabéticos também podem sofrer de má circulação e falta de sensibilidade nas pernas e nos pés, o que pode levar a ferimentos que não saram devidamente e que podem terminar em amputações.

A diabetes tipo 1, antes chamada diabetes juvenil, representa cerca de 5% de todos os diagnósticos de diabetes.[6] Na maioria dos portadores de diabetes tipo 1, o sistema imunológico destrói por engano as células beta produtoras de insulina no pâncreas. Sem insulina, a quantidade de açúcar no sangue sobe e atinge níveis perigosos. Por isso a enfermidade é tratada com injeções de insulina — um tipo de tratamento de reposição de hormônio — para compensar a falta de produção pelo organismo. A causa exata da diabetes tipo 1 é desconhecida, embora possam ter influência a predisposição genética combinada à exposição a fatores ambientais que podem desencadear a doença, como infecções virais e/ou leite de vaca.[7]

A diabetes tipo 2, antes conhecida como diabetes do adulto, responde por 90% a 95% dos casos de diabetes.[8] No caso dela, o pâncreas produz insulina, mas esta não funciona tão bem — o acúmulo de gordura dentro das células dos músculos e do fígado interfere na ação da insulina.[9] Se a insulina é a chave que destranca a porta para as células, a gordura saturada é o que parece entupir a fechadura. Se a glicose não consegue ter acesso aos músculos, os principais consumidores desse combustível, o açúcar no sangue pode subir a níveis prejudiciais. A gordura dentro dessas células musculares pode vir da gordura que se come ou da que se carrega (isto é, da gordura corporal). A prevenção, o tratamento e a reversão da diabetes tipo 2 dependem, portanto, da dieta e do estilo de vida.

Os Centros para Controle e Prevenção de Doenças estimam que mais de 29 milhões de americanos estão vivendo com diabetes, sendo ela diagnosticada ou não — isso representa 9% da população dos Estados Unidos. De um grupo de cem cidadãos americanos, as chances são de que seis deles já saibam que são diabéticos e três tenham a doença ainda não diagnosticada. Mais de um milhão de novos casos de diabetes tipo 2 são diagnosticados a cada ano.[10]

A boa notícia é que esse tipo quase sempre pode ser prevenido, com frequência pode ser tratado e às vezes pode até ser revertido através de mudanças na dieta e no estilo de vida. Assim como outras das principais causas de morte nos Estados Unidos — em especial a doença cardíaca e a hipertensão arterial —, a diabetes tipo 2 é uma consequência infeliz de nossas escolhas alimentares. Mas há esperança mesmo que já se tenha diabetes e suas complicações. Com mudanças no estilo de vida, é possível alcançar uma remissão completa da diabetes tipo 2, mesmo que se sofra da doença há décadas. Na verdade, quando se adota uma dieta saudável dá para começar a melhorar a saúde em questão de horas.

O que causa a resistência à insulina?

A marca distintiva da diabetes tipo 2 é a resistência à insulina nos músculos. Conforme aprendemos, a insulina permite que o açúcar do sangue entre nas células, mas, quando estas estão resistentes e não respondem ao hormônio como deveriam, isso pode levar a níveis perigosos de açúcar na corrente sanguínea.

Mas o que causa a resistência à insulina?

COMO NÃO MORRER DE DIABETES | 131

Estudos de quase um século atrás fizeram uma descoberta impressionante. Em 1927, pesquisadores dividiram estudantes de medicina jovens e saudáveis em vários grupos para testar os efeitos de diferentes dietas. Alguns receberam uma dieta rica em gordura, composta por azeite de oliva, manteiga, gema de ovo e creme de leite; outros receberam uma dieta rica em carboidrato, composta por açúcar, balas, doces, pão branco, batata assada, caldas, banana, arroz e farinha de aveia. De modo surpreendente, a resistência à insulina disparou no grupo da dieta rica em gordura; em questão de dias, suas taxas de glicemia dobraram em resposta a uma ausência de açúcar, muito mais do que os que seguiam a dieta de açúcar e amido.[11] Foram necessárias mais sete décadas para os cientistas desvendarem o mistério de por que isso aconteceu, mas a resposta foi fundamental para entender o que causa a diabetes tipo 2.

Para entender o papel da dieta, precisamos entender como o corpo armazena combustível. Quando atletas falam em "carga de carboidrato", ou *carb-loading*, antes de uma competição, eles estão se referindo à necessidade de formar uma reserva de combustível nos músculos. A carga de carboidrato é uma versão mais extrema do que fazemos todo dia: nosso sistema digestório decompõe o amido que comemos e o transforma em glicose, que entra no sistema circulatório como açúcar no sangue e em seguida é armazenada nos músculos para ser usada como energia quando necessário.

Entretanto, o açúcar do sangue é um pouco como um vampiro: ele precisa de um convite para entrar nas células. E esse convite é a insulina, a chave que destranca a porta da frente das células musculares para que o hormônio possa entrar. Quando se prende a receptores de insulina em uma célula, a insulina ativa uma série de enzimas que escoltam a glicose para que esta possa entrar. Sem esse hormônio, a glicose do sangue fica presa na corrente sanguínea, batendo na porta da frente das células sem conseguir entrar. A concentração de açúcar no sangue então sobe, danificando órgãos vitais no processo. Na diabetes tipo 1, o corpo destrói as células beta do pâncreas, que são as produtoras de insulina, portanto há muito pouca insulina para deixar o açúcar do sangue entrar nas células. Mas, na diabetes tipo 2, a produção de hormônio não é o problema — a chave está presente, mas algo bloqueou a fechadura. Isso é chamado de resistência à insulina: as células dos músculos se tornam resistentes ao efeito do hormônio.

Então o que está bloqueando as fechaduras das portas das células musculares, não permitindo que a insulina deixe a glicose entrar? A gordura — mais especificamente o lipídio intramiocelular, a gordura dentro das células musculares.

Existe a possibilidade de a gordura na corrente sanguínea — seja a dos estoques de gordura do corpo ou a adquirida da dieta — se acumular nas células musculares, onde pode criar produtos de decomposição tóxicos e radicais livres que bloqueiam o processo de sinalização da insulina.[12] Não importa quanta insulina o organismo produza, pois as células musculares comprometidas pela gordura não conseguem de fato usá-la.

O mecanismo pelo qual a gordura interfere na função da insulina tem sido demonstrado seja infundindo gordura na corrente sanguínea de pessoas e observando a resistência à insulina aumentar,[13] seja removendo gordura do sangue de pessoas e vendo a resistência à insulina cair.[14] Hoje é possível visualizar a quantidade de gordura nos músculos usando a tecnologia de imagens por ressonância magnética.[15] Pesquisadores agora podem rastrear a gordura que vai do sangue para os músculos e observar o aumento da resistência à insulina.[16] Um pico de gordura e, 160 minutos depois, a absorção de glicose pelas células fica comprometida.[17]

Mas os pesquisadores não precisam dar gordura aos participantes dos estudos por via intravenosa. Tudo o que precisam fazer é dar-lhes comida.

Mesmo entre indivíduos saudáveis, uma dieta rica em gordura pode prejudicar a capacidade do corpo de lidar com o açúcar. Mas você pode diminuir sua resistência à insulina ao diminuir a ingestão de gordura. Pesquisas mostraram com clareza que, à medida que a quantidade de gordura na dieta diminui, a insulina funciona cada vez melhor.[18] Infelizmente, considerando as dietas atuais das crianças americanas, estamos vendo a obesidade e a diabetes tipo 2 surgirem cada vez mais precocemente.

Pré-diabetes em crianças

A pré-diabetes é o estágio definido por níveis elevados de açúcar no sangue que ainda não são altos o bastante para atingir o limiar oficial da diabetes. Em geral encontrada entre pessoas com sobrepeso e obesas, antigamente a pré-diabetes era considerada um estado de alto risco que precedia a diabetes, mas não era vista como uma doença em si. Entretanto, agora sabemos que indivíduos pré-diabéticos já podem estar sofrendo danos em órgãos.

Os pré-diabéticos podem ter danos causados pelo açúcar nos rins, olhos, vasos sanguíneos e nervos mesmo antes de a diabetes ser diagnosticada.[19] Evidências de vários estudos sugerem que complicações crônicas da diabetes tipo 2 têm início durante o estado pré-diabético.[20] Portanto, para prevenir danos diabéticos, é preciso prevenir a pré-diabetes. E, quanto mais cedo, melhor.

Trinta anos atrás, supunha-se que quase todos os casos de diabetes em crianças eram do tipo 1. Mas, a partir de meados dos anos 1990, observou-se um aumento do número de casos do tipo 2 em crianças.[21] O que antes era chamado de "diabetes de adulto" hoje é conhecido como diabetes tipo 2 porque crianças já a estão desenvolvendo aos oito anos.[22] Essa tendência pode ter consequências

COMO NÃO MORRER DE DIABETES | 133

devastadoras: um estudo de quinze anos que acompanhou crianças com diagnóstico de diabetes identificou uma prevalência alarmante de cegueira, amputação, insuficiência renal e morte quando elas se tornaram jovens adultos.[23]

Por que houve esse aumento extremo da diabetes infantil? É provável que seja devido ao aumento extremo da obesidade infantil.[24] Nas últimas décadas, o número de crianças americanas consideradas acima do peso aumentou mais de 100%.[25] Crianças que são obesas aos seis anos têm uma probabilidade maior de permanecerem assim; 75% a 80% dos adolescentes obesos continuarão dessa maneira quando adultos.[26]

A obesidade infantil é um forte preditor de doença e morte na vida adulta. Por exemplo, verificou-se que estar acima do peso na adolescência indicava um risco de desenvolver doenças 55 anos depois. Essas pessoas podem acabar tendo o dobro do risco de morrer de doença cardíaca e uma incidência maior de outras enfermidades, incluindo câncer colorretal, gota e artrite. Pesquisadores constataram que estar acima do peso na adolescência pode ser um preditor ainda mais forte de risco de se adquirir doenças do que estar acima do peso na vida adulta.[27]

Para prevenir a diabetes infantil, é preciso prevenir a obesidade infantil. Mas como fazer isso?

Em 2010, o chefe do Departamento de Nutrição da Loma Linda University publicou um artigo no qual sugeriu que cortar o consumo de carne por completo é uma maneira efetiva de combater a obesidade infantil, indicando à população estudos que demonstravam que indivíduos com dietas à base de vegetais são sistematicamente mais magros do que quem come carne.[28]

Para estudar o peso corporal, em geral se recorre ao índice de massa corporal (IMC), uma medida de peso que também leva em conta a altura. No caso dos adultos, um IMC acima de 30 é considerado obesidade; entre 25 e 29,9 é considerado sobrepeso; e entre 18,5 e 24,9 é considerado "peso ideal". Na área médica, costumávamos chamar um IMC abaixo de 25 de "peso normal", o que era a média. Infelizmente, essa já não é mais a média.

Qual é o seu IMC? Acesse uma das muitas calculadoras de IMC na internet ou pegue uma calculadora e divida seu peso em quilos pelo quadrado de sua altura em metros. Por exemplo, se você pesa noventa quilos e mede 1,70 metro, a conta é: $90 \div 1,7^2 = 90 \div 2,89 = 31,14$, um IMC que indica que, infelizmente, você está obeso.

O maior estudo que já comparou índices de obesidade entre indivíduos com dieta à base de vegetais foi publicado na América do Norte. As pessoas que comiam carne ficaram no topo dos gráficos com um IMC médio de 28,8, próximo do limite para obesidade. Os flexitarianos (quem costuma comer carne uma vez por semana, e não todos os dias) tiveram um IMC melhor, de 27,3, mas ainda na faixa de sobrepeso.

Com um IMC de 26,3, os pesco-vegetarianos (quem evita todas as carnes exceto o peixe) se saíram ainda melhor. Mesmo os vegetarianos dos Estados Unidos tendem a estar um pouco acima do peso, chegando ao IMC de 25,7.Verificou-se que o único grupo na faixa de peso ideal foi o dos veganos, cujo IMC teve média de 23,6.[29]

Então por que não há mais pais alimentando os filhos com dietas à base de vegetais? Há um equívoco muito difundido nos Estados Unidos de que isso prejudicaria o crescimento das crianças; mas, na verdade, pode ser o contrário. Pesquisadores da Loma Linda University verificaram que crianças que seguem uma dieta vegetariana não apenas crescem mais magras do que as que comem carne, como crescem mais — cerca de 2,5 centímetros a mais.[30] Em contrapartida, a ingestão de carne está mais associada a um crescimento horizontal: os mesmos cientistas identificaram uma forte ligação entre o consumo de alimentos de origem animal e um risco maior de estar acima do peso.[31]

O desenvolvimento da diabetes na infância parece reduzir a expectativa de vida em vinte anos.[32] Quem entre nós não iria até o fim do mundo para permitir que os filhos vivessem mais duas décadas?

A GORDURA QUE VOCÊ COME
E A GORDURA QUE VOCÊ CARREGA

Ter excesso de gordura corporal é o fator de risco número um para a diabetes tipo 2: até 90% daqueles que desenvolvem a doença estão acima do peso.[33] Mas qual é a ligação? Em parte, um fenômeno conhecido como efeito de transbordamento.

Curiosamente, o número de células de gordura no corpo humano não muda tanto na vida adulta, não importa quanto peso se ganhe ou se perca. Elas apenas aumentam de volume com a gordura à medida que o corpo ganha peso; portanto, quando a sua barriga fica maior, isso não significa que você está produzindo novas células de gordura, mas apenas enchendo as existentes.[34] Nas pessoas com sobrepeso e obesas, essas células podem ficar tão cheias que chegam a derramar gordura de volta para a corrente sanguínea, podendo causar a mesma obstrução da sinalização da insulina que ocorre quando se come uma refeição gordurosa.

Os médicos podem medir o nível da gordura que flutua na corrente sanguínea. Em geral, esse nível é de cem a quinhentos micromoles por litro. Mas os níveis dos obesos ficam entre cerca de seiscentos e oitocentos. Pessoas que seguem dietas pobres em carboidrato e ricas em gordura podem alcançar os mesmos níveis elevados. Mesmo alguém esbelto que tem uma dieta rica em gordura pode ter uma média de oitocentos — por isso, esse número alto não é exclusivo de pacientes obesos. Como quem tem uma dieta rica em gordura está absorvendo muita gordura a partir do sistema digestório, o nível de gordura livre em seu sangue é tão alto quanto o de alguém extremamente obeso.[35]

De modo semelhante, ser obeso pode ser como se empanturrar de bacon e manteiga o dia inteiro mesmo que a pessoa esteja de fato se alimentando de maneira saudável. Isso porque o corpo de um obeso pode estar a toda hora derramando gordura na corrente sanguínea, não obstante o que entra pela boca. Independentemente de qual seja a *fonte* da gordura no sangue, à medida que os níveis de gordura sobem, a capacidade de remover o açúcar do sangue cai devido à resistência à insulina, a causa da diabetes tipo 2.

Já as pessoas com dieta à base de vegetais têm apenas uma pequena fração do índice de diabetes visto naquelas que comem carne com frequência. Como pode ser visto na Figura 1, à medida que as dietas se tornam cada vez mais à base de vegetais, parece haver uma queda gradual nos índices de diabetes.[36] Segundo um estudo com 89 mil californianos, os flexitarianos parecem ter uma redução de 28% nos índices de diabetes, uma boa notícia para quem costuma comer carne uma vez por semana, e não todo dia. Aqueles que cortam toda a carne, exceto o peixe, da alimentação parecem reduzir esses índices à metade. E aqueles que param de consumir carne, incluindo o peixe? Eles parecem eliminar 61% do risco. E aqueles que vão além e cortam o ovo e os laticínios também? Eles podem reduzir em 78% os índices de diabetes, comparados a quem come carne todos os dias.

Por que isso ocorre?

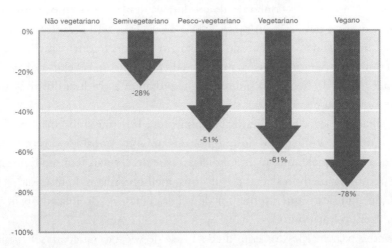

Figura 1

Seria apenas porque as pessoas com dieta à base de vegetais conseguem controlar melhor o peso? Não inteiramente. Até quando têm o mesmo peso dos onívoros comuns, os veganos parecem ter menos da metade do risco de diabetes.[37] A explicação pode estar na diferença entre as gorduras de origem vegetal e as gorduras de origem animal.

Gordura saturada e diabetes

Nem todas as gorduras afetam as células musculares da mesma maneira. Por exemplo, o palmitato, um tipo de gordura saturada encontrado com maior frequência nas carnes, nos laticínios e no ovo, causa resistência à insulina. Já o oleato, a gordura monoinsaturada encontrada com maior frequência nas oleaginosas, na azeitona e no abacate, pode, na verdade, proteger contra os efeitos prejudiciais da gordura saturada.[38] As gorduras saturadas podem acarretar todo tipo de destruição nas células musculares, gerando o acúmulo de mais produtos de decomposição tóxicos (como ceramida e diacilglicerol)[39] e radicais livres e causando inflamação e até disfunção mitocondrial — ou seja, uma interferência nas pequenas usinas de energia (mitocôndrias) dentro das células.[40] Esse fenômeno é conhecido como lipotoxicidade (*lipo* significa gordura, como em lipoaspiração).[41] Se analisarmos biópsias de músculos, veremos que há correlação entre a gordura saturada acumulada nas membranas das células musculares e a resistência à insulina.[42] Contudo, as gorduras monoinsaturadas têm uma probabilidade maior de serem eliminadas pelo corpo ou armazenadas em segurança.[43]

Essa discrepância pode explicar por que indivíduos que seguem dietas à base de vegetais são mais bem protegidos contra a diabetes. Pesquisadores compararam a resistência à insulina e o conteúdo da gordura muscular de veganos com os de onívoros. Como as pessoas com dietas à base de vegetais têm a vantagem de ser em média mais magras, os cientistas recrutaram onívoros com o mesmo peso corporal dos veganos estudados, para ver se as dietas à base de vegetais tinham um efeito direto além do benefício indireto de expulsarem a gordura dos músculos, ajudando o corpo a perder peso.

O resultado? Havia bem menos gordura presa nos músculos mais profundos da panturrilha dos veganos do que nos dos onívoros considerados magros.[44] Verificou-se que aqueles que mantêm dietas à base de vegetais têm melhor sensibilidade à insulina, melhores taxas de glicemia, melhores níveis de insulina[45] e até uma função significativamente melhor de células beta — as células do pâncreas que produzem o hormônio.[46]

Em outras palavras, pessoas com dietas à base de vegetais parecem ser melhores tanto produzindo insulina quanto usando-a.

Comendo mais para prevenir a diabetes

Muitos estudos feitos com populações têm mostrado que indivíduos que comem quantidades significativas de leguminosas (por exemplo, feijão, ervilha seca, grão-de-bico e lentilha) costumam pesar menos. Eles também têm cintura mais fina, pressão arterial mais baixa e são menos obesos, comparados a indivíduos que não comem muitas leguminosas.[47] Mas será que esses benefícios podem não ter a ver com as leguminosas em si, mas com o fato de que em geral quem come mais leguminosas tem uma dieta mais saudável? Para identificar a ligação, cientistas usaram a mais poderosa ferramenta dos estudos sobre nutrição: a pesquisa intervencionista. Em vez de apenas observar o que as pessoas comem, altera-se a dieta delas e se verifica o que ocorre. Nesse caso, as leguminosas foram colocadas à prova em comparações diretas entre o consumo destas com a restrição de calorias.

Reduzir a gordura abdominal pode ser a melhor maneira de evitar que a pré-diabetes evolua para um quadro completo de diabetes. Embora a redução calórica venha sendo a base da maioria das estratégias para a perda de peso, evidências sugerem que a maior parte dos indivíduos que perde peso por ficar controlando o tamanho das porções acaba recuperando-o. Passar fome quase nunca funciona a longo prazo; então não seria ótimo se, em vez disso, encontrássemos uma forma de comer mais para obter o mesmo benefício de perda de peso?

Os pesquisadores dividiram os participantes acima do peso em dois grupos. Aos integrantes do primeiro, foi solicitado que comessem cinco xícaras de lentilha, grão-de-bico, ervilha seca ou feijão-branco por semana, mas que não mudassem a dieta de nenhuma outra maneira. Aos membros do segundo grupo, foi pedido apenas que ingerissem menos quinhentas calorias por dia em suas dietas. Adivinha quem ficou mais saudável? O grupo orientado a comer *mais*. O consumo de leguminosas mostrou ser tão eficiente para afinar a cintura e melhorar o controle do açúcar no sangue quanto o corte de calorias. O grupo que comeu as leguminosas também teve outros benefícios, como melhora do colesterol e da regulação de insulina.[48] Isso é uma notícia animadora para indivíduos acima do peso com risco de diabetes tipo 2: em vez de apenas comer porções menores e reduzir a quantidade de comida ingerida, eles também podem melhorar a *qualidade* da comida ao fazer refeições ricas em leguminosas.

As gorduras saturadas também podem ser tóxicas para as células do pâncreas que produzem insulina. Por volta dos vinte anos de idade, o corpo para de fabricar novas células beta produtoras de insulina. A partir daí, quando elas são perdidas, a perda é definitiva.[49] Estudos de autópsias têm mostrado que, quando a diabetes 2 é diagnosticada mais tarde na vida, metade das células beta já pode ter morrido.[50]

A toxicidade das gorduras saturadas pode ser demonstrada de maneira direta. Ao expormos as células beta à gordura saturada[51] ou ao colesterol LDL ("ruim") em uma placa de Petri, elas começam a morrer.[52] Esse efeito não é observado com as gorduras monoinsaturadas concentradas em alimentos vegetais gordurosos, como as oleaginosas.[53] Com a ingestão de gordura saturada, tanto a ação da insulina quanto a secreção desse hormônio são prejudicadas em questão de horas.[54] Quanto mais gordura saturada há no sangue, maior é o risco de se desenvolver diabetes tipo 2.[55]

É claro que, assim como nem todo mundo que fuma desenvolve câncer de pulmão, nem todo mundo que come gordura saturada em excesso sofre de diabetes. Há um componente genético. Entretanto, no caso de quem já tem predisposição genética, uma dieta com calorias em excesso e rica em gordura saturada é considerada uma causa de diabetes tipo 2.[56]

Como perder peso com uma dieta à base de vegetais

Conforme já foi observado, mesmo que não coma gordura em excesso, a gordura extra que você *carrega* pode causar o efeito de transbordamento (a tendência das células de gordura distendidas demais em derramar gordura na corrente sanguínea). A vantagem da abordagem da dieta à base de plantas e alimentos integrais para perder peso é que pode não haver necessidade de controlar porções, pular refeições ou contar calorias, já que a maioria dos alimentos vegetais é naturalmente rica em nutrientes e tem poucas calorias.

As frutas, os legumes e as verduras contêm, em média, de 80% a 90% de água. Assim como as fibras, a água pode aumentar o volume dos alimentos sem acrescentar calorias. Experimentos revelaram que as pessoas tendem a ingerir a mesma quantidade de comida nas refeições, independentemente do número de calorias — é provável que isso aconteça porque receptores de estiramento no estômago enviam sinais ao cérebro depois que certo volume de comida é ingerido. Quando grande parte desse volume é composta por um item de caloria zero, como as fibras ou a água, significa que você pode comer mais e ganhar menos peso.[57]

QUANTIDADE DE COMIDA EM UMA PORÇÃO DE CEM CALORIAS

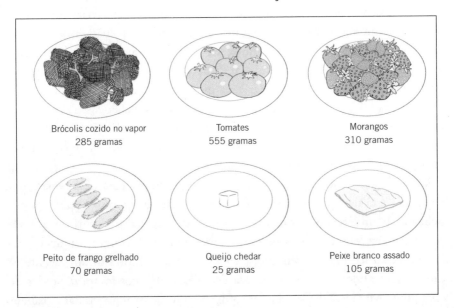

Figura 2

A Figura 2 mostra a quantidade de brócolis, tomate e morango que contém cem calorias comparada à quantidade de frango, queijo e peixe com cem calorias. Você notará que, embora o conteúdo calórico seja o mesmo, o volume desses alimentos é diferente. Portanto, faz sentido que cem calorias de vegetais tenham uma probabilidade maior de lhe deixar satisfeito, enquanto as mesmas cem calorias de alimentos de origem animal ou processados possam deixá-lo com a sensação de não estar saciado.

É por isso que as dietas à base de vegetais e alimentos não processados são ótimas para quem gosta de comer, já que basicamente se come tanto quanto se quer sem se preocupar com a contagem de calorias.

Um estudo clínico randomizado comparativo constatou que uma dieta à base de vegetais supera a dieta para perda de peso recomendada pela Associação Americana de Diabetes. Isso ocorreu sem restringir as porções consumidas e sem exigir a contagem de calorias ou carboidratos.[58] Além disso, uma análise de pesquisas semelhantes constatou que, além da perda de peso, indivíduos que faziam refeições à base de vegetais tinham um melhor controle do nível de açúcar no sangue e um risco reduzido de doença cardiovascular quando comparados àqueles que seguiam dietas que incluíam mais produtos de origem animal.[59] Esses são os benefícios de uma dieta à base de vegetais.

Os diabéticos têm uma probabilidade maior de sofrer derrames e insuficiência cardíaca.[60] Na verdade, diabéticos sem histórico de doença arterial coronariana podem ter o mesmo risco de ataque cardíaco que indivíduos não diabéticos com doença cardíaca confirmada.[61] Além de ser mais bem-sucedida em melhorar a sensibilidade à insulina do que as dietas diabéticas convencionais, a abordagem à base de vegetais também pode gerar uma queda significativa do colesterol LDL, reduzindo, assim, o risco do assassino número um dos diabéticos: a doença cardíaca.[62] Mas como as pessoas se sentem ao fazer uma grande mudança na dieta? Como o dr. Dean Ornish brincou, será que todos nós vamos ter uma vida mais longa ou a vida apenas *parecerá* mais longa?[63]

Ao que tudo indica, a maioria das pessoas que migra para uma dieta à base de vegetais está feliz por ter feito essa mudança. Um dos motivos para a grande fidelidade às intervenções alimentares à base de vegetais é o fato de que elas não apenas tendem a fazer as pessoas melhorarem de forma mensurável como também costumam fazer com que se *sintam* muito melhor. Em um recente estudo clínico randomizado sobre perda de peso, diabéticos foram divididos em dois grupos. Metade deles recebeu uma dieta convencional para tratar a diabetes, conforme recomendado por organizações voltadas para a doença; à outra metade foi receitada uma dieta à base de vegetais que consistiu, em sua maior parte, de legumes, verduras, grãos, frutas e oleaginosas. Ao fim de seis meses, o grupo que seguiu a dieta à base de vegetais relatou uma qualidade de vida e o humor significativamente melhores do que os atribuídos à dieta convencional. Os participantes que fizeram a dieta à base de vegetais também se sentiram menos tímidos do que os que fizeram a dieta convencional. Além disso, como a desinibição deles diminuiu, os pacientes com alimentação vegetariana tenderam a ter menos bebedeiras e também sentiram menos fome — dois fatores que poderiam ajudá-los a manter esse modo de se alimentar ao longo do tempo.[64] Desse modo, as dietas à base de vegetais não apenas parecem funcionar melhor, como pode ser mais fácil mantê-las a longo prazo. E, com a melhora do humor que parecem causar, pode haver benefícios tanto para a saúde física quanto para a mental. (Veja mais sobre esse assunto no Capítulo 12.)

Para reduzir ao máximo o risco de diabetes, será que faz mal comer um pouquinho de carne? Pesquisadores em Taiwan tentaram responder a essa pergunta. Tradicionalmente, as populações da Ásia têm índices baixos de diabetes, porém, nos últimos anos, o número de casos da doença cresceu em uma escala quase epidêmica, coincidindo com a ocidentalização das dietas asiáticas. Em vez de comparar os vegetarianos com os onívoros de hoje, esses cientistas compararam os vegetarianos com aqueles que mantinham uma dieta asiática tradicional, que em geral inclui muito pouco peixe e outras carnes. As mulheres consumiam o equivalente a uma única porção de carne por semana, enquanto os homens ingeriam uma porção em intervalos de poucos dias.[65]

Tanto o grupo dos vegetarianos quanto o da dieta asiática tradicional seguiram dietas saudáveis, evitando refrigerante, por exemplo. Apesar das semelhanças nas dietas dos quatro mil participantes do estudo — e depois de levarem em conta peso, histórico familiar, prática de exercícios físicos e hábito de fumar —, os pesquisadores constataram que os homens vegetarianos tinham apenas metade das chances de desenvolver diabetes do que os que comiam carne de vez em quando. Já as mulheres vegetarianas tinham chances 75% menores de sofrer de diabetes. Aqueles que evitavam carne por completo pareceram ter um risco significativamente menor de pré-diabetes e diabetes do que os que mantiveram dietas à base de vegetais com uma ocasional porção de carne, incluindo peixe. Entretanto, não foi possível comparar os índices de diabetes dos mais de mil vegetarianos do estudo com os dos 69 veganos do grupo, pois a prevalência de diabetes entre os que seguem dietas estritamente à base de vegetais era nula.[66]

Poluentes promotores de diabetes

O aumento drástico do número de obesos tem sido atribuído diretamente à comida em excesso e à falta de atividade física. Mas será que há outra coisa na comida que consumimos que está nos engordando? Cientistas começaram a identificar poluentes químicos "obesogênicos" liberados no meio ambiente que podem perturbar o metabolismo do corpo e predispor à obesidade. Alimentos contaminados são a principal fonte de exposição a essas substâncias químicas, e 95% dessa exposição pode ocorrer através do consumo de gordura de origem animal.[67] E o que isso tem demais? Um estudo feito em âmbito nacional verificou que as pessoas com os níveis mais altos de poluentes na corrente sanguínea tinham impressionantes 38 vezes mais chances de desenvolver diabetes.[68] Pesquisadores de Harvard identificaram uma substância química em particular, o hexaclorobenzeno, como um potente fator de risco para a doença.[69]

Mas onde essa toxina está presente? Pelo visto, na mercearia. Em uma análise feita com diversos alimentos vendidos em supermercados, constatou-se que as sardinhas enlatadas eram o item mais contaminado com hexaclorobenzeno, embora o salmão fosse o alimento mais contaminado no geral — foram identificados 24 pesticidas nos filés de salmão.[70] O salmão cultivado pode ser o pior, contendo dez vezes mais substâncias químicas tóxicas chamadas PCBs do que o pescado na natureza.[71]

Toxinas industriais como o hexaclorobenzeno e os PCBs foram proibidas décadas atrás. Então como se pode atribuir a elas qualquer um dos índices crescentes de diabetes? A resposta para esse paradoxo pode ser a nossa epidemia de obesidade. A relação entre essas substâncias químicas tóxicas e a diabetes apareceu com muito mais frequência em obesos do que em voluntários magros analisados, o que sugere a possibilidade de que nosso próprio estoque de gordura atue como reservatório desses poluentes.[72] Indivíduos com sobrepeso podem estar carregando o próprio depósito de resíduos tóxicos na cintura. Sem uma perda de peso significativa, pessoas cujos corpos contêm poluentes do salmão podem levar de cinquenta a 75 anos para eliminar tais substâncias químicas do organismo.[73]

Mas será que aqueles que cortaram a carne por completo da dieta obtêm nutrientes suficientes? Para descobrir isso, pesquisadores avaliaram um dia na vida de treze mil pessoas por todos os Estados Unidos. Eles compararam a ingestão de nutrientes dos que consumiam carne com a dos que não consumiam. O estudo descobriu que, caloria por caloria, quem seguia uma dieta vegetariana ingeria uma quantidade maior de quase todos os nutrientes: mais fibras, vitamina A, vitamina C, vitamina E, as vitaminas B tiamina, riboflavina e folato, assim como mais cálcio, magnésio, ferro e potássio. Além disso, muitos nutrientes abundantes em dietas à base de vegetais estão entre os que a maioria dos americanos não obtém em quantidade suficiente — ou seja, as vitaminas A, C e E, sem mencionar fibras, cálcio, magnésio e potássio. Ao mesmo tempo, quem evitava o consumo de carne também ingeriu menos substâncias nocivas, como sódio, gordura saturada e colesterol.[74]

Em termos de controle de peso, aqueles que seguiam dietas sem carne consumiam uma média de 364 calorias a menos por dia.[75] Isso é mais ou menos o que a maioria das pessoas que segue programas tradicionais de perda de peso se esforça para cortar, o que significa que uma dieta sem carne poderia ser considerada uma versão coma-o-quanto-quiser de uma dieta para perda de peso com restrição calórica sem a necessidade de contar calorias ou restringir as porções.

Pessoas que adotam dietas à base de vegetais podem até ter uma taxa metabólica de repouso 11% mais alta.[76] Isso significa que os vegetarianos podem queimar mais calorias até dormindo. Por que isso acontece? Isso pode se dever ao fato de os vegetarianos terem uma expressão gênica mais alta para uma enzima que queima gordura chamada carnitina palmitoil transferase, que joga gordura nas fornalhas mitocondriais das células.[77]

Desse modo, uma caloria pode não ser uma caloria quando se trata de carne. Um imenso estudo com um nome igualmente imenso, "European Prospective Investigation into Cancer-Physical Activity, Nutrition, Alcohol, Cessation of Smoking, Eating Out of Home, and Obesity" — mais conhecido como Epic-Panacea —, acompanhou centenas de milhares de homens e mulheres durante anos. Esse foi o maior estudo a investigar a relação entre ingestão de carne e peso corporal e constatou que o consumo de carne estava associado a um ganho de peso substancial mesmo depois de um ajuste de calorias. Isso quer dizer que, pelo visto, no caso de duas pessoas consumirem o *mesmo* número de calorias, em média, a que comer mais carne ganhará significativamente mais peso.[78]

REVERTENDO A DIABETES

E os remédios e a cirurgia?

Conforme foi observado anteriormente, portadores de diabetes tipo 2 têm um risco elevado de desenvolver problemas de saúde graves como doença cardíaca, morte prematura, cegueira, insuficiência renal e amputações, bem como fraturas, depressão e demência. E, quanto mais altos são os níveis de açúcar no sangue, mais ataques cardíacos e derrames os portadores tendem a ter, menor é a expectativa de vida e maior é o risco de complicações. Para descobrir se tais consequências poderiam ser evitadas, foi realizado um estudo em que dez mil diabéticos foram divididos de maneira aleatória em dois grupos: o grupo de tratamento-padrão (em que o objetivo era apenas reduzir os níveis de açúcar no sangue) e um de redução intensiva do açúcar no sangue (em que os pesquisadores submeteram os diabéticos a até cinco classes de remédios ao mesmo tempo), com ou sem aplicações de insulina. O objetivo não era apenas baixar o açúcar no sangue, como no caso do tratamento-padrão, mas baixá-lo consistentemente até uma faixa normal.[79]

Considerando que a diabetes tipo 2 é uma doença de resistência à insulina, a alta concentração de açúcar no sangue é apenas um sintoma dessa enfermidade, e não a enfermidade em si. Portanto, mesmo forçando artificialmente a diminuição do açúcar no sangue através de qualquer meio necessário, não se está de fato tratando a causa, assim como os remédios para baixar a pressão arterial não estão de fato tratando a causa. Entretanto, ao reduzirem um dos efeitos da doença, os cientistas esperavam evitar algumas de suas complicações devastadoras.

Os resultados desse estudo, publicados na *New England Journal of Medicine*, causaram ondas de choque na comunidade médica. O tratamento intensivo para baixar o açúcar no sangue na verdade *aumentou* a mortalidade entre os participantes, exigindo que os cientistas interrompessem a pesquisa antes do pretendido por motivos de segurança.[80] As combinações de remédios podem ter sido mais perigosas do que a alta concentração de açúcar no sangue que estavam tentando tratar.[81]

Os próprios tratamentos com insulina podem acelerar o envelhecimento, piorar a perda de visão diabética e promover câncer, obesidade e aterosclerose.[82] A insulina pode promover inflamação nas artérias, o que talvez ajude a explicar o maior índice de mortalidade no grupo tratado de modo intensivo.[83] Então, em vez de tentar superar a resistência à insulina com força bruta, apenas injetando cada vez mais insulina, não seria melhor tratar a doença em si, eliminando a dieta pouco saudável que a causou? Isso me lembra as pessoas que colocam ponte de safena por causa de artérias entupidas. Se elas mantiverem uma alimentação pouco saudável, as pontes de safena acabarão entupidas também. É melhor tratar a causa do que os sintomas.

E a cirurgia para diabetes? A operação de bypass gástrico, que reduz o tamanho do estômago em pelo menos 90%, é um dos métodos de tratamento mais bem-sucedidos para diabetes tipo 2, com registros de índices de remissão a longo prazo de até 83%. Esses resultados sugerem que a cirurgia de bypass gástrico melhora a diabetes ao alterar de algum modo o funcionamento dos hormônios da digestão, porém, essa interpretação ignora o fato de os pacientes serem submetidos a uma dieta rigorosa e muito limitada por até duas semanas após o procedimento, a fim de se recuperarem da cirurgia. Uma restrição calórica extrema pode por si só reverter a diabetes. Então seria o sucesso da operação uma consequência do procedimento em si ou da dieta restritiva?

Mais uma vez, pesquisadores elaboraram um estudo para descobrir a resposta.[84] Eles compararam diabéticos submetidos à mesma dieta pós-operatória antes e depois de passarem pela cirurgia. Incrivelmente, verificaram que a dieta por si só funcionava *melhor* do que a cirurgia ainda que no mesmo grupo de pacientes: o controle do açúcar no sangue dos diabéticos era melhor na ausência da operação. Isso significa que os benefícios de uma grande cirurgia podem ser obtidos sem ser necessário entrar na faca e ter os órgãos reorganizados.[85]

Moral da história: os níveis de açúcar no sangue podem ser normalizados após uma semana ingerindo seiscentas calorias por dia porque a gordura é expulsa dos músculos, do fígado e do pâncreas, permitindo que estes voltem a funcionar normalmente.[86]

Essa reversão da diabetes pode ser obtida por restrição voluntária de calorias[87] ou involuntariamente, tendo a maior parte do estômago removida — uma forma de restrição alimentar compulsória. Submeter-se a uma operação pode ser mais fácil do que passar fome, porém uma grande cirurgia traz riscos maiores, tanto durante o procedimento quanto depois. Esses incluem sangramento, vazamento, infecções, erosões, herniação e graves deficiências de nutrientes.[88]

Cirurgia ou fome? Tem que haver uma maneira melhor. E de fato há: em vez de mudar a quantidade de alimentos que se come, é possível reverter a diabetes mudando a *qualidade* dessa comida.

Comer carne gorda engorda?

O estudo Epic-Panacea — que constatou que o consumo de carne está associado ao ganho de peso independentemente da quantidade de calorias ingeridas — identificou as aves domésticas como o tipo de carne potencialmente mais engordativo,[89] descoberta que depois foi confirmada em outro estudo. Homens e mulheres que consumiam até mesmo uma onça (cerca de 28 gramas) de frango por dia (pense em dois nuggets de frango) tiveram um ganho significativamente maior de IMC, ao longo do período de quatorze anos em que foram acompanhados, do que o daqueles que não consumiam frango algum.[90] Talvez essa notícia não devesse ser surpreendente, considerando o quanto os frangos são hoje geneticamente manipulados para engordarem com facilidade.

De acordo com o Departamento de Agricultura dos Estados Unidos, há cerca de cem anos, uma porção de frango podia conter apenas dezesseis calorias de gordura. Hoje, uma porção de frango pode chegar a mais de duzentas calorias de gordura. O teor de gordura nas aves aumentou de menos de dois gramas por porção, um século atrás, para até as 23 gramas de hoje — isso são dez vezes mais gordura. O frango contém de duas a três vezes mais calorias de gordura do que calorias de proteína, o que leva pesquisadores a se questionarem: "Comer carne gorda engorda o consumidor?"[91] Como a indústria da carne bovina se orgulha em afirmar, até o frango sem pele pode ter mais gordura — e mais gordura saturada que entope artérias — do que uma dúzia de diferentes cortes de carne de boi.[92]

Revertendo diabetes com comida

Sabemos desde o cerco de Paris, em 1870, que a diabetes tipo 2 pode ser revertida com uma redução extrema da ingestão de alimentos. Médicos parisienses documentaram como a glicose desapareceu da urina de seus pacientes depois que eles passaram semanas sem comida.[93] Especialistas em diabetes sabem há muito tempo que pacientes com enorme força de vontade, capazes de perder até um quinto do peso corporal, podem reverter a diabetes e normalizar a função metabólica.[94]

Mas e se, em vez de passar fome por comer menos, os diabéticos apenas ingerissem alimentos melhores, como em uma dieta 90% ou mais à base de vegetais, com tudo o que se quiser comer de verduras, muitos legumes e feijões, grãos integrais, frutas, oleaginosas e sementes? Em um estudo-piloto, foi solicitado que treze homens e mulheres diabéticos consumissem pelo menos uma salada grande todos os dias, bem como uma sopa de feijão e legumes, um punhado de oleaginosas e sementes, fruta em todas as refeições, um pouco menos de meio quilo de verduras cozidas e alguns grãos integrais, além de restringirem a ingestão de produtos de origem animal e cortarem grãos refinados, junk-food e óleo. Em seguida, os pesquisadores mediram seus níveis de hemoglobina A1c, considerada a melhor medida de como os açúcares do sangue foram mal controlados ao longo do tempo.

No início do estudo, os diabéticos tinham um nível médio de A1c de 8,2. Um A1c abaixo de 5,7 é considerado normal; entre 5,7 e 6,4 é considerado pré-diabético; e acima de 6,5 é considerado diabético. No entanto, a meta da Associação Americana de Diabetes é apenas levar a maioria dos diabéticos para o nível inferior a 7,0.[95] (Lembre-se de que as experiências de redução intensiva do açúcar no sangue através do uso de remédios, levando os níveis de A1c para menos de 6,0, infelizmente acabaram levando muitos diabéticos para a cova.)

Após sete meses de dieta com foco em alimentos vegetais não processados, os níveis de A1c dos voluntários caíram para a medida de não diabético 5,8 — e isso depois de eles pararem de tomar a maioria dos medicamentos.[96] Nós já sabíamos que a diabetes pode ser revertida com uma dieta de ingestão extremamente baixa de calorias.[97] Agora também sabemos que a doença pode ser revertida com uma dieta extremamente saudável, mas será que isso aconteceu porque essa dieta também tem uma ingestão baixa de calorias? Ao seguir a dieta à base de vegetais, repleta de legumes e verduras, os participantes do estudo perderam tanto peso quanto as pessoas que quase passaram fome, fazendo dietas baseadas em bebidas que substituem refeições.[98] Mas, mesmo que esse tipo de reversão da diabetes tenha se devido apenas à restrição da ingestão de calorias, qual das dietas seria a mais saudável? Subsistir sobretudo à base de shakes de emagrecimento feitos com açúcar, leite em pó, xarope de milho e óleo ou manter uma alimentação baseada no consumo de vegetais em que se pode saborear comida de verdade em grande quantidade?

Um dado surpreendente foi o fato de que mesmo os participantes que temporariamente não perderam peso seguindo a dieta à base de vegetais, ou que, na verdade, ganharam peso, pareceram melhorar da diabetes. Em outras palavras, os efeitos benéficos das dietas à base de vegetais podem se estender para além da perda de peso.[99] Entretanto, o estudo analisou apenas um punhado de indivíduos, não teve nenhum grupo de controle e incluiu apenas quem pôde aderir ao plano de alimentação. Para provar que as dietas à base de vegetais podem, de fato, fazer as pessoas melhorarem da diabetes, qualquer que seja a perda de peso, os pesquisadores teriam que elaborar uma análise em que fizessem os participantes mudarem para uma dieta saudável e os forçassem a comer bastante para não perderem peso.

Um estudo desse tipo foi publicado há mais de 35 anos. Diabéticos do tipo 2 foram submetidos a uma dieta à base de vegetais e eram pesados todos os dias. Se começavam a perder peso, tinham que comer mais; tanto que alguns participantes acabaram tendo dificuldade para comer tudo o que lhes era pedido! Resultado: mesmo sem nenhuma perda de peso, as pessoas que fizeram a dieta à base de vegetais tiveram uma redução de 60% da necessidade de insulina, o que significa que a quantidade de hormônio que elas tinham que injetar caiu em mais da metade. Além disso, metade dos diabéticos conseguiu largar a insulina por completo, apesar de não ter tido nenhuma mudança no peso corporal — apenas por seguir uma dieta mais saudável.[100]

E isso não aconteceu ao longo de meses ou anos: os diabéticos seguiram uma dieta à base de vegetais durante apenas dezesseis dias, em média. Alguns participantes sofriam da doença havia duas décadas e vinham injetando vinte unidades de insulina por dia. Contudo, duas semanas após iniciarem uma dieta à base de vegetais, dispensaram totalmente o hormônio. Após dezoito dias, um paciente que tomava 32 unidades de insulina por dia no início do estudo teve uma queda tão grande nos níveis de açúcar no sangue que pôde dispensar as injeções de hormônio. Mesmo mantendo quase o mesmo peso corporal, a concentração de açúcar no seu sangue estava mais baixa do que a de quando ele fazia uma dieta comum e usava 32 unidades de insulina todos os dias.[101] Esse é o poder dos vegetais.

Como curar a neuropatia diabética

Até 50% dos diabéticos acabam desenvolvendo uma neuropatia, ou danos nos nervos.[102] A neuropatia pode ser muito dolorosa, e a dor costuma ser resistente a tratamentos convencionais. Não há tratamento médico considerado eficiente para essa enfermidade.[103] A nós, médicos, restam apenas esteroides, opiáceos e antidepressivos para tentar aliviar o sofrimento dos pacientes. Mas então foi publicado um estudo notável, intitulado "Regression of Diabetic Neuropathy with Total Vegetarian (Vegan) Diet". Vinte e um diabéticos que sofriam de neuropatia dolorosa havia até dez anos foram submetidos a uma dieta à base de vegetais e alimentos integrais. Após anos de sofrimento, dezessete dos 21 participantes relataram que sentiam um alívio completo da dor, *isso em questão de dias após terem começado*. A dormência também diminuiu consideravelmente. E os efeitos colaterais foram todos positivos: os diabéticos perderam em média 4,5 quilos, suas taxas de glicemia caíram, sua necessidade de insulina caiu para metade e, em cinco deles, não só a neuropatia dolorosa foi curada como, ao que tudo indica, a diabetes também. Depois de serem diabéticos por até vinte anos, eles dispensaram todos os remédios para regular a concentração de açúcar no sangue em menos de um mês.[104]

Além disso, os níveis de triglicerídeos e colesterol dos diabéticos também melhoraram na média. A pressão arterial alta caiu tanto que metade dos participantes também pareceu se curar da hipertensão — em três semanas, a necessidade de medicamentos para pressão alta diminuiu 80%.[105] (Por isso é fundamental contar com o acompanhamento do seu médico ao fazer uma melhora radical na dieta, pois, se ele não reduzir a dosagem ou cortar os medicamentos de forma apropriada, sua taxa de glicemia ou sua pressão arterial podem cair demais.)

Já se sabia há muito tempo que dietas à base de vegetais podem reverter a diabetes[106] e a hipertensão,[107] mas a possibilidade de reverter a dor causada por danos nos nervos com dieta foi uma novidade.

Esse estudo abrangeu um programa de internação em que os pacientes recebiam suas refeições. Mas o que aconteceu depois que eles foram enviados para casa, de volta ao mundo real? Esses dezessete participantes foram acompanhados durante anos, e em todos os casos, exceto um, o alívio da neuropatia dolorosa foi mantido — ou teve uma melhora ainda maior. Como os pesquisadores conseguiram fazer com que os participantes seguissem a dieta à risca mesmo em um ambiente não controlado? De acordo com esses cientistas, "a dor e a saúde ruim são grandes fatores motivadores".[108] Em outras palavras, isso aconteceu porque as dietas à base de vegetais funcionam.

COMO NÃO MORRER DE DIABETES | 149

Pense nisso: pacientes chegam com uma das enfermidades mais dolorosas, frustrantes e difíceis de tratar de toda a medicina e três quartos deles são curados em alguns dias com um tratamento natural, não tóxico — ou seja, uma dieta composta de alimentos vegetais não processados. Isso deveria ter sido manchete de primeira página.

Como a dor causada por danos nos nervos pôde ser revertida de maneira tão súbita? Isso não pareceu envolver uma melhora no controle do açúcar no sangue: foram necessários cerca de dez dias para a dieta controlar a diabetes em si, porém, a dor passou em apenas quatro dias.[109]

A especulação mais interessante foi a de que as gorduras trans encontradas naturalmente na carne e nos laticínios poderiam estar causando uma resposta inflamatória no organismo dos pacientes. Os pesquisadores constataram que um percentual significativo da gordura sob a pele dos pacientes que comiam carne ou mesmo apenas laticínios e ovos era composto de gorduras trans, enquanto aqueles que seguiam uma dieta exclusivamente à base de vegetais e alimentos integrais não possuíam gordura trans detectável nos tecidos.[110]

Os cientistas enfiaram agulhas nas nádegas dos pacientes que vinham fazendo dietas diferentes e descobriram que quem estava seguindo a dieta à base de vegetais e alimentos não processados há pelo menos nove meses parecia ter eliminado toda a gordura trans do corpo (ou pelo menos do traseiro!).[111] Mas a dor da neuropatia dos integrantes desse grupo não demorou nove meses para diminuir — ela melhorou por volta de nove dias. É mais provável que essa incrível reversão tenha se devido a uma melhora do fluxo sanguíneo.[112]

Os nervos do nosso corpo contêm pequeninos vasos sanguíneos que podem ficar entupidos, o que vai acabar por privá-los de oxigênio. De fato, biópsias de nervos das pernas de diabéticos com neuropatia progressiva severa têm evidenciado a presença de doença arterial no nervo sural.[113] Entretanto, depois de dias ingerindo refeições mais saudáveis, o fluxo sanguíneo pode melhorar de tal forma que a neuropatia desaparece.[114] Após dois anos, em média, seguindo uma dieta à base de vegetais composta sobretudo por arroz e frutas, até a perda de visão diabética pode ser revertida em nada menos do que 30% dos pacientes.[115]

Então por que será que não aprendi nada disso durante a faculdade de medicina? A resposta é que receitar vegetais em vez de comprimidos rende pouco dinheiro. O estudo da reversão da dor da neuropatia foi publicado há mais de vinte anos, e os que tratam da reversão da cegueira, há mais de cinquenta anos. Como escreveu um comentarista: "O desprezo da comunidade médica em geral por esse trabalho importante é quase inescrupuloso."[116]

RCE *versus* IMC

O índice de massa corporal (IMC) é um indicador de doença melhor do que o peso por si só, pois ele leva em conta a altura. No entanto, há muito tempo o IMC é criticado por não considerar a localização ou a natureza do peso. Os fisiculturistas, por exemplo, têm um percentual de gordura corporal muito baixo, mas podem ter um IMC acima do normal, já que os músculos pesam mais do que a gordura.

Hoje, em geral, aceita-se que os riscos à saúde podem ser determinados tanto pela distribuição relativa da gordura corporal quanto por sua quantidade total.[117] Mas qual é o pior tipo? É a gordura abdominal, do tipo que se acumula em torno dos órgãos internos. Ter uma pança pode ser um forte indicador de morte prematura.[118]

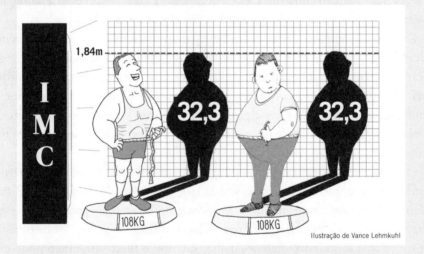

Ilustração de Vance Lehmkuhl

Os dois homens da Figura 3 têm o mesmo IMC, mas uma distribuição de peso diferente. Pessoas cujo corpo têm o chamado formato maçã — com a gordura corporal concentrada na região abdominal — podem ser as que têm a menor expectativa de vida.[119]

Felizmente, pode haver uma ferramenta ainda melhor do que o IMC para medir os riscos da gordura corporal para a saúde. Trata-se da chamada relação cintura/estatura (RCE).[120] Em vez de uma balança, pegue uma simples fita métrica. Fique ereto, inspire fundo, expire e relaxe por completo.

> A circunferência de sua barriga (cujo ponto de medição fica bem no meio da linha entre o alto dos ossos do quadril e o final da caixa torácica) deve ter a metade da sua altura — o ideal é que tenha menos. Se o resultado for superior à metade de sua altura, é hora de começar a se alimentar de forma mais saudável e se exercitar mais, qualquer que seja o seu peso.[121]

Nos Estados Unidos, a diabetes tipo 2 está atingindo proporções epidêmicas. Os Centros para Controle e Prevenção de Doenças estimam que 37% dos adultos americanos — e 51% dos maiores de 65 anos — têm pré-diabetes. Isso são 86 milhões de pessoas,[122] a maioria das quais se tornará diabética.[123] No entanto, a diabetes tipo 2 pode ser prevenida, controlada e até revertida com uma dieta saudável o bastante. Infelizmente, os médicos não tendem a ensinar os pacientes a prevenir essa doença. Apenas um em cada três pacientes pré-diabéticos relata ter sido orientado por seu médico a praticar exercícios ou a se alimentar melhor.[124] Os possíveis motivos para não aconselhar os pacientes incluem falta de reembolso de seguro pelo tempo extra investido, falta de recursos, falta de tempo e falta de conhecimento.[125] Não estamos treinando os médicos de modo a empoderar as pessoas de que tratam.

O atual sistema de ensino médico ainda precisa se adaptar à grande transformação da doença de aguda para crônica. A medicina já não se restringe a pôr ossos quebrados no lugar ou curar uma faringite estreptocócica. Doenças crônicas como a diabetes são agora a principal causa de morte e deficiência nos Estados Unidos, consumindo três quartos do orçamento de assistência médica do país. O ensino médico ainda precisa reconhecer a transformação dos padrões de doença e reagir a isso, o que hoje exige um foco na prevenção de enfermidades e na mudança do estilo de vida dos pacientes.[126] O quanto a profissão médica está atrasada? Um relatório do Instituto de Medicina sobre a formação médica concluiu que a abordagem básica do ensino médico não é alterada desde 1910.[127]

Não muito tempo atrás, recebi um e-mail que ajuda a resumir em que ponto estamos. Tonah, um nativo americano de 65 anos, tomava insulina para diabetes tipo 2 havia 27 anos. Ele foi informado pelo médico que os nativos americanos tinham uma "predisposição genética" à doença. Ele teria que conviver com a enfermidade, o que incluía a dor excruciante nos nervos, três *stents* no coração e disfunção erétil. Depois de assistir ao meu vídeo "Uprooting the Leading Causes of Death" ["Extirpando as principais causas de morte"] no NutritionFacts.org, sua neta o convenceu a experimentar uma dieta à base de vegetais.

Não foi fácil, uma vez que a loja com alimentos frescos mais próxima ficava a oitenta quilômetros. Entretanto, em menos de duas semanas ele deu uma guinada na vida. Sua neuralgia diminuiu drasticamente, a ponto de já não o impedir de dormir. Ele perdeu treze quilos em questão de meses e já não precisava aplicar insulina. Seu próprio médico não acreditou que isso fosse possível e pediu uma tomografia computadorizada para verificar a presença de tumores — não havia nenhum. Agora ele se sente bem como há anos não se sentia.

"Sou grato por minha neta ter parado de me ver como um homem velho e doente", concluiu Tonah no e-mail. "Eu me sinto jovem de novo, doutor."

CAPÍTULO 7

Como não morrer de hipertensão arterial

A revista *Lancet*, uma das principais publicações médicas do mundo, divulgou recentemente a mais abrangente e sistemática análise das causas de morte já realizada.[1] Financiado pela Fundação Bill e Melinda Gates, o Estudo de Carga de Doença Global [GBD, na sigla em inglês] envolveu quase quinhentos pesquisadores de mais de trezentas instituições em cinquenta países e examinou quase cem mil fontes de dados.[2] Os resultados nos permitem responder a questões como "Quantas vidas poderíamos salvar se as pessoas diminuíssem o consumo de refrigerante?". A melhor resposta: 299.521 vidas.[3] Ou seja, os refrigerantes e suas calorias vazias não apenas deixam de promover a saúde: na verdade, promovem a morte. Mas, pelo visto, o refrigerante não é nem de longe tão letal quanto o bacon, a mortadela, o presunto e a salsicha de cachorro-quente. A carne processada é responsável por mais de oitocentas mil mortes todos os anos. Em todo o mundo, o número de baixas é quatro vezes maior do que o de mortes em virtude do uso de drogas ilícitas.[4]

O estudo também identificou os alimentos que, quando acrescentados à dieta, podem *salvar* vidas. O consumo de mais grãos integrais poderia salvar 1,7 milhão de pessoas por ano. Mais legumes e verduras? Estamos falando de 1,8 milhão de vidas. E as oleaginosas e as sementes? Somam 2,5 milhões de vidas. Os pesquisadores deixaram os feijões de fora da análise, mas, dos alimentos examinados, qual é o mais necessário? As frutas. Ao redor do planeta, se a humanidade consumisse mais frutas, poderíamos salvar 4,9 milhões de pessoas. Isso são quase cinco milhões de vidas pendendo na balança, e a salvação delas não é um medicamento nem uma nova vacina — pode ser simplesmente a ingestão de mais frutas.[5]

Os cientistas identificaram a hipertensão arterial como o fator número um de risco de morte em termos globais.[6] Também conhecida como hipertensão, ela dizima nove milhões de vidas no mundo inteiro todos os anos.[7] Assassina tanta gente porque contribui para mortes de causas variadas, incluindo aneurisma, ataque cardíaco, insuficiência cardíaca, insuficiência renal e derrame.

É provável que você já tenha tido a pressão arterial aferida em um consultório médico. A enfermeira lê dois números, por exemplo: "115 por 75". O primeiro número (a "sistólica") representa a pressão nas artérias quando o sangue é bombeado pelo coração; o segundo número (a "diastólica") é a pressão nas artérias enquanto o coração está descansando entre os batimentos. A Associação Americana do Coração define a pressão sanguínea "normal" como uma pressão sistólica abaixo de 120 e uma diastólica abaixo de 80 (ou 120/80). Qualquer número acima de 140/90 é considerado hipertensão. Valores entre essas duas referências são considerados pré-hipertensão.[8]

A pressão sanguínea elevada exige um esforço maior do coração e pode danificar vasos sanguíneos sensíveis nos olhos e rins, causar hemorragia cerebral e até ocasionar a inflamação e o rompimento de certas artérias. O fato de a hipertensão poder danificar tantos sistemas do organismo e aumentar o risco de doença cardíaca e derrame — dois de nossos principais assassinos — explica por que ela é o maior fator de risco de morte no mundo.

Nos Estados Unidos, quase 78 milhões de pessoas têm pressão arterial alta, o que equivale a cerca de um em cada três adultos.[9] À medida que envelhecemos, a nossa pressão arterial tende a subir cada vez mais. Na verdade, após os sessenta anos, 65% dos americanos podem esperar ser diagnosticados com esse distúrbio.[10] Isso tem levado muita gente — inclusive médicos — a considerar a pressão arterial alta, assim como as rugas ou o cabelo grisalho, uma consequência inevitável do envelhecimento. No entanto, sabe-se há quase um século que isso não é verdade.

Na década de 1920, pesquisadores mediram a pressão arterial de quenianos nativos que seguiam uma dieta de pouco sódio, baseada em alimentos vegetais não processados: grãos integrais, feijões, frutas, legumes, verduras escuras e outras.[11] Até os quarenta anos de idade, a pressão arterial dos africanos da área rural era semelhante à dos europeus e americanos, cerca de 125/80. No entanto, à medida que os ocidentais envelheciam, a pressão sanguínea deles começava a subir e a ultrapassar a dos quenianos. Aos sessenta anos, o ocidental médio era hipertensivo, com uma pressão sanguínea acima de 140/90. E os quenianos? Aos sessenta, a pressão sanguínea deles na verdade *melhorava*, com uma média de 110/70.[12]

O limiar de 140/90 para definir hipertensão é considerado arbitrário.[13] Assim como ocorre nos casos de indivíduos com colesterol demais ou gordura corporal em excesso, há benefícios em se ter uma pressão arterial ainda mais baixa do que a média "normal". Portanto, mesmo pessoas que a princípio têm a pressão arterial considerada normal, de 120/80, parecem se beneficiar de uma queda para 110/70.[14] Mas dá para fazer isso? Veja o caso dos quenianos: não só é possível, como parece *típico* de quem tem um estilo de vida saudável, com uma alimentação à base de vegetais.

Ao longo de um período de dois anos, 1.800 pacientes foram admitidos em um hospital na área rural do Quênia. Quantos casos de pressão arterial foram encontrados? Nenhum. Também não houve um único caso do assassino número um dos Estados Unidos, a aterosclerose.[15]

Desse modo, a pressão arterial alta parece ser uma escolha. Você pode continuar tendo uma dieta ocidental que acaba arrebentando artérias ou pode optar por diminuir sua pressão sanguínea. A verdade é que eliminar o principal fator de risco de morte da humanidade pode ser simples: nada de remédios, nada de bisturi — apenas garfos.

Sódio

Os dois mais proeminentes riscos alimentares de morte e deficiências no mundo talvez sejam não comer frutas o suficiente e consumir sal demais. Supõe-se que quase cinco milhões de pessoas morrem a cada ano como resultado de não comer frutas o bastante,[16] enquanto a ingestão de sal em excesso pode matar até quatro milhões.[17]

O sal é um composto formado por mais ou menos 40% de sódio e 60% de cloreto. O sódio é um nutriente essencial e os legumes, as verduras e outros alimentos naturais fornecem as pequenas quantidades dele de que precisamos na dieta. O consumo em demasia causa retenção de água, o que pode fazer com que o corpo reaja elevando a pressão arterial para empurrar o excesso de fluido e sal para fora do organismo.[18]

Ao longo dos primeiros 90% da evolução humana, nós provavelmente tivemos dietas que, por dia, continham menos do que o equivalente a um quarto de uma colher de chá do teor de sódio do sal.[19] Por quê? Porque provavelmente, na maior parte do tempo, comíamos vegetais.[20] Passamos milhões de anos sem saleiros, por isso nosso corpo evoluiu para se tornar uma máquina que conserva o sódio. Isso dava muito certo até descobrirmos que o sal podia ser usado para conservar alimentos[21] — na ausência de refrigeração, isso foi uma bênção para a civilização. Não importava que a adição de sal na comida gerasse um aumento geral da pressão sanguínea, pois a alternativa era morrer de fome, já que sem ele toda a nossa comida apodreceria.

Mas como é a situação hoje? Afinal, não precisamos mais viver à base de picles e carne-seca. O ser humano é geneticamente programado para ingerir dez vezes menos sódio do que estamos consumindo.[22] Muitas das chamadas dietas com baixo teor de sódio podem, na verdade, ser consideradas dietas com alto teor de sódio. Por isso é crucial entender o que é o conceito de "normal" quando se trata de sódio. Ter uma ingestão de sal "normal" pode levar a uma pressão arterial "normal", o que pode contribuir para morrermos de todas as causas de óbito "normais", como ataque cardíaco e derrame.[23]

A Associação Americana do Coração recomenda que todo mundo consuma menos de 1.500 miligramas de sódio por dia[24], o que equivale a cerca de três quartos de uma colher de chá de sal. O adulto americano médio consome mais que o dobro dessa quantidade, cerca de 3.500 miligramas por dia.[25] Uma redução de apenas 15% no consumo de sódio no mundo poderia salvar milhões de vidas a cada ano.[26]

Se conseguíssemos cortar meia colher de chá de nossa ingestão de sal diária, o que é possível fazer evitando alimentos salgados e deixando de adicionar este condimento à comida, poderíamos evitar 22% das mortes por derrame e 16% dos ataques cardíacos fatais. Isso pode significar salvar mais vidas do que conseguiríamos ao tratar as pessoas com remédios para pressão sanguínea.[27] Explicando de maneira simples, a redução da ingestão de sal é uma intervenção fácil de ser feita em casa e que pode ter um impacto maior do que continuar a comprar medicamentos na farmácia. Até 92 mil vidas poderiam ser salvas nos Estados Unidos todo ano se as pessoas simplesmente consumissem menos sal.[28]

As evidências de que o sódio aumenta a pressão sanguínea são claras, incluindo estudos duplo-cegos randomizados de décadas atrás.[29] Quando pegamos indivíduos com pressão arterial alta e os submetemos a uma dieta com restrição de sódio, a pressão deles cai. Quando os mantemos numa dieta com pouco sal e acrescentamos um placebo, nada acontece. Mas quando, em vez disso, oferecemos-lhes sal na forma de um comprimido de liberação prolongada, a pressão deles volta a subir.[30] Quanto mais sódio damos a eles secretamente, mais a pressão sanguínea deles sobe.[31]

Até uma simples refeição pode fazer isso. Quando pegamos pessoas com pressão arterial normal e lhes oferecemos um prato de sopa contendo a quantidade de sal encontrada em uma refeição americana padrão,[32] a pressão delas sobe ao longo das três horas seguintes, em comparação à ingestão da mesma sopa sem o acréscimo.[33] Dezenas de estudos semelhantes demonstram que, quando se reduz a ingestão de sal, a pressão arterial também diminui. E, quanto maior a redução, maior o benefício. Mas, se nada for feito, o consumo constante de uma grande quantidade de sal pode levar a um aumento gradual da pressão arterial ao longo da vida.[34]

Os médicos costumavam aprender que uma pressão arterial sistólica "normal" era definida pela equação 100 + a idade do paciente. De fato, a nossa pressão é assim quando nascemos. Os bebês têm a pressão arterial em torno de 95/60. Mas, à medida que crescemos, esses 95 podem chegar a 120 quando se está na casa dos vinte anos. Já na casa dos quarenta, podem chegar a 140 — o limite oficial para se tornar uma pressão arterial alta — e continuar subindo à medida que se envelhece.[35]

O que aconteceria se, em vez de consumir dez vezes mais sódio do que nosso corpo foi criado para administrar, você ingerisse a quantidade natural encontrada nos alimentos não processados? Seria possível manter a pressão arterial baixa pelo resto da vida? Para testar essa teoria, seria necessário encontrar uma população que nos tempos modernos não usasse sal, não consumisse alimentos processados nem comesse em restaurantes. Para encontrar uma cultura sem sal, cientistas tiveram que ir às profundezas da floresta amazônica.[36]

Constatou-se que os índios ianomâmis — alheios a saleiros, Cheetos e KFC — têm a menor ingestão de sódio já registrada, o que diz muito sobre o quanto de sódio passamos a comer.[37] Pasmem: os pesquisadores descobriram que a pressão arterial entre os ianomâmis mais velhos era a mesma que a dos adolescentes.[38] Em outras palavras, a princípio eles têm uma pressão arterial média em torno de 100/60 e a mantêm pela vida inteira. Os cientistas não conseguiram encontrar um único caso de pressão arterial alta.[39]

Por que suspeitamos que isso se deva ao sódio? Afinal, os ianomâmis estudados não bebiam álcool, tinham uma dieta à base de vegetais, rica em fibras, praticavam muita atividade física e não eram obesos.[40] Uma pesquisa interventiva poderia provar que o sódio era o culpado. Imagine se pegássemos pessoas que estivessem literalmente morrendo de pressão arterial alta descontrolada (conhecida como hipertensão maligna), um distúrbio em que o paciente se torna cego por sangramento nos olhos, os rins param de funcionar e o coração acaba falhando. E se submetêssemos esses indivíduos a uma ingestão de sal de nível ianomâmi — em outras palavras, a uma ingestão de sal normal para a espécie humana?

Entra então em cena o dr. Walter Kempner e sua dieta de arroz e frutas. Sem remédios, apenas com alterações na dieta, ele conseguiu baixar a pressão de pacientes com olhos esbugalhados, como de 240/150 para 105/80. Do ponto de vista ético, como ele pôde suspender a medicação de pacientes em um estado tão grave? Os modernos comprimidos contra a pressão arterial alta ainda não haviam sido inventados; o dr. Kempner realizou seu trabalho nos anos 1940.[41] Na época, a hipertensão maligna era uma sentença de morte, com uma expectativa de vida em torno de seis meses.[42] Entretanto, ele conseguiu reverter o curso da doença através da dieta em mais de 70% dos casos.[43] Embora esta não fosse uma dieta apenas com um teor de sódio baixíssimo — também era estritamente à base de vegetais e pobre em gorduras e proteínas —, o dr. Kemper é hoje reconhecido como quem estabeleceu, acima de qualquer sombra de dúvida, que a pressão arterial alta com frequência pode ser reduzida com uma dieta com baixo teor de sódio.[44]

Além de elevar a pressão sanguínea, as refeições salgadas podem prejudicar de forma significativa a função arterial,[45] mesmo entre as pessoas cuja pressão tende a não reagir à ingestão de sal.[46] Em outras palavras, o sal pode danificar as artérias independentemente de seu impacto na pressão sanguínea. E esses danos começam a ocorrer trinta minutos após o consumo.[47]

Usando uma técnica chamada fluxometria laser doppler, os pesquisadores hoje conseguem medir o fluxo sanguíneo em pequenos vasos na pele. Após uma refeição com alto teor de sódio, o fluxo sanguíneo é significativamente menor — a não ser que se injete vitamina C na pele, o que parece reverter grande parte da supressão da função dos vasos sanguíneos induzida pelo sódio. Então já que um antioxidante ajuda a bloquear o efeito do sódio, o mecanismo pelo qual o sal prejudica a função arterial pode ser o estresse oxidativo, a formação de radicais livres na corrente sanguínea.[48] Ocorre que a ingestão de sódio parece suprimir a atividade de uma enzima antioxidante crucial no corpo, chamada superóxido dismutase,[49] que tem a capacidade de eliminar um milhão de radicais livres por segundo.[50] Com a ação dessa enzima muito potente reprimida pelo sódio, pode haver um aumento dos níveis de estresse oxidativo que incapacita artérias.

Após uma refeição salgada, não só a pressão sanguínea sobe como as artérias começam a enrijecer.[51] Pode ter sido assim que tenhamos descoberto há milhares de anos que sal demais é prejudicial. Citando o antigo texto médico chinês *Princípios da medicina interna do imperador amarelo*: "Quando se usa sal demais na comida, o pulso endurece [...]"[52] Talvez nós não precisemos de um estudo duplo-cego; talvez tenhamos apenas que fazer alguém comer um saco de batata frita e depois medir sua pulsação.

Não surpreende que a indústria do sal não esteja animada com a ideia de reduzirmos a nossa ingestão de sal. Em 2009, a Associação Americana do Coração citou a afirmação do presidente da Comissão Consultiva de Diretrizes Alimen-

COMO NÃO MORRER DE HIPERTENSÃO ARTERIAL | 159

tares dos Estados Unidos de que os americanos deveriam reduzir a ingestão de sódio. O Salt Institute, uma organização da indústria do sal, acusou a Comissão de ter um "preconceito não saudável" contra o sal, argumentando que ela havia "pré-julgado a questão do sal".[53] Isso seria o mesmo que a indústria do cigarro reclamar que membros da Associação Americana de Pulmão têm preconceito contra o cigarro. É claro que o Salt Institute não foi o único lesado. O queijo é o alimento que mais contribui com sal na dieta americana,[54] e o Conselho Nacional de Laticínios permaneceu ao lado do Sr. Sal em sua condenação às recomendações da Comissão Consultiva de Diretrizes Alimentares.[55]

A indústria do sal tem seu próprio relações públicas e suas empresas de *lobby* para lançar mão de táticas como as da indústria do cigarro a fim de minimizar os perigos de seu produto.[56] Mas os verdadeiros vilões não são necessariamente os barões das minas de sal, e sim a indústria de alimentos processados. Essa indústria de 1 trilhão de dólares usa sal e açúcar baratíssimos para nos vender suas porcarias.[57] Por isso não é fácil evitar o sódio na típica dieta americana, já que três quartos dele provêm de alimentos processados, e não do saleiro.[58] Uma vez que se é fisgado pelos alimentos hiperdoces e hiper-salgados, os botões gustativos do organismo ficam tão fracos que os alimentos naturais podem ter gosto de papelão. A fruta mais madura não tem o gosto tão doce quanto o do Froot Loops.

Mas há outros dois grandes motivos para a indústria alimentícia adicionar sal aos seus produtos. Quando se acrescenta sal à carne, ele puxa água. Desse modo, a empresa pode aumentar o peso de seu produto em quase 20% — como a carne é vendida a quilo, isso representa 20% a mais de lucro por um custo adicional muito pequeno. A outra razão é que, como todo mundo sabe, comer sal nos deixa com sede. Existe um motivo para os bares oferecerem de graça cestas de nozes salgadas e *pretzels* — e é por isso que os conglomerados de refrigerantes têm as próprias empresas de petiscos. A bebida gelada e o petisco salgado andam de mãos dadas. Pode não ser por coincidência que a Pepsi e a Frito-Lay façam parte da mesma corporação.[59]

Desafio! Responda o que contém mais sódio: uma porção de carne bovina, uma porção de frango assado sem o acréscimo de ingredientes artificiais, um saco de batata frita grande do McDonald's ou uma porção de *pretzels* salgados?

A resposta? O frango. A indústria de aves domésticas costuma injetar água salgada em carcaças de frango para inflar artificialmente o peso da ave, mas esta pode ser rotulada como "100% natural". A *Consumer Reports* constatou que alguns frangos de supermercado estavam tão cheios de sal que foram registrados colossais 840 miligramas de sódio por porção — isso significa mais do que a recomendação diária de sódio em apenas um peito de frango.[60]

A principal fonte de sódio na dieta das crianças e dos adolescentes americanos é a pizza.[61] Uma única fatia de pizza de pepperoni do Pizza Hut pode conter metade do limite de ingestão de sódio recomendado para um dia inteiro.[62] No caso das pessoas com mais de cinquenta anos, a principal fonte é o pão, já entre os indivíduos na faixa dos vinte e cinquenta anos o maior contribuidor de sódio para a dieta é o frango — e não as sopas enlatadas, os *pretzels* ou a batata frita, como seria de se esperar.[63]

Mas como você pode dominar a enorme ânsia por sal, açúcar e gordura? Dê cinco semanas e seus botões gustativos começarão a mudar. Quando pesquisadores submeteram os participantes a uma dieta com baixo teor de sal, com o decorrer do tempo, eles passaram a gostar cada vez mais do gosto da sopa sem sal e a rejeitar a versão muito salgada, que antes adoravam. À medida que o estudo progrediu, quando os participantes tiveram permissão para salgar a sopa a seu gosto, estes preferiram usar cada vez menos sal, uma vez que seus botões gustativos tinham se adaptado a níveis mais saudáveis.[64]

O mesmo pode ser feito com o açúcar e a gordura. É provável que os seres humanos realmente sintam o gosto da gordura, assim como sentem os gostos doce, amargo e salgado.[65] Pessoas submetidas a dietas com baixo teor de gordura passam a preferir alimentos com pouca gordura em detrimento das opções gordurosas.[66] A língua pode mesmo se tornar mais sensível à gordura, e, quanto mais sensível ela se torna, menos manteiga, carne, laticínios e ovo se come. Por outro lado, quando esses alimentos são consumidos em excesso, o gosto para a gordura pode ficar embotado, o que pode levar a pessoa a ingerir mais calorias e mais gordura, laticínios, carne e ovos e, assim, também a ganhar peso.[67] Isso tudo pode ocorrer em questão de semanas.[68]

Há três coisas que você pode fazer para alterar o hábito de consumir sal.[69] Primeiro, não deixe o sal na mesa (uma em cada três pessoas adicionam sal à comida antes mesmo de prová-la!).[70] Segundo, pare de acrescentar sal enquanto cozinha. No início, talvez a comida fique com um sabor sem graça, porém em duas a quatro semanas os receptores do gosto salgado em sua boca se tornarão mais sensíveis e o sabor da comida melhorará. Acredite ou não, após duas semanas pode ser que você *prefira* o sabor da comida com menos sal.[71] Experimente substituir o sal por qualquer combinação de condimentos fantásticos como pimenta, cebola, alho, tomate, pimentão, manjericão, salsa, tomilho, aipo, limão, pimenta-malagueta em pó, alecrim, páprica defumada, curry e coentro.[72] Também é uma boa ideia evitar o máximo possível comer fora. Os restaurantes, mesmo que não sejam de fast-food, tendem a exagerar no sal.[73] Por fim, faça o que puder para evitar alimentos processados.

COMO NÃO MORRER DE HIPERTENSÃO ARTERIAL | 161

Na maioria dos países estudados, os alimentos processados são responsáveis por apenas metade do sódio ingerido pelas pessoas, mas nos Estados Unidos consumimos tanto sódio desse tipo de produto que, mesmo que parássemos de salgar a comida na cozinha e na mesa, reduziríamos apenas uma pequena fração do sal consumido.[74] Procure comprar alimentos cuja quantidade de miligramas de sódio seja menor do que o tamanho da porção em gramas. Por exemplo, no caso de uma porção de cem gramas, o produto deve ter menos de cem miligramas de sódio.[75] Como alternativa, você pode procurar os alimentos que têm menos miligramas de sódio por porção do que calorias. Esse é um truque que aprendi com um de meus dietistas preferidos, Jeff Novick. A maioria das pessoas ingere em torno de 2.200 calorias por dia, então, se tudo o que você comer tiver mais calorias do que sódio, é provável que consiga pelo menos ficar abaixo do limite máximo estabelecido pelas Diretrizes Alimentares para Americanos, que é de 2.300 miligramas de sódio por dia.[76]

No entanto, o ideal é comprar alimentos que não sejam industrializados. É quase impossível ter uma dieta de alimentos naturais não processados que exceda os rigorosos 1.500 miligramas por dia estabelecidos pelas diretrizes da Associação Americana do Coração para redução de sódio.[77]

Grãos integrais

Em média, os medicamentos contra pressão arterial alta reduzem o risco de ataque cardíaco em 15% e o risco de derrame em 25%.[78] Mas, em um estudo controlado e randomizado, verificou-se que três porções de grãos integrais por dia também ajudaram a baixar a pressão arterial dos participantes.[79] A pesquisa revelou que uma dieta rica em grãos integrais rende os mesmos benefícios sem os efeitos colaterais adversos associados com frequência a remédios para hipertensão, tais como distúrbios eletrolíticos em quem toma diuréticos (também conhecidos como pílulas de água);[80] maior risco de câncer de mama para quem toma bloqueadores de canais de cálcio (como Norvasc e Cardizem);[81] letargia e impotência para quem toma betabloqueadores (como Lopressor e Nadolol);[82] inchaço repentino e potencialmente fatal para quem toma inibidores da ECA [enzima conversora de angiotensina] (como Enalapril e Ramipril);[83] e um risco maior de ferimentos graves em caso de queda para, pelo visto, qualquer classe desses remédios para pressão arterial.[84]

Contudo, os grãos também têm efeitos colaterais. Efeitos bons! O consumo de grãos integrais é associado a um risco menor de diabetes tipo 2, doença arterial coronariana, ganho de peso[85] e câncer de cólon.[86] Mas preste atenção: eu disse *integrais*. Embora tenha se constatado que grãos integrais como aveia, trigo e arroz reduzem o risco de se desenvolver doenças crônicas,[87] os grãos *refinados* podem, na verdade, aumentar esse risco. Pesquisadores de Harvard descobriram, por exemplo, que enquanto o consumo regular de arroz integral está associado a um risco menor de diabetes tipo 2, o de arroz branco está relacionado a um risco maior. O consumo de porções diárias de arroz branco foi associado a um risco 17% maior de se desenvolver diabetes, enquanto a substituição de um terço de uma porção diária de arroz branco pelo integral pode levar a uma *queda* de 16% no risco. E parece que a substituição do arroz branco por aveia e cevada pode ter um impacto ainda maior, já que está associada a uma queda de 36% no risco de diabetes.[88]

Devido à diminuição de fatores de riscos cardíacos observada em estudos interventivos feitos com grãos integrais,[89] não surpreende ver uma queda na progressão de doenças arteriais entre aqueles que consomem esse tipo de alimento com regularidade. Em pesquisas sobre duas das mais importantes artérias do corpo — as coronárias, que alimentam o coração, e as carótidas, que alimentam o cérebro —, as pessoas que ingeriram mais grãos integrais tiveram um estreitamento significativamente mais lento das artérias.[90, 91] Como a placa aterosclerótica é o nosso principal assassino, o ideal é que você não apenas retarde esse processo, mas de fato o interrompa ou até o reverta por completo. Como foi visto no Capítulo 1, isso parece exigir mais do que apenas o consumo de grãos integrais: também é necessário ingerir legumes e verduras integrais, frutas integrais, feijões integrais e outros alimentos vegetais não processados, assim como reduzir significativamente a ingestão de gorduras trans e saturadas e de colesterol — os componentes dos alimentos que contribuem para o entupimento e o bloqueio das artérias.

E a dieta Dash?

E se você já tiver pressão sanguínea alta? O que pode fazer para baixá-la?

A Associação Americana do Coração, a Escola Americana de Cardiologia [ACC, na sigla em inglês] e os Centros para Controle e Prevenção de Doenças recomendam que os pacientes tentem, primeiro, fazer mudanças no estilo de vida, tais como reduzir o peso corporal, limitar a ingestão de sódio e álcool, praticar mais exercícios físicos e adotar uma dieta mais saudável.[92]

Entretanto, se essas alterações no estilo de vida não derem resultado, é hora de ir à farmácia. Começa com um diurético e, antes que termine de dizer "coquetel farmacêutico", você já estará tomando vários medicamentos para baixar a

COMO NÃO MORRER DE HIPERTENSÃO ARTERIAL | 163

pressão arterial. É comum pacientes com pressão arterial alta acabarem tomando ao mesmo tempo três remédios diferentes para hipertensão,[93] mas apenas metade deles tende a ficar nos remédios da primeira leva.[94] (Isso ocorre, em parte, por causa de todos os efeitos colaterais desses remédios, que podem incluir disfunção erétil, fadiga e cãibras nas panturrilhas).[95] Mas, depois de tudo isso, os remédios ainda não chegaram à raiz do problema. A causa da pressão arterial alta não é uma deficiência de medicamentos. A causa — que não está evidente — é o que você come e como vive.

Conforme já foi discutido, a pressão sanguínea ideal, definida como o nível abaixo do qual não há mais nenhum benefício adicional a ser alcançado, está provavelmente em torno de 110/70.[96] Será que você consegue mesmo baixar a sua para esse número sem recorrer a medicamentos? Lembre-se: essa é a pressão *média* de homens com mais de sessenta anos na área rural da África sem nenhum tratamento além da adoção de dietas tradicionais à base de plantas e do estilo de vida que levavam.[97] Na China rural, foram encontrados resultados semelhantes: 110/70 ao longo de toda a vida sem qualquer aumento com o avanço da idade.[98] O motivo pelo qual se suspeita que a razão para isso seja a natureza vegetal das dietas desses grupos é o fato de que, no mundo ocidental, o único grupo que consegue alcançar essa leitura de pressão sanguínea dentro de sua rotina habitual são os vegetarianos.[99]

Então as diretrizes da Associação Americana do Coração, da Escola Americana de Cardiologia e dos Centros para Controle e Prevenção de Doenças recomendam que as pessoas com pressão alta adotem uma dieta sem carne? Não. Elas recomendam a dieta Dash, que quer dizer Dietary Approaches to Stop Hypertension, um plano de alimentação elaborado com o propósito específico de baixar a pressão arterial.[100] Embora tenha sido descrita como uma dieta lactovegetariana[101] (que inclui laticínios, mas não a carne ou o ovo), ela não é bem isso. A dieta Dash prioriza frutas, legumes, verduras e laticínios com baixo teor de gordura, porém a carne ainda está presente; espera-se apenas que ela seja consumida em menor quantidade.[102]

Por que não se recomenda uma dieta ainda mais focada no consumo de vegetais? Sabe-se há décadas que "alimentos de origem animal foram associados de modo muito significativo às pressões sistólica e diastólica após os efeitos da idade e do peso serem removidos".[103] Essa citação foi retirada de uma série de estudos realizados pelo renomado médico Frank Sacks e seus colegas nos anos 1970, mas desde a década de 1920 há estudos que demonstram que o acréscimo da carne a uma dieta à base de vegetais eleva bastante a pressão sanguínea em questão de dias.[104]

Por que a dieta Dash não exclui a carne? Com base no trabalho do dr. Sacks em Harvard, a Associação Americana do Coração reconheceu que "algumas das medições de pressão arterial mais baixas observadas em países industrializados têm sido documentadas em vegetarianos estritos [...]"[105] Será que os criadores da dieta Dash não estavam cientes do trabalho do dr. Sacks? Não, o presidente da comissão que a elaborou *foi* o dr. Sacks.[106]

O motivo para a dieta Dash ter como modelo evidente as dietas vegetarianas, mas ainda incluir carne pode parecer surpreendente. O principal objetivo de sua elaboração era explicitamente criar hábitos alimentares "que trouxessem os benefícios da redução da pressão arterial de uma dieta vegetariana, mas que contivessem produtos de origem animal suficientes para torná-la palatável aos não vegetarianos [...]"[107] O dr. Sacks até demonstrou que, quanto mais laticínios os vegetarianos consumiam, mais a pressão arterial deles subia.[108] No entanto, ele achou que não faria sentido recomendar uma dieta que julgava que poucos seguiriam. Esse é um tema recorrente nas recomendações de dieta oficiais. Em vez de apenas lhes dizer o que a ciência revela e deixar que as pessoas decidam por si mesmas, os especialistas são condescendentes com a população, defendendo o que julgam ser prático, e não o que é ideal. Ao tomarem a decisão pela população, eles sabotam quem se dispõe a fazer mudanças ainda maiores para ter a melhor saúde possível.

A dieta Dash ajuda a baixar a pressão arterial, porém seu principal efeito parece resultar não da opção por laticínios com baixo teor de gordura e carne branca ou da redução do consumo de doces e gorduras adicionadas, mas sim do acréscimo de frutas, legumes e verduras.[109] Se os benefícios se devem aos alimentos vegetais acrescentados, por que não lutar, acima de tudo, para que as dietas das pessoas tenham como foco esses que são os alimentos mais saudáveis?

Essa pergunta é ainda mais incisiva considerando uma metanálise (uma compilação de muitos estudos semelhantes) de 2014 que mostra que as dietas vegetarianas podem ser particularmente boas para baixar a pressão sanguínea.[110] E, pelo visto, quanto mais plantas, melhor. As dietas sem carne em geral "conferem proteção contra doenças cardiovasculares [...] alguns tipos de câncer e mortalidade total", mas as dietas exclusivamente à base de plantas "parecem oferecer proteção adicional contra obesidade, hipertensão, diabetes tipo 2 e mortalidade cardiovascular".[111]

Parece haver uma queda gradativa dos índices de hipertensão de acordo com quanto mais alimentos vegetais se ingere. Com base no mesmo estudo realizado com 89 mil californianos apresentado no Capítulo 6, os flexitarianos (aqueles que comem menos carne, só o fazendo algumas vezes por mês), comparados com

COMO NÃO MORRER DE HIPERTENSÃO ARTERIAL | 165

quem come carne mais de uma vez por semana, tiveram índices de pressão sanguínea alta 23% menores. Aqueles que cortaram todas as carnes, exceto o peixe, da alimentação tiveram um risco de pressão alta 38% menor. E os que pararam de comer todo tipo de carne apresentaram um índice 55% menor. Os indivíduos que não consomem nenhuma carne nem ovos nem laticínios foram os que se saíram melhor, com uma redução de 75% no risco de hipertensão. Aqueles que seguiam dietas à base de vegetais se livraram de três quartos do risco de desenvolver essa grande causa de mortes.[112]

Ao analisarem o quadro de diabetes e o peso corporal dos participantes do estudo, os cientistas encontraram as mesmas aparentes melhoras progressivas quando o consumo de produtos de origem animal diminuía e o de alimentos vegetais aumentava. Aqueles que seguiam dietas à base de vegetais tinham apenas uma fração do risco de diabetes, mesmo sem levar em conta os benefícios do peso.[113] Mas e a hipertensão? Em média, aqueles cujas dietas eram totalmente à base de vegetais eram cerca de treze quilos mais magros do que aqueles com dietas convencionais.[114] Será que a pressão arterial tão boa deles se deve ao fato de serem tão mais magros? Em outras palavras, será que onívoros tão magros quanto os veganos gozam da mesma pressão sanguínea?

Para responder a essa pergunta, os pesquisadores teriam que encontrar um grupo de indivíduos que seguisse a dieta americana padrão, mas que também fossem tão magros quanto quem adota dietas à base de vegetais. Para integrar tal grupo de onívoros com essa boa forma, os pesquisadores recrutaram atletas de longas distâncias e de esportes que exigem resistência. Eles haviam corrido, em média, 77 quilômetros por semana ao longo de 21 anos. Correndo quase duas maratonas por semana em vinte anos, praticamente qualquer um fica tão magro quanto um comedor de vegetais, não importa o que a pessoa coma! Os cientistas compararam, então, esses atletas radicais com dois grupos: o de indivíduos que comiam carne e eram sedentários, exercitando-se menos de uma hora por semana, e o de veganos sedentários que comiam sobretudo alimentos vegetais não cozidos e não processados.

O que os números revelaram? Não foi surpresa que os corredores acostumados a provas de resistência que seguiam a dieta americana padrão tivessem uma média de pressão arterial melhor do que a dos sedentários que comiam carne: 122/72 em comparação a 132/79, resultado que os enquadra na faixa de pré-hipertensão. Mas e os veganos sedentários? Eles tiveram uma média extraordinária de 104/62.[115] Pelo visto, ter a alimentação americana padrão, mesmo correndo mais de três mil quilômetros por ano, pode não baixar a pressão arterial tanto quanto ser um vegano sedentário.

Alimentos para uma proteção adicional contra a hipertensão

Uma dieta composta por alimentos com baixo teor de sódio centrada em vegetais não processados parece ser a melhor forma de baixar a pressão arterial. E se a sua alimentação já é assim, mas você ainda não consegue chegar nos 110/70? Uma boa opção é experimentar alguns alimentos específicos que podem oferecer uma proteção adicional.

Eu já mencionei diversas vezes os grãos integrais e agora entrarei em detalhes sobre a semente de linhaça, o chá de hibisco e os vegetais ricos em nitrato. A semente de linhaça em pó, sozinha, "induziu um dos mais potentes efeitos redutores de pressão arterial já alcançados por uma intervenção na dieta".[116] Ingerir algumas colheres de sopa por dia dessa semente parece ser de duas a três vezes mais eficaz do que adotar um programa de exercícios de resistência aeróbicos[117]. (Na verdade, o ideal é que você faça as duas coisas: incorporar as sementes de linhaça a sua dieta *e* se exercitar.)

O consumo de verduras e legumes crus e cozidos está associado a uma pressão arterial mais baixa, porém, os alimentos crus oferecem uma proteção um pouco maior.[118] Estudos também constataram que comer feijão, ervilha seca, grão-de-bico e lentilha pode ajudar,[119] portanto, acrescente-os à lista de compras. Ingerir vinho tinto pode ser uma opção, mas apenas as versões sem álcool — pois só a bebida da qual o álcool é removido parece baixar a pressão arterial.[120]

A melancia também confere proteção, o que é uma notícia ótima (e deliciosa), mas pode ser que você tenha que comer novecentos gramas por dia para obter algum efeito.[121] O kiwi, por outro lado, fracassou. Em um estudo financiado por uma empresa produtora de kiwi, a fruta não contribuiu em nada para combater a hipertensão.[122] Talvez a indústria de kiwi deva aprender com a California Raisin Marketing Board, que financiou um estudo que pretendia mostrar que as passas podem reduzir a pressão arterial. Com o intuito de supervalorizar os benefícios de seu produto, eles utilizaram junk-food como grupo de controle. Assim, a pesquisa constatou que as passas podem baixar a pressão arterial, mas, aparentemente, apenas quando comparadas a biscoitos doces, *snacks* de queijo e cookies![123]

COMO NÃO MORRER DE HIPERTENSÃO ARTERIAL | 167

Semente de linhaça

Nos Capítulos 11 e 13, será visto como a semente de linhaça pode ser eficiente contra casos de câncer de mama e de próstata; contudo, é preciso ser um pouco cético quando cientistas usam termos como "milagrosa" ao descrevê-la (uma revista médica publicou uma análise intitulada "Flaxseed: A Miraculous Defense Against Some Critical Maladies" ["Semente de linhaça: uma defesa milagrosa contra algumas doenças graves"].)[124] Entretanto, uma excelente pesquisa interventiva publicada na revista *Hypertension* sugere que, nesse caso, o termo "milagrosa" pode não ser um exagero.

Raramente se vê um estudo sobre dieta desse calibre: foi uma pesquisa prospectiva, duplo-cega, placebo-controlada e randomizada. Isso é algo difícil de se fazer com um alimento. É fácil montar um estudo cego com remédios: os pesquisadores dão a um grupo uma pílula de açúcar idêntica ao medicamento a ser testado, de modo que nem o participante do estudo nem quem dá a pílula sabem qual é qual (por isso, o uso do termo duplo-cego). Mas como se faz isso com um alimento? As pessoas tendem a notar quando se coloca furtivamente um quarto de xícara de semente de linhaça moída no almoço delas.

Os cientistas experimentaram uma tática inteligente para resolver o problema: eles criaram várias receitas de comidas comuns, incluindo muffins e macarrão, nos quais poderiam disfarçar ingredientes-placebos, como farelo de cereais e melaço, com a mesma textura e cor dos alimentos cheios de linhaça. Assim, eles puderam dividir os participantes de modo aleatório em dois grupos e introduzir em segredo colheres de sopa de semente de linhaça todos os dias na dieta de metade deles para ver se isso gerava alguma alteração.

Após seis meses, aqueles que comeram os alimentos com placebo e eram hipertensos continuaram hipertensos, embora muitos deles tomassem vários remédios para pressão arterial alta. Em média, no início do estudo a pressão deles era 155/81 e, no final da pesquisa, ela ficou em 158/51. E quanto a hipertensos que não sabiam que estavam comendo semente de linhaça todos os dias? A pressão arterial deles caiu de 158/82 para 143/75. Uma queda de sete pontos na pressão diastólica pode não parecer muito, porém esperava-se que isso resultasse em 46% menos derrames e 29% menos doença cardíaca com o passar do tempo.[125]

Como comparar esse resultado com o uso de medicamentos? A semente de linhaça reduziu as pressões sistólica e diastólica dos participantes em quinze e sete pontos, respectivamente. Compare esse resultado com o efeito de remédios para hipertensão fortes, como bloqueadores de canais de cálcio (por exemplo, Norvasc, Cardizem e Nifedipino), que se provaram capazes de reduzir a pressão arterial em apenas oito e três pontos, respectivamente, ou com inibidores de ECA (como Enalapril, Lotensin, Zestril e Ramipril), que baixam a pressão arterial de pacientes em apenas cinco e dois pontos, respectivamente.[126] A semente de linhaça moída pode funcionar duas ou três vezes melhor do que esses remédios e tem apenas efeitos colaterais bons. Além de suas propriedades contra o câncer, em estudos clínicos, ela tem se mostrado útil no controle do colesterol, dos triglicerídeos e das taxas de glicemia e na redução de inflamações e no tratamento de constipações.[127]

Chá de hibisco contra hipertensão

O chá de hibisco, derivado da flor de mesmo nome, é também conhecido como rosélia, caruru-azedo, quiabo-azedo e vinagreira. Com um sabor azedo distinto, semelhante ao do cranberry, e uma cor vermelho-vivo, esse chá de ervas é servido e apreciado ao redor do mundo tanto quente quanto frio. Em comparação ao conteúdo antioxidante de 280 bebidas comuns, o hibisco ficou em primeiro lugar, superando outros pesos-pesados, incluindo o muito elogiado chá verde.[128] Uma hora após o consumo, o poder antioxidante na corrente sanguínea dispara, o que demonstra que os fitonutrientes antioxidantes do chá são absorvidos pelo organismo.[129] Que efeitos essa infusão pode ter na sua saúde?

Infelizmente, a eficácia contra a obesidade tem sido decepcionante. Depois de darem chá de hibisco a indivíduos acima do peso, os pesquisadores constataram uma perda de peso por mês de apenas cerca de duzentos gramas a mais do que a de um placebo.[130] Estudos iniciais sobre a possível redução do colesterol pareciam promissores, sugerindo que duas xícaras de chá de hibisco por dia poderiam gerar uma queda de até 8% no índice,[131] mas, quando todos esses estudos foram reunidos, os resultados foram insatisfatórios.[132] Isso talvez tenha ocorrido porque, por algum motivo, o chá de hibisco teve efeito apenas em metade das pessoas estudadas. Se você faz parte da metade com sorte, pode ser que consiga uma queda de até 12% no colesterol.[133]

Mas é na pressão arterial alta que o hibisco brilha.[134] Um estudo duplo-cego e placebo-controlado da Universidade Tufts comparou o chá de hibisco com um chá de aparência semelhante e cor e sabor artificiais e descobriu que três xícaras de chá de hibisco por dia reduziam significativamente a pressão arterial de adultos hipertensos — melhor do que a bebida placebo.[135] Mas o quanto melhor? Como a ingestão de chá de hibisco se sai ao ser comparada a outras intervenções?

O estudo clínico Premier separou de forma aleatória centenas de homens e mulheres com pressão arterial elevada em um grupo de controle, "apenas para aconselhamento", e um grupo para uma intervenção ativa no estilo de vida. O grupo de controle recebeu um folheto e seus integrantes foram orientados a perder peso, reduzir a ingestão de sal, praticar mais exercícios físicos e se alimentar de maneira mais saudável (isto é, adotar a dieta Dash). O grupo de intervenção comportamental recebeu as mesmas instruções, porém seus participantes também tiveram sessões presenciais e reuniões de grupo, mantiveram diários de consumo alimentar e monitoraram a prática de atividades físicas, o consumo de calorias e a ingestão de sódio. Seis meses depois, o grupo de intervenção alcançou uma queda de quatro pontos na pressão arterial sistólica em comparação ao de aconselhamento. Isso pode não parecer muito, mas em uma escala mais abrangente uma queda de cinco pontos pode levar a 14% menos mortes por derrame, 9% menos ataques cardíacos fatais e 7% menos mortes em geral a cada ano.[136] Enquanto isso, no estudo da Tufts, uma xícara de chá de hibisco a cada refeição baixou a pressão sistólica dos participantes em seis pontos a mais do que o verificado no grupo de controle.[137]

Para baixar a pressão arterial, você ainda deve perder peso, reduzir o consumo de sal, praticar mais exercícios físicos e se alimentar de forma mais saudável, porém as evidências mostram que a adição de chá de hibisco à rotina diária pode oferecer um benefício a mais, em comparação até ao oferecido por remédios para hipertensão. Em uma comparação direta com um dos principais medicamentos para pressão arterial alta, duas xícaras de chá de hibisco forte (usando um total de cinco saquinhos de chá) toda manhã foram tão eficientes na redução da pressão arterial dos participantes quanto uma dose inicial do remédio Captopril tomada duas vezes por dia.[138]

Contudo, há diferenças: o Captotril pode causar efeitos colaterais — os mais comuns são erupções cutâneas, tosse e perda de paladar, além da possibilidade de inchaço fatal na garganta, embora isso seja muito raro.[139] Nenhum efeito colateral foi relatado quanto ao chá de hibisco, embora a flor não seja chamada de vinagreira à toa. Ao beber o chá, certifique-se de lavar a boca com água depois, para evitar que os ácidos naturais do chá amoleçam o esmalte dos dentes.[140] E, considerando o extraordinário teor de manganês da bebida,[141] como medida de segurança eu desaconselharia o consumo de mais de um litro por dia.

O poder do óxido nítrico

O óxido nítrico (NO) é um mensageiro biológico crucial dentro do corpo, e sua mensagem é: "Abre-te, Sésamo!" Ao ser liberado pelo endotélio (as células que revestem internamente as artérias), ele manda o sinal para que as fibras musculares dentro das paredes das artérias relaxem, permitindo que estas se dilatem e mais sangue flua. É assim que a pílula de nitroglicerina funciona: a nitroglicerina que as pessoas tomam quando estão sentindo dor no peito é transformada em óxido nítrico, que dilata as artérias coronárias, permitindo que mais sangue flua para o músculo cardíaco. As pílulas para disfunção erétil (DE), como o Viagra, funcionam da mesma forma: elas estimulam a sinalização do óxido nítrico, que relaxa as artérias penianas e melhora o fluxo sanguíneo para o pênis.

Contudo, a disfunção com a qual você precisa mesmo se preocupar é a disfunção endotelial, a incapacidade dos revestimentos internos das artérias de produzir óxido nítrico para dilatá-las de acordo com a necessidade. O óxido nítrico é produzido por uma enzima chamada óxido nítrico sintase. O inimigo dela são os radicais livres, que não apenas devoram o óxido nítrico como podem sequestrar a óxido nítrico sintase e forçá-la a produzir *mais* radicais livres.[142] Sem óxido nítrico suficiente, as artérias podem enrijecer, tornar-se deficientes e elevar a pressão arterial e o risco de ataque cardíaco.

Portanto, você precisa encher seu sangue com alimentos vegetais ricos em antioxidantes ao longo do dia para eliminar os radicais livres e deixar a óxido nítrico sintase voltar a fazer seu trabalho de manter suas artérias funcionando bem. Existe um aparelho de ultrassom usado pelos pesquisadores para medir a dilatação das artérias induzida pelo óxido nítrico. Um estudo que utilizou esse aparelho constatou que se pegarmos pessoas que seguem a dieta ocidental padrão e fizermos com que elas consumam ainda menos antioxidantes, a dilatação das artérias delas piorará apenas um pouco. Pelo visto, já estamos perto do fundo do poço em termos de função arterial, então não há mais muito o que piorar. Entretanto, se fizermos as pessoas seguirem uma dieta rica em antioxidantes, substituindo, entre outras coisas, a banana por frutas vermelhas e o chocolate branco pelo amargo, apenas duas semanas depois, será constatado um aumento significativo na capacidade de suas artérias de relaxarem e dilatarem normalmente.[143]

Além de ingerir alimentos ricos em antioxidantes que podem aumentar a capacidade do corpo de produzir óxido nítrico, você também pode comer certas hortaliças — como a beterraba — e verduras ricas em nitratos naturais, que o corpo pode transformar em óxido nítrico. (Para entender a diferença entre nitratos e nitritos, leia o Capítulo 10.) Esse processo explica por que os pesquisadores constataram uma queda de dez pontos na pressão arterial sistólica de voluntários horas depois de eles beberem suco de beterraba — um efeito que durou o dia inteiro.[144]

Entretanto, esse estudo foi realizado com um grupo de voluntários saudáveis. É evidente que precisamos testar o poder da beterraba onde ele é mais necessário:

em indivíduos com pressão arterial alta. Se verduras e legumes ricos em nitrato têm tanto impacto no controle do principal fator de risco de morte da humanidade, por que só em 2015 foi publicado um estudo assim? Bem, quem iria financiá-lo? A poderosíssima indústria da beterraba? As empresas farmacêuticas faturam mais de 10 bilhões de dólares por ano com medicamentos para pressão arterial.[145] Não tem como faturar tanto dinheiro com beterrabas. É por isso que temos a sorte de contar com instituições de caridade como a Fundação Britânica do Coração, que finalmente financiou um estudo sobre o suco de beterraba envolvendo indivíduos com pressão arterial alta.

Metade dos participantes recebeu um copo de suco de beterraba todos os dias durante quatro semanas, enquanto a outra metade tomou uma bebida placebo sem nitrato, mas com a mesma aparência que a do suco. Os pesquisadores constataram que não apenas a pressão arterial sistólica diminuiu oito pontos em quem bebeu suco de beterraba, como os benefícios aumentaram semana após semana, sugerindo que a pressão arterial poderia ter continuado a melhorar ainda mais. Os cientistas concluíram que "legumes e verduras ricos em nitrato podem ser tanto acessíveis, com bom custo-benefício, quanto vantajosos para uma abordagem contra a hipertensão no âmbito da saúde pública".[146]

A dose ideal parece ser um copo e meio,[147] mas o suco de beterraba é perecível, processado e difícil de encontrar. Uma porção de quatrocentos gramas de beterraba fornece a mesma dose de nitrato; porém, as fontes mais concentradas do composto são as verduras verde-escuras. A lista a seguir traz os dez alimentos mais ricos em nitrato, em ordem crescente. Como você verá, oito dos dez são folhas.

10. Beterraba	5. *Mesclun* (salada verde)
9. Acelga	4. Alface-manteiga
8. Alface-crespa	3. Coentro
7. Folha da beterraba	2. Ruibarbo
6. Manjericão	1. Rúcula

A rúcula ocupa o primeiro lugar, com colossais 480 miligramas de nitrato por porção de cem gramas, o que é mais de quatro vezes o teor da substância na beterraba.[148]

A forma mais saudável de obter a dose de nitrato de que precisamos é comer uma salada grande todo dia. Você pode tomar suplementos que aumentam o nitrato e o óxido nítrico, porém eles têm registros de segurança[149] e eficácia[150] questionáveis e devem ser evitados. E o suco V8, que contém beterraba e espinafre? Ele não deve ter muito nitrato, pois seria necessário beber dezoito litros por dia para bater a meta de ingestão diária de nitrato.[151]

Os benefícios dos nitratos podem explicar por que o consumo de verduras é associado a índices reduzidos de doença cardíaca[152] e a uma expectativa de vida maior,[153] sem falar no efeito "Viagra vegetariano". Sim, você leu direito. Há uma ligação entre o consumo de legumes e verduras e uma função sexual melhor,[154] bem como um fluxo sanguíneo melhor para o órgão mais importante do corpo, o cérebro.[155] E o único efeito colateral de encher o cérebro de beterraba pode ser uma cor a mais em sua vida — ou seja, fezes vermelhas e urina rosada.

Suco de beterraba, o doping natural

Um Lamborghini corre mais depressa do que uma lata-velha não porque a química da combustão de gasolina de modelos esportivos é diferente da de um carro velho. É porque o Lamborghini tem um motor mais potente. Da mesma maneira, atletas podem ter músculos maiores e conseguir levar mais oxigênio para esses músculos com mais rapidez. Contudo, basicamente, a quantidade de energia que o corpo pode extrair do oxigênio permaneceria a mesma... ou assim pensávamos.

Há cerca de cinco anos, um dos mandamentos da psicologia do esporte mudou por completo — tudo por causa do suco de beterraba.

Os nitratos, concentrados em verduras e na beterraba, não apenas ajudam a enviar sangue oxigenado para os músculos, auxiliando na dilatação das artérias, como também permitem ao corpo extrair mais energia desse oxigênio — algo que antes era inimaginável. Por exemplo, verificou-se que uma pequena dose de suco de beterraba permite a praticantes de mergulho livre prender a respiração por meio minuto a mais do que o habitual.[156] Após beber suco de beterraba, ciclistas tiveram um desempenho com o mesmo nível de intensidade, porém fizeram isso consumindo 19% menos oxigênio do que o grupo placebo. Depois, quando eles reforçaram a resistência na bicicleta com uma sessão intensa do que chamaram de "pedalada árdua", o tempo até a exaustão aumentou de 9:43 minutos para 11:15 minutos. O grupo que bebeu suco de beterraba exibiu mais resistência usando menos oxigênio. Em suma, o suco de beterraba tornou a produção de energia pelo corpo dos ciclistas significativamente mais eficiente. Nenhum remédio, esteroide, suplemento ou intervenção até hoje demonstrou ter o mesmo efeito do suco de beterraba.[157]

A beterraba não processada também gera esse efeito. Em outro estudo, homens e mulheres que comeram uma xícara e meia de beterraba assada 75 minutos antes de participarem de uma corrida de cinco quilômetros melhoraram seu desempenho mantendo o mesmo ritmo cardíaco e até relatando menos esforço.[158] Mais rapidez com menos esforço? Incrível!

Para maximizar o desempenho atlético, a dose ideal e o momento certo parecem ser meio copo de beterraba (ou três beterrabas de 7,5 centímetros, ou uma xícara de espinafre cozido[159]) de duas a três horas antes do início de uma competição.[160]

Os noticiários esportivos sempre falam do uso de esteroides e outras substâncias ilícitas que melhoram o desempenho. Por que ninguém tem mencionado esses legumes e verduras poderosos e perfeitamente legítimos que geram uma melhora no desempenho? Não dá para entender.

É fácil ignorar ou adiar um exame de pressão arterial. Ao contrário do que ocorre com muitas das outras principais causas de morte, as consequências insidiosas da hipertensão podem se tornar aparentes somente quando a pessoa é carregada para uma ambulância ou quando é levada até a cova. Portanto, vá a uma farmácia, ao corpo de bombeiros ou ao consultório médico e tenha a pressão arterial medida. Se ela estiver muito alta, a má notícia é que você se juntará a um bilhão de indivíduos que vivem com essa doença. A boa notícia é que você *não* precisa se juntar aos milhões que morrem em decorrência dela todo ano. Tente se alimentar e viver de forma mais saudável por pelos menos algumas semanas e você ficará impressionado com os resultados. Eis algumas histórias sobre pessoas que fizeram exatamente isso.

Todo dia, o NutritionFacts.org recebe centenas de e-mails, muitos deles enviados por gente ávida para contar como sua vida deu uma guinada quando passou a cuidar da saúde. Bob, por exemplo, pesava 104 quilos, tinha o colesterol acima de duzentos e a taxa de triglicerídeos altíssima. Tomava uma série de medicamentos para pressão arterial. Depois de iniciar uma dieta à base de vegetais e alimentos não processados, ele agora pesa 79 quilos, ostenta o colesterol de 136 e já não toma remédios para pressão. Aos 65 anos, Bob se sente melhor hoje do que em décadas não por fazer um novo programa de exercícios físicos ou tomar o remédio mais moderno e famoso; ele conseguiu isso apenas ao mudar a dieta.

Patricia enviou um e-mail não muito tempo atrás. Seu irmão tinha sido diagnosticado com pressão arterial alta grave e aterosclerose. Estava quase 27 quilos acima do peso e a pele tinha a cor de "papel branco". Ele estava tão ruim de saúde que nem conseguiu tirar a carteira de motorista. Patricia e o irmão decidiram iniciar juntos uma dieta à base de vegetais. Agora ele está em forma, com um peso normal e não precisa mais de remédios para pressão arterial, já Patricia, muito merecidamente, ganha o bolo (sem açúcar, leite nem ovos) como prêmio de melhor irmã.

Tem também o caso de Dean. Ele se "enchia" com uma dieta americana padrão e ficou obeso. Teve pressão alta, então seu médico lhe receitou remédios. Depois teve colesterol alto, e o médico lhe prescreveu mais medicamentos. Além disso, todo inverno, Dean sofria com terríveis infecções respiratórias que demandavam o uso de antibióticos. Por fim, ele ficou de saco cheio e adotou uma dieta à base de vegetais. Perdeu 22 quilos. Seus níveis de açúcar no sangue e colesterol, e até a pressão arterial, estão normais. E ele passa os invernos alegremente sem sofrer com enfermidades. Dean concluiu a mensagem que me enviou com essa simples promessa: "Manterei a dieta à base de vegetais pelo resto da vida." Graças a uma dieta saudável, pode ser que isso seja muito tempo.

CAPÍTULO 8

Como não morrer de doenças do fígado

Há alguns pacientes que a gente nunca esquece. No primeiro dia do meu rodízio de GI (GI quer dizer gastrointestinal, o que significa que eu estava prestes a encarar qualquer problema no sistema digestório, da boca ao ânus), apresentei-me e pediram que eu observasse os médicos especialistas da minha equipe em uma das salas de endoscopia, onde eles usam um endoscópio para examinar o sistema digestório em toda espécie de procedimentos de rotina. Eu esperava encarar uma colonoscopia, analisando um pólipo no reto, ou talvez uma endoscopia alta, vendo uma úlcera no estômago. Mas jamais esquecerei o que testemunhei. Isso me incentiva até hoje em minha missão de ajudar as pessoas a entender a relação entre o estilo de vida que levam e a saúde (ou a falta desta).

Uma paciente sedada estava deitada na maca, cercada por uma equipe de médicos que estava usando um endoscópio com câmera. Olhei para o monitor, em busca de pontos de referência anatômicos para identificar onde o aparelho estava. Não havia dúvida de que estava dentro da garganta, mas pelo esôfago serpenteavam o que pareciam ser veias varicosas pulsantes. Elas estavam em toda parte. Pareciam vermes tentando emergir da superfície lisa do esôfago. Várias delas tinham se deteriorado em meio ao revestimento interno e estavam jorrando sangue. Eu observava enquanto, a cada batimento cardíaco da paciente, brotava mais sangue. Parecia que ela ia sangrar no estômago até a morte. Os médicos tentavam, desesperados, cauterizar e fechar a torrente de sangue vermelho e fresco, porém era como no jogo "Bata na marmota". Toda vez que uma fonte era eliminada, outra surgia.

Esses vasos sanguíneos são conhecidos como varizes esofágicas — veias dilatadas com sangue acumulado devido a um fígado cirrótico. Ao ver esse pesadelo, perguntei-me como a paciente tinha desenvolvido cirrose. Seria dependente de álcool? Contraíra hepatite? Na hora pensei no quanto ela devia ter se sentido desolada ao descobrir que tinha uma doença hepática em estágio final. Como a sua família estaria lidando com aquilo? Fui chamado de volta à realidade pelo som agudo do alarme do monitor. Ela estava morrendo de tanto sangrar.

A paciente estava perdendo sangue muito depressa, em uma velocidade que inviabilizaria uma transfusão. A pressão arterial dela caiu e o coração parou. A equipe médica fez compressões torácicas, recorreu ao desfibrilador externo automático e a injeções de adrenalina, mas minutos depois ela morreu.

Era minha tarefa comunicar o falecimento à família da paciente. Descobri que a cirrose não se devia ao consumo excessivo de bebidas alcoólicas nem ao uso de drogas injetáveis. O fígado estava comprometido porque ela era obesa e desenvolvera fígado gorduroso. Tudo o que eu havia acabado de testemunhar podia ter sido evitado, pois era resultado direto de escolhas de estilo de vida. Quando estão acima do peso, as pessoas podem sofrer estigma social, problemas nos joelhos e ter um risco maior de desenvolver distúrbios metabólicos como diabetes; porém, aquela mulher foi a primeira que vi sangrar até morrer.

A família chorou. Eu chorei. Prometi a mim mesmo que faria tudo o que fosse necessário para evitar que isso acontecesse a alguém que estivesse sob meus cuidados.

É possível se virar com apenas um rim. Dá para viver sem o baço ou a vesícula biliar. Tem até como sobreviver sem o estômago. No entanto, é impossível viver sem o fígado, o maior órgão interno do corpo humano.

Mas o que exatamente o fígado faz? Até quinhentas funções são atribuídas a esse órgão vital.[1] Acima de tudo, ele tem o papel de leão de chácara, mantendo os penetras fora da corrente sanguínea. Tudo o que é absorvido no sistema digestório não entra na mesma hora em circulação pelo corpo. O sangue dos intestinos vai primeiro direto para o fígado, onde os nutrientes são metabolizados e as toxinas, neutralizadas. Portanto, não surpreende o fato de que aquilo que comemos e fazemos tenha um papel crucial na saúde e na doença do fígado.

Cerca de sessenta mil americanos morrem de doença hepática todo ano, e os índices de óbito aumentaram nos últimos cinco anos.[2] Só a incidência de câncer de fígado aumentou 4% a cada ano durante a última década.[3] Disfunções hepáticas podem ser hereditárias, como a hemocromatose — enfermidade que se caracteriza pelo acúmulo excessivo de ferro. Elas também podem ser causadas por infecções, que podem levar ao câncer de fígado, ou podem ainda ter sido induzidas por medicamentos — os casos mais comuns são os de overdoses não intencionais ou voluntárias de paracetamol.[4] Entretanto, as causas mais comuns são a bebida e a comida: a doença hepática alcoólica e a doença hepática gordurosa, conhecida também como fígado gorduroso.

DOENÇA HEPÁTICA ALCOÓLICA

De acordo com uma famosa série de artigos da *Journal of the American Medical Association* chamada "*Actual* Causes of Death in the United States" [causas *reais* de morte nos Estados Unidos] (grifo meu), o principal assassino de americanos no ano 2000 foi o tabaco, seguido da dieta e do sedentarismo. O terceiro maior responsável por mortes? O álcool.[5] Cerca de metade dos óbitos relacionados ao álcool teve causas repentinas, como acidentes com veículos motorizados; a outra metade foi mais lenta e se deveu principalmente à doença hepática alcoólica.[6]

O consumo excessivo de álcool pode levar ao acúmulo de gordura no fígado (o que é conhecido como fígado gorduroso), que pode causar inflamação, resultar em fibrose e, por fim, em insuficiência hepática. Os Centros para Controle e Prevenção de Doenças definem como excesso de ingestão de bebida o consumo com frequência de mais de um drinque por dia por mulheres e mais de dois por dia por homens. Um drinque é definido como 350 mililitros de cerveja, 2 mililitros de licor de malte (a cerveja de teor alcoólico mais alto, em geral acima de 6%), 150 mililitros de vinho ou 45 mililitros (uma "dose") de bebida destilada.[7] Em geral, é possível interromper a progressão da doença parando de beber, mas às vezes é tarde demais.[8]

O grande consumo de álcool pode causar fígado gorduroso em menos de três semanas,[9] mas na maioria das vezes isso se resolve em quatro a seis semanas após parar de beber.[10] Entretanto, em 5% a 15% dos casos, a enfermidade continua a progredir e o fígado começa a fibrosar apesar da interrupção no consumo de álcool.[11]

De modo semelhante, depois do diagnóstico de hepatite (inflamação do fígado) causada por álcool, o índice de sobrevivência passados três anos pode chegar a 90% entre pessoas que param de beber após o diagnóstico.[12] Mas até 18% delas desenvolvem cirrose, uma fibrose e irreparável do fígado.[13]

A melhor estratégia para evitar a doença hepática alcoólica é, em primeiro lugar, não beber tanto. Mas, se você bebe em excesso, há ajuda disponível. Embora a maioria das pessoas que bebem possa não ser dependente do álcool,[14] há provas convincentes de que programas de doze passos como o dos Alcoólicos Anônimos podem ser eficientes para quem sofre desse tipo de dependência.[15]

Beber com moderação não é benéfico?

Todos concordam que beber muito, beber durante a gravidez e bebedeiras não são uma boa ideia, mas e beber "com moderação"? Parece que quem bebe em excesso tem uma vida significativamente mais curta, mas o mesmo pode ocorrer com um abstêmio.[16] Embora fumar faça mal à saúde, e fumar muito seja ainda pior, essa lógica pode não ser válida para o consumo de álcool. De fato, beber um pouco de álcool parece ter um efeito benéfico na mortalidade em geral — mas, ao que parece, apenas para quem não se cuida.[17]

Beber com moderação parece proteger contra doenças cardíacas, talvez porque um de seus efeitos seja afinar o sangue,[18] mas verificou-se que mesmo beber pouco (menos de uma dose por dia) aumenta o risco de câncer, como será visto no Capítulo 11. Como é que algo que aumenta o risco de câncer pode fazer com que a pessoa viva mais? O câncer é "apenas" a segunda doença que mais provoca mortes. Considerando que a doença cardíaca é a principal causa de óbitos, isso explica por que pessoas que bebem com moderação podem viver mais do que aquelas que se abstêm. Mas essa vantagem pode ser restrita àqueles que não mantêm uma quantidade módica de hábitos saudáveis.[19]

Para descobrir quem pode se beneficiar do consumo moderado de álcool, pesquisadores recrutaram quase dez mil homens e mulheres e os acompanharam durante dezessete anos, depois de avaliarem seus hábitos quanto ao consumo de álcool e ao estilo de vida que levavam. Os resultados foram publicados em um artigo intitulado "Who Benefits Most from the Cardioprotective Properties of Alcohol Consumption — Health Freaks or Couch Potatoes?" ["Quem se beneficia mais das propriedades cardioprotetoras do álcool — os maníacos por saúde ou os sedentários?"] E quem eram os "maníacos por saúde"? De acordo os cientistas, qualquer um que se exercitasse trinta minutos por dia, não fumasse e comesse pelo menos uma porção de frutas *ou* legumes e verduras por dia.[20]

Um ou dois drinques por dia realmente reduzem o risco de doença cardíaca para os sedentários. No entanto, mostrou-se que as pessoas que mantinham um mínimo de hábitos saudáveis não se beneficiaram com o consumo de álcool. A lição: é melhor consumir uva, cevada e batata em suas formas não destiladas, e Johnnie Walker não substitui uma caminhada de verdade.

DOENÇA HEPÁTICA NÃO ALCOÓLICA

A causa mais comum de fígado gorduroso não é o álcool, mas a doença hepática gordurosa *não* alcoólica (DHGNA). Talvez você se lembre do documentário de sucesso *Super Size Me: A Dieta do Palhaço*, em que o diretor do filme, Morgan Spurlock, comeu apenas no McDonald's durante um mês. Como era de se imaginar, o peso, a pressão arterial e o colesterol de Spurlock subiram, assim como as enzimas do fígado. Isso foi um sinal de que as células hepáticas estavam morrendo e derramando seu conteúdo na corrente sanguínea. Como a dieta dele estava danificando o fígado? Vamos explicar da seguinte maneira: ele estava começando a transformar seu fígado em um *foie gras* (patê de fígado gorduroso) humano.

Alguns críticos acham o documentário sensacionalista, mas pesquisadores na Suécia o levaram a sério o bastante para repetir formalmente o experimento solitário de Spurlock. No estudo deles, um grupo de homens e mulheres concordou em fazer duas refeições de fast-food por dia. No início, o nível de enzimas do fígado deles estava normal, porém, depois de apenas uma semana nessa dieta, mais de 75% dos resultados dos exames de função hepática dos voluntários se tornaram patológicos.[21] Se uma dieta não saudável pode causar danos ao fígado em sete dias, não deveria surpreender que a DHGNA tenha se tornado a causa mais comum de doença hepática crônica nos Estados Unidos, afetando um número estimado em setenta milhões de indivíduos[22] — isso significa um em cada três adultos. Quase 100% daqueles com obesidade severa podem ser afetados.[23]

Assim como ocorre com o fígado gorduroso por álcool, a DHGNA começa com um acúmulo de depósitos de gordura no fígado que não causa nenhum sintoma. Em casos raros, o quadro evolui para uma inflamação e, com o passar dos anos, acaba gerando cicatrizes no fígado e o levando a um estado de cirrose, o que resulta em câncer de fígado, insuficiência hepática e até morte — como eu vi naquela endoscopia.[24]

Lanches e refeições fast-food são tão eficazes no desencadeamento da doença porque a DHGNA está associada à ingestão de refrigerante e carne. Beber apenas uma lata de refrigerante por dia parece aumentar em 45% as chances de ter fígado gorduroso.[25] Já quem come uma quantidade de carne equivalente a pelo menos quatorze nuggets de frango todos os dias têm quase o triplo do índice de fígado gorduroso em comparação com quem come o equivalente a no máximo sete nuggets.[26]

A DHGNA tem sido caracterizada como uma "história de gordura e açúcar",[27] mas nem toda gordura afeta o fígado da mesma maneira. Constatou-se que pessoas que sofrem de inflamação de fígado gorduroso consomem mais gordura de origem animal (e colesterol), porém menos gordura de origem vegetal (e fibras e antioxidantes).[28] Isso pode explicar por que a adoção da dieta mediterrânea, com muitas frutas, legumes, verduras, grãos integrais e feijões, tem sido associada a casos de fígado gorduroso que não eram tão graves, embora esta, em geral, não seja uma dieta de baixa gordura.[29]

A DHGNA também pode ser causada por sobrecarga de colesterol.[30] O colesterol da dieta oriundo de ovos, carnes e laticínios pode ser oxidado e provocar uma reação em cadeia que gera excesso de gordura no fígado.[31] Quando a concentração de colesterol nas células hepáticas aumenta muito, este pode cristalizar como açúcar-cande e causar inflamação. Esse processo é semelhante ao modo como cristais de ácido úrico provocam gota (como será visto no Capítulo 10).[32] Os glóbulos brancos tentam englobar os cristais de colesterol, mas morrem no processo, derramando compostos inflamatórios. Isso talvez explique como casos de fígado gorduroso benigno podem se tornar uma hepatite grave.[33]

Para explorar a relação entre dieta e doença hepática grave, cerca de nove mil adultos americanos foram estudados durante treze anos. A descoberta mais importante feita pelos pesquisadores foi a de que o consumo de colesterol é um forte indicador de cirrose e câncer de fígado. Aqueles que consumiam todos os dias a quantidade de colesterol encontrada em pelo menos dois Egg McMuffins — o sanduíche feito com uma fatia de bacon canadense, um ovo frito e uma fatia de queijo em um muffin amanteigado —[34] pareceram correr o dobro do risco de hospitalização ou de morte.[35]

A melhor forma de prevenir a DHGNA — a causa mais comum de doença no fígado — talvez seja evitar o excesso de calorias, colesterol, gordura saturada e açúcar.

HEPATITE VIRAL

Outra causa comum de doença no fígado é a hepatite viral, desencadeada por um ou mais de cinco vírus diferentes: hepatites A, B, C, D ou E. O modo de transmissão e o prognóstico variam de acordo com o tipo de vírus. Na maior parte dos casos, a hepatite A é disseminada por alimentos ou água com fezes contaminadas. Ela pode ser prevenida com vacinação, evitando o consumo de mariscos crus ou malcozidos e tentando assegurar que todo mundo que manuseie alimentos lave as mãos depois de trocar fralda ou usar o vaso sanitário.

Enquanto o vírus da hepatite A é transmitido por alimentos, o da hepatite B é transmitido pelo sangue e também sexualmente. Assim como no caso da hepatite A, há uma vacina contra a hepatite B e toda criança deve tomá-la. A infecção pelo vírus da hepatite D só pode ocorrer em alguém que já esteja infectado pelo vírus

COMO NÃO MORRER DE DOENÇAS DO FÍGADO | 181

da hepatite B — portanto, ela pode ser evitada ao se prevenir a hepatite B. Então vacine-se, fique longe de drogas injetáveis e só pratique sexo seguro.

Infelizmente, não existe hoje nenhuma vacina contra o vírus da hepatite C, o mais terrível dos vírus do fígado. A exposição a ele pode provocar uma infecção crônica que, ao longo de décadas, pode levar a cirrose e insuficiência hepática. Esse tipo de hepatite é hoje a principal causa de transplantes de fígado.[36]

Chlorella e hepatite C

A alga verde *chlorella* parece promissora para o tratamento da hepatite C. Um estudo randomizado, duplo-cego e placebo-controlado verificou que duas colheres de chá por dia de *chlorella* estimularam a atividade de células exterminadoras naturais nos corpos dos participantes, que naturalmente podem matar células infectadas pelo vírus da hepatite C.[37] Um estudo clínico realizado com portadores de hepatite C constatou que uma suplementação de *chlorella* pode baixar o nível de inflamação hepática, mas essa análise foi pequena e não controlada.[38]

Há uma necessidade desesperadora de tratamentos alternativos para a hepatite C, uma vez que terapias mais antigas e menos caras costumam falhar devido a efeitos colaterais insuportáveis, enquanto remédios mais novos e mais toleráveis custam até 1.000 dólares por comprimido.[39] A *chlorella* pode ajudar como terapia adjuvante (adicional) ou no caso daqueles que não conseguem tolerar ou não podem arcar com os custos de um tratamento antiviral convencional. No entanto, o consumo de *chlorella* pode trazer riscos (Veja página 114).

A hepatite C é transmitida pelo sangue e, com maior frequência por meio de agulhas compartilhadas — e não por transfusões sanguíneas, agora que os bancos de sangue fazem testes para detectar o vírus. Contudo, o compartilhamento de objetos pessoais que podem estar contaminados com quantidades residuais de sangue, como escovas de dente e aparelhos de barbear, também são um risco.[40]

Embora tenha sido relatado um caso envolvendo uma mulher que contraiu hepatite C ao compartilhar um fatiador de carne de supermercado com um colega de trabalho infectado,[41] o vírus não está presente naturalmente na carne em si, já que humanos e chimpanzés são os únicos animais que parecem ser suscetíveis a ele.

O mesmo não pode ser dito do vírus da hepatite E.

Prevenção da hepatite E com dieta

Como explicou um dos chefes do laboratório da Divisão de Hepatite Viral dos Centros para Controle e Prevenção de Doenças em um artigo intitulado "Much Meat, Much Malady: Changing Perceptions of the Epidemiology of Hepatitis E", o vírus da hepatite E hoje é considerado uma zoonose, capaz de se espalhar de animais para humanos, e os porcos podem ser o principal reservatório viral.[42]

A mudança da percepção sobre o assunto começou em 2003, quando pesquisadores no Japão relacionaram o vírus da hepatite E (HEV) ao consumo de fígado de porco grelhado. Após examinar fígados de porco de mercearias japonesas, os cientistas determinaram que quase 2% da carne teve resultado positivo para o HEV.[43] Nos Estados Unidos, foi ainda pior: 11% dos fígados de porco comercializados, comprados em mercearias, estavam contaminados com o HEV.[44]

Isso é alarmante, porém quantas pessoas de fato comem fígado de porco? E como a boa e velha carne de porco fica nessa?

Infelizmente, a carne de porco também pode conter HEV. Especialistas suspeitam que grande parte da população americana tem sido exposta ao vírus, já que se sabe que há uma prevalência relativamente alta de anticorpos contra HEV em doadores de sangue no país. Essa exposição pode ser consequência do consumo de porco contaminado pelo vírus.[45]

Então será que há mais mortes por doença hepática em países onde a carne desse animal é mais popular? Parece que sim. A relação entre o consumo de porco *per capita* nacional e as mortes por doença hepática é tão grande quanto a relação entre o consumo de álcool *per capita* e as mortes ligadas ao fígado. Cada costeleta de porco consumida *per capita* pode equivaler mais ou menos ao que a ingestão de duas cervejas representa para um risco maior de mortalidade relacionada ao fígado em uma escala nacional.[46]

Mas os vírus não são anulados pelo cozimento? Geralmente sim, porém sempre há o problema da contaminação cruzada das mãos ou das superfícies da cozinha durante o manuseio da carne crua. Depois que esta encontra-se no forno, a maioria dos patógenos transmitidos pelo alimento tende a ser destruída pelo cozimento interno da carne em temperaturas apropriadas — ênfase no *apropriadas*. Pesquisadores do Instituto Nacional de Saúde submeteram o vírus da hepatite E a vários níveis de calor e constataram que ele pode sobreviver à temperatura interna da carne malpassada.[47] Portanto, ao cozinhar carne de porco, invista em um termômetro de carne e certifique-se de seguir as técnicas de manuseio apropriadas, incluindo a lavagem das superfícies da cozinha com água sanitária.[48]

COMO NÃO MORRER DE DOENÇAS DO FÍGADO | 183

Embora a maioria das pessoas que contraem hepatite E se recupere por completo, a doença pode ser mortal para as grávidas: o risco de morte durante o terceiro trimestre de gestação pode chegar a 30%.[49] Se você está grávida, por favor, seja ainda mais cuidadosa ao preparar carne de porco. E, se há pessoas na sua casa que gostam de carne de porco rosada no meio, elas devem ter o cuidado de lavar bem as mãos depois de ir ao banheiro.

Suplementos para perda de peso e doenças no fígado

Todos nós já vimos aqueles esquemas de pirâmide que prometem todo tipo de coisa de produtos para a saúde. E, considerando a estrutura multinível piramidal dos programas de distribuição — a pessoa ganha dinheiro vendendo os produtos e também recrutando outras para vendê-los —, a informação pode se espalhar muito depressa, o que é bem preocupante quando a propaganda é mais rápida do que a verdade.

Embora a grande maioria dos danos ao fígado induzidos por remédios seja causada por medicamentos convencionais, os problemas provocados por certas classes de suplementos alimentares podem ser até mais graves e levar a índices mais altos de transplante de fígado e morte.[50] Profissionais de marketing multinível de produtos que mais tarde foram associados a reações tóxicas (como o suco Noni[51] e Herbalife[52]) têm recorrido a estudos científicos para embasar os supostos benefícios para a saúde. Entretanto, uma análise de saúde pública verificou que esses estudos costumam parecer "deliberadamente criados para propósitos de marketing" e são apresentados como se tivessem sido "elaborados para enganar potenciais consumidores". Não raro, os pesquisadores dos estudos usados pelas estratégias de marketing multinível não revelavam suas fontes de financiamento, mas com um pouco de trabalho de detetive dá para expor uma série de conflitos de interesse financeiros.[53]

Esses estudos suspeitos eram os mesmos citados para fornecer provas sobre a segurança dos produtos. Por exemplo, uma empresa de marketing multinível que vende suco de mangostão citou uma pesquisa que ela própria financiou para embasar a afirmação de que se tratava de algo que era "seguro para todos". A análise envolveu a exposição de apenas trinta indivíduos ao produto, sendo que outros dez receberam um placebo. Com tão poucos participantes analisados, o suco poderia até matar 1% ou 2% dos usuários que você não saberia.[54]

Em um estudo que a empresa de marketing multinível por trás de um suplemento chamado Metabolife citou como segurança, o produto foi dado a 35 pessoas.[55] Desde então, o Metabolife foi retirado do mercado por ter sido associado a ataques cardíacos, derrames, convulsões e mortes.[56] O ácido hidroxicítrico, um componente de produtos como o Hydroxycut, foi estudado em quarenta indivíduos.[57] Nenhum efeito adverso foi identificado, porém a história terminou da mesma maneira: o Hydroxycut foi retirado do mercado depois que foram revelados dezenas de casos confirmados de danos a órgãos — incluindo insuficiências hepáticas brutais que exigiram transplante e resultaram até em morte.[58] Até que a indústria de muitos bilhões de dólares dos suplementos herbáticos seja mais bem regulada, é melhor você poupar seu dinheiro — e sua saúde — e consumir apenas comida de verdade.

PROTEGENDO O FÍGADO NO CAFÉ DA MANHÃ

Foi constatado que alimentos vegetais específicos protegem o fígado. Por exemplo, iniciar o dia com uma tigela de farinha de aveia e (surpreendentemente) café pode ajudar a salvaguardar a função desse órgão.

Farinha de aveia

Em diversos estudos de base populacional, o consumo de grãos integrais tem sido associado a um risco reduzido de uma série de doenças crônicas.[59] Porém, é difícil discernir se a ingestão de grãos integrais seria apenas um indicador de um estilo de vida mais saudável em geral. Por exemplo, pessoas que comem grãos integrais — como farinha de aveia, trigo integral e arroz integral — tendem a ser fisicamente mais ativas, fumar menos e ingerir mais frutas, legumes, verduras e fibras alimentares[60] do que aquelas que preferem comer cereais açucarados no café da manhã, por exemplo. Não é de se admirar que o primeiro grupo tenha um risco menor de desenvolver doenças. Felizmente os pesquisadores podem controlar esses fatores, comparando não fumantes apenas com não fumantes com dietas e hábitos de exercícios físicos semelhantes. Quando se faz isso, os grãos integrais ainda parecem conferir proteção.[61]

Em outras palavras, parecem claros os sinais de que quem come farinha de aveia tem menores índices de doenças, mas isso não equivale a mostrar que, se você começar a consumir mais farinha de aveia, seu risco de sofrer de doenças cairá. Para provar

COMO NÃO MORRER DE DOENÇAS DO FÍGADO | 185

causa e efeito, é preciso testar essa hipótese com uma pesquisa intervencionista: mudar a dieta dos participantes e ver o que acontece. O ideal seria que os pesquisadores dividissem as pessoas de maneira aleatória em dois grupos e dessem farinha de aveia à metade delas e à outra metade um placebo: uma farinha de aveia falsa, com sabor e aparência semelhantes. Nem os participantes do estudo nem os próprios pesquisadores poderiam saber a qual grupo cada integrante pertence até o fim. É fácil usar esse consistente método duplo-cego ao se estudar medicamentos, uma vez que basta fornecer um comprimido de açúcar com a mesma aparência que o remédio analisado. Conforme já foi discutido, não é fácil fazer um placebo de um alimento.

Contudo, em 2013, um grupo de pesquisadores publicou o primeiro estudo duplo-cego, randomizado e placebo-controlado sobre farinha de aveia com homens e mulheres acima do peso.[62] Foi constatada uma redução significativa das inflamações no fígado no grupo que consumiu farinha de aveia de verdade, mas isso pode ter ocorrido porque as pessoas perderam muito mais peso do que as do grupo de controle (ou seja, os que ingeriram o placebo de farinha de aveia). Quase 90% dos participantes que ingeriram farinha de aveia de verdade haviam perdido peso, em comparação a nenhuma perda de peso na média verificada no grupo de controle. Portanto, é possível que os benefícios dos grãos integrais para a função do fígado sejam indiretos.[63] Um estudo seguinte, realizado em 2014, ajudou a confirmar a descoberta do papel protetor dos grãos integrais por meio da redução do risco de inflamação no fígado em pacientes com fígado gorduroso não alcoólico. Nessa análise, o consumo de grãos refinados foi associado a um risco maior da doença.[64] Então substitua o pão de forma branco tradicional por alimentos com grãos integrais realmente maravilhosos, incluindo a farinha de aveia.

Preparando sua própria bebida de cranberry

Estudos *in vitro* mostraram que uma classe específica de compostos vegetais chamados antocianinas — os pigmentos roxos, vermelhos e azuis de plantas como frutas vermelhas, uva, ameixa, repolho roxo e cebola roxa — previnem o acúmulo de gordura em células hepáticas humanas.[65] Foi publicado um único estudo clínico (humano) que confirmou a descoberta, no qual um preparado de batata-doce roxa conseguiu diminuir mais do que um placebo uma inflamação no fígado.[66]

Em se tratando de supressão do crescimento de células de câncer de fígado humanas em uma placa de Petri,[67] o cranberry supera outras frutas muito comuns nos Estados Unidos: maçã, banana, toranja, uva, limão, laranja, pêssego, pera, abacaxi e morango. Estudos adicionais constataram que o cranberry também é eficiente *in vitro* contra outros tipos de câncer, incluindo o de cérebro,[68] mama,[69] cólon,[70] pulmão,[71] boca,[72] ovário,[73] próstata,[74] e estômago.[75]

Além disso, para desgosto da indústria farmacêutica, os cientistas não conseguiram identificar os ingredientes ativos envolvidos nos efeitos especiais do cranberry. Extratos com concentração de componentes específicos não demonstraram os efeitos anticâncer da fruta inteira,[76] que, é claro, não pode ser patenteada. Mais uma prova de que é quase sempre melhor dar preferência aos alimentos não processados.

Mas como consumir o cranberry de uma forma mais natural, já que é tão azedo?

As mercearias e os mercados não ajudam, já que 95% dos cranberries são vendidos na forma de produtos processados, como sucos e compotas.[77] Para obter a mesma quantidade de antocianinas encontrada em uma única xícara de cranberries frescos ou congelados, seria necessário beber dezesseis xícaras de suco de cranberry, comer sete xícaras da fruta seca ou encarar 26 latas de compota.[78] O fitonutriente vermelho-rubi encontrado nessa fruta é um antioxidante potente, porém o xarope de milho cheio de frutose acrescentado ao suco de cranberry age como pró-oxidante, anulando parte do benefício desse alimento.[79]

Eis uma receita simples de uma versão integral de uma bebida de cranberry gostosa, que eu chamo de Suco Rosa:

1 punhado de cranberries frescos ou congelados
2 copos d'água
8 colheres de chá de eritritol (adoçante de origem natural e baixa caloria; saiba mais sobre o eritritol e outros adoçantes na Parte 2)
Bata todos os ingredientes no liquidificador na velocidade alta. Acrescente gelo e sirva.

Com apenas doze calorias, essa receita tem 25 vezes menos calorias e pelo menos oito vezes mais fitonutrientes do que os sucos de cranberry típicos.[80]

Para dar uma incrementada, bata junto algumas folhas de hortelã frescas. O resultado será uma espuma verde de aparência estranha em cima, mas não só o suco ficará com um gosto bom como você ficará feliz por saber que está bebendo uma fruta vermelha e uma hortaliça verde-escura — dois dos alimentos mais saudáveis do planeta. Saúde!

Café

Em 1986, um grupo de pesquisadores noruegueses fez uma descoberta inesperada: o consumo de álcool estava associado a inflamações no fígado (o que não era nenhuma surpresa), já o consumo de café estava associado a *menos* inflamações no fígado.[81] Tais resultados se repetiram em análises subsequentes realizadas ao redor do mundo. Nos Estados Unidos, foi feito um estudo com indivíduos com alto risco de doença hepática — por exemplo, gente com sobrepeso ou que consumia muita bebida alcoólica. As pessoas que bebiam mais de duas xícaras de café por dia pareceram ter menos da metade do risco de desenvolver problemas crônicos no fígado do que aquelas que bebiam menos de uma xícara.[82]

E o câncer de fígado, uma das complicações mais temidas da inflamação crônica desse órgão? Ele é hoje a terceira maior causa de morte relacionada a câncer, um crescimento súbito induzido em grande parte pelo aumento dos casos de infecção por hepatite C e de fígado gorduroso não alcoólico.[83]

A notícia é boa: uma análise realizada em 2013, dos melhores estudos feitos até hoje, constatou que as pessoas que mais bebiam café tinham metade do risco de câncer de fígado quando comparadas àquelas que menos bebiam.[84] Uma pesquisa subsequente constatou que o consumo de pelo menos quatro xícaras de café por dia estava associado a um risco de morte por doença hepática crônica 92% menor entre fumantes.[85] É claro que largar o cigarro também teria ajudado; o tabagismo pode multiplicar por até dez vezes as chances dos portadores de hepatite C de morrer de câncer de fígado.[86] De maneira semelhante, aqueles que bebem muito álcool e consomem mais de quatro xícaras de café por dia parecem ter o risco de inflamação no fígado reduzido — mas nem de longe tanto quanto quem diminui a ingestão de álcool.[87]

Os cânceres de fígado estão entre os mais evitáveis, por meio da vacinação contra hepatite B, do controle da transmissão da hepatite C e da redução do consumo de álcool. Essas três medidas podem, em princípio, eliminar 90% dos casos de câncer de fígado no mundo. Permanece incerto se beber café também ajuda a evitar a doença, mas de qualquer forma não seria um auxílio substancial quando comparado à prevenção de danos no fígado em primeiro lugar.[88]

Mas e se você já está infectado pelo vírus da hepatite C ou faz parte do quase um terço dos adultos americanos[89] com fígado gorduroso não alcoólico? Até relativamente pouco tempo, nenhuma pesquisa clínica havia testado o poder do café. Entretanto, em 2013, cientistas publicaram um estudo em que quarenta pacientes com hepatite C crônica foram divididos em dois grupos: o primeiro consumiu quatro xícaras de café por dia durante um mês, enquanto o segundo não tomou nenhuma gota da bebida. Após trinta dias, os grupos inverteram as quantidades ingeridas. É claro que dois meses não são tempo suficiente para detectar mudanças quando o assunto é câncer, mas durante esse período os pesquisadores conseguiram demonstrar que o consumo de café pode reduzir os danos ao DNA, aumentar a eliminação de células infectadas por vírus e retardar o processo de cicatrização.[90] Esses resultados ajudam a explicar o papel que o café parece ter na redução do risco de progressão da doença hepática.

Um texto da revista *Gastroenterology* intitulado "Is It Time to Write a Prescription for Coffee?" explorou os prós e os contras do café.[91] Alguns insistem que primeiro devemos identificar o ingrediente ativo benéfico presente nos grãos de café. Afinal, mais de mil compostos já foram encontrados no café.[92] É necessário realizar mais estudos, porém, enquanto isso, uma ingestão diária moderada de café não adoçado deve ser considerada um tratamento médico adicional razoável para quem tem alto risco de danos no fígado, como os portadores de fígado gordo.[93] Tenha em mente que o consumo diário de bebidas com cafeína pode levar a dependência física e que os sintomas da exclusão da cafeína da dieta podem incluir dias com dor de cabeça, fadiga, dificuldade de concentração e distúrbios de humor.[94] Ironicamente a tendência que o café tem de fazer com que as pessoas tornem sua ingestão um hábito pode se revelar uma boa coisa. Se os benefícios à saúde do fígado forem confirmados, o consumo diário dessa bebida pode acabar provando ser uma vantagem.[95]

No que se refere às doenças hepáticas, a prevenção é a chave, como sempre. Todas as enfermidades mais graves do fígado — como o câncer do órgão, a insuficiência hepática e a cirrose — podem começar com a inflamação do fígado. Esta pode ser causada por uma infecção ou pelo acúmulo de depósitos de gordura. Os vírus do fígado podem ser prevenidos com medidas baseadas no bom senso: não use drogas injetáveis, vacine-se e pratique sexo seguro. Já a gordura no órgão pode ser evitada com medidas também baseadas no bom senso: evite o consumo excessivo de álcool, calorias, colesterol, gordura saturada e açúcar.

CAPÍTULO 9

Como não morrer de câncer do sangue

Aos onze anos, Missy estava com leucemia. A doença estava em remissão graças, em parte, aos sacos amarelos de quimioterapia que pendiam do suporte para administração de medicamentos por via intravenosa que ela arrastava pelos corredores do hospital. Missy foi uma das minhas primeiras pacientes do rodízio de pediatria na faculdade de medicina do Eastern Maine Medical Center, em Bangor, nos Estados Unidos — terra do Stephen King, das placas de sinalização para travessia de alces e dos outdoors de propaganda de sorvete de lagosta.

Nessa época, eu vivia cheio de paramentos de Patch Adams — de orelhas de coelho felpudas a molas de plástico coloridas que arrastava com os pés. De cada botão do meu jaleco pendia um bichinho de pelúcia com o pé enfiado na casa de botão correspondente. Missy abriu um sorriso ao ver o hipopótamo e deu ao galo preso no meu estetoscópio o nome de "Elvis".

Ela adorava fazer desenhos para mim e assinava todos eles com letras maiúsculas: DE MISSY. Neles, ela ainda tinha cachos castanhos, mas, naquela época, ela já estava careca. Recusava-se a usar peruca, o que só fazia seu sorriso parecer mais luminoso.

Pintei as unhas dela de rosa-claro e ela pintou as minhas de um belo marrom-arroxeado.

Eu me lembro da manhã seguinte a essa brincadeira. Meu residente sênior me chamou para conversar depois de fazer a ronda pelos pacientes.

— Suas unhas estão incomodando as pessoas — alertou.

— Ãh? — questionei.

— Os médicos antigos estão reclamando — explicou. — Esta é uma profissão conservadora.

Tentei explicar que não havia sido eu quem pintara as unhas, chateado até por ter que dar essa justificativa. Ele sabia que tinha sido Missy, mas pareceu não se importar.

— A medicina é também uma profissão que vai contra se deixar envolver pelos sentimentos — salientou ele.

Mais tarde, o chefe do departamento conversou comigo. Vários dos médicos mais antigos do hospital estavam preocupados por eu ser "empolgado demais", "expressivo demais" e "sensível demais".

Minha mulher comentou que provavelmente eles só estavam com inveja das minhas molas coloridas.

No dia seguinte, cabisbaixo, entrei no quarto de Missy.

— Sinto muito — disse a ela. — Os médicos me fizeram tirar o esmalte das unhas.

Mostrei as mãos para ela, que as inspecionou e disse com grande indignação:

— Se você não pode usar, também não vou usar!

Então eu a ajudei a tirar o esmalte, confuso e fortalecido por tamanha solidariedade de uma menina de onze anos. (Então a deixei pintar minhas unhas do pé.)

Eu me lembro da última anotação que fiz no prontuário médico de Missy. As anotações sobre o progresso no hospital são feitas no formato SOAP, a sigla formada pelas iniciais do termo em inglês que quer dizer descobertas subjetivas, descobertas objetivas, avaliação e plano. Escrevi: "Avaliação: menina de onze anos terminando última sessão de quimioterapia de manutenção. Plano: Disney World."

A leucemia na infância é uma das poucas histórias de sucesso em nossa guerra contra o câncer, com índices de sobrevivência dos primeiros dez anos após o diagnóstico alcançando até 90 %.[1] Mas essa enfermidade ainda afeta mais crianças do que qualquer outro tipo de câncer e tem uma probabilidade dez vezes maior de ser diagnosticada em adultos, nos quais os tratamentos atuais são bem menos efetivos.[2]

O que podemos fazer, em primeiro lugar, para prevenir os cânceres do sangue?

Os cânceres do sangue às vezes são relatados como tumores líquidos, já que as células cancerosas costumam circular pelo corpo, em vez de ficarem concentradas em uma massa sólida. Eles em geral começam, sem serem detectados, na medula óssea — o tecido esponjoso no interior dos ossos no qual nascem os glóbulos vermelhos, brancos e as plaquetas. Quando saudáveis, os glóbulos vermelhos distribuem oxigênio pelo organismo, os glóbulos brancos combatem infecções e as plaquetas ajudam na coagulação do sangue. A maioria dos casos de câncer do sangue envolve mutações dos glóbulos brancos.

Os cânceres do sangue podem ser classificados em três tipos: leucemia, linfoma e mieloma. A leucemia (do grego *leukos*, ou "branco", e *haima*, ou "sangue") é uma doença em que a medula óssea produz, de modo desenfreado, glóbulos brancos anormais. Ao contrário dos normais, esses impostores não conseguem combater infecções; além disso, prejudicam a capacidade da medula óssea de produzir glóbulos vermelhos e brancos normais, expulsando os saudáveis e reduzindo a contagem de células sanguíneas saudáveis, o que pode levar à anemia, infecções e, por fim, à morte. De acordo com a Sociedade Americana do Câncer, a cada ano 52 mil americanos são diagnosticados com leucemia e 24 mil morrem em virtude da doença.[3]

O linfoma é um câncer de linfócitos, que são um tipo especializado de glóbulo branco. As células do linfoma se multiplicam com grande velocidade e podem se acumular nos nódulos linfáticos — pequenos órgãos do sistema imunológico que estão espalhados pelo corpo, inclusive nas axilas, no pescoço e na virilha. Os nódulos linfáticos ajudam a filtrar o sangue. Assim como ocorre com a leucemia, o linfoma pode expulsar células saudáveis e prejudicar a capacidade do corpo de combater infecções. Talvez você já tenha ouvido falar do linfoma não Hodgkin. O linfoma de Hodgkin pode atacar jovens adultos, porém é uma forma de linfoma rara e em geral tratável. Como o nome sugere, o linfoma não Hodgkin (LNH) inclui todas as outras dezenas de tipos de linfoma. Eles são mais comuns, podem ser mais difíceis de tratar e o risco de desenvolvê-los aumenta com a idade. A Sociedade Americana do Câncer estima que a cada ano surjam setenta mil novos casos de linfoma não Hodgkin e haja dezenove mil mortes.[4]

Por fim, o mieloma é um câncer das células plasmáticas, que são os glóbulos brancos que produzem anticorpos — as proteínas que se prendem aos invasores e às células infectadas e os neutralizam ou os marcam para serem destruídos. As células plasmáticas cancerígenas podem expulsar células saudáveis da medula óssea e produzir anticorpos anormais que podem obstruir os rins. Em 90% das vítimas de mieloma, são descobertas massas de células cancerosas crescendo em vários ossos do corpo, daí o termo comum para essa doença: mieloma múltiplo. A cada ano, 24 mil pessoas são diagnosticadas com mieloma múltiplo e onze mil morrem.[5]

A maioria dos portadores de mieloma múltiplo vive apenas alguns anos após o diagnóstico. Embora seja tratável, essa enfermidade é considerada incurável. Por isso a prevenção é crucial. Felizmente mudanças na dieta podem reduzir o risco de se desenvolver todos esses tipos de câncer do sangue.

ALIMENTOS ASSOCIADOS AO RISCO
REDUZIDO DE CÂNCERES DO SANGUE

Depois de acompanhar mais de sessenta mil indivíduos ao longo de mais de doze anos, pesquisadores da Universidade de Oxford constataram que aqueles que mantêm uma dieta à base de vegetais têm uma probabilidade menor de desenvolver todas as formas de câncer. Pelo visto, a maior proteção é contra os cânceres do sangue: a incidência de leucemia, linfoma e mieloma múltiplo entre aqueles que mantêm dietas vegetarianas é quase a metade da incidência entre aqueles que comem carne.[6] Por que esse risco de câncer de sangue tão reduzido é associado a dietas preponderantemente à base de vegetais? A *British Journal of Cancer* concluiu que "são necessárias mais pesquisas para entender os mecanismos por trás disso".[7] Enquanto estão tentando descobrir os motivos, por que não se adiantar e tentar acrescentar mais alimentos vegetais saudáveis ao seu prato hoje?

Verduras e câncer

A chave para a prevenção e o tratamento do câncer é impedir que as células tumorais se multipliquem de forma desenfreada e, ao mesmo tempo, permitir que as células saudáveis cresçam em ritmo normal. A quimioterapia e a radioterapia podem fazer um ótimo trabalho destruindo células cancerosas, porém, células saudáveis podem ser atingidas no fogo cruzado. No entanto, alguns compostos presentes em vegetais podem ser mais seletivos.

Por exemplo, o sulforafano, considerado um dos componentes mais ativos dos vegetais crucíferos, mata células de leucemia humanas em uma placa de Petri e tem um leve impacto no crescimento de células normais.[8] Conforme já foi explicado, a classe dos vegetais crucíferos inclui o brócolis, a couve-flor e a couve, mas também engloba muitos outros, como a couve-manteiga, o agrião, a acelga, a couve-rábano, a rutabaga (nabo-da-suécia), o nabo, a rúcula, os rabanetes (incluindo a raiz-forte europeia), a raiz-forte japonesa (wasabi) e todos os tipos de repolho.

É intrigante o fato de que, no laboratório, pingar compostos de repolho em células cancerosas as afete, mas o que importa de verdade é que portadores de câncer do sangue que consomem muitas verduras e legumes vivem de fato mais tempo do que os que não consome. Durante oito anos, pesquisadores da Universidade de Yale acompanharam mais de quinhentas mulheres com linfoma não Hodgkin. As que começaram o estudo ingerindo pelo menos três porções de legumes e verduras todos os dias tiveram um índice de sobrevivência 42% melhor

COMO NÃO MORRER DE CÂNCER DO SANGUE | 193

do que o as que ingeriram menos. As verduras — cruas e cozidas — e as frutas cítricas pareceram conferir o maior grau de proteção.[9] Entretanto, não está claro se o benefício na sobrevivência se deve à ajuda na manutenção do afastamento do câncer ou da melhora da tolerância das pacientes aos tratamentos de quimioterapia e radioterapia pelos quais estavam passando. O editorial que acompanha um artigo na revista *Leukemia & Lymphoma* sugeriu que um "diagnóstico de linfoma pode ser um importante momento 'educável' para melhorar a dieta [...]".[10] Eu sugeriria que você não esperasse um diagnóstico de câncer para melhorar sua alimentação.

O Estudo da Saúde de Mulheres de Iowa, que acompanhou mais de 35 mil mulheres ao longo de décadas, verificou que uma ingestão maior de brócolis e outros vegetais crucíferos estava associada a um risco menor de linfoma não Hodgkin.[11] De maneira semelhante, uma pesquisa da Mayo Clinic constatou que quem comia pelo menos cinco porções de verduras por semana tinha cerca da metade das chances de ter linfoma quando comparado a quem comia menos de uma porção por semana.[12]

Parte da proteção adquirida por meio dos vegetais pode ter se devido às propriedades antioxidantes das frutas, legumes e verduras. Uma ingestão maior de antioxidantes na dieta está associada a um risco significativamente menor de linfoma — repare que eu disse ingestão *na dieta*, não ingestão de suplementos. Isso porque os suplementos de antioxidantes aparentemente não têm efeito.[13] Por exemplo, muita vitamina C na dieta é associada a um risco menor de linfoma, mas tomar uma dose ainda maior de vitamina C na forma de comprimidos pareceu não ajudar. O mesmo problema foi constatado com antioxidantes carotenoides como o betacaroteno.[14] Pelo que parece, os comprimidos não tiveram o mesmo efeito de frutas, verduras e legumes no combate ao câncer.

No caso de alguns outros tipos de câncer, como os do sistema digestório, os suplementos de antioxidantes podem até piorar a situação. Combinações de antioxidantes como vitamina A, E e betacaroteno em forma de comprimido foram associadas a um risco maior de morte para quem as tomou.[15] Os suplementos contêm apenas alguns antioxidantes selecionados, enquanto o nosso corpo depende de centenas deles, todos atuando em sinergia para criar uma rede que ajuda o organismo a se desfazer dos radicais livres. Doses altas de um único antioxidante podem perturbar esse equilíbrio delicado e, na verdade, diminuir a capacidade do corpo de combater o câncer.[16]

Ao comprar suplementos de antioxidantes, você pode estar pagando para viver menos. Poupe seu dinheiro e sua saúde comendo a coisa de verdade: os alimentos.

Açaí e leucemia

O açaí ganhou status de celebridade nos Estados Unidos em 2008, quando uma personalidade da televisão, o dr. Mehmet Oz, falou sobre a fruta no programa *Oprah Winfrey Show*. Isso gerou um frenesi de suplementos baratos, pós, shakes e outros produtos duvidosos que exibiam açaí no rótulo, mas não necessariamente continham a fruta de verdade.[17] Até grandes corporações internacionais embarcaram na popularidade do alimento, incluindo a Anheuser-Busch, que criou o drinque 180 Blue, "com energia de açaí", e a Coca-Cola, que lançou a bebida Bossa Nova. Essa é uma prática bem comum no mercado de suplementos de "superfrutas" e bebidas, no qual menos de um quarto do produto vendido é composto pelo ingrediente anunciado no rótulo.[18, 19] Os benefícios gerados por esses produtos são suspeitos, na melhor das hipóteses. Porém, há algumas pesquisas preliminares sobre o açaí de verdade, que pode ser comprado em polpa congelada não adoçada.

O primeiro estudo publicado na história da literatura médica sobre os efeitos do açaí no tecido humano foi realizado com células de leucemia. Pesquisadores pingaram um extrato da fruta em células de leucemia extraídas de uma mulher de 36 anos. Isso desencadeou reações de autodestruição em até 86% das células.[20] Salpicar um pouco de açaí liofilizado em células do sistema imunológico chamadas macrófagos (das palavras gregas *makros* e *phagein*, que significam "grande comedor") em uma placa de Petri fez com que as células englobassem e devorassem até 40% mais micróbios do que o habitual.[21]

Embora o estudo sobre leucemia tenha sido feito com extrato de açaí em uma concentração passível de ser encontrada na corrente sanguínea após a ingestão da fruta, ainda não foi realizada nenhuma análise com pacientes portadores de câncer (apenas com células cancerosas em um tubo de ensaio), portanto, mais exames são necessários. Os únicos estudos clínicos sobre o açaí publicados até agora foram duas pequenas pesquisas financiadas por empresas e que mostraram um benefício modesto para portadores de osteoartrite[22] e para alguns parâmetros metabólicos de indivíduos acima do peso.[23]

Em termos de eficiência antioxidante, o açaí recebe menção honrosa, superando outras grandes estrelas, como as oleaginosas, a maçã e o cranberry. Já o bronze de melhor custo-benefício vai para o cravo-da-índia, enquanto a prata fica com a canela. O ouro por mais antioxidantes por dólar — de acordo com um banco de dados do Departamento de Agricultura dos Estados Unidos sobre alimentos — é do repolho-roxo.[24] No entanto, o açaí provavelmente rende um *smoothie* mais gostoso.

Curcumina e mieloma múltiplo

Conforme já foi observado, o mieloma múltiplo é um dos cânceres mais terríveis — ele é praticamente incurável até com um tratamento médico agressivo. À medida que as células do mieloma se apoderam da medula óssea, os glóbulos brancos saudáveis sofrem um declínio contínuo em número, o que aumenta a suscetibilidade a infecções. Níveis reduzidos de glóbulos vermelhos podem levar à anemia, e contagens reduzidas de plaquetas podem desencadear sangramentos graves. Após receber o diagnóstico, a maioria dos portadores sobrevive menos de cinco anos.[25]

O mieloma múltiplo não surge de forma inesperada. Ao que tudo indica, ele é quase sempre precedido de um distúrbio pré-maligno conhecido como gamopatia monoclonal de significado indeterminado, ou GMSI.[26] Quando descobriram a GMSI, os cientistas lhe deram esse nome porque a importância dos níveis elevados de anticorpos anormais no corpo não estava claro na época. Hoje sabemos que se trata de um precursor do mieloma múltiplo, e 3% dos caucasianos acima de cinquenta anos o têm,[27] enquanto entre os afro-americanos o índice pode ser o dobro.[28]

A GMSI não provoca sintomas. O portador pode ficar sem saber que tem o distúrbio a não ser que descubra por acaso em um exame de sangue de rotina. A chance de a GMSI evoluir para um mieloma é de 1% ao ano, o que significa que muitas pessoas com a doença podem morrer de outras causas antes de desenvolverem o mieloma.[29] Mas, como o mieloma múltiplo é praticamente uma sentença de morte, os cientistas têm tentado desesperadamente encontrar maneiras de deter a GMSI.

Devido à segurança e eficácia da curcumina (componente do condimento cúrcuma) contra outros tipos de células cancerosas, pesquisadores da Universidade do Texas colocaram células de mieloma múltiplo em uma placa de Petri. Sem nenhuma intervenção, as células cancerosas quadruplicaram em poucos dias — é essa a rapidez com que o câncer pode crescer. Contudo, quando um pouco de curcumina foi adicionado ao líquido onde estavam as células, o crescimento delas se tornou mais lento ou cessou por completo.[30]

Conforme descobrimos, parar o câncer em laboratório é uma coisa. Mas e em seres humanos? Em 2009, um estudo-piloto constatou que metade (cinco em dez) dos portadores de GMSI com níveis de anticorpos anormais particularmente altos reagiram de modo positivo a suplementos de curcumina. Nenhum (zero em nove) dos que receberam um placebo teve uma queda semelhante nos níveis de anticorpos.[31] Empolgados com tal sucesso, os cientistas realizaram um estudo randomizado, duplo-cego e placebo-controlado e obtiveram resultados similarmente encorajadores tanto em pacientes com GMSI quanto naqueles com mieloma múltiplo "latente" — um estágio inicial da enfermidade.[32] Esse resultado sugere que um simples tempero encontrado na mercearia pode ter a capacidade de retardar ou interromper esse câncer terrível em um certo percentual de pacientes, porém, só saberemos mais quando forem feitos estudos mais abrangentes para verificar se tais alterações promissoras em biomarcadores de exame de sangue geram alterações nos resultados reais dos pacientes. Enquanto isso, não há mal algum em temperar sua dieta.

HÁ RELAÇÃO ENTRE VÍRUS DE ANIMAIS E OS CÂNCERES DO SANGUE HUMANO?

O motivo pelo qual pessoas com dietas à base de vegetais parecem ter índices mais baixos de cânceres do sangue[33] pode ser os alimentos que elas escolhem comer e/ou evitar. Para elucidar o papel exercido por diferentes produtos de origem animal na miríade de cânceres do sangue, seria preciso fazer um estudo muito grande. Eis que entra em cena o estudo apropriadamente chamado EPIC [Épico], cuja tradução do título em inglês significa investigação prospectiva europeia sobre câncer. Como foi visto no Capítulo 4, os pesquisadores recrutaram mais de quatrocentos mil homens e mulheres em dez países e os acompanharam ao longo de nove anos. Como você deve se lembrar, o consumo de frango comum foi associado a um risco maior de câncer de pâncreas. Descobertas semelhantes foram feitas em relação aos cânceres do sangue. De todos os produtos de origem animal analisados (incluindo categorias incomuns, como miúdos), as aves domésticas tenderam a ser associadas ao maior risco de desenvolver linfoma não Hodgkin, todos os graus de linfoma folicular e linfomas de células B, assim como leucemia linfática crônica de células B (incluindo leucemia linfocítica de pequenas células e leucemia prolinfocítica).[34] O estudo EPIC constatou que o risco aumentava de 56% a 280% para cada cinquenta gramas de ave consumidos diariamente — para se ter uma noção, um peito de frango sem osso e cozido pode pesar até 384 gramas.[35]

Por que há tanto risco de linfoma e leucemia associado à ingestão de quantidades tão pequenas de aves domésticas? Os pesquisadores sugeriram que tal resultado poderia ser casual ou se dever a medicamentos, como antibióticos, que costumam ser dados a frangos e perus para promover seu crescimento. Ou também poderiam ser as dioxinas encontradas em algumas carnes de aves domésticas, que têm sido associadas ao linfoma.[36] No entanto, os laticínios também contêm dioxinas, mas o consumo de leite não foi relacionado ao LNH. Os pesquisadores supuseram que poderiam ser os vírus causadores de câncer em aves domésticas, considerando que o risco menor de LNH tem sido associado à ingestão de carne bem cozida (que desativa qualquer vírus), em vez de malpassada.[37] Essa sugestão é coerente com os resultados do estudo NIH-AARP (ver página 95), que identificou uma associação entre a ingestão de frango recém-preparado e um tipo de linfoma e um risco *menor* de outro câncer do sangue ligado a uma exposição maior ao carcinógeno MeIQx, da carne cozida.[38]

Como menos câncer poderia estar ligado a *mais* exposição a um carcinógeno? O MeIQx é uma das aminas heterocíclicas criadas quando se cozinha carne a temperaturas altas — como, por exemplo, ao assar, grelhar e fritar.[39] Se, no caso dos cânceres do sangue, uma das causas é um vírus de aves domésticas, então quanto mais a carne for cozida, maior será a probabilidade de o vírus ser destruído. Os vírus de aves domésticas causadores de câncer — incluindo o herpesvírus aviário, que causa a doença de Marek, vários retrovírus, como o vírus da reticuloendoteliose, o vírus da leucose aviária, encontrado no frango, e o vírus da doença linfoproliferativa, encontrado no peru — podem explicar os índices mais altos de casos de cânceres do sangue em fazendeiros,[40] funcionários de abatedouros[41] e açougueiros.[42] Os vírus podem causar câncer ao inserir diretamente o gene causador da enfermidade no DNA de um hospedeiro.[43]

Vírus animais podem infectar pessoas que preparam carne com doenças de pele desagradáveis, como a dermatite pustular contagiosa.[44] Há até uma doença bem definida, conhecida comumente como "verruga de açougueiro", que afeta as mãos de quem manuseia carne fresca, incluindo aves domésticas e peixes.[45] Até as mulheres de açougueiros parecem ter um risco maior de desenvolver câncer de colo do útero, um tipo da enfermidade que, sem dúvida, é associado à exposição ao vírus da verruga.[46]

Constatou-se que funcionários de abatedouros de aves têm índices mais altos de câncer de boca, cavidade nasal, garganta, esôfago, reto, fígado e sangue. No âmbito da saúde pública, a preocupação é a de que vírus causadores de câncer presentes em aves domésticas e produtos avícolas sejam transmitidos para indivíduos da população em geral que manuseiam frangos ou que os consomem malcozidos.[47] Esses resultados se repetiram recentemente na maior investigação do tipo já feita até hoje, na qual foram analisados mais de vinte mil funcionários de abatedouros de aves e fábricas de processamento. Eles confirmaram as descobertas de outros três estudos: os funcionários dessas instalações têm um risco maior de morrer em virtude de certos tipos de câncer, incluindo os do sangue.[48]

Os pesquisadores enfim estão começando a juntar os pontos. Os níveis altos de anticorpos para os vírus de leucose/sarcoma aviário[49] e para os vírus de reticuloendoteliose[50] encontrados recentemente em pessoas que trabalham com aves são evidências da exposição humana a esses vírus de aves causadores de câncer. Até os trabalhadores da linha de produção, que apenas cortavam em pedaços o produto final e nunca eram expostos a aves vivas, tinham níveis elevados de anticorpos no sangue.[51] Os pesquisadores concluíram que, para além da questão da segurança no trabalho, a potencial ameaça ao público "não é trivial".[52]

Índices elevados de câncer do sangue podem ter origem nas fazendas. Uma análise de mais de cem mil certidões de óbito verificou que indivíduos criados em fazendas com criação de animais pareciam ter uma probabilidade significativamente maior de desenvolver câncer do sangue mais tarde na vida, enquanto aqueles criados em fazendas apenas com plantações não tinham. Pelo visto, o pior era crescer em uma fazenda avícola, o que foi associado a quase o triplo de chances de desenvolver câncer do sangue.[53]

A exposição a gado e porcos também tem sido associada ao linfoma não Hodgkin.[54] Um estudo de 2003 feito por pesquisadores da Universidade da Califórnia revelou que quase três quartos dos participantes tiveram resultado positivo para exposição ao vírus da leucemia bovina, provavelmente por meio do consumo de carne e laticínios.[55] Cerca de 85% dos rebanhos leiteiros dos Estados Unidos obtiveram resultado positivo para o vírus (e 100% em operações de escala industrial).[56]

Entretanto, a exposição a um vírus que causa câncer em vacas não significa que alguém possa ser ativamente infectado por ele. Em 2014, cientistas apoiados em parte pelo Programa de Pesquisas sobre Câncer de Mama do Exército dos Estados Unidos publicaram um relatório excelente em uma revista dos Centros para Controle e Prevenção de Doenças. Eles afirmaram terem constatado que o DNA do vírus da leucemia bovina estava incorporado a tecidos de mama humana normais e cancerosos, provando que seres humanos também podem ser infectados por esse vírus animal causador de câncer.[57] Contudo, até hoje, o papel dos vírus de aves domésticas e de outros animais de fazenda no desenvolvimento de câncer em humanos permanece desconhecido.

E o vírus da leucemia *felina*? Felizmente a companhia de animais de estimação é associada a índices *menores* de linfoma, o que é um alívio para mim tendo em vista a quantidade de animais com que tenho compartilhado a vida. E, quanto maior é o tempo que alguém tem gatos ou cachorros, menor é o risco. Em um estudo, o menor risco de linfoma foi encontrado em indivíduos que tiveram animais de estimação por pelo menos vinte anos. Os cientistas suspeitam que o motivo esteja ligado ao fato de que ter animais de estimação pode gerar efeitos benéficos para o sistema imunológico.[58]

COMO NÃO MORRER DE CÂNCER DO SANGUE | 199

★ ★ ★

Dois estudos de Harvard sugeriram que o consumo de refrigerante *diet* pode aumentar o risco de linfoma não Hodgkin e mieloma múltiplo,[59] mas essa associação só foi verificada em homens e não foi confirmada em outros dois grandes estudos sobre refrigerantes adoçados com aspartame.[60, 61] Entretanto, não faz mal cortar o refrigerante da dieta, além de adotar as mudanças alimentares descritas anteriormente.

As dietas à base de vegetais são associadas a quase metade do risco de cânceres do sangue, sendo sua proteção provavelmente conferida tanto pela ausência de alimentos ligados a tumores líquidos, como as aves domésticas, como pelo consumo adicional de frutas, legumes e verduras. As verduras podem ajudar a evitar o linfoma não Hodgkin, e o cúrcuma, a prevenir o mieloma múltiplo. O papel desempenhado pelos vírus de animais de fazenda causadores de tumores no desenvolvimento de cânceres humanos não é conhecido, por isso tal descoberta deveria ser uma prioridade, considerando a potencial amplitude da exposição da população.

CAPÍTULO 10

Como não morrer de doença dos rins

Cartas e e-mails de pacientes sempre me inspiram. Uma mensagem que me veio à mente quando estava escrevendo este capítulo foi a de Dan, um jogador de futebol americano aposentado. Eu o conheci quando ele tinha 42 anos. Apesar de ser relativamente jovem, o ex-atleta profissional já estava tomando três medicamentos para pressão arterial. Ainda assim, sua pressão era alta. Ele estava um pouco acima do peso, com uns dez quilos a mais. Ele e sua cara-metade me procuraram depois de uma de minhas palestras.

O médico de Dan tinha acabado de lhe contar que seus rins estavam começando a apresentar sinais de danos devido à pressão arterial. Minha primeira pergunta foi se ele estava tomando os medicamentos conforme fora orientado, já que muita gente deixa de tomar com regularidade remédios para pressão arterial por causa dos efeitos colaterais desagradáveis. Ele me garantiu que estava e me mostrou uma lista de controle que carregava consigo para se manter em dia com os medicamentos. Então me perguntou que suplementos poderia tomar para ajudar os rins.

Eu lhe respondi que não importava o que ele tivesse visto na internet, pois não existe uma pílula mágica, mas que, se ele enchesse o prato de alimentos saudáveis, não processados, todos os dias, os danos poderiam ser interrompidos ou até revertidos. Então, Dan levou esse conselho a sério e me deixou compartilhar seu e-mail:

> Bem, fui para casa naquela noite e fizemos uma limpeza na casa. Nós nos livramos de tudo o que não crescia na terra, tudo o que era processado. E adivinha: durante o ano seguinte, perdi a barriga de cerveja e a minha pres-

são baixou. A vida está muito melhor sem aqueles medicamentos — eles me davam muito cansaço o tempo todo. E minha função renal voltou ao normal. Fico furioso por ninguém ter me dito isso antes e por ter chegado a me sentir tão mal antes de conseguir melhorar.

É fácil não dar o merecido crédito aos rins, mas eles funcionam o dia inteiro, sem parar, como um filtro de água de alta tecnologia para o sangue. Eles processam até 142 litros de sangue a cada 24 horas para produzirem de um a dois litros de urina que é eliminada diariamente.

Quando os rins não funcionam direito, os produtos residuais metabólicos podem se acumular no sangue e provocar fraqueza, falta de ar, confusão mental e ritmo cardíaco alterado. Contudo, a maioria das pessoas que sofrem de deterioração da função renal não sente nenhum sintoma. Quando os rins falham por completo, a vítima precisa ou de um novo rim (isto é, um transplante), ou de diálise, um processo pelo qual uma máquina filtra o sangue artificialmente. Mas não existem tantos doadores de rim, e a expectativa de vida média de quem faz diálise é inferior a três anos.[1] Por isso, antes de mais nada, é melhor manter os rins saudáveis.

Embora eles possam falhar de repente em reação a certas toxinas, infecções ou bloqueio urinário, a maioria das doenças renais se caracteriza por uma perda gradual da função do órgão. Uma pesquisa nos Estados Unidos constatou que apenas 41% dos americanos examinados tinham função renal normal, uma queda em relação aos 52% de dez anos antes.[2] Cerca de um em cada três americanos com mais de 64 anos sofre de doença renal crônica (DRC),[3] embora três quartos dos milhões de afetados talvez nem sequer saibam disso.[4] Supõe-se que mais da metade dos americanos adultos que hoje têm de trinta a 64 anos desenvolverá doença renal crônica durante a vida.[5]

Então por que não há milhões de pessoas fazendo diálise? Porque o mau funcionamento dos rins pode ser tão prejudicial ao restante do corpo que a maioria das pessoas não vive o suficiente para chegar a esse estágio. Em um estudo que acompanhou, ao longo de uma década, mais de mil americanos acima de 64 anos com doença renal crônica, apenas um em cada vinte desenvolveu insuficiência renal em estágio final. A maioria dos outros participantes já tinha morrido, sendo que doenças cardiovasculares os mataram mais do que a soma de todas as outras causas.[6] Os rins são tão cruciais para o funcionamento cardíaco apropriado que os pacientes abaixo dos 45 anos com insuficiência renal podem ter uma probabilidade cem vezes maior de morrer de doença cardíaca do que a daqueles com rins funcionando bem.[7]

A boa notícia? As dietas mais saudáveis para o coração — aquelas que têm como base alimentos vegetais não processados — também podem ser a melhor maneira de prevenir e tratar as doenças dos rins.

Lesão nos rins com a dieta

Os rins são órgãos muito vascularizados, o que significa que são cheios de vasos sanguíneos — por isso são tão vermelhos. Já vimos que a dieta americana padrão pode ser tóxica para os vasos sanguíneos do coração e do cérebro, então o que ela pode estar fazendo com os rins?

Para responder a essa questão, pesquisadores de Harvard acompanharam milhares de mulheres saudáveis, suas dietas e sua função renal durante mais de uma década[8] a fim de verificar a presença de proteínas na urina delas. Os rins saudáveis trabalham muito para reter proteínas e outros nutrientes vitais, de preferência removendo resíduos tóxicos ou inúteis da corrente sanguínea através da urina. Quando os rins deixam proteína vazar para a urina, é sinal de que podem estar começando a falhar.

Os cientistas identificaram três componentes específicos da dieta associados a esse sinal de declínio da função renal: proteína animal, gordura animal e colesterol. Todos eles são encontrados em um único lugar: alimentos de origem animal. Os pesquisadores não identificaram nenhuma associação entre piora da função renal e a ingestão de proteína ou gordura de fontes vegetais.[9]

Há 150 anos, Rudolf Virchow, o pai da patologia moderna, descreveu pela primeira vez a degeneração gordurosa dos rins.[10] Desde então, esse conceito de nefrotoxicidade lipídica — ou a ideia de que gordura e colesterol na corrente sanguínea podem ser tóxicos para os rins — foi formalizado[11] com base, em parte, em estudos realizados a partir de autópsias que constataram blocos de gordura obstruindo o funcionamento dos rins.[12]

A ligação entre colesterol e doença renal ganhou tanta força na comunidade médica que as estatinas redutoras de colesterol têm sido recomendadas para retardar a progressão da enfermidade.[13] Mas não seria melhor (sem falar em mais seguro e mais barato) tratar a causa subjacente da doença se alimentando de forma mais saudável?

Que tipo de proteína é melhor para os rins?

Nas duas décadas entre 1990 e 2010, as principais causas de morte e deficiência permaneceram relativamente constantes. Conforme foi observado no Capítulo 1,

COMO NÃO MORRER DE DOENÇA DOS RINS | 203

a doença cardíaca ainda é a principal causa de problemas de saúde e de óbitos. Algumas enfermidades, como a aids, perderam posições na lista, mas entre as que tiveram um aumento de incidência na geração passada está a doença renal crônica. O número de mortes dobrou.[14]

Isso tem sido atribuído à nossa dieta de "carne e doce".[15] O consumo em excesso de açúcar de mesa e xarope de milho com muita frutose é associado à pressão arterial e ao nível de ácido úrico mais altos, duas coisas que podem danificar os rins. A gordura saturada, a gordura trans e o colesterol encontrados em produtos de origem animal e junk-food também são associados à função renal debilitada; já a proteína da carne aumenta a carga ácida dos rins, estimulando a produção de amônia e podendo danificar as células renais sensíveis.[16] É por isso que a restrição da ingestão de proteína costuma ser recomendada a pacientes com doença renal crônica, para ajudar a prevenir um declínio funcional maior.[17]

No entanto, as proteínas não são criadas da mesma forma. É importante entender que nem todas têm o mesmo efeito nos rins.

O grande consumo de proteína animal pode ter uma enorme influência sobre a função renal normal, induzindo um estado chamado hiperfiltração — um aumento drástico na carga de trabalho dos rins. A hiperfiltração não é nociva quando ocorre apenas de vez em quando. Todos nós temos uma capacidade reserva em termos de função renal — tanto que é possível viver com apenas um rim. Supõe-se que o corpo humano tenha desenvolvido a capacidade de lidar com altas doses de proteína quando ingeridas sem muita regularidade desde os tempos remotos em que caçávamos e colhíamos o que comer. Mas agora muitos de nós estão consumindo grandes doses de proteína animal, forçando os rins a recorrerem a suas reservas continuamente. Esse estresse incessante ao longo do tempo pode explicar por que a função renal tende a decair à medida que se envelhece, predispondo a uma deterioração progressiva da função renal até quem de outro modo seria saudável.[18]

A princípio os pesquisadores achavam que as pessoas com dietas à base de vegetais tinham uma função renal melhor por consumirem menos proteína de forma geral.[19] Contudo, sabemos agora que isso se deve mais provavelmente ao fato de os rins lidarem com a proteína vegetal de modo bem diferente de como lidam com a proteína animal.[20]

Horas depois de a carne ser consumida, os rins aceleram e entram no modo hiperfiltração. Isso ocorre com várias proteínas animais: as carnes de boi, frango e peixe parecem ter efeitos semelhantes.[21] Já uma quantidade equivalente de proteína vegetal causa quase nenhum estresse perceptível nos rins.[22] Coma um pouco de atum e três horas depois o índice de filtração dos rins poderá subir 36%.

Mas a ingestão da mesma quantidade de proteína em forma de tofu parece não causar tensão adicional no órgão.[23]

Será que a substituição da proteína animal pela vegetal poderia ajudar a retardar a deterioração da função renal? Sim, poderia: meia dúzia de pesquisas médicas mostraram que essa troca pode reduzir a hiperfiltração e/ou o extravasamento de proteína,[24,25,26,27,28,29] mas todas essas investigações foram de curto prazo, durando menos de oito semanas. Só em 2014 um estudo clínico duplo-cego, randomizado e placebo-controlado de seis meses foi realizado para comparar como os rins processam proteína de soja em relação a como lidam com a proteína de laticínios. Sendo coerente com os outros estudos, ele constatou que a proteína vegetal ajuda a preservar a função em rins debilitados.[30]

Por que a proteína animal causa a reação de sobrecarga e a proteína vegetal não? Por causa da inflamação que os produtos de origem animal podem ocasionar. Os cientistas descobriram que, depois de darem aos participantes de um estudo um forte remédio anti-inflamatório junto com proteína animal, não houve mais a reação de hiperfiltração e vazamento de proteína.[31]

Reduzir a carga ácida na dieta

Outro motivo pelo qual a proteína animal pode ser tão prejudicial à função renal é o fato de em geral ela formar mais ácido, já que ela costuma ter níveis mais altos de aminoácidos sulfurados, como a metionina, que produzem ácido sulfúrico ao serem metabolizados pelo corpo. Já as frutas, os legumes e as verduras em geral formam substâncias alcalinas, que ajudam a neutralizar ácidos nos rins.[32]

A carga ácida da dieta é determinada pelo equilíbrio entre alimentos que produzem ácidos (como a carne, os ovos e o queijo) e alimentos que produzem substâncias alcalinas (como as frutas e os legumes). Uma análise de 2014 sobre dieta e função renal envolvendo mais de doze mil americanos por todo o país constatou que uma carga ácida maior na dieta estava associada a um risco significativamente maior de vazamento de proteína para a urina — um indicador de danos renais.[33]

As dietas antigas dos seres humanos consistiam em grande parte de vegetais, portanto, é provável que produzissem mais substâncias alcalinas do que ácidas nos rins de nossos ancestrais. Os humanos evoluíram mantendo essas dietas alcalinas ao longo de milhões de anos. Em contrapartida, a maioria das dietas contemporâneas produz ácido em excesso. Essa substituição da dieta alcalina pela ácida pode explicar a epidemia moderna de doenças renais.[34] Pelo visto, as dietas ácidas afetam os rins por meio da "toxicidade tubular", que são danos a tubos pequenos, delicados e produtores de urina existentes nos rins. Para aliviar o excesso de ácido provocado pela dieta, os rins produzem amônia, que é alcalina e pode neutralizar parte desse ácido. Neutralizar o ácido é benéfico a curto prazo, porém a longo prazo toda a amônia extra presente nos rins pode ter um efeito tóxico.[35] É provável que o declínio da função renal com o passar do tempo seja consequência de uma vida inteira de produção exagerada de amônia.[36] Os rins podem começar a se deteriorar aos vinte e poucos anos,[37] e ao se chegar aos oitenta sua capacidade pode estar reduzida à metade.[38]

A acidose metabólica crônica de baixo grau atribuída a uma dieta rica em carne[39] ajuda a explicar por que indivíduos com dietas à base de vegetais parecem ter uma função renal melhor[40] e por que várias dessas dietas têm sido bem-sucedidas no tratamento de insuficiência renal crônica.[41,42] Em circunstâncias normais, uma alimentação vegetariana alcaliniza os rins, enquanto uma alimentação não vegetariana gera uma carga ácida. Isso se provou verdadeiro até entre vegetarianos que consumiam substitutos de carne processada, como hambúrgueres vegetarianos.[43]

Se não estão dispostas a reduzir o consumo de carne, as pessoas devem ser incentivadas a comerem mais frutas, legumes e verduras a fim de equilibrar a carga ácida.[44] "Mas", como opinou um médico nefrologista, "muitos pacientes acham difícil seguir uma dieta rica em frutas, legumes e verduras e podem, portanto, aderir melhor ao uso de um suplemento."[45]

Então o que os pesquisadores tentaram fazer? Dar às pessoas comprimidos de bicarbonato de sódio. Em vez de tratar a causa primária do excesso de formação de ácido (consumo excessivo de produtos de origem animal e muito pouca ingestão de frutas, legumes e verduras), eles preferiram tratar as consequências. Ácido demais? Aqui está um pouco de substância alcalina para neutralizá-lo. O bicarbonato de sódio pode aliviar a carga ácida de modo eficaz,[46] mas obviamente contém sódio, o que no longo prazo pode contribuir para danificar os rins.[47]

Infelizmente esse método do tipo Band-Aid é bem típico do modelo da medicina atual. O colesterol está alto demais por causa de uma dieta anormalmente rica em gordura saturada e colesterol? Tome uma estatina para incapacitar a enzima produtora de colesterol. Dieta anormalmente rica em alimentos ácidos? Engula alguns comprimidos de bicarbonato de sódio para equilibrar isso já!

Esses mesmos pesquisadores também tentaram fazer com que as pessoas consumissem frutas, legumes e verduras, em vez de lhes dar bicarbonato de sódio, e constataram que estes conferiam uma proteção semelhante, com a vantagem adicional de baixarem a pressão arterial. O título do comentário que acompanhava o artigo na revista médica é sugestivo: "The Key to Halting Progression of CKD Might Be in the Produce Market, Not in the Pharmacy" ["A chave para deter a progressão da DRC pode estar no mercado de produtos agrícolas, não na farmácia"].[48]

Pedra nos rins

A dieta à base de vegetais com a finalidade de alcalinizar a urina também pode ajudar a prevenir e tratar pedras nos rins — que são os depósitos de minerais duros passíveis de se formarem nos rins quando a concentração de certas substâncias na urina se torna tão alta que elas começam a cristalizar. Por fim, esses cristais podem aumentar e virar cálculos do tamanho de seixos que bloqueiam o fluxo de urina, causando uma dor intensa que tende a irradiar de um lado da lombar em direção à virilha. Algumas pedras nos rins podem passar naturalmente (e com frequência provocando muita dor) pela urina, porém outras são tão grandes que precisam ser removidas através de cirurgia.

A incidência de casos de pedra nos rins teve um enorme aumento a partir da Segunda Guerra Mundial,[49] e ainda nos últimos quinze anos. Cerca de um em cada onze americanos é afetado hoje, em comparação a um em cada vinte há menos de duas décadas.[50] O que explica esse aumento? A primeira pista surgiu em 1979, quando cientistas identificaram uma relação impressionante entre a prevalência de pedra nos rins a partir dos anos 1950 e um consumo crescente de proteína animal.[51] Entretanto, como ocorre com todos os estudos de observação, os pesquisadores não conseguiram provar a relação de causa e efeito, então decidiram realizar uma pesquisa intervencionista: pediram aos participantes que acrescentassem proteína animal às dietas diárias na forma do equivalente ao teor de uma lata de atum. Após dois dias comendo o atum extra, os níveis de compostos formadores de pedra — cálcio, oxalato e ácido úrico — dispararam a ponto de o risco de desenvolver pedra nos rins aumentar 250%.[52]

Repare que a dieta experimental com "alta" quantidade de proteína animal foi elaborada para imitar a ingestão de proteína animal do americano médio,[53] o que sugere que os americanos podem reduzir consideravelmente o risco de pedra nos rins ao diminuir o consumo de carne.

Nos anos 1970, já havia evidências suficientes para que os cientistas começassem a questionar se pessoas que sofriam de cálculos nos rins de maneira recorrente deveriam cortar de vez a ingestão de carne.[54] Contudo, um estudo sobre o risco de ter pedra nos rins em vegetarianos só foi publicado em 2014. Pesquisadores da Universidade de Oxford constataram que os participantes que não comiam nenhuma carne tinham um risco significativamente menor de serem hospitalizados por pedra nos rins. E, em relação àqueles que comiam carne, quanto maior era o consumo, maior era o risco associado.[55]

Haveria um tipo de carne pior do que os outros? Em geral, quem sofre de pedras nos rins é aconselhado a restringir a ingestão de carne vermelha, mas e o frango e o peixe? Só ficamos sabendo a resposta quando outro estudo em 2014 comparou o salmão e o bacalhau com o peito de frango e hambúrgueres de carne bovina. Foi constatado que, grama por grama, o peixe podia ser um pouco pior do que outras carnes em termos de risco para certos tipos de pedras nos rins, mas a conclusão foi a de que, em geral, "quem sofre de pedras nos rins deve ser aconselhado a limitar a ingestão de todas as proteínas animais".[56]

A maioria dos cálculos nos rins é composta de oxalato de cálcio, que forma algo parecido com açúcar-cande quando a urina fica supersaturada de cálcio e oxalatos. Durante muitos anos, os médicos acharam que, como as pedras eram feitas de cálcio, eles deviam aconselhar os pacientes a apenas reduzir a ingestão desse mineral.[57] Como ocorre com frequência na medicina, a prática clínica costuma dar tiros no escuro quando não há um respaldo experimental consistente. Mas isso mudou com um estudo decisivo, publicado na *New England Journal of Medicine*, que confrontou a dieta tradicional, pobre em cálcio, com uma pobre em proteína animal e sódio. Após cinco anos, a investigação constatou que comer menos carne e sal era duas vezes mais efetiva do que a dieta pobre em cálcio, que era convencionalmente receitada, reduzindo à metade o risco de pedras nos rins.[58]

E que tal reduzir os oxalatos, que estão concentrados em certos legumes e verduras? Um estudo recente foi tranquilizador ao verificar que não houve nenhum aumento no risco de formação de pedras nos rins devido a uma ingestão maior de legumes e verduras. Na verdade, uma ingestão maior de frutas, legumes e verduras foi associada a um risco reduzido independentemente de outros fatores de risco conhecidos, o que significa que pode haver benefícios adicionais com o aumento do consumo de alimentos vegetais, mais do que com a restrição de alimentos de origem animal.[59]

Outra razão para que a redução do consumo de proteína animal seja positiva é o fato de ela diminuir o acúmulo de ácido úrico, que pode formar cristais causadores de pedras de cálcio ou formar ele próprio as pedras. Na verdade, as pedras de ácido úrico são o segundo tipo mais comum. Portanto, faz sentido que, para diminuir o risco, se tente reduzir o excesso de produção de ácido úrico, o que pode ser feito de duas maneiras: adicionando remédios ou subtraindo a carne.[60] Medicamentos bloqueadores de ácido úrico, como o alopurinol, podem ser eficazes, porém, causam efeitos colaterais graves.[61] Em contrapartida, cortar toda a carne de uma dieta ocidental padrão parece reduzir o risco de cristalização de ácido úrico em mais de 90% em apenas cinco dias.[62]

Moral da história: quanto mais alcalina for a urina, menor é a probabilidade de formação de pedras. Isso ajuda a explicar por que menos carne e mais frutas, legumes e verduras parecem proteger tanto os rins. A dieta americana padrão gera urina ácida, mas, quando as pessoas são submetidas a uma dieta à base de vegetais, a urina delas pode ser alcalinizada até um pH quase neutro em menos de uma semana.[63]

No entanto, nem todos os alimentos vegetais são alcalinizantes, nem todos os alimentos de origem animal são igualmente acidificantes. A pontuação LAKE [carga de ácido para avaliação dos rins] leva em conta tanto a carga ácida dos alimentos quanto o tamanho típico das porções consumidas a fim de ajudar as pessoas a modificarem suas dietas de modo a prevenir pedras nos rins e outras doenças relacionadas à acidez, como a gota. Como pode ser visto na Figura 4, o alimento que mais produz acidez é o peixe, incluindo o atum, seguido do porco, das aves domésticas, do queijo e da carne bovina. Os ovos, na verdade, produzem mais acidez do que a carne de boi, porém as pessoas costumam comer menos ovos em uma refeição. Alguns grãos e produtos feitos a partir deles podem gerar um pouco de acidez, como o pão e o arroz, mas, curiosamente, não o macarrão. Os feijões *reduzem* de maneira significativa a acidez, mas não tanto quanto as frutas, sendo os legumes e verduras coroados como os alimentos mais alcalinizantes.[64]

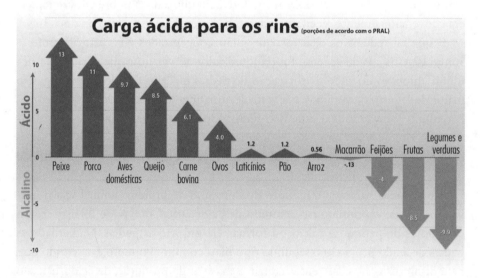

Figura 4

As alterações na dieta são tão poderosas que conseguem não apenas ajudar a prevenir pedras nos rins como também, em alguns casos, a curar essa enfermidade sem remédios ou cirurgia. Pelo visto, as pedras de ácido úrico podem ser dissolvidas por completo com uma combinação de uma ingestão maior de frutas, legumes e verduras e a restrição do consumo de proteína animal e de sal, além da ingestão de pelo menos dez copos de líquido por dia.[65]

Como testar o pH da urina com o repolho-roxo

Sabemos que a dieta ocidental padrão produz ácido, enquanto uma dieta à base de vegetais média o reduz.[66] Uma alimentação formadora de ácido pode não apenas afetar o risco de desenvolver pedra nos rins como também desencadear acidose metabólica (excesso de ácido na corrente sanguínea) sistêmica, crônica e de baixo grau,[67] que é considerada pelos médicos um fator que contribui para uma degeneração muscular relacionada ao envelhecimento.[68] Então qual é a melhor maneira de determinar o quanto sua dieta está de fato formando ácido? Talvez o método mais fácil (e mais chato) seja urinar em tiras de papel indicador de pH. Como alternativa, você pode usar o que tem (ou pelo menos deveria ter) agora na gaveta de legumes e verduras da geladeira: o repolho-roxo. Ele é um dos alimentos de maior valor nutritivo, e você pode até usá-lo para realizar experiências químicas na cozinha ou, nesse caso, no banheiro.

Ferva um pouco de repolho-roxo até a água ficar bem roxa ou misture o repolho cru com um pouco de água e depois coe para retirar as partes sólidas. Urine no vaso sanitário e então derrame a solução de repolho-roxo nele (as privadas com descarga com menos água são melhores, já que fica menos água no vaso). Se o líquido no vaso permanecer roxo ou, pior ainda, ficar cor-de-rosa, a urina está ácida demais. O objetivo é que fique azul — se você urinar e a água de repolho ficar azul, sua urina não está ácida, mas neutra ou até alcalina.

Prevenção da ingestão excessiva de fósforo

Fósforo demais no sangue pode aumentar o risco de insuficiência renal, insuficiência cardíaca, ataque cardíaco e morte prematura. Acredita-se também que esse quadro danifique os vasos sanguíneos e acelere o envelhecimento e a perda óssea.[69] Por isso, níveis elevados da substância parecem ser um fator de risco independente para morte precoce na população em geral.[70]

O fósforo é encontrado em diversos alimentos vegetais e de origem animal. A maioria dos americanos consome o dobro da quantidade de fósforo de que precisa,[71] porém, isso não tem a ver apenas com o quanto se come, mas também com o quanto se absorve. Ao adotar uma dieta à base de vegetais, é possível alcançar uma queda significativa do nível de fósforo no sangue mesmo que o nível de ingestão do mineral permaneça constante.[72] Isso ocorre porque o fósforo nos alimentos de origem animal se apresenta na forma de um composto chamado fosfato, que é absorvido pela corrente sanguínea mais depressa do que o fitato, a forma predominante do fósforo em alimentos vegetais.[73] Como talvez você se lembre do Capítulo 4, a situação é semelhante à do caso do ferro, outro mineral essencial que se pode obter em demasia. O corpo humano pode se proteger melhor da absorção excessiva de ferro de origem vegetal, mas não consegue impedir com a mesma eficiência que o excedente de ferro dos músculos ou do sangue (heme) passe pela parede intestinal.

Entretanto, o pior tipo de fósforo é o fosfato usado como aditivo alimentar. Esses compostos de fósforo são acrescentados a bebidas de cola e carnes para manipular a cor do produto.[74] (Sem a adição de fosfato, a Coca-Cola seria ainda mais preta.)[75] Menos da metade da maioria dos fósforos vegetais[76] e três quartos do fósforo de produtos de origem animal naturais entram na corrente sanguínea,[77] mas o fosfato dos aditivos pode ser absorvido em um índice de quase 100%.[78]

Os aditivos de fosfato são importantíssimos para a indústria da carne. A carne de frango costuma receber injeções de fosfato para melhorar sua cor, acrescentar peso pelo aumento da quantidade de água (e com isso aumentar a lucratividade, já que o frango pode ser vendido a quilo) e reduzir o líquido que pinga da carne à medida que ela envelhece.[79] O problema do uso desse aditivo é o fato de ele poder quase dobrar o nível de fósforo da carne.[80] Os aditivos de fosfato foram descritos como um "perigo real e traiçoeiro" para pacientes que sofrem de problemas renais, já que a sua capacidade de excretá-lo é reduzida.[81] Mas, considerando o que sabemos sobre o excesso de fósforo, essa questão é uma preocupação para todos nós.

Nos Estados Unidos, permite-se que onze tipos de sais de fosfato sejam injetados na carne crua e em aves domésticas,[82] uma prática há muito proibida na Europa.[83] Isso se deve ao fato de os fosfatos encontrados na carne e em alimentos processados serem considerados "toxinas vasculares",[84] capazes de debilitar a função arterial horas após o consumo de uma refeição com muito fosfato.[85] No caso da carne, há uma preocupação a mais com a segurança alimentar, uma vez que a adição de fosfato pode aumentar em até um milhão de vezes o crescimento da *Campylobacter* (uma das principais bactérias causadoras de intoxicação alimentar) em aves domésticas.[86]

É fácil evitar a adição de fósforo em alimentos processados: basta não comprar nada que contenha ingredientes com a palavra "fosfato" no nome, incluindo pirofosfato e trifosfato de sódio.[87] Na carne, é mais difícil determinar o teor

COMO NÃO MORRER DE DOENÇA DOS RINS | 211

de fosfato, já que não se exige que os produtores revelem quais aditivos foram injetados no produto. O fosfato adicionado pode ser descrito no rótulo como "aromatizante" ou apenas como "caldo" ou não ser sequer indicado.[88] A carne já contém por si só fosfatos de alta absorção; adicioná-los pode aumentar ainda mais os danos aos rins. Pelo visto, o frango é o pior agressor: uma pesquisa realizada em supermercados constatou que mais de 90% dos produtos de frango continham aditivos de fosfato.[89]

Quem determina se os aditivos alimentares são seguros?

Em 2015, a Food and Drug Administration dos Estados Unidos finalmente anunciou seus planos para tudo menos eliminar as gorduras trans de alimentos processados,[90] citando uma estimativa dos Centros para Controle e Prevenção de Doenças de que nada menos que vinte mil ataques cardíacos poderiam ser evitados a cada ano caso os óleos parcialmente hidrogenados fossem banidos.[91] Até 16 de junho de 2015, as gorduras trans gozavam do chamado status GRAS, o que significa que o produto é reconhecido em geral como seguro.

Mas por que essas gorduras assassinas foram consideradas seguras?

Adivinhe quem determina o que é "reconhecido em geral como seguro"? Não se trata do governo nem de um órgão científico. É o produtor. É isso mesmo que você leu: o produtor de alimentos tem permissão para determinar se seu produto é seguro ou não para o público, um processo ao qual a Food and Drugs Administration se refere como "autodeterminação de GRAS". Além disso, pela lei, os fabricantes podem adicionar substâncias aos nossos alimentos sem informar a agência reguladora.[92] Estima-se que mil decisões envolvendo segurança de aditivos alimentares nunca tenham sido relatadas à Food and Drugs Administration ou ao público.[93]

Mas, às vezes, os fabricantes de alimentos notificam a agência reguladora quando eventualmente introduzem um novo aditivo. Parece uma atitude responsável da parte deles, não? Presumivelmente eles encontraram um grupo externo independente para avaliar a segurança de seus produtos e, assim, evitar um conflito de interesses financeiros, certo?

Ora, não é bem assim que acontece.

De todas as determinações de GRAS submetidas à agência reguladora de alimentos dos Estados Unidos de maneira voluntária pelas empresas entre 1997 e 2012, 22,4% foram feitas por alguém diretamente empregado pelo próprio fabricante; 13,3%, por alguém diretamente empregado por uma empresa escolhida pelo fabricante; e 64,3%, por um grupo escolhido pelo fabricante ou por uma empresa contratada por ele.[94] Você está fazendo a conta? Sim, *nenhuma* decisão envolvendo segurança de alimentos foi tomada de maneira independente.

Como a agência reguladora pode permitir que as empresas decidam por si mesmas se os aditivos alimentares usados em seus produtos são seguros? Siga o dinheiro. Três das maiores empresas de *lobby* de Washington trabalham hoje para a indústria alimentícia.[95] Por exemplo, só a PepsiCo gastou mais de 9 milhões de dólares em um único ano para exercer influência no Congresso.[96] Quanto mais fundo cavar, menos surpreso você ficará ao ver que aditivos alimentares como as gorduras trans têm permissão para matar milhares de pessoas por ano.

Mas, espere aí, de acordo com o fabricante eles são seguros...

A dieta pode proteger contra o câncer de rim?

Todo ano, 64 mil americanos são diagnosticados com câncer de rim e quatorze mil morrem em virtude da doença.[97] Cerca de 4% desses casos são hereditários,[98] mas e os outros 96%?

Historicamente, o único fator de risco reconhecido para o câncer de rim tem sido o tabagismo.[99] Uma classe de carcinógenos presentes na fumaça do cigarro — chamados nitrosaminas — é considerada tão nociva que até a chamada fumaça de terceira mão é preocupante. Os riscos da fumaça de tabaco não cessam quando o cigarro é apagado, uma vez que a fumaça residual pode grudar em paredes e outras superfícies.[100] É possível que 80% das nitrosaminas da fumaça de cigarro permaneçam no ambiente mesmo com uma ventilação normal,[101] portanto, sempre escolha quartos de hotel para não fumantes. As nitrosaminas são um dos motivos pelos quais não se pode fumar em um ambiente fechado sem pôr os outros em perigo, mesmo que o local esteja vazio. Como escreveu recentemente um dos maiores estudiosos do movimento pelo controle do tabaco: "Carcinógenos com essa força em qualquer outro produto destinado ao consumo humano seriam proibidos de imediato."[102]

COMO NÃO MORRER DE DOENÇA DOS RINS | 213

Exceto um: a carne.

Você sabia que um cachorro-quente tem a mesma quantidade de nitrosaminas (e nitrosamidas, que são semelhantes aos carcinógenos do tabaco)[103] de quatro cigarros e que esses carcinógenos também são encontrados em carnes frescas, incluindo as de boi, frango e porco?[104] Isso pode ajudar a explicar os índices crescentes de casos de câncer de rim nas últimas décadas, apesar da queda do número de fumantes.

Fim da confusão: nitratos, nitritos e nitrosaminas

Embora a carne fresca também contenha nitrosaminas, a carne processada ou curada — como a dos embutidos — é particularmente nociva. Na Europa, o segundo maior estudo prospectivo do mundo sobre dieta e câncer calculou que a redução do consumo de carne processada para menos de vinte gramas por dia (uma porção menor do que uma caixa de fósforo pequena) evitaria mais de 3% de todas as mortes.[105] Na maior investigação desse tipo, o estudo NIH-AARP, feita com mais de quinhentos mil americanos (ver página 93), constatou-se que a fração de mortes passíveis de serem evitadas pode ser ainda maior. Os pesquisadores sugeriram, por exemplo, que 20% dos óbitos por doença cardíaca entre americanas poderiam ser impedidos se as maiores consumidoras de carne processada reduzissem sua ingestão para o equivalente a menos de meia tira de bacon por dia.[106] Não é de admirar que o Instituto Americano de Pesquisa em Câncer [AICR, na sigla em inglês] recomende que apenas se "evite carnes processadas como presunto, bacon, salame, salsicha e linguiça".[107]

Os nitritos são adicionados à carne curada como "fixadores de cor" e para evitar o crescimento da bactéria do botulismo (uma rara, porém séria doença de paralisia).[108] E o bacon "não curado"? A embalagem indica: "Sem adição de nitrito ou nitrato", mas leia as letras miúdas e talvez você encontre uma notinha na margem dizendo algo como "exceto os que ocorrem naturalmente no suco de aipo". De fato, legumes e verduras contêm nitratos que podem ser fermentados e transformados em nitritos, portanto a adição de suco de aipo fermentado ao bacon é apenas uma maneira furtiva de adicionar nitritos ao produto. Até comentaristas da revista *Meat Science* perceberam que isso pode ser visto pelos consumidores como "incorreto na melhor das hipóteses ou enganador na pior delas".[109]

Entretanto, a mesma fermentação que converte nitratos em nitritos pode ocorrer quando se come legumes e verduras, graças a bactérias presentes na língua. Então por que os nitritos e nitratos de legumes e verduras não são vistos como vilões, mas os mesmos compostos na carne são relacionados ao câncer?[110] Porque os nitritos em si não são carcinógenos — eles se transformam em carcinógenos. Os nitritos só se tornam nocivos quando viram nitros*aminas* e nitros*amidas*. Para que isso ocorra, é necessária a presença de aminas e amidas, e ambas são encontradas em abundância em produtos de origem animal. Essa transformação acontece na própria carne ou no estômago humano. No caso dos alimentos vegetais, a vitamina C e outros antioxidantes presentes neles bloqueiam a formação desses carcinógenos no organismo.[111] Tal processo explicaria por que a ingestão de nitrato e nitrito de carnes processadas tem sido associada a câncer de rim e nenhum risco maior foi identificado na ingestão de nitrato e nitrito de fontes vegetais.[112]

Enquanto o nitrito de fontes animais — não apenas de carnes processadas — foi associado a um risco maior de câncer de rim, alguns dos legumes e verduras que mais contêm nitrato, como a rúcula, a couve-crespa e a couve-manteiga, são associados a um risco significativamente reduzido de se desenvolver esse tipo de câncer.[113]

Os rins são incumbidos da responsabilidade monumental de filtrar o sangue do corpo 24 horas, todos os dias. Isso é muito trabalho para dois órgãos do tamanho de um punho. Os rins são extremamente resilientes, mas não indestrutíveis. Quando começam a falhar, o corpo também pode começar a sucumbir. Substâncias tóxicas que normalmente seriam eliminadas por rins saudáveis podem passar para a corrente sanguínea e se acumularem nela.

Para manter os rins fortes e o sangue limpo, você deve avaliar com cuidado o que come. A dieta americana de carne e doce pode aos poucos danificar seus rins a cada refeição, forçando-os a um estado de hiperfiltração. Imagine quanto tempo duraria o motor de seu carro se você sempre rodasse perto da marca vermelha do velocímetro. Felizmente a ciência médica provou que é possível reduzir a carga de trabalho dos rins (e a carga ácida) adotando uma dieta preponderantemente à base de vegetais.

CAPÍTULO 11

Como não morrer de câncer de mama

"Você tem câncer de mama."

Essas são algumas das palavras mais temidas por mulheres, e por um bom motivo. Depois do câncer de pele, o câncer de mama é o mais comum entre as americanas. Todo ano, cerca de 230 mil delas são diagnosticadas com a doença e quarenta mil morrem em virtude dela.[1]

O câncer de mama não surge da noite para o dia. Aquele caroço sentido durante o banho em determinada manhã pode ter começado a se formar décadas atrás. Quando é detectado pelos médicos, o tumor já pode estar no corpo há quarenta anos ou até mais.[2] O câncer foi crescendo, amadurecendo e passando por centenas de novas mutações de sobrevivência que lhe permitiram crescer com uma velocidade ainda maior enquanto ele tentava enganar o sistema imunológico.

A realidade assustadora é que o que os médicos chamam de "detecção precoce" é, na verdade, uma detecção tardia. Os exames de imagem modernos simplesmente não são bons o bastante para identificar o câncer em seus primeiros estágios, então ele pode se espalhar muito antes de ser descoberto. Uma mulher é considerada "saudável" até mostrar sinais ou sintomas de câncer de mama. Mas, se vem abrigando um processo maligno há duas décadas, será que ela pode mesmo ser considerada saudável?

Pessoas que estão fazendo a coisa certa — melhorando a alimentação na esperança de prevenir o câncer de mama — podem também estar tratando a enfermidade. Estudos baseados na análise de autópsias revelaram que nada menos do que 20% das mulheres de vinte a 54 anos que morreram de causas não relacionadas à doença, como acidentes de carro, tinham os chamados cânceres de mama "ocultos" crescendo no organismo.[3] Às vezes não há nada que se possa fazer para prevenir o estágio de iniciação do câncer, quando a primeira célula de mama normal sofre uma mutação e se torna cancerosa. Alguns cânceres de mama podem ocorrer até em fetos e estar relacionados à dieta da mãe.[4] Por isso, todos nós precisamos adotar uma dieta e um estilo de vida que não apenas previnam o estágio de iniciação do câncer, mas também impeçam o estágio de promoção, durante o qual o tumor alcança um tamanho grande o bastante para representar uma ameaça.

A boa notícia é que, não importa o que sua mãe tenha comido e como você tenha vivido na infância: ao se alimentar e viver de forma saudável você pode reduzir o ritmo de crescimento de qualquer câncer oculto. Em suma, você pode morrer *com* os tumores e não por causa *deles*. É assim que a prevenção e o tratamento do câncer por meio da dieta podem acabar sendo a mesma coisa.

Uma ou duas células de câncer não fazem mal a ninguém. Mas e um bilhão de células de câncer? É essa a quantidade que pode haver em um tumor[5] ao ser detectado em uma mamografia.[6] Assim como a maioria dos tipos da doença, o câncer de mama começa com apenas uma célula, que se divide para virar duas, quatro e depois oito. Toda vez que as células do câncer de mama se dividem, o tumor pode dobrar de tamanho.[7]

Vejamos então quantas vezes um tumor pequenino precisa se duplicar para chegar a um bilhão de células. Pegue uma calculadora. Multiplique um por dois. Em seguida, multiplique esse número por dois. Faça isso até chegar a um bilhão — não se preocupe, não vai demorar muito. São apenas trinta multiplicações por dois. Com apenas trinta duplicações, uma única célula de câncer pode se tornar um bilhão.

Portanto, a chave para a rapidez com que o câncer é diagnosticado é o tempo de duplicação. Quanto tempo é necessário para que os tumores dupliquem uma vez? Os cânceres de mama podem levar de 25 dias[8] a mil dias ou até mais para dobrar de tamanho.[9] Em outras palavras, pode demorar dois anos ou mais de cem anos para que o tumor comece a causar problemas.

Em que ponto você vai ficar nessa escala de tempo — dois anos ou um século — pode depender em parte do que come.

Na adolescência, minha alimentação era horrível. Uma de minhas refeições favoritas era bife à milanesa. Na juventude, posso ter causado uma mutação em uma das células do cólon ou da próstata. Mas venho me alimentando de forma muito mais saudável nos últimos 25 anos. Minha esperança é que, mesmo que tenha iniciado um crescimento canceroso, ao não promovê-lo eu consiga retardá-lo. Não me importo de receber um diagnóstico de câncer daqui a cem anos — não espero estar vivo a essa altura para me preocupar com isso.

Nas controvérsias atuais sobre o custo e a efetividade da mamografia[10] falta debater um ponto importante: os exames de câncer de mama, por definição, não previnem a doença; eles podem apenas detectar cânceres de mama existentes. Com base em estudos feitos a partir de autópsias, nada menos do que 39% das mulheres na casa dos quarenta anos já têm um câncer de mama crescendo no corpo, só que pequeno demais para ser detectado pela mamografia.[11] É por isso que não se pode esperar o diagnóstico para começar a se alimentar e viver de maneira mais saudável. Você precisa começar hoje à noite.

FATORES DE RISCO PARA CÂNCER DE MAMA

O Instituto Americano de Pesquisa em Câncer é considerado uma das maiores autoridades do mundo em dieta e câncer. Com base nas melhores pesquisas disponíveis, a instituição apresentou dez recomendações para a prevenção do câncer.[12] Além de nunca mascar tabaco, a principal mensagem relacionada à alimentação foi: "Dietas baseadas em vegetais não processados — verduras, legumes, grãos integrais, frutas e feijões — reduzem o risco de muitos cânceres e também de outras doenças."[13]

Para demonstrar como pode ser imenso o impacto das escolhas relativas ao estilo de vida sobre o risco de se desenvolver câncer de mama, durante sete anos cientistas acompanharam um grupo de trinta mil mulheres na pós-menopausa sem nenhum histórico de câncer de mama. O cumprimento de apenas três das dez recomendações do Instituto Americano de Pesquisa em Câncer — limitar o consumo de álcool, consumir sobretudo alimentos vegetais e manter um peso corporal normal — foi associado a um risco de câncer de mama 62% menor.[14] Sim, tudo indica que três comportamentos saudáveis simples reduzem o risco em mais da metade.

É incrível como uma alimentação à base de vegetais em conjunto com uma caminhada diária possam melhorar as defesas do organismo contra o câncer em apenas duas semanas. Pesquisadores pingaram o sangue de mulheres antes e após quatorze dias de vida saudável em células de câncer crescendo em placas de Petri. O sangue coletado depois de elas passarem a se alimentar de maneira mais saudável suprimiu significativamente melhor o crescimento do câncer do que o coletado apenas duas semanas antes.[15] Os pesquisadores atribuíram esse efeito a uma redução dos níveis de um hormônio que promove o crescimento do câncer chamado IGF-1,[16] o que provavelmente se deve à menor ingestão de proteína animal.[17]

Que tipo de sangue — e sistema imunológico — você quer ter? O tipo que não faz nada quando novas células de câncer surgem ou o aquele circula em cada canto e fenda do organismo com o poder de retardar e deter as células de câncer?

Álcool

Em 2010, o órgão oficial da Organização Mundial de Saúde (OMS) que avalia o risco de câncer atualizou formalmente a classificação para o álcool, passando a considerá-lo com certeza um carcinógeno de câncer humano.[18] Em 2014, a instituição esclareceu sua posição afirmando que, em se tratando de câncer de mama, nenhuma quantidade de álcool é segura.[19]

Mas e quanto a beber "moderadamente"? Em 2013, cientistas publicaram uma compilação de mais de cem estudos sobre câncer de mama e o hábito de beber com moderação (até uma bebida alcoólica por dia). Os pesquisadores haviam identificado um pequeno, porém estatisticamente significativo, aumento do risco de câncer de mama mesmo em mulheres que bebiam no máximo um drinque por dia (exceto talvez pelo vinho tinto — ver o quadro da página seguinte). Eles estimaram que, a cada ano, no mundo inteiro, quase cinco mil mortes por câncer de mama possam ser atribuídas à ingestão moderada de bebida alcoólica.[20]

O carcinógeno não é o álcool propriamente dito. Na verdade, o culpado é um produto da decomposição do álcool chamado acetaldeído, que pode se formar na boca quase imediatamente após se tomar um gole de bebida alcoólica. Experimentos mostram que até manter na boca uma única colher de chá de uma bebida com alto teor alcoólico por cinco minutos antes de cuspi-la produz níveis potencialmente carcinogênicos de acetaldeído que se prolongam por mais de dez minutos.[21]

Se até um mero gole de álcool pode produzir na boca níveis de acetaldeído que causam câncer, o que dizer dos enxaguantes bucais que contêm álcool? Pesquisadores que examinaram os efeitos de diversos antissépticos orais vendidos no varejo concluíram que, embora o risco seja pequeno, talvez seja melhor se abster das versões do produto com álcool.[22]

Vinho tinto *versus* vinho branco

O Estudo da Saúde das Enfermeiras, realizado por Harvard, constatou que até menos de um drinque por dia pode ser associado a um pequeno aumento do risco de câncer de mama.[23] Curiosamente a ingestão de apenas vinho tinto *não* foi associada ao risco de câncer de mama. Por quê? Um composto do vinho tinto parece suprimir a atividade da enzima estrogênio sintetase, que os tumores de mama podem usar para criar estrogênio a fim de impulsionar o próprio crescimento.[24] Esse composto é encontrado na casca de uvas roxo-escuras usadas na produção de vinho tinto, o que explica por que o vinho branco parece não gerar esse benefício,[25] já que é produzido sem a casca da fruta.

Os cientistas concluíram que o vinho tinto pode "atenuar o elevado risco de câncer de mama associado à ingestão de álcool".[26] Em outras palavras, as uvas do vinho tinto podem ajudar a neutralizar parte dos efeitos cancerígenos do álcool. No entanto, você pode ter os benefícios sem arcar com os riscos associados ao consumo de bebida alcoólica simplesmente bebendo suco de uva ou, melhor ainda, comendo as próprias uvas roxas — de preferência com as sementes, que parecem ser mais eficazes na supressão da estrogênio sintetase.[27]

É bom (e delicioso) saber que o morango,[28] a romã[29] e o cogumelo branco comum[30] também podem suprimir a enzima potencialmente cancerígena.

Melatonina e o risco de câncer de mama

Ao longo de bilhões de anos, a vida no planeta Terra evoluiu sob condições de cerca de doze horas de luz e doze de escuridão. Os seres humanos controlaram o fogo para cozinhar há um milhão de anos, porém, usamos velas há apenas cinco mil e luz elétrica há somente um século. Em outras palavras, nossos ancestrais viveram metade da vida no escuro.

Contudo, hoje, devido à poluição da luz elétrica à noite, não é mais tão fácil enxergar a Via Láctea. A iluminação elétrica nos permite permanecer produtivos madrugada adentro, mas será que a exposição noturna à luz artificial tem algum efeito adverso na saúde?

Na filosofia, há um argumento furado chamado falácia do apelo à natureza, em que alguém propõe que algo é bom só porque é natural. Mas na biologia isso pode conter certa verdade. As condições sob as quais nosso corpo foi finamente regulado ao longo de milhões de anos às vezes podem nos dar insights sobre nosso funcionamento ideal. Por exemplo, evoluímos correndo nus por aí na África equatorial. Portanto, não surpreende que muitos de nós, seres humanos modernos, tenhamos adquirido deficiência de vitamina D (a "vitamina do sol") ao vivermos em climas do hemisfério norte ou em países onde a cultura impõe às mulheres que cubram o corpo inteiro.[31]

Poderia algo tão onipresente quanto a lâmpada ser uma faca de dois gumes? Bem no meio do cérebro está a glândula pineal, que alguns acreditam ser o terceiro olho. Ela está ligada aos olhos e tem apenas uma função: produzir um hormônio chamado melatonina. Durante o dia, a glândula pineal permanece inativa, mas, quando o céu escurece, ela fica ativa e bombeia melatonina para a corrente sanguínea. Então a pessoa começa a ficar cansada, sente-se menos alerta e passa a pensar em dormir. A secreção de melatonina pode atingir um pico entre duas e cinco da manhã e depois cessar ao raiar do dia, o que é um sinal para que a pessoa acorde. O nível desse hormônio na corrente sanguínea é uma das maneiras pelas quais os órgãos internos sabem que horas são. Funciona como um ponteiro do relógio circadiano.[32]

Além de ajudar a regular o sono, os médicos atribuem à melatonina outro papel: o de suprimir o crescimento de cânceres. Pense nesse hormônio como algo que ajuda a pôr as células de câncer para dormir à noite.[33] Para verificar se essa função se aplica à prevenção do câncer de mama, pesquisadores do Brigham and Women's Hospital, em Boston, e de outras instituições tiveram a brilhante ideia de estudar cegas. Eles imaginaram que, como essas mulheres não podem ver a luz do sol, suas glândulas pineais nunca param de secretar melatonina para a corrente sanguínea. De fato, os cientistas constataram que as cegas podem ter metade das chances das mulheres com visão de desenvolver câncer de mama.[34]

De modo inverso, mulheres que interrompem a produção de melatonina trabalhando em turnos noturnos parecem ter um risco maior de desenvolver câncer de mama.[35] Até morar em uma rua muito bem iluminada pode aumentar esse risco. Estudos que cruzaram fotos de satélite tiradas à noite com índices de câncer de mama revelaram que pessoas que moram em bairros mais iluminados tendem a ter um risco maior de adquirir câncer de mama.[36,37,38] Portanto, é provável que seja melhor dormir sem nenhuma luz e com as persianas abaixadas, embora as evidências que sustentem tais estratégias sejam limitadas.[39]

A produção de melatonina pode ser avaliada medindo-se a quantidade desse hormônio excretada na primeira urina da manhã. E, de fato, verificou-se que mulheres com maior secreção de melatonina têm índices mais baixos de câncer de mama.[40] Além de minimizar a exposição à luz noturna, há outra coisa que se possa fazer para manter a produção desse hormônio alta? Parece que sim. Em 2005, cientistas japoneses identificaram uma associação entre uma maior ingestão de legumes e verduras e níveis mais altos de melatonina na urina.[41] Há algo na alimentação que pode reduzir a produção de melatonina e, assim, potencialmente aumentar o risco de desenvolver câncer de mama? Nós só soubemos a resposta com a publicação de um estudo abrangente sobre dieta e melatonina publicado em 2009. Pesquisadores de Harvard perguntaram a quase mil mulheres sobre o consumo de 38 alimentos ou grupos de alimentos diferentes e mediram seus níveis matinais de melatonina. A carne foi o único alimento cujo consumo foi associado de modo significativo a uma produção menor de melatonina, por motivos ainda desconhecidos.[42]

Portanto, pelo visto, para minimizar a interrupção da produção de melatonina você deve colocar cortinas nas janelas, comer mais legumes e verduras e diminuir ao máximo a ingestão de carne.

Exercícios físicos e o câncer de mama

A atividade física é considerada uma medida preventiva promissora contra o câncer de mama[43] não apenas por ajudar a controlar o peso, mas porque a prática de exercícios físicos tende a baixar os níveis de estrogênio em circulação pelo organismo.[44] Cinco horas por semana de exercícios aeróbicos vigorosos podem reduzir em 20% a exposição ao estrogênio e à progesterona.[45] Mas será que você precisa dessa quantidade toda de exercício para se proteger?

Embora exercícios leves sejam associados a um risco menor de desenvolver alguns tipos de câncer, no caso do câncer de mama os passeios por lazer parecem não ter efeito.[46] Mesmo uma hora por dia de atividades físicas como dança lenta e arrumar a casa não ajudam em nada.[47] De acordo com o maior estudo sobre o tema já publicado, apenas mulheres que suam bastante se exercitando pelo menos cinco vezes por semana parecem obter uma proteção significativa.[48] Entretanto, a prática de atividade de intensidade moderada pode oferecer tantos benefícios quanto a de exercícios vigorosos.[49] Caminhar uma hora por dia em ritmo moderado é considerado um exercício de intensidade moderada, porém isso só foi posto à prova em 2013, quando um estudo afirmou que de fato caminhar por pelo menos uma hora por dia está associado a um risco de câncer de mama significativamente menor.[50]

Darwin estava certo: os mais aptos sobrevivem — portanto, entre em forma!

Aminas heterocíclicas

Em 1939, uma descoberta curiosa foi divulgada em um ensaio intitulado "Presence of Cancer-Producing Substances in Roasted Food". Nele, um pesquisador descreveu como era possível provocar câncer de mama em camundongos ao pintar suas cabeças com extratos de músculo de cavalo assado.[51] Desde então, essas "substâncias produtoras de câncer" foram identificadas como aminas heterocíclicas (AHCs), descritas pelo Instituto Nacional do Câncer como "substâncias químicas formadas quando carnes com músculo, incluindo as carnes de boi, porco, peixe e aves domésticas, são cozidas por meio de métodos com temperatura alta".[52] Tais métodos de cozimento incluem assar, fritar e grelhar. A maneira mais segura de consumir carne talvez seja optar pela cozida em fervura. Indivíduos que comem carne sem deixar que ela seja aquecida acima de cem graus Celsius produzem urina e fezes com significativamente menos danos ao DNA comparadas aos que comem carne cozida a seco a temperaturas mais altas.[53] Isso significa que eles têm menos substâncias mutagênicas fluindo na corrente sanguínea e entrando em contato com o cólon. Em contrapartida, assar um frango por quinze minutos a 176 graus Celsius leva à produção de AHCs.[54]

Esses carcinógenos são formados em uma reação química em temperatura alta entre alguns componentes do tecido muscular. (A ausência de algumas dessas substâncias em alimentos vegetais pode explicar por que até hambúrgueres vegetarianos fritos não contêm uma quantidade mensurável de AHCs).[55] Quanto mais tempo a carne for cozida, mais AHCs se formam. Esse processo pode explicar por que a ingestão de carne bem passada é associada a um risco maior de cânceres de mama, cólon, esôfago, pulmão, pâncreas, próstata e estômago.[56] Essa situação cria o que a *Harvard Health Letter* chamou de "paradoxo" da preparação da carne:[57] cozinhar bem a carne reduz o risco de contrair infecções de origem alimentar (ver o Capítulo 5), mas cozinhá-la bem *demais* aumenta o risco de criar carcinógenos de origem alimentar.

O fato de as aminas heterocíclicas causarem câncer em roedores não significa que elas causem câncer em seres humanos. Entretanto, nesse caso as pessoas podem ser até *mais* suscetíveis. Revelou-se que o fígado de roedores tem uma capacidade incomum de eliminar 99% das AHCs que os cientistas forçaram por suas gargantas (uma técnica conhecida como "gavagem").[58] Mas depois, em 2008, os pesquisadores descobriram que o fígado de pessoas alimentadas com frango cozido só conseguiu eliminar metade desses carcinógenos, o que sugere que o risco de câncer é muito maior do que se pensava antes com base em experimentos com ratos.[59]

COMO NÃO MORRER DE CÂNCER DE MAMA | 223

Os carcinógenos encontrados na carne cozida explicam por que, conforme os médicos acreditam e foi relatado no Projeto de Estudo do Câncer de Mama de Long Island (LIBCSP, na sigla em inglês), em 2007, mulheres que consomem mais carne grelhada ou defumada ao longo da vida podem ter uma probabilidade até 47% maior de desenvolver câncer de mama.[60] E o Estudo da Saúde de Mulheres de Iowa constatou que mulheres que comiam bacon, bife e hambúrguer "muito bem passados" tinham quase cinco vezes mais chances de ter câncer de mama, comparadas às que preferiam essas carnes servidas mal passadas ou ao ponto.[61]

A fim de verificarem o que estava acontecendo no interior da mama, os pesquisadores conversaram com mulheres submetidas à cirurgia de redução de mama sobre seus métodos de preparo de carne. Os cientistas conseguiram relacionar o consumo de carne frita à quantidade de danos no DNA encontrados no tecido mamário das mulheres,[62] o tipo de dano com potencial para causar mutação em uma célula normal e torná-la cancerosa.[63]

As AHCs parecem capazes tanto de iniciar quanto de promover o crescimento do câncer. Constatou-se que a PhIP, uma das AHCs mais abundantes na carne cozida, tem efeitos potentes semelhantes ao do estrogênio, fomentando o crescimento de células de câncer de mama humano com força quase tão grande quanto a do estrogênio puro,[64] sobre o qual a maioria dos tumores de mama humanos se desenvolve. Contudo, esse resultado se baseou em uma análise realizada em placa de Petri. Como sabemos que os carcinógenos da carne cozida conseguem alcançar os ductos da mama, onde surge a maioria dos cânceres de mama? Só descobrimos quando os pesquisadores mediram os níveis de PhIP no leite materno de mulheres não fumantes (as AHCs também estão presentes na fumaça do cigarro).[65] Nesse estudo, a PhIP foi encontrada no leite de mulheres que comiam carne na mesma concentração conhecida por estimular de forma significativa o crescimento de células de câncer de mama.[66] Nenhum vestígio de PhIP foi identificado no leite materno da única participante vegetariana.[67]

Uma descoberta semelhante foi relatada em um estudo que comparou os níveis de PhIP em fios de cabelo. A substância química foi detectada em amostras de cabelo de todas as seis pessoas examinadas que consumiam carne, mas em apenas um dos seis vegetarianos.[68] (As AHCs também podem estar presentes em ovos fritos).[69]

O corpo humano pode se livrar depressa dessas toxinas depois que cessa a exposição a elas. Os níveis de PhIP na urina podem chegar a zero 24 horas após a pessoa se abster de comer carne.[70] Portanto, se você é adepto da Segunda sem Carne, é possível que o nível de PhIP que circula em seu corpo não seja detectado na terça-feira de manhã. Mas a alimentação não é a única fonte de PhIP — os níveis de AHC em vegetarianos fumantes podem se aproximar dos encontrados em não fumantes que comem carne.[71]

A amina heterocíclica PhIP não é apenas um carcinógeno classificado como completo, capaz tanto de iniciar cânceres quanto de promovê-los. Ela também pode facilitar a disseminação da doença. O câncer se desenvolve em três estágios principais: 1) a iniciação, o dano irreversível ao DNA que inicia o processo; 2) a promoção, o crescimento e divisão da célula inicial, formando um tumor; e 3) a progressão, que pode incluir a invasão do tumor em tecidos circundantes e metástase (disseminação) para outras áreas do corpo.

Hoje os cientistas conseguem avaliar quão invasivo ou agressivo é determinado câncer colocando as células em um instrumento chamado câmara de invasão. Eles depositam em um dos lados de uma membrana porosa células de câncer e em seguida medem a capacidade destas de penetrarem na membrana e se espalharem por ela. Quando os pesquisadores puseram células de câncer de mama metastático de uma mulher de 54 anos em uma câmara de invasão, relativamente poucas conseguiram romper a barreira. No entanto, 72 horas após adicionarem PhIP à câmara, as células de câncer se tornaram mais invasivas, avançando através da membrana em ritmo acelerado.[72]

Desse modo, a PhIP na carne pode representar um tipo de carcinógeno que acaba com a vítima em três tempos, já que está potencialmente envolvido com cada estágio do desenvolvimento do câncer de mama. Entretanto, permanecer longe desse carcinógeno não é fácil quando se tem uma dieta americana padrão. Como os pesquisadores salientam: "É difícil evitar a exposição à PhIP por causa de sua presença em muitas carnes cozidas consumidas em grande quantidade, em particular o frango, a carne bovina e o peixe".[73]

Colesterol

Lembra que falamos anteriormente sobre a pesquisa do Instituto Americano de Pesquisa em Câncer? Um estudo verificou que seguir as diretrizes dessa instituição para prevenção de câncer pareceu reduzir o risco de câncer de mama e também de doença cardíaca.[74] Além disso, não apenas uma alimentação mais saudável para prevenir o câncer pode ajudar a evitar a doença cardíaca como uma alimentação que busca prevenir a doença cardíaca pode ajudar a prevenir o câncer. Um dos motivos disso? É que o colesterol pode influenciar o desenvolvimento e a progressão do câncer de mama.[75]

O câncer parece se alimentar de colesterol. Na placa de Petri, o colesterol LDL estimula o crescimento de células de câncer de mama — elas engolem

COMO NÃO MORRER DE CÂNCER DE MAMA | 225

o chamado colesterol ruim. Os tumores podem sugar tanto colesterol que os níveis dessa substância em pacientes com câncer tendem a despencar à medida que a doença evolui.[76] Isso não é um bom sinal, já que a sobrevivência do paciente tende a ser menor quando a absorção de colesterol é maior.[77] Os médicos acreditam que o câncer use o colesterol para fabricar estrogênio ou para reforçar membranas do tumor de modo a ajudá-lo a migrar e invadir mais tecidos.[78] Em outras palavras, os tumores de mama podem se aproveitar do alto nível de colesterol em circulação para alimentar e acelerar o próprio crescimento.[79] A fome de colesterol que o câncer tem é tanta que empresas farmacêuticas cogitaram usar o colesterol LDL como cavalo de Troia para passar remédios antitumorais para células de câncer.[80]

Embora os dados sejam imprecisos, o maior estudo sobre colesterol e câncer já realizado até hoje — com mais de um milhão de participantes — constatou um risco 17% maior em mulheres que tinham nível de colesterol total acima de 240, comparadas àquelas cujo colesterol estava abaixo de 160.[81] Se baixar o colesterol pode ajudar a diminuir o risco de câncer de mama, que tal tomar estatinas que o reduzem?

As estatinas pareciam promissoras em análises feitas em placa de Petri, mas estudos de base populacional, comparando índices de câncer de mama entre usuários de estatina e não usuários, obtiveram resultados inconsistentes. Alguns sugeriram que essa substância reduz o risco de câncer de mama, enquanto outros mostraram um risco maior. Contudo, quase todos esses estudos foram realizados em períodos relativamente curtos. A maioria considerou cinco anos como sendo um uso de estatina por longo prazo, porém o câncer de mama pode demorar décadas para se desenvolver.[82]

O primeiro grande estudo sobre o risco de câncer de mama por uso de estatina durante pelo menos dez anos foi publicado em 2013. Ele constatou que mulheres que tomavam a substância há pelo menos uma década tinham o dobro de risco de desenvolver os dois tipos mais comuns de câncer de mama infiltrativos — o carcinoma ductal invasivo e o carcinoma lobular invasivos.[83] Já os remédios para reduzir níveis de colesterol duplicaram o risco. Caso isso seja confirmado, as implicações dessas descobertas para a saúde pública são imensas: estima-se que cerca de uma em cada quatro mulheres com mais de 45 anos nos Estados Unidos esteja tomando esses medicamentos.[84]

O assassino número um das mulheres é a doença cardíaca, não o câncer de mama, portanto, elas ainda precisam ter o colesterol reduzido. Provavelmente dá para fazer isso sem recorrer a remédios, mantendo uma dieta à base de vegetais. E certos alimentos vegetais podem ser particularmente protetores.

COMO PREVENIR (E TRATAR) O CÂNCER DE MAMA COM ALIMENTOS VEGETAIS

Não muito tempo atrás, recebi uma mensagem muito comovente de Bettina, que vinha acompanhando o meu trabalho no NutritionFacts.org. Ela fora diagnosticada com câncer de mama "triplo-negativo" — o tipo mais difícil de tratar — em estágio dois. Bettina encarou oito meses de tratamento, incluindo cirurgia, quimioterapia e radioterapia. Um diagnóstico de câncer de mama já é estressante o suficiente, mas a ansiedade e a depressão podem se somar a esse tipo de regime rigoroso para combater a doença.

Entretanto, Bettina aproveitou a experiência para fazer uma série de mudanças positivas em sua vida. Após assistir a vários de meus vídeos, ela passou a se alimentar de forma mais saudável. Seguiu muitas das recomendações presentes neste capítulo para tentar prevenir a recorrência da doença, tais como comer mais brócolis e semente de linhaça. A boa notícia: Bettina está sem câncer há mais de três anos.

Tendo em vista todos os estudos a que tive acesso e li, para mim é fácil esquecer que as estatísticas estão relacionadas à vida de pessoas de verdade. Histórias como a de Bettina me ajudam a pôr um rosto em todos os dados e números secos. O fato é que quando pessoas reais fazem mudanças reais, elas têm resultados reais.

Infelizmente, mesmo após receber o diagnóstico de câncer de mama, a maioria das mulheres não faz as mudanças alimentares que mais poderiam ajudá-las, como consumir menos carne e aumentar a ingestão de frutas, legumes e verduras.[85] Talvez elas não percebam (e seus médicos nunca lhes tenham dito) que um estilo de vida mais saudável pode aumentar suas chances de sobrevivência. Por exemplo, um estudo feito com quase 1.500 mulheres verificou que alterações de comportamento extraordinariamente simples — como ingerir cinco ou mais porções de frutas, legumes e verduras por dia, além de caminhar por trinta minutos seis vezes por semana — foram associadas a uma vantagem de sobrevivência significativa. As mulheres que seguiram tais recomendações pareceram ter quase metade do risco de morrer de câncer nos dois anos seguintes ao diagnóstico.[86]

Embora histórias como a de Bettina ajudem a tornar as estatísticas mais inspiradoras, tudo isso precisa retornar à ciência. Com o passar do tempo, o que comer e o que dar de comer a nossas famílias são decisões de vida ou morte. De que outra maneira podemos tomá-las se não tendo como base o que apontam as evidências científicas?

Fibras

Um consumo de fibras abaixo do adequado também pode ser um fator de risco para o câncer de mama. Pesquisadores da Universidade de Yale e de outras instituições constataram que mulheres na pré-menopausa que consumiam mais de seis gramas de fibras solúveis por dia (o equivalente a uma única xícara de feijão--preto) tinham chances 62% menores de sofrer de câncer de mama, comparadas às que consumiam menos de quatro gramas por dia. Os benefícios das fibras pareceram ainda mais pronunciados no caso de tumores de mama com receptores de estrogênio negativos — os mais difíceis de tratar: mulheres na pré-menopausa com dietas mais ricas em fibras tinham uma chance 85% menor de desenvolver esse tipo de câncer de mama.[87]

Como os cientistas chegaram a tais números? A pesquisa de Yale foi o que se chama de estudo de caso-controle. Os pesquisadores compararam as antigas dietas de mulheres que tinham câncer de mama (os casos) com as antigas dietas de mulheres com o perfil parecido ao das integrantes do primeiro grupo e que não tinham câncer de mama (os controles) para tentar descobrir se havia algo diferente nos hábitos alimentares das que haviam desenvolvido a doença. Foi constatado que certas portadoras de câncer de mama haviam relatado uma ingestão em média significativamente menor de fibras solúveis do que as que não tinham câncer. Por isso, as fibras solúveis podem conferir proteção contra a enfermidade.

Entretanto, as mulheres do estudo não estavam obtendo as fibras por meio de suplementos, e sim de alimentos. Mas isso poderia significar que a maior ingestão de fibras é apenas uma evidência de que as mulheres sem câncer estão consumindo mais alimentos vegetais, o único lugar em que as fibras são encontradas naturalmente. Portanto, as fibras em si podem não ser o ingrediente ativo. Talvez haja outro componente protetor nos alimentos vegetais. Mas os pesquisadores salientam: "Todavia, um consumo maior de fibras de alimentos de origem vegetal [...] pode refletir um consumo reduzido de alimentos de origem animal [...]"[88] Em outras palavras, a questão talvez não seja o que as mulheres estavam comendo *mais*, sim o que estavam comendo *menos*. O motivo pelo qual a ingestão de fibras é associada a menos câncer de mama pode ser mais feijão — ou menos mortadela.

De um jeito ou de outro, a análise de uma dúzia de estudos de caso-controle de câncer de mama revelou descobertas semelhantes, com um risco menor de câncer de mama associado a indicadores de ingestão de frutas, legumes e verduras e o consumo de vitamina C, e um risco maior de câncer de mama associado a um consumo maior de gordura saturada (um indicador de ingestão de carne, laticínios e alimentos processados). E, de acordo com essas análises, quanto mais alimentos vegetais integrais se come, melhor é o reflexo para a saúde da mulher: cada vinte gramas de fibras ingeridos por dia foram associados a um risco de câncer de mama 15% menor.[89]

Contudo, um ponto negativo dos estudos de caso-controle é o fato de eles se valerem da memória dos participantes sobre o que eles vêm comendo, o que abre para a possibilidade de se introduzir algo conhecido como "viés de memória". Por exemplo, se portadores de câncer tenderem a ter uma memória seletiva dos artigos não saudáveis que comem, essa recordação distorcida poderia inflar artificialmente a correlação entre o consumo de certos alimentos e a doença. Estudos de coorte prospectivos burlam tal problema ao acompanhar um grupo (coorte) de mulheres saudáveis e suas dietas no futuro (prospectivamente) para ver quem adquire câncer e quem não adquire. A compilação de dez desses estudos de coorte prospectivos sobre câncer de mama e ingestão de fibras chegou a resultados semelhantes aos dos doze estudos de caso-controle mencionados há pouco: um risco de câncer de mama 14% menor para cada vinte gramas de fibras ingeridas por dia.[90] Entretanto, a relação entre mais fibras e menos câncer de mama pode não ser uma linha reta que sobe de forma constante — o risco de câncer de mama pode não cair significativamente até que se chegue a pelo menos 25 gramas de fibras por dia.[91]

Infelizmente se estima que a americana média consome menos de quinze gramas de fibras por dia, apenas a metade do *mínimo* diário recomendado.[92] Nos Estados Unidos, até o vegetariano médio come apenas vinte gramas por dia.[93] Em contrapartida, os vegetarianos saudáveis podem chegar a uma média de 37 gramas por dia; e os veganos, a uma de 46 gramas.[94] Enquanto isso, as dietas à base de vegetais e alimentos *não processados* usadas de modo terapêutico para reverter doenças crônicas contêm mais de sessenta gramas de fibra.[95]

Elucidando o câncer de mama

Um estudo publicado no *Annals of Oncology* intitulado "Does an Apple a Day Keep the Oncologist Away?" ["Uma maçã por dia mantém você longe do oncologista?"] se propôs a determinar se a ingestão de uma maçã (ou mais) por dia está associada a um risco menor de câncer. Os resultados: comparadas com pessoas que em média comiam menos de uma maçã por dia, as que consumiam a fruta todos os dias tinham uma chance 24% menor de desenvolver câncer de mama, bem como riscos significativamente menores de adquirir câncer de ovário, de laringe e colorretal.

COMO NÃO MORRER DE CÂNCER DE MAMA | 229

As associações entre a fruta e sua função protetora se mantiveram mesmo depois de ser levada em consideração a ingestão de verduras, legumes e outras frutas pelos participantes, o que sugere que o consumo diário de maçã é mais do que um mero indicador de uma dieta mais saudável.[96]

Supõe-se que a proteção contra câncer conferida pela maçã provenha de suas propriedades antioxidantes. Seus antioxidantes estão concentrados na casca, o que faz sentido: a casca é a primeira linha de defesa da fruta contra o mundo externo. Ao ser exposta, a polpa interna começa a ficar marrom (oxidar) na mesma hora. O poder antioxidante da casca pode ser de duas (variedade Golden Delicious) a seis vezes (Idared) maior do que o da polpa.[97]

Além de proteger contra o ataque inicial de radicais livres ao DNA, demonstrou-se em uma placa de Petri que o extrato de maçã suprime o crescimento de células de câncer de mama com receptores de estrogênio tanto positivos quanto negativos.[98] Quando pesquisadores de minha *alma mater*, a Universidade Cornell, pingaram em separado os extratos da casca e da polpa das mesmas maçãs em células de câncer, a casca interrompeu o crescimento da doença com eficácia dez vezes maior.[99]

Cientistas encontraram algo na casca da maçã orgânica (presumivelmente presente também na maçã convencional) que parece reativar um gene supressor de tumor chamado maspina (um acrônimo para a palavra em inglês *maspin: mammary serine protease inhibitor* — inibidor de serina protease mamária). A maspina é uma das ferramentas que o corpo pelo visto utiliza para se proteger contra o câncer de mama. As células do câncer de mama encontram uma maneira de desligá-lo, porém parece que a casca de maçã consegue religá-lo. Os pesquisadores concluíram que "a casca da maçã não deve ser descartada da dieta".[100]

Prevenção do câncer de mama com verduras

Já foi mencionado neste livro o estudo de 2007 realizado com moradoras de Long Island que relacionou o risco de câncer de mama às aminas heterocíclicas formadas na carne. Constatou-se que mulheres mais velhas que consumiam mais carne grelhada ou defumada ao longo da vida tinham chances 47% maiores de desenvolverem câncer de mama. Aquelas que mantinham uma alta ingestão de carne e que, *além disso*, comiam poucas frutas, legumes e verduras tinham chances 74% maiores.[101]

O baixo consumo de frutas, legumes e verduras pode ser um indício de hábitos não saudáveis em geral, porém, evidências cada vez maiores sugerem que pode haver algo nesses alimentos que confere proteção ativa contra o câncer de mama. Por exemplo, os vegetais crucíferos — como o brócolis — estimulam a atividade de enzimas desintoxicantes no fígado. Pesquisas mostraram que, ao se alimentarem com brócolis e couve-de-bruxelas, as pessoas eliminam a cafeína do organismo mais depressa — o que significa que, ao comer muitos vegetais crucíferos, seria necessário beber mais café para obter o mesmo efeito estimulante, já que o fígado (o purificador do corpo) ficou muito acelerado.[102] Será que esse processo funcionaria também no caso dos carcinógenos da carne cozida?

Para descobrir, pesquisadores alimentaram um grupo de não fumantes com carne frita. Em seguida, eles mediram os níveis de aminas heterocíclicas circulando no organismo dos participantes por meio de amostras de urina. Durante duas semanas, os integrantes do estudo adicionaram três xícaras de brócolis e couve-de-bruxelas à dieta diária e também comeram a mesma refeição de carne. Embora os indivíduos tenham consumido a mesma quantidade de carcinógenos, um número significativamente menor destes saiu na urina, o que é coerente com a capacidade de desintoxicação do fígado estimulada pelos brócolis.[103]

O que aconteceu em seguida foi inesperado. Os participantes pararam de comer as porções de verduras e, duas semanas depois, voltaram a fazer a refeição de carne. Seria de se presumir que a capacidade deles de eliminar carcinógenos teria voltado ao parâmetro inicial, mas, em vez disso, a função do fígado permaneceu melhor até mesmo semanas depois.[104] Essa descoberta sugere não apenas que um monte de brócolis ao lado do filé reduz a exposição a carcinógenos como também que a ingestão de verduras dias ou até semanas antes de um baita churrascão pode ajudar a reforçar as defesas do corpo. Contudo, o hambúrguer vegetariano seria a escolha mais segura, já que pode não ter nenhuma amina heterocíclica a ser eliminada.[105]

Então as mulheres que comem muita verdura têm uma probabilidade menor de desenvolverem câncer de mama? Um estudo feito com cinquenta mil negras americanas (um grupo demográfico infelizmente negligenciado em pesquisas médicas, mas que costuma consumir mais verduras) constatou que as que comiam pelo menos duas porções de legumes e verduras por dia tinham um risco significativamente menor de terem um tipo de câncer de mama de difícil tratamento, com receptores de estrogênio e progesterona negativos.[106] O brócolis pareceu oferecer grande proteção a mulheres na pré-menopausa, já o consumo de couve-manteiga foi associado a menor risco de câncer de mama em todas as idades.[107]

Células-tronco de câncer de mama

E se você já está enfrentando o câncer de mama ou este está em remissão? Ainda assim as verduras podem desempenhar uma função protetora. Desde a década passada, cientistas vêm desenvolvendo uma nova teoria sobre a biologia do câncer baseada no papel das células-tronco. As células-tronco são, em essência, a matéria-prima do corpo — os "pais" que geram todas as outras células com funções especializadas. Por isso elas são um componente crucial do sistema reparador do organismo, inclusive fazendo com que a pele, os ossos e os músculos cresçam de novo. O tecido da mama possui uma reserva de muitas células-tronco, que são usadas durante a gravidez para criar novas glândulas mamárias.[108] Contudo, por mais que as células-tronco sejam milagrosas, sua imortalidade também pode trabalhar contra nós. Se, em vez de reconstruir órgãos, se tornam cancerosas, elas acabam gerando tumores.[109]

É possível que seja por causa das células-tronco que o câncer de mama pode retornar até 25 anos após ter sido vencido.[110] Quando o paciente é informado de que está sem câncer, isso significa que os tumores sumiram, mas, se suas células-tronco são cancerosas, os tumores podem reaparecer muitos anos depois. Alguém que está sem câncer há dez anos talvez se considere curado, porém, infelizmente o tumor pode estar apenas em remissão. Células-tronco cancerosas latentes podem estar apenas esperando para serem reativadas.

A atual bateria de sofisticadas drogas quimioterápicas e de regimes de radioterapia se baseia em modelos criados a partir de testes com animais. O êxito de um determinado tratamento costuma ser medido por sua capacidade de encolher tumores em roedores — mas ratos em laboratórios só vivem de dois a três anos. Os médicos podem estar encolhendo tumores, porém, células-tronco que sofreram mutação podem ainda estar à espreita, capazes de formar aos poucos novos tumores nos anos seguintes.[111]

O que precisamos fazer é atacar a raiz do câncer. Precisamos criar tratamentos que visem não apenas reduzir o volume do tumor, mas atingir o que tem sido chamado de o "coração pulsante do tumor":[112] as células-tronco cancerosas.

É aí que o brócolis entra.

O sulforafano — um componente de vegetais crucíferos como brócolis — revelou-se eficaz na supressão da capacidade das células-tronco do câncer de mama de formar tumores.[113] Isso significa que, se o tumor do paciente hoje está em remissão, comer muito brócolis pode, na teoria, ajudar a impedir que a doença retorne. (Eu digo "na teoria" porque tais resultados foram obtidos em uma placa de Petri.)

Para ajudar no combate ao câncer, o sulforafano teria primeiro que ser absorvido na corrente sanguínea ao se ingerir o brócolis. Em seguida, ele teria que se acumular no tecido mamário na mesma concentração que se verificou ser capaz de combater células-tronco cancerosas no laboratório. Mas isso é possível? Um grupo inovador da Johns Hopkins University foi atrás da resposta. Os pesquisadores pediram a mulheres com cirurgia de redução de mama marcada que bebessem suco de broto de brócolis uma hora antes do procedimento. Conforme previsto, depois de dissecarem o tecido mamário pós-cirurgia, os cientistas encontraram evidências de um aumento significativo de sulforafano.[114] Em outras palavras, sabemos agora que os nutrientes que combatem o câncer presentes nos brócolis conseguem chegar ao lugar certo quando o legume é ingerido.

Para alcançar a concentração de sulforafano na mama que se provou capaz de suprimir células-tronco de câncer de mama, é necessário ingerir pelo menos um quarto de xícara de broto de brócolis por dia.[115] O broto de brócolis pode ser encontrado na seção de hortifrúti do mercado, porém é mais fácil e barato cultivá-lo em casa. O sabor é um pouco amargo como o do rabanete, por isso gosto de misturá-lo à salada para diluir sua intensidade.

Ainda são necessários estudos clínicos randomizados para verificar se as sobreviventes de câncer de mama que comem brócolis vivem mais do que as que não comem. Entretanto, já que não apresenta nenhum aspecto negativo e apenas efeitos colaterais positivos, eu recomendo o consumo de brócolis e outros vegetais crucíferos a todo mundo.

Semente de linhaça

A semente de linhaça foi um dos primeiros itens a ser considerado um alimento saudável, apreciada por suas supostas propriedades curativas desde pelo menos os tempos da Grécia Antiga, quando o renomado médico Hipócrates escreveu sobre seu uso medicinal.[116]

Mais conhecida como uma das fontes vegetais mais ricas em ácidos graxos ômega-3 essenciais, a semente de linhaça também é notável pelo teor de lignana. Embora esta seja encontrada em todo o reino vegetal, a semente de linhaça tem cerca de cem vezes mais lignanas do que outros alimentos.[117] Mas, afinal, o que são lignanas?

As lignanas são fitoestrógenos que podem moderar os efeitos do estrogênio do corpo. É por isso que a semente de linhaça é tida como um tratamento médico de primeira linha para a dor no peito que ocorre devido à menstruação.[118] Em termos de risco de câncer de mama, comer uma colher de sopa de semente

COMO NÃO MORRER DE CÂNCER DE MAMA | 233

de linhaça moída todos os dias pode estender por um dia o ciclo menstrual da mulher.[119] Isso significa que, ao longo da vida, ela passará menos tempo menstruada e, portanto, presumivelmente, sofrerá menos exposição ao estrogênio e terá um risco menor de câncer de mama.[120] Assim como o brócolis tecnicamente não contém sulforafano (ele possui apenas os precursores que se transformam na substância quando mastigados — ver a página 355), a semente de linhaça não contém lignanas, apenas precursores de lignana, que precisam ser ativados. Essa tarefa é realizada pelas bactérias benéficas do intestino.

O papel das bactérias do intestino ajuda a explicar por que mulheres com infecções urinárias frequentes podem ter um risco maior de desenvolver câncer de mama: cada tratamento com antibióticos que se faz mata bactérias de forma indiscriminada, o que ocasiona o bloqueio da capacidade das bactérias benéficas do intestino de aproveitar de maneira plena as lignanas da dieta.[121] (Mais um motivo por que só se deve tomar antibióticos quando necessário.)

A ingestão de lignana é associada a um risco bem reduzido de câncer de mama em mulheres na pós-menopausa.[122] Presume-se que isso se deva aos efeitos moderadores de estrogênio da substância. Mas, já que as lignanas estão presentes em alimentos como frutas vermelhas, grãos integrais e verduras verde-escuras, será que elas são apenas um indicador de dieta saudável?

Em uma placa de Petri, as lignanas suprimem diretamente a proliferação de células de câncer de mama.[123] Contudo, até hoje as evidências mais fortes de que há mesmo algo de especial nessa classe de fitonutrientes provêm de pesquisas interventivas, a começar por um estudo de 2010 financiado pelo Instituto Nacional do Câncer. Os pesquisadores recrutaram 45 mulheres com alto risco de câncer de mama — o que significa que elas haviam feito biópsias de mama cujo resultado foi suspeito ou já haviam tido a doença — e deram a elas o equivalente a duas colheres de chá de semente de linhaça moída todos os dias. Foram realizadas biópsias por agulha do tecido mamário antes e depois do estudo, que durou um ano. Os resultados: em média, as mulheres apresentaram menos mudanças pré-malignas na mama após um ano ingerindo lignanas de linhaça em comparação a quando entraram para a pesquisa. Oitenta por cento delas (36 de 45) tiveram uma queda nos níveis de Ki-67 — um biomarcador (indicador) de maior proliferação de células. Essa constatação sugere que salpicar algumas colheres de semente de linhaça moída no mingau de aveia ou no que quer que se coma durante o dia pode reduzir o risco de câncer de mama.[124]

E as mulheres que estão com câncer de mama? Supõe-se que sobreviventes da doença com níveis mais altos de lignana na corrente sanguínea[125,126] e na dieta[127] sobrevivem por tempo significativamente maior. Esse resultado pode ter a ver com o fato de as mulheres que consomem semente de linhaça terem também um aumento dos níveis de endostatina nas mamas.[128] (A endostatina é uma proteína produzida pelo corpo na tentativa de privar os tumores do suprimento de sangue.)

As evidências produzidas por estudos como esses soam tão convincentes que cientistas realizaram uma análise clínica randomizada, duplo-cega e placebo-controlada com sementes de linhaça em pacientes com câncer de mama — uma das poucas vezes em que um alimento foi rigorosamente posto à prova. Os pesquisadores recrutaram mulheres com cirurgia marcada relacionada ao câncer de mama e as dividiram de modo aleatório em dois grupos. Todos os dias, o primeiro grupo comeu um muffin contendo sementes de linhaça, enquanto o segundo comeu um muffin que tinha a mesma aparência e sabor, porém nada de semente de linhaça. Biópsias dos tumores dos dois grupos foram feitas no início do estudo e então comparadas com a patologia do tumor removido na cirurgia realizada cerca de cinco semanas depois.

Houve alguma mudança? Comparadas às mulheres que comeram os muffins placebos, as que consumiram os com sementes de linhaça tiveram, em média, uma queda na proliferação de células do tumor, um aumento do índice de morte de células cancerosas e uma contagem menor de C-erB2. O C-erB2 é um marcador de agressividade da doença: quanto maior a contagem, maior o potencial do câncer de mama de entrar em metástase e se espalhar pelo corpo. Em outras palavras, pelo visto as sementes de linhaça tornaram os cânceres menos agressivos. Os pesquisadores concluíram que "a semente de linhaça na dieta tem o potencial de reduzir o crescimento do tumor em pacientes com câncer de mama [...] A semente de linhaça, que é barata e de fácil acesso, pode ser uma potencial alternativa ou adicional alimentar às drogas para câncer usadas hoje."[129]

Soja e câncer de mama

A soja contém outra classe de fitoestrógenos chamados isoflavonas. As pessoas associam a palavra "fitoestrógenos" com "estrogênio" e supõem que a soja tem efeitos semelhantes aos do hormônio. Não necessariamente. Os fitoestrógenos se prendem aos mesmos receptores do estrogênio, mas têm um efeito mais fraco, de modo que podem bloquear os efeitos do estrogênio presente no corpo, que é animal e mais forte.

Existem dois tipos de receptores de estrogênio no organismo: o alfa e o beta. O estrogênio presente no corpo prefere os receptores alfa, enquanto os estrogênios vegetais (fitoestrógenos) preferem os beta.[130] Portanto, os efeitos dos fitoestrógenos da soja em diferentes tecidos dependem da proporção entre receptores alfa e beta.[131]

O estrogênio tem efeitos positivos em alguns tecidos e potencialmente negativos em outros. Por exemplo, níveis altos de estrogênio podem ser bons para os ossos, mas também podem aumentar a probabilidade de se ter câncer de mama. Em condições ideais, você preferiria ter o que é chamado de "modulador seletivo de receptor de estrogênio" no corpo, que geraria efeitos pró-estrogênio em alguns tecidos e efeitos antiestrogênico em outros.

Bem, é isso que os fitoestrógenos da soja parecem ser.[132] Acredita-se que a soja reduza o risco de câncer de mama,[133] um efeito antiestrogênico, e também ajude a reduzir o sintoma de ondas de calor na menopausa,[134] um efeito pró-estrogênio. Portanto, ao consumir a soja, talvez você consiga aproveitar o melhor dos dois mundos.

E o consumo da soja por mulheres *com* câncer de mama? Foram realizados cinco estudos sobre sobreviventes da doença e a ingestão de soja. Em geral, os pesquisadores constataram que as mulheres com diagnóstico de câncer de mama que comeram mais soja viveram significativamente mais e tiveram um risco significativamente menor de recorrência da enfermidade do que as que comeram menos.[135] A quantidade de fitoestrógenos presente em uma única xícara de leite de soja[136] pode reduzir em 25% o risco de que a doença retorne.[137] A maior taxa de sobrevivência das participantes que consumiam mais alimentos de soja foi constatada tanto em mulheres cujos tumores respondiam ao estrogênio (câncer de mama com receptores de estrogênio positivos) quanto nas cujos tumores não respondiam ao estrogênio (câncer de mama com receptores de estrogênio negativos). Isso também se provou válido tanto para mulheres jovens quanto para as mais velhas.[138] Em um estudo, por exemplo, 90% das pacientes com câncer de mama que ingeriram mais fitoestrógenos de soja após o diagnóstico ainda estavam vivas cinco anos depois, enquanto metade das que comeram pouca ou nenhuma soja haviam morrido.[139]

Uma maneira pela qual a soja pode reduzir o risco de câncer e aumentar a sobrevivência das pacientes é ajudando a reativar os genes BRCA.[140] O BRCA1 e o BRCA2 são os chamados genes cuidadores — genes supressores de câncer responsáveis por reparar o DNA. Mutações nesses genes podem causar uma forma rara de câncer de mama hereditário. Conforme foi bastante divulgado, Angelina Jolie decidiu se submeter a uma mastectomia dupla preventiva. Uma pesquisa da Coalizão Nacional do Câncer de Mama constatou que a maioria das mulheres acredita que a maior parte dos cânceres de mama ocorre em mulheres com histórico familiar da doença ou com predisposição genética.[141] A realidade é que apenas 2,5% dos casos de câncer de mama podem ser atribuídos à ocorrência da enfermidade na família.[142]

Se a grande maioria das pacientes com câncer de mama tem genes BRCA totalmente funcionais — o que significa que seus mecanismos de reparação de DNA estão intactos —, como o câncer se formou, cresceu e se espalhou? Os tumores de mama parecem ser capazes de suprimir a expressão do gene por meio de um processo chamado metilação. Embora o gene em si esteja em condições de atuar, o câncer o desliga ou reduz sua expressão, potencialmente ajudando na disseminação metastática de um tumor.[143] É aí que entra a soja.

Supõe-se que as isoflavonas da soja ajudem a restaurar a proteção do BRCA, removendo a camisa de força de metil que o tumor tentou pôr nele.[144] Contudo, a dose que os pesquisadores usaram para chegar a esse resultado *in vitro* foi bem grande — o equivalente a comer uma xícara de soja.

O consumo de soja também pode beneficiar mulheres com variações de outros genes de suscetibilidade ao câncer de mama, conhecidos como MDM2 e CYP1B1. Portanto, mulheres com maior risco genético de desenvolver câncer de mama podem tirar proveito especialmente de uma alta ingestão de soja.[145] A conclusão é a de que, quaisquer que forem os genes que se tenha herdado, mudanças na dieta conseguem afetar a expressão do DNA em um nível genético, podendo aumentar a capacidade do indivíduo de combater a doença.

Por que as asiáticas têm menos câncer de mama?

Embora o câncer de mama seja o câncer específico de mulheres mais comum no mundo inteiro, as asiáticas têm uma probabilidade cinco vezes menor do que as americanas de desenvolvê-lo.[146] Por quê?

Uma possibilidade é o fato de elas tomarem chá-verde, um componente comum de muitas dietas asiáticas — essa bebida tem sido associada a uma redução de 30% no risco de câncer de mama.[147] Outra forte possibilidade é uma ingestão de soja passível de ser considerada alta. Se consumida durante a infância, a soja pode reduzir à metade o risco de câncer de mama mais tarde na vida. Quando ela é consumida sobretudo na vida adulta, a redução do risco pode ser de apenas uns 25%.[148]

Embora possam ser responsáveis por reduzir à metade o risco de câncer de mama em asiáticas, o chá-verde e a soja não são totalmente responsáveis pela disparidade entre os índices de câncer de mama oriental e ocidental.

Populações asiáticas também consomem mais cogumelos.[149] Conforme observado no boxe sobre vinho tinto na página 219, verificou-se que os cogumelos brancos também bloqueiam a enzima estrogênio sintetase, pelo menos em uma placa de Petri. Então os cientistas decidiram investigar se havia uma ligação entre a ingestão de cogumelos e o câncer de mama. Eles compararam o consumo de cogumelos de mil pacientes com câncer de mama com o de mil pessoas saudáveis com idade, peso e hábitos fumo e prática de atividades físicas semelhantes. As mulheres cujo consumo médio de cogumelos era de pelo menos 1,5 cogumelo por dia apresentaram 64% menos chances de desenvolver câncer de mama, comparadas às que não comiam cogumelos. Os hábitos de consumir cogumelos *e* beber pelo menos o equivalente a meio saquinho de chá-verde por dia foram associados a chances quase *90%* menores de desenvolver câncer de mama.[150]

Os oncologistas — médicos que tratam pacientes com câncer — podem se orgulhar dos avanços que têm feito. Graças a melhorias no tratamento da doença, os pacientes estão vivendo mais e com mais saúde, como editoriais de revistas de oncologia têm celebrado com títulos como "Sobreviventes de câncer, dez milhões e aumentando!". Sim, mais de dez milhões de vítimas de câncer ainda estão vivos hoje, com "talvez até um milhão de pessoas nos Estados Unidos ingressando nessa categoria a cada ano".[151] Isso obviamente é um feito, porém, não seria ainda melhor, antes de mais nada, prevenir esses milhões de casos?

Na medicina, o diagnóstico de câncer é considerado um "momento de aprendizado" em que podemos motivar o paciente a melhorar seu estilo de vida.[152] Mas a essa altura já pode ser tarde demais.

CAPÍTULO 12

Como não morrer de depressão suicida

Alimentos saudáveis podem ter um forte efeito no humor. Mas não acredite apenas no que eu digo. Acredite também no que Margaret diz. Após ouvir uma palestra minha, ela me enviou o seguinte e-mail:

Querido dr. Greger,

Recebi o diagnóstico de depressão clínica da minha psiquiatra aos dez anos. Passei toda a adolescência e a casa dos vinte anos tomando um coquetel de medicamentos para depressão. Mesmo enquanto os tomava, todos os dias eu ainda era assombrada por pensamentos intrusivos de suicídio. Para piorar, os remédios me davam dor de cabeça, náusea e sonhos vívidos, com frequência assustadores. Ficava sonolenta o tempo todo e, apesar dos sonhos apavorantes, sentia muita necessidade de cochilar. Eu dormia *muito*; algumas horas no meio do dia e depois quase dez horas todas as noites. Mesmo com esses efeitos colaterais, eu tinha medo de parar de tomar os medicamentos porque realmente queria viver e temia que sem eles eu ficasse tão deprimida a ponto de me matar.

Acabei me casando... e me divorciando. Fui hospitalizada várias vezes durante o casamento por depressão. Para ser honesta, nunca senti desejo sexual, e meu marido levou isso para o lado pessoal. Acho que nunca saberei se a falta de libido era um efeito colateral de todos os remédios que eu tomava ou se era fruto da própria depressão.

Há nove anos, ouvi sua palestra na minha igreja. Percebi que havia passado as duas últimas décadas em uma confusão mental induzida por medicamentos. E sem jamais me sentir realmente bem — nem um único dia sequer. Disse à mi-

COMO NÃO MORRER DE DEPRESSÃO SUICIDA | 239

nha psiquiatra que eu queria mudar a minha alimentação por completo e tentar abrir mão dos medicamentos sob a supervisão dela. Para minha surpresa, ela me apoiou. Bem, sigo uma dieta à base de vegetais e alimentos não processados há nove anos e não tive mais nenhuma recaída. Não que eu não fique triste de vez em quando, mas não voltei a pensar em suicídio nem fui hospitalizada. Agora eu durmo como uma pessoa normal! Todo mundo me diz que sou outra desde que mudei minha dieta. Eu só queria agradecer a você. Meu noivo também gostaria de lhe agradecer! Devo minha vida a você!

Como é possível prevenir o suicídio? Para aqueles que não sabem como a doença mental pode ser devastadora para quem a tem, a resposta superficial é: simplesmente não se suicide. Na verdade, morrer em decorrência de outras doenças responsáveis por um alto número de fatalidades — como a doença cardíaca, a diabetes tipo 2 e a hipertensão — pode ser tanto uma escolha quanto a morte por suicídio, uma vez que os distúrbios psiquiátricos podem obscurecer o discernimento do indivíduo. Quase quarenta mil americanos tiram a própria vida a cada ano,[1] e a depressão parece ser o principal motivo para isso.[2] Felizmente intervenções no estilo de vida podem ajudar a reparar tanto a mente quanto o próprio corpo.

Em 1946, a Organização Mundial de Saúde definiu a saúde como "um estado de completo bem-estar físico, mental e social, e não apenas a ausência de doença ou enfermidade".[3] Em outras palavras, é possível estar em excelente forma física — com o colesterol baixo, o peso corporal saudável e uma boa forma física geral — e mesmo assim não ser saudável. A saúde mental é tão importante quanto a saúde física.

O transtorno depressivo é uma das doenças mentais diagnosticadas com maior frequência. Estima-se que 7% dos adultos americanos sofram de depressão grave: isso representa dezesseis milhões de indivíduos que têm pelo menos um episódio depressivo a cada ano.[4] Ora, todo mundo fica triste de vez em quando; sentir uma grande gama de emoções faz parte do que nos faz humanos. Todavia, a depressão não é apenas tristeza, ela se caracteriza por semanas apresentando sintomas como desânimo, um interesse menor por atividades que costumavam ser prazerosas, ganho ou perda de peso, fadiga, sentimento indevido de culpa, dificuldade de concentração e pensamentos recorrentes de suicídio.

O transtorno depressivo é de fato uma doença que ameaça a vida.

No entanto, a boa saúde mental não é "apenas a ausência de doença". Só porque você não está deprimido não significa necessariamente que está feliz. Há vinte vezes mais estudos sobre saúde e depressão publicados do que sobre saúde e felicidade.[5] Contudo, nos últimos anos, surgiu o campo da "psicologia positiva", que foca a relação entre as melhores condições possíveis das saúdes mental e física.

Evidências crescentes indicam que o bem-estar psicológico positivo está associado a um risco reduzido de doença física, mas quem veio primeiro? As pessoas são mais saudáveis porque são felizes ou são mais felizes porque são saudáveis?

Estudos prospectivos que acompanham indivíduos ao longo do tempo constataram que indivíduos que começam mais felizes acabam de fato sendo mais saudáveis. Uma análise de setenta desses estudos concluiu que "o bem-estar psicológico positivo tem um efeito favorável na sobrevivência em populações saudáveis e enfermas".[6] Pelo visto, aqueles que são mais felizes vivem mais.

Mas não tiremos conclusões precipitadas. Embora estados mentais positivos estejam associados a menos estresse e mais resistência a infecções, o bem-estar positivo também pode ser acompanhado de um estilo de vida saudável. Em geral, parece que quem se sente satisfeito fuma menos, pratica mais exercícios e se alimenta de forma mais saudável.[7] Então ser mais feliz seria apenas um marcador de boa saúde, e não uma causa dela? Para descobrir a resposta, pesquisadores resolveram deixar pessoas doentes.

Cientistas da Carnegie Mellon University recrutaram centenas de indivíduos — alguns felizes, outros infelizes — e pagaram 800 dólares a cada um deles para que permitissem que fosse pingado um vírus de resfriado comum em seu nariz. Mesmo que alguém resfriado espirre na sua cara e o vírus entre em seu organismo, você não adoece instantaneamente, porque seu sistema imunológico pode conseguir combatê-lo. Então a pergunta do estudo foi: Quem tem o sistema imunológico que combate melhor um vírus comum — os integrantes do grupo que a princípio foram classificados como felizes, animados e relaxados ou aqueles que eram ansiosos, hostis e deprimidos?

Um em cada três participantes com emoções negativas não conseguiu combater o vírus com êxito e ficou resfriado. Mas apenas um em cada cinco participantes felizes ficou doente, mesmo depois de os cientistas levarem em conta fatores como padrão de sono, hábitos de prática de atividade física e nível de estresse dos participantes.[8] Em um estudo subsequente, os pesquisadores chegaram a expor pessoas (que também foram pagas) ao vírus da gripe, mais grave. Mais uma vez, as emoções positivas mais intensas foram associadas a índices menores de doença.[9] Ao que parece, as pessoas mais felizes têm uma probabilidade menor de adoecer.

Portanto, a doença mental impacta a saúde física. Por isso é crucial que os alimentos que se ingere fortaleçam tanto a mente quanto o corpo. Conforme será mostrado, alimentos comuns, de verduras ao tomate básico da horta, podem afetar de maneira positiva a química do cérebro e ajudar a evitar a depressão. Apenas o ato de *cheirar* um tempero comum pode melhorar o estado emocional de alguém.

Entretanto, evitar a tristeza não é apenas uma questão de comer verduras. Determinados alimentos também contêm componentes que podem aumentar o risco de depressão, como o ácido araquidônico, um composto promotor de inflamações presente sobretudo no frango e no ovo e acusado de debilitar o humor, provocando inflamações cerebrais.

Ácido araquidônico

Estudos sobre a saúde emocional e o humor daqueles que mantêm dietas à base de vegetais sugerem que consumir menos carne não é bom para nós apenas em termos do corpo físico, mas também nos das nossas emoções. Pesquisadores utilizaram dois testes psicológicos: o Profile of Mood States (Poms) e o Depression and Anxiety Stress Scale (Dass). O Poms mede os níveis de depressão, raiva, hostilidade, fadiga e confusão mental. Já o Dass avalia também outros estados negativos de humor, incluindo desesperança, falta de interesse, *anedonia* (falta de prazer), agitação, irritabilidade e impaciência com os outros. As pessoas que mantêm uma alimentação à base de vegetais pareceram ter significativamente menos emoções negativas do que as onívoras. As que se alimentavam melhor também relataram sentir mais "vigor".[10]

Os cientistas atribuíram duas explicações para essas descobertas. A primeira é que indivíduos com dietas melhores seriam mais felizes por serem mais saudáveis.[11] As que seguem dietas à base de vegetais não apenas têm índices menores de muitas das doenças que mais causam óbitos como também parecem ter índices menores de males e incômodos como hemorroidas, veias varicosas e úlceras; passam por menos cirurgias; sofrem menos hospitalizações; e apresentam apenas metade das chances de tomar remédios como tranquilizantes, Aspirina, insulina, medicamentos para pressão arterial alta, analgésicos, antiácidos, laxantes ou soníferos.[12] (Não ter que passar por consultas médicas e aborrecimentos com o seguro-saúde deixa qualquer um menos irritado, menos estressado e menos deprimido!)

Os cientistas também elaboraram uma explicação mais direta para os resultados: talvez o ácido araquidônico — um composto pró-inflamatório encontrado em produtos de origem animal — tenha "um impacto adverso na saúde mental por meio de uma cascata de neuroinflamações"[13] — o corpo o metaboliza, transformando-o em uma série de substâncias químicas inflamatórias. É assim que anti-inflamatórios como a Aspirina e o ibuprofeno agem para aliviar a dor e o inchaço: bloqueando a conversão de ácido araquidônico nesses produtos finais inflamatórios. Talvez a saúde mental dos onívoros esteja sendo comparativamente comprometida por inflamações no cérebro.

Obviamente nem sempre a inflamação é algo ruim. Quando a área em torno de uma farpa fica vermelha, quente e inchada, é um sinal de que o corpo está usando o ácido araquidônico para aumentar a resposta inflamatória a fim de combater a infecção. Mas o nosso corpo já produz todo o ácido araquidônico de que precisa, portanto, não é necessário incorporar mais por meio da alimentação.[14] Nesse aspecto, o ácido araquidônico se assemelha ao colesterol, outro componente essencial que o organismo produz por si só: a adição de uma quantidade excessiva dele por meio da dieta pode perturbar o equilíbrio interno do sistema.[15] Nesse caso específico, os pesquisadores suspeitaram que a ingestão de ácido araquidônico pudesse prejudicar o estado emocional do corpo. Há dados sugerindo que indivíduos com níveis mais altos de ácido araquidônico no sangue podem acabar tendo um risco bem mais alto de suicídio e episódios de transtorno depressivo maior.[16]

As cinco principais fontes de ácido araquidônico na dieta americana são o frango, o ovo, a carne bovina, o porco e o peixe, embora o frango e o ovo sozinhos contribuam mais do que a soma dos outros itens relacionados.[17] O acréscimo do teor de ácido araquidônico de um único ovo por dia pode aumentar significativamente o nível dessa substância no sangue.[18] Em geral, os onívoros parecem ingerir nove vezes mais ácido araquidônico do que aqueles que têm dietas à base de vegetais.[19]

A análise que relatou a existência de humor e estado emocional melhores naqueles que mantinham dietas à base de vegetais foi um estudo transversal, o que significa que ele foi realizado em um determinado momento no tempo. E se as pessoas mentalmente saudáveis fossem as que passassem a se alimentar de forma mais saudável, não o contrário? Para estabelecer a relação de causa e efeito, teria de ser realizado um estudo interventivo, o melhor e mais confiável tipo de pesquisa da ciência da nutrição: recrutar pessoas, alterar suas dietas e ver o que acontece. A mesma equipe de cientistas fez isso. Recrutou homens e mulheres que comiam carne pelo menos uma vez por dia e cortou o ovo e o frango de suas dietas, além de outros tipos de carne, para ver que impacto isso teria em seu ânimo. Em apenas duas semanas, os participantes sentiram uma melhora significativa em termos de estado de espírito.[20] Os cientistas concluíram: "Talvez consumir menos carne possa ajudar a proteger o humor dos onívoros, o que é particularmente importante para quem é suscetível a distúrbios afetivos [como a depressão]".[21]

Considerando esses resultados, outra equipe de pesquisa decidiu pôr à prova uma dieta saudável no ambiente de trabalho, onde corpos e mentes saudáveis poderiam ocasionar uma melhora na produtividade — e melhorar também o humor dos acionistas. Um grupo de funcionários diabéticos e com sobrepeso de uma grande seguradora foi incentivado a seguir uma dieta à base de vegetais e alimentos não processados, cortando todos os tipos de carne, o ovo, laticínios, óleos e junk-food. Não houve nenhuma restrição ao tamanho das porções, nenhuma contagem de calorias ingeridas e nenhum controle do consumo de carboidratos; além disso, foi pedido claramente que os participantes não alterassem seus hábitos de prática de atividade física. Não foram fornecidas refeições, porém, a lanchonete da empresa passou a oferecer todos os dias opções como burritos de feijão e sopas de lentilha e minestrone. Um grupo de controle composto por outros funcionários não recebeu nenhuma orientação sobre alimentação.[22]

Apesar das restrições alimentares, ao longo de cinco meses, o grupo que adotou a dieta vegetariana relatou maior satisfação com a alimentação do que o grupo de controle. Como eles se saíram? O grupo da dieta vegetariana teve uma melhora na digestão e na qualidade do sono e mais energia, bem como uma melhora significativa no funcionamento físico, na saúde geral, na vitalidade e na saúde mental. Portanto, não surpreende que também tenha sido notado um aumento mensurável da produtividade no trabalho.[23]

Com base nesse sucesso, foi realizado um estudo muito maior sobre nutrição à base de vegetais em dez locais de trabalho nos Estados Unidos, de San Diego, Califórnia, a Macon, Geórgia. Foi constatado o mesmo sucesso retumbante, identificando melhoras não apenas no peso corporal, nas taxas glicêmicas e no controle do colesterol dos participantes,[24] mas também em seus estados emocionais, incluindo depressão, ansiedade, fadiga, sensação de bem-estar e desempenho diário.[25]

Combatendo a tristeza com verduras

Eis uma estatística da qual você nunca deve ter ouvido falar: o consumo maior de legumes e verduras pode reduzir as chances de desenvolvimento de depressão em até 62%.[26] Uma análise da revista *Nutritional Neuroscience* concluiu que, em geral, comer mais frutas, legumes e verduras pode representar "um meio terapêutico não invasivo, natural e barato de fortalecer a saúde mental".[27]

Mas como exatamente?

A explicação tradicional para o funcionamento da depressão, conhecida como teoria da monoamina, propõe que a doença surge de um desequilíbrio químico no cérebro. Os bilhões de nervos no cérebro se comunicam entre si usando substâncias químicas chamadas neurotransmissores. As células nervosas não tocam umas nas outras; em vez disso, fabricam e utilizam neurotransmissores para fazerem ligações entre elas. Os níveis de uma importante classe de neurotransmissores chamados monoaminas, que inclui a serotonina e a dopamina, são controlados por uma enzima chamada monoamina oxidase (conhecida como MAO), que decompõe qualquer excesso de monoamina. Pessoas deprimidas parecem ter níveis elevados dessa enzima no cérebro.[28] Desse modo, segundo a teoria, a depressão é causada por níveis anormalmente baixos de neurotransmissores monoaminas devido a níveis elevados da enzima que os degrada.

Foram criados medicamentos antidepressivos para tentar elevar os níveis de neurotransmissores a fim de compensar a decomposição acelerada destes. Mas, se o excesso de MAO é o responsável pela depressão, por que não desenvolver um remédio que bloqueie essa enzima? Esses remédios existem, porém oferecem riscos graves, um dos quais é o temido "efeito queijo", em que a ingestão de certos alimentos (como determinados queijos, carnes curadas e alimentos fermentados) durante o seu uso pode causar uma hemorragia fatal no cérebro.[29]

Se pelo menos houvesse uma maneira segura de bloquear a enzima monoamina oxidase... Bem, acontece que muitos alimentos vegetais, incluindo a maçã, as frutas vermelhas, a uva, a cebola e o chá-verde, contêm fitonutrientes que parecem inibir de modo natural a MAO. Provocam o mesmo efeito temperos como o cravo-da-índia, o orégano, a canela e a noz-moscada.[30] Isso talvez explique por que pessoas que seguem dietas ricas em vegetais têm índices mais baixos de depressão.[31]

Mesmo considerando o consumo ocasional, estudos têm mostrado que quanto mais frutas, legumes e verduras se consome, mais feliz, mais calmo e mais energizado o indivíduo se sentirá no dia da ingestão — e essa positividade pode se manter no dia seguinte. No entanto, para a alimentação ter um impacto psicológico significativo, é necessário consumir cerca de sete porções de frutas ou oito de legumes e verduras todos os dias.[32]

Sementes e serotonina

Embora alguns alimentos vegetais contenham quantidades significativas de serotonina[33] — o chamado hormônio da felicidade —, esta não consegue atravessar a barreira sangue-cérebro. Isso significa que as fontes alimentares de serotonina não chegam ao cérebro, mas o que a constitui — um aminoácido chamado triptofano — pode ir da boca para o sangue e então chegar ao cérebro. Experimentos de depleção de triptofano realizados nos anos 1970 revelaram que pessoas submetidas a dietas deficientes em triptofano especialmente elaboradas para a pesquisa passaram a sofrer de irritabilidade, raiva e depressão.[34] Então será que se dermos triptofanos a mais para as pessoas, elas se sentirão melhor?

Essa é a hipótese. Contudo, nos anos 1980, certos suplementos de triptofano provocaram um desastre, causando um surto de mortes.[35] Mas, se o triptofano é

COMO NÃO MORRER DE DEPRESSÃO SUICIDA | 245

um aminoácido e se proteínas são feitas de aminoácidos, por que não se pode dar refeições com muita proteína às pessoas para aumentar seus níveis de serotonina e fornecer mais triptofanos ao cérebro? Tentaram fazer isso e foi um fracasso,[36] provavelmente porque o aumento na quantidade de outros aminoácidos em alimentos ricos em proteína impediu que o triptofano chegasse ao cérebro. Todavia, a ingestão de carboidratos faz o oposto: ajuda a desviar da corrente sanguínea para os músculos muitos aminoácidos que não são triptofano, conferindo ao triptofano um maior acesso ao cérebro. Por exemplo, um café da manhã rico em carboidrato, com waffles e suco de laranja, gerou níveis de triptofano mais altos nos indivíduos estudados do que um café da manhã rico em proteína, com peru, ovo e queijo.[37]

Esse princípio talvez explique por que mulheres que sofrem de tensão pré-menstrual (TPM) às vezes têm desejo de comer alimentos ricos em carboidrato. Mostrou-se que o consumo de até mesmo uma única refeição rica em carboidratos e pobre em proteínas melhora os resultados de depressão, tensão, raiva, confusão, tristeza, fadiga, estado de alerta e calma em mulheres com TPM.[38] Em um estudo com um ano de duração, cem homens e mulheres foram incumbidos, de modo aleatório, de fazer dietas pobres ou ricas em carboidratos. Terminado o período de teste, os participantes que seguiram a dieta rica em carboidratos apresentaram significativamente menos depressão, hostilidade e distúrbios de humor do que os integrantes do grupo da dieta pobre em carboidratos. Esse resultado é coerente com análises que constataram uma melhora no humor e menos ansiedade em populações com dietas com mais carboidrato e menos gordura e proteína.[39]

Os carboidratos facilitam o transporte de triptofano para o cérebro, mas ainda assim é necessário inserir uma fonte dessa substância na dieta. O ideal seria ter uma alimentação com uma proporção alta de triptofano em relação à proteína para facilitar o acesso ao cérebro.[40] Sementes como o gergelim e as de girassol e abóbora se enquadram nesse quesito. Um estudo duplo-cego e placebo-controlado sobre o uso de sementes de abóbora no tratamento do transtorno de ansiedade social relatou uma melhora significativa em uma medição objetiva da ansiedade uma hora após o consumo do alimento.[41] Todos esses fatores podem contribuir para uma melhora abrangente do humor alcançada com apenas algumas semanas de dieta à base de vegetais.[42]

Açafrão

O registro mais antigo do uso de um tempero devido a suas propriedades medicinais parece ser de mais de 3.600 anos atrás, quando o açafrão foi claramente utilizado para curar doentes.[43] Alguns milhares de anos depois, cientistas enfim puseram o condimento à prova em um estudo comparativo direto com o antidepressivo Prozac para o tratamento de depressão clínica. O tempero e o remédio funcionaram igualmente bem na redução dos sintomas de depressão.[44] Como pode ser visto no boxe das páginas 250 e 251, isso pode não significar muita coisa, mas pelo menos o açafrão é mais seguro em termos de efeitos colaterais. Por exemplo, 20% dos integrantes do grupo que tomou Prozac sofreram disfunção sexual, um efeito comum de muitos antidepressivos, enquanto ninguém no grupo que utilizou o açafrão teve o problema.

Contudo, o açafrão é um dos raros casos em que o remédio natural é mais caro do que o medicamento. Trata-se do tempero mais caro do mundo. É colhido da flor da planta *Crocus sativus*, especificamente nos pistilos (as pontas filiformes dentro da flor) secos, que são triturados para se produzir o condimento. São necessárias mais de cinquenta mil flores — o suficiente para cobrir um campo de futebol — para produzir apenas meio quilo de açafrão.[45]

Uma dose da especiaria equivalente ao Prozac pode custar mais que o dobro do preço do remédio, porém um estudo subsequente constatou que o simples ato de cheirar o açafrão pareceu gerar benefícios psicológicos. Embora tenham diluído tanto o tempero a fim de que os participantes do estudo não o detectassem pelo aroma, os cientistas ainda notaram uma queda significativa dos hormônios do estresse em mulheres que cheiraram o açafrão por vinte minutos, comparadas às que passaram vinte minutos cheirando um placebo, bem como uma melhora significativa dos sintomas de ansiedade.[46]

Portanto, se você estiver se sentindo ansioso, cheirar um pouquinho de açafrão ao acordar pode lhe fazer bem.

Café e aspartame

Por falar em aromas agradáveis ao acordar, uma xícara de café pode estar fazendo muito mais pelo seu cérebro do que apenas ajudando você a se sentir mais desperto de manhã. Pesquisadores de Harvard examinaram dados de três estudos de coorte de larga escala com mais de duzentos mil homens e mulheres americanos. Eles constataram que pessoas que bebiam pelo menos duas xícaras de café todos os dias pareciam ter apenas metade do risco de suicídio, comparadas às que não bebiam café.[47] E beber mais de quatro xícaras por dia? Um estudo da Kaiser Permanente com mais de cem mil indivíduos constatou que a queda do risco de suicídio pareceu se manter com os aumentos na dose de café. Pessoas que consumiam mais de seis xícaras por dia tinham uma probabilidade 80% menor

COMO NÃO MORRER DE DEPRESSÃO SUICIDA | 247

de cometer suicídio,[48] embora a ingestão de pelo menos *oito* xícaras tenha sido associada a um risco maior de suicídio.[49]

O que é colocado no café também pode fazer diferença. O estudo NIH-AARP, que acompanhou centenas de milhares de americanos durante uma década, verificou que o consumo frequente de bebidas adocicadas pode aumentar o risco de depressão entre adultos. De fato, a adição de açúcar ao café pode anular muitos de seus efeitos positivos no humor, enquanto a dos adoçantes artificiais aspartame e sacarina foi associada a um risco maior de depressão.[50]

A controvérsia em torno dos efeitos neurológicos do aspartame teve início nos anos 1980.[51] A princípio, a preocupação se limitava a portadores de doença mental pré-existente. Um estudo inicial da Case Western Reserve University foi interrompido antes do planejado por motivos de segurança porque os participantes com histórico de depressão pareceram apresentado reações graves ao adoçante. Os pesquisadores concluíram que "indivíduos com distúrbios de humor são particularmente sensíveis a esse adoçante artificial e seu uso por essa população deve ser desaconselhado".[52]

Só há pouco tempo os efeitos neurocomportamentais do aspartame foram investigados em uma população sem doença mental. Indivíduos saudáveis foram divididos em dois grupos: metade recebeu uma dose maior de aspartame (o equivalente a três litros de Coca-Cola Zero) e a outra, uma dose menor (o correspondente a um litro de Coca-Cola Zero). Em seguida, as dosagens de cada grupo foram invertidas.[53] Repare que a dieta com mais aspartame contém apenas a metade da ingestão diária aceitável da substância, conforme determinado pela Food and Drug Administration.[54] Depois de apenas oito dias consumindo a dose maior do adoçante, os participantes apresentaram mais depressão e irritabilidade e tiveram desempenhos piores em certos exames de função cerebral.[55] Portanto, o aspartame pode não apenas causar efeitos mentais adversos em populações sensíveis como também causar danos ao público em geral, caso a dose seja alta o suficiente.

Evitar refrigerantes diet e aqueles envelopinhos em restaurantes parece fácil, mas os adoçantes artificiais também estão presentes em mais de seis mil produtos,[56] incluindo balas de menta, cereais, chicletes, geleias, gelatinas, sucos industrializados, misturas para pudim e até barras nutricionais e iogurtes.[57] Essa enorme presença levou os cientistas a afirmarem que "é impossível erradicar por completo" o aspartame "dos contatos do cotidiano".[58] Mas é claro que isso vale apenas para quem consome alimentos processados. Esse é mais um motivo para você passar a maior parte do tempo na seção de hortifrúti do mercado. Consumidores exigentes fazem questão de ler as listas de ingredientes dos produtos, mas os alimentos mais saudáveis do supermercado sequer têm esse tipo de rótulo.

Exercícios físicos *versus* antidepressivos

Há décadas sabemos que até uma única sessão de exercícios melhora o humor[59] e que a prática de atividades físicas é associada a uma redução dos sintomas da depressão. Um estudo realizado com quase cinco mil pessoas nos Estados Unidos verificou, por exemplo, que quem se exercitava com regularidade tinha 25% menos chances de um diagnóstico de transtorno depressivo maior.[60]

Obviamente estudos como esse podem não significar que a prática de exercícios físicos reduza a depressão. Talvez seja a depressão que reduza a prática de atividades físicas. Em outras palavras, quando se está deprimido, é possível se sentir mal demais para levantar da cama e sair para uma caminhada. Para testar essa hipótese seria necessário um estudo interventivo, em que pessoas deprimidas fossem divididas de modo aleatório em dois grupos, um que passasse a se exercitar e outro que não.

Foi o que uma equipe de pesquisadores da Universidade Duke tentou fazer. Eles incumbiram de forma aleatória homens e mulheres deprimidos acima dos cinquenta anos a iniciar um programa de exercícios aeróbicos ou tomar o antidepressivo sertralina (Zoloft). Em quatro meses, o humor do grupo que tomou o remédio melhorou tanto que seus integrantes, em média, já não estavam deprimidos. Contudo, o mesmo efeito forte foi constatado no grupo que praticou atividade física; ou seja, o grupo de pessoas que não tomaram nada. Ao que parece, a prática de exercícios físicos funciona tão bem quanto os medicamentos.[61]

Vamos bancar o advogado do diabo por um momento: o grupo do estudo da Duke que não tomava o remédio se reunia três vezes por semana para uma sessão de exercícios físicos. Será que foi o estímulo social, e não a atividade física em si, que melhorou o humor dos participantes? Com essa pergunta em mente, os mesmos cientistas realizaram em seguida o maior estudo já feito sobre exercícios físicos e pacientes com depressão. Dessa vez, foi criado mais um grupo, de modo que um grupo tomou antidepressivos, outro praticou exercícios e os participantes do novo grupo praticaram atividade física por conta própria em casa. Os resultados? Não importa o ambiente: quer as pessoas estejam sozinhas ou em grupo, a prática de exercício físico funciona tão bem quanto os medicamentos para reduzir a depressão.[62]

Portanto, antes que seu médico lhe prescreva antidepressivos, peça a ele para, em vez disso, receitar-lhe exercícios diários.

Antioxidantes e folato

Tem havido um aumento na quantidade de evidências que sugerem que os radicais livres — aquelas moléculas muito instáveis que causam danos a tecidos e contribuem para o envelhecimento — podem ter um papel importante no desenvolvimento de vários distúrbios psiquiátricos, incluindo a depressão.[63] Técnicas de imagens modernas confirmam estudos realizados a partir de autópsias que mostraram um encolhimento de certos centros de emoção no cérebro de pacientes deprimidos — o que pode se dever à morte de células nervosas nessas áreas, causada por radicais livres.[64]

Esse fenômeno talvez explique por que quem come mais frutas, legumes e verduras — que são ricos em antioxidantes, que eliminam os radicais livres — parece estar protegido contra a depressão. Um estudo realizado com quase trezentos mil canadenses constatou que um maior consumo de frutas, legumes e verduras estava associado a um risco menor de depressão, angústia, distúrbios de humor e ansiedade e má percepção da própria saúde mental. Os pesquisadores concluíram que a ingestão de alimentos vegetais ricos em antioxidantes "pode diminuir os efeitos prejudiciais do estresse oxidativo na saúde mental".[65]

O estudo canadense se baseou em questionários que pediam que os participantes relatassem seu consumo de frutas, legumes e verduras, um método que nem sempre é preciso. Uma pesquisa nacional realizada nos Estados Unidos foi além e mediu o nível de fitonutrientes carotenoides presentes na corrente sanguínea dos participantes. Entre esses fitonutrientes, estão alguns dos pigmentos antioxidantes amarelos, laranja e vermelhos presentes naturalmente em alguns dos alimentos mais saudáveis, como a batata-doce e as verduras verde-escuras. Não só as pessoas com níveis mais altos desses nutrientes na corrente sanguínea tinham um risco menor de apresentar sintomas de depressão como também havia uma aparente "relação dose-resposta", o que significa que quanto mais alto o nível de fitonutrientes, melhor as pessoas pareciam se sentir.[66]

Dos carotenoides, o licopeno (o pigmento vermelho do tomate) tem a maior atividade antioxidante. Um estudo realizado com quase mil homens e mulheres idosos verificou que quem comia tomate ou produtos feitos de tomate todos os dias tinha metade das chances de depressão comparado a quem os consumia no máximo uma vez por semana.[67]

Se os antioxidantes ajudam tanto, por que não podemos simplesmente ingeri-los na forma de comprimido? Bem, pelo visto apenas as fontes alimentares de antioxidantes estão associadas à proteção contra depressão. Não se pode dizer o mesmo dos suplementos alimentares.[68] Tal descoberta indica que a forma e a origem dos antioxidantes que consumimos são cruciais para assegurar melhores benefícios. Outra explicação possível seria que os antioxidantes podem ser apenas um marcador para outros componentes de uma dieta rica em vegetais, como o folato, encontrado majoritariamente em feijões e verduras. (Seu nome vem da palavra latina *folium*, que significa "folha", porque ele foi isolado pela primeira vez no espinafre.) Os primeiros estudos que relacionaram a depressão a níveis baixos de folato no sangue foram cortes de natureza transversal, o que significa que foram apenas observações isoladas em um determinado momento do tempo. Por esse motivo, não se sabia se o baixo consumo de folato levava à depressão ou se a depressão é que levava ao baixo consumo de folato.[69] Entretanto, pesquisas mais recentes que acompanharam os participantes ao longo do tempo sugerem que uma dieta pobre em folato pode, de fato, triplicar o risco de depressão severa.[70] Todavia, mais uma vez os *suplementos* de folato (ácido fólico) não demonstraram ter efeito.[71]

Os legumes e as verduras — incluindo o tomate, rico em antioxidantes, e as hortaliças cheias de folato — podem ser bons para o corpo e para a mente.

Os antidepressivos realmente funcionam?

Vimos que o açafrão e a prática de exercícios físicos se revelaram melhores do que os remédios no tratamento da depressão, mas até que ponto isso é verdade? Milhares de estudos publicados parecem demonstrar que antidepressivos são eficazes.[72] Mas talvez a palavra-chave no caso seja *publicados*. E se as empresas farmacêuticas decidiram publicar apenas as pesquisas que mostravam um efeito positivo e na surdina engavetaram e esconderam as que revelavam que os remédios não funcionam? Para descobrir a resposta, os cientistas solicitaram junto à Food and Drug Administration, com base na Lei de Liberdade de Informação dos Estados Unidos [FOIA, na sigla em inglês], o acesso aos estudos publicados *e* aos não publicados apresentados por empresas farmacêuticas. O que eles descobriram foi chocante.

De acordo com a literatura publicada, os resultados de quase todas as pesquisas sobre antidepressivos eram positivos. Em contrapartida, a análise da Food and Drug Administration sobre os dados dos estudos — incluindo os não publicados — demonstrou que cerca da metade deles indicou que os remédios no fim das contas não funcionavam. Quando todos os dados — os publicados e os não publicados — foram reunidos, não foi possível estabelecer a existência de uma vantagem clinicamente significativa dos antidepressivos sobre os placebos.[73] Essa descoberta sugere que o efeito placebo explica a aparente eficácia clínica dos antidepressivos. Em outras palavras, as melhoras no humor podem ser resultado da *crença* do paciente no poder do medicamento, e não um efeito da droga em si.[74]

Pior ainda, os documentos analisados por meio da Lei de Liberdade de Informação revelaram que a agência reguladora americana sabia que esses remédios — tais como Paxil e Prozac — não tinham um efeito muito superior ao do placebo e mesmo assim tomou a decisão explícita de proteger as empresas farmacêuticas, escondendo essa informação do público e dos médicos que os receitavam.[75] Como essas empresas puderam sair ilesas? A indústria farmacêutica é considerada uma das mais lucrativas e politicamente poderosas dos Estados Unidos, e a doença mental é tida como uma galinha dos ovos de ouro: é uma enfermidade crônica, comum e em geral tratada com vários remédios.[76] Hoje, antidepressivos são receitados para mais de 8% da população.[77]

A possibilidade de os antidepressivos não funcionarem melhor do que o placebo não significa que não façam nenhuma diferença. Esses medicamentos oferecem benefícios substanciais a milhões de pessoas que sofrem de depressão. E, embora o efeito placebo seja real e poderoso, os antidepressivos parecem, sim, superar as pílulas falsas na redução dos sintomas em indivíduos com quadros mais graves da doença — em cerca de 10% dos pacientes (apesar de reconhecidamente essa estatística também implicar que medicamentos com benefícios irrelevantes podem ter sido receitados a 90% dos pacientes).[78]

Há quem argumente que, se os médicos estão dispostos a prescrever tratamentos que valem o mesmo que placebos, seria melhor que eles mentissem para os pacientes e lhes dessem pílulas falsas[79] — já que, ao contrário dos remédios, os placebos não causam efeitos colaterais. Por exemplo, os antidepressivos causam disfunção sexual em até três quartos dos usuários. Outros problemas podem incluir ganho de peso no longo prazo e insônia. E uma em cada cinco pessoas apresenta sintomas de abstinência ao tentar parar de tomá-los.[80]

Mais trágico talvez seja o fato de que os antidepressivos podem tornar as pessoas mais propensas a ficarem deprimidas no futuro. Estudos mostram que os pacientes têm mais probabilidade de voltarem a ficar deprimidos após o tratamento com esses medicamentos do que após o tratamento por outros meios, incluindo placebos.[81] Portanto, mesmo que o benefício da prática de exercícios físicos de melhorar o humor seja também um efeito placebo, pelo menos ele traz benefícios, não riscos.

Ao lermos apenas as estatísticas em todos os estudos, é difícil avaliar o sofrimento. Ver o gráfico em que os números de depressão diminuem até para centenas de pessoas não me impacta da mesma forma profunda que ler um único e-mail de alguém contando sua história de recuperação física e emocional.

Não muito tempo atrás, uma mulher me escreveu, contando sua batalha contra a depressão. Com mais de quarenta anos, Shay sempre esteve presa à dieta americana padrão. Nos últimos anos, vinha sofrendo com enxaquecas intensas, constipações insuportáveis e ciclos menstruais dolorosos e irregulares. Nesse meio-tempo, sua depressão piorara tanto que ela não conseguia ir ao trabalho. Então Shay descobriu meu site e começou a se informar sobre nutrição. Logo, passou a entender como a dieta ocidental poderia estar contribuindo para seus problemas de saúde, sem falar em sua infelicidade, e tornou-se uma fervorosa espectadora dos vídeos do NutritionFacts.org.

Shay decidiu adotar uma dieta à base de vegetais e alimentos não processados. Parou de comer produtos de origem animal e junk-food e passou a ingerir muitas frutas, legumes e verduras. Quatro semanas depois, tinha mais energia e evacuações menos dolorosas. Em sete meses, as evacuações não exigiam esforço, as enxaquecas antes incapacitantes haviam cessado por completo, a menstruação estava mais regular, menos dolorosa e mais breve — e a depressão desaparecera. Meses antes, ela se sentia tão mal que não conseguia sair da cama de manhã. Mas, por ter melhorado a alimentação, estava agora muito mais saudável física e mentalmente.

Esse é um ótimo exemplo do poder de uma dieta saudável.

CAPÍTULO 13

Como não morrer de câncer de próstata

Quando Tony, um leitor fiel do NutritionFacts.org, soube que eu estava escrevendo este livro, pediu-me para compartilhar sua história na esperança de ajudar outros homens a evitar o que aconteceu com ele. Pai e feliz no casamento, engenheiro e, conforme se define, louco por se manter em boa forma física, ele sempre respeitou seu corpo e tentou fazer boas escolhas, além de ter tido a sorte de descender de uma família saudável e que desfrutou de uma vida longa. Tony costumava correr e sempre teve um peso saudável. Mantinha distância do cigarro, do álcool e das drogas. Nos anos 1980, com base em recomendações do Departamento de Agricultura dos Estados Unidos, convenceu a família a substituir o leite integral pelo desnatado e a carne bovina pelo peixe e pelo frango — muito frango.

Tony era o tipo de paciente do qual os médicos adoram cuidar, o tipo que diz "O que mais posso fazer para ficar ainda mais saudável?". Portanto, ninguém ficou mais chocado do que Tony quando, com pouco mais de cinquenta anos, ele foi diagnosticado com câncer de próstata agressivo. Buscou assistência em um centro médico de renome internacional e se submeteu a uma prostatectomia radical, que removeu o câncer com êxito, porém o deixou com o desafio diário de lidar com as consequências da cirurgia — ou seja, vazamento de urina e disfunção erétil.

Ele diz que gostaria de ter sabido sobre os conflitos de interesse dentro do Departamento de Agricultura (explicado no Capítulo 5) que comprometeram a capacidade da agência federal de fazer recomendações tendo como prioridade o bem-estar do público, quaisquer que fossem os interesses da indústria alimentícia.

Até que Tony descobriu o conteúdo da pesquisa sobre a qual você lerá neste capítulo e, por ser cientista, entendeu de imediato as evidências de que uma dieta saudável pode melhorar a saúde masculina. Ele mantém uma alimentação à base de vegetais há vários anos, come sementes de linhaça todo dia e não teve nenhuma recorrência do câncer. Conforme será discutido, a mesma dieta que pode prevenir o câncer de próstata mostrou também ter potencial para retardar e até reverter a progressão dele naqueles que já receberam esse diagnóstico. Portanto, é o desejo de Tony (e o meu) que este capítulo ajude você a reconhecer a importância de uma alimentação saudável para uma próstata saudável.

A próstata é uma glândula do tamanho de uma noz localizada entre a bexiga e a base do pênis, bem em frente ao reto. Ela cerca a uretra — a saída da bexiga — e secreta a porção fluida do sêmen. Assim como o tecido glandular da mama, o tecido glandular da próstata pode se tornar canceroso.

Estudos baseados em autópsias mostram que metade dos homens com mais de oitenta anos tem câncer de próstata.[1] A maioria dos homens morre com essa enfermidade sem sequer saber que a tem. Esse é o problema da ênfase nos exames: muitos cânceres de próstata detectados poderiam não ter causado dano algum mesmo que não tivessem sido descobertos.[2] Infelizmente nem todos os homens têm tanta sorte. Quase 28 mil morrem todo ano em virtude da doença.[3]

O leite e o câncer de próstata

Desde que foi criada pela Lei de Ajuste de Laticínios e Tabaco [DTAA, na sigla em inglês], de 1983, a o Conselho Nacional de Laticínios dos Estados Unidos gastou mais de 1 bilhão de dólares em propaganda. Todos os americanos se familiarizaram com seus vários slogans, como "Leite é natural". Mas será que é mesmo? Reflita: o ser humano é a única espécie que bebe leite após o desmame. Além disso, *não* parece ser muito natural beber leite de outra espécie.

E o "Leite: Faz bem ao corpo"? Todos os alimentos de origem animal contêm hormônios esteroides sexuais, como o estrogênio, e as vacas leiteiras geneticamente "aperfeiçoadas" de hoje são ordenhadas durante a gestação, quando os níveis de seus hormônios de reprodução estão ainda mais altos.[4] Estes, encontrados naturalmente até no leite de vaca orgânico, podem atuar nas várias associações identificadas entre leite/laticínios e distúrbios relacionados a hormônios, incluindo a acne,[5] a redução do potencial reprodutivo masculino[6] e a puberdade prematura.[7] O conteúdo hormonal do leite talvez explique por que as mulheres que consomem o produto parecem ter um índice de nascimento de gêmeos cinco vezes maior comparado ao das que não o consomem.[8] Contudo, quando se trata de câncer a maior preocupação pode ter a ver com hormônios do crescimento.[9]

COMO NÃO MORRER DE CÂNCER DE PRÓSTATA | 255

A Mãe Natureza criou o leite de vaca para fazer o bezerro engordar muitas dezenas de quilos em poucos meses. A exposição dos humanos ao longo de toda a vida a esses fatores de crescimento presentes no leite talvez explique as ligações encontradas entre o consumo de laticínios e certos tipos de câncer.[10] Proeminentes especialistas em nutrição de Harvard expressaram preocupação de que hormônios e outros fatores de crescimento presentes em laticínios possam estimular o crescimento de tumores sensíveis a hormônios.[11] Evidências experimentais sugerem que os laticínios também podem promover a conversão de lesões pré-malignas ou células que sofreram mutação em cânceres invasivos.[12]

Os temores relacionados ao leite e aos laticínios surgiram de dados de escala populacional, como o aumento de 25 vezes na ocorrência de câncer de próstata em japoneses desde a Segunda Guerra Mundial, o que coincidiu com um aumento de sete vezes no consumo de ovo, de nove vezes na ingestão de carne e de vinte vezes no consumo de laticínios.[13] Embora o restante da dieta deles tenha permanecido comparativamente estável e tendências semelhantes tenham sido observadas em outros países,[14] houve uma miríade de mudanças na sociedade japonesa, além do aumento no consumo de produtos de origem animal, o que pode ter contribuído para esses índices crescentes de câncer. Então os cientistas examinaram a situação mais de perto.

Para controlar o máximo de variáveis possível, os pesquisadores elaboraram um experimento em que pingaram leite em células de próstata humana em uma placa de Petri. Foi escolhido o leite de vaca orgânico para excluir qualquer efeito de hormônios adicionados, como o de crescimento bovino, injetado com frequência em vacas criadas da forma convencional para que produzam mais leite.[15] Os cientistas constataram que o leite de vaca estimulou o crescimento de células de câncer de próstata humana em quatorze experimentos separados, produzindo um aumento médio de mais de 30% no índice de crescimento da doença. Em contraste, o leite de amêndoa *suprimiu* em mais de 30% o crescimento de células de câncer.[16]

No entanto, o que acontece em uma placa de Petri não necessariamente ocorre também nos seres humanos. Mas uma compilação de estudos de caso-controle concluiu que o consumo de leite de vaca é um fator de risco para o câncer de próstata,[17] e se chegou ao mesmo resultado em estudos coortes.[18] Uma metanálise de 2015 verificou que altas ingestões de laticínios — o leite integral e desnatado e o queijo, mas não fontes de cálcio não derivadas do leite — parecem aumentar o risco total de câncer de próstata.[19]

Mas você pode estar se perguntando: se eu não beber leite, como vão ficar os meus ossos? O leite não ajuda a prevenir a osteoporose? Acontece que o benefício prometido pode ser mais uma estratégia de marketing furada. Uma metanálise de pesquisas sobre ingestão de leite de vaca e casos de fratura no quadril não revelou nenhuma proteção significativa.[20] Mesmo que você começasse a consumir leite na adolescência, em uma tentativa de manter o pico de massa óssea, é provável que essa medida não reduzisse suas chances de ter fraturas ao envelhecer.[21] Uma série de estudos recentes acompanhou cem mil homens e mulheres por até vinte anos e chegou a sugerir que o leite pode *aumentar* os índices de fratura óssea e de quadril.[22]

Alguns bebês nascem com uma doença rara chamada galactosemia, em que não há as enzimas necessárias para eliminar a galactose, um tipo de açúcar presente no leite. Isso significa que eles acabam tendo níveis elevados de galactose no sangue, o que pode causar perda óssea.[23] Um grupo de pesquisadores suecos calculou que, mesmo entre pessoas normais capazes de eliminar esse açúcar, talvez não seja bom para os ossos ingerir toda essa galactose do leite todos os dias.[24] E ela pode prejudicar não apenas os ossos. Os cientistas na verdade a usam para induzir o envelhecimento prematuro em animais de laboratório: quando os pesquisadores lhes deram um pouco de galactose, os "animais de vida abreviada mostraram neurodegeneração, retardo mental e disfunção cognitiva [...] respostas imunológicas reduzidas e restrições da capacidade reprodutora".[25] E para gerar esse efeito nem precisa de muita galactose, apenas o equivalente humano de um ou dois copos de leite por dia.[26]

Todavia, como os seres humanos não são roedores, os cientistas investigaram a conexão entre a ingestão de leite e mortalidade, bem como o risco de fratura em grandes populações de indivíduos que tomam leite.[27] Além de um número significativamente *maior* de fraturas de ossos e quadril, foram constatados índices mais altos de morte prematura, mais doenças cardíacas e uma incidência bem maior de câncer para cada copo de leite diário consumido pelas mulheres. A ingestão de três copos por dia foi associada a quase o dobro do risco de morte prematura.[28] Homens com consumo maior de leite também apresentaram um índice mais alto de morte, embora não tivessem índices de fratura mais altos.[29]

De modo geral, a análise mostrou um índice maior de mortalidade (em homens e mulheres) e de fratura (em mulheres) dependendo da dose, porém foi verificado o oposto em relação a outros laticínios, como o leite acidificado e o iogurte, o que estaria de acordo com a teoria da galactose, já que as bactérias desses alimentos fermentam parte da lactose.[30]

O editorial que acompanha o estudo publicado na revista médica enfatiza que, devido ao aumento do consumo de leite no mundo, o "papel do leite na mortalidade agora precisa ser estabelecido definitivamente".[31]

Os ovos, a colina e o câncer

Mais de dois milhões de homens estão vivendo com câncer de próstata, mas viver com a doença é melhor do que morrer dela. Se o câncer for detectado quando ainda está dentro da próstata, as chances de ele matar o indivíduo nos cinco anos seguintes serão quase nulas. No entanto, se o câncer se espalhar o bastante, as chances de sobreviver cinco anos poderão ser de até uma em três.[32] Por essa razão, os cientistas têm tentado desesperadamente identificar os fatores envolvidos na disseminação desse câncer.

Na esperança de identificar possíveis culpados, pesquisadores de Harvard recrutaram mais de mil pacientes com câncer de próstata em estágio inicial e os acompanharam ao longo de vários anos. Comparados aos que raramente comiam ovo, os homens que consumiam até mesmo menos de um ovo por dia pareceram ter o dobro do risco de progressão do câncer de próstata, como a metástase para os ossos. A única coisa que pode ser pior do que o ovo para o câncer de próstata são as aves domésticas: os homens com câncer mais agressivo que comiam frango e peru com regularidade apresentaram um risco quatro vezes maior de progressão da doença.[33]

Os pesquisadores sugeriram que a ligação entre o consumo de aves domésticas e o avanço do câncer pode se dever a carcinógenos presentes na carne cozida (como as aminas heterocíclicas discutidas no Capítulo 11). Por motivos desconhecidos, esses carcinógenos se acumulam mais nos músculos do frango e do peru do que nos de outros animais.[34]

Mas qual é a substância promotora de câncer presente nos ovos? Como comer menos de um ovo por dia pode dobrar o risco de invasão do câncer? A resposta talvez esteja na colina, um composto encontrado em grande quantidade no ovo.[35]

Níveis mais altos de colina no sangue têm sido associados a um risco maior de desenvolver câncer de próstata.[36] Isso pode explicar a relação entre o ovo e a progressão do câncer.[37] Mas e a mortalidade da doença? Em um artigo intitulado "Choline Intake and Risk of Lethal Prostate Cancer", a mesma equipe de Harvard constatou que homens que consumiam mais colina por meio da alimentação apresentaram um risco maior de morte por câncer.[38] Os que consumiam pelo menos 2,5 ovos por semana — cerca de um ovo a cada três dias — apresentaram um risco 81% maior de morrer de câncer de próstata.[39] A colina dos ovos, assim como a carnitina da carne vermelha, é convertida em uma toxina chamada trimetilamina[40] por bactérias que habitam o intestino de quem come carne.[41] E a trimetilamina, após ser oxidada no fígado, aumenta o risco de ataque cardíaco, derrame e morte prematura.[42]

Ironicamente a indústria do ovo se gaba da presença de colina no ovo embora a maioria dos americanos esteja obtendo mais colina do que o necessário.[43] Veja bem, os executivos da indústria estão cientes da ligação de seu produto com o câncer. Por meio da Lei de Liberdade de Informação, consegui ter acesso a um e-mail do diretor executivo do Conselho Americano de Ovos para outro executivo da indústria do produto no qual discutia o estudo de Harvard, sugerindo que a colina é culpada por promover a progressão do câncer. Ele escreveu: "Sem dúvida, vale a pena ter isso em mente enquanto continuamos a promover a colina como outra boa razão para se consumir ovos."[44]

Dieta *versus* atividade física

Nathan Pritikin, o homem que ajudou a lançar uma revolução na medicina do estilo de vida — e salvou a vida da minha avó —, não era nutricionista nem dietista. Não era sequer médico. Era engenheiro. Quando recebeu o diagnóstico de doença cardíaca, com mais de quarenta anos, Pritikin analisou ele próprio todas as pesquisas disponíveis e decidiu adotar o tipo de dieta seguido por populações rurais de regiões da África, onde a doença cardíaca era rara. Ele imaginou que se parasse de ter uma alimentação promotora de doença cardíaca impediria o avanço da doença. O que descobriu foi ainda mais extraordinário: ele não apenas impediu o agravamento da doença como a reverteu.[45] Então passou a ajudar milhares de outras pessoas a fazerem o mesmo.

Após vencer a principal causa de mortes nos Estados Unidos, a doença cardíaca, o dr. Dean Ornish e pesquisadores da Pritikin Research Foundation partiram para a segunda maior causa de óbitos: o câncer. Eles desenvolveram uma série sofisticada de experimentos, submetendo pessoas a diferentes dietas e em seguida pingando o sangue delas em células de câncer humano crescendo em uma placa de Petri. Quem teria o sangue que suprimiria melhor o crescimento do câncer?

A análise revelou que o sangue dos indivíduos escolhidos de modo aleatório para integrar o grupo da dieta à base de vegetais era extremamente menos hospitaleiro ao crescimento de células de câncer do que os membros do grupo de controle, que mantiveram sua dieta típica. O sangue daqueles que mantêm a dieta americana padrão combate o câncer — se não o fizesse, muitos de nós estaríamos mortos! —, mas revelou-se que o sangue de quem segue dietas à base de vegetais combate o câncer com uma eficácia oito vezes maior.[46]

O sangue de homens que tinham uma alimentação americana padrão retardou em 9% o índice de crescimento de células de câncer. Submeta homens a uma dieta à base de vegetais durante um ano e o sangue circulando em seu corpo

COMO NÃO MORRER DE CÂNCER DE PRÓSTATA | 259

poderá suprimir em 70% o crescimento de células de câncer — isso é um poder de interrupção quase oito vezes maior comparado ao de quem tem uma alimentação centrada no consumo de carne.[47] Estudos semelhantes mostraram que mulheres que seguem dietas à base de vegetais fortalecem as defesas do organismo contra o câncer de mama em apenas quatorze dias (conforme detalhado no Capítulo 11).[48] É como se você se tornasse uma pessoa totalmente diferente por dentro ao se alimentar e viver de maneira saudável durante apenas duas semanas.

Deve-se observar que, em todas essas pesquisas, o fortalecimento das defesas do organismo contra o câncer envolveu uma dieta à base de vegetais *e* a prática de exercícios físicos. Por exemplo, no estudo do câncer de mama, pediu-se às mulheres que caminhassem de trinta a sessenta minutos por dia. Como, então, sabemos que foi a dieta o que tornou o sangue delas mais eficaz na supressão do crescimento do câncer? Para identificar os efeitos da dieta e os da prática de atividade física, uma equipe da Universidade da Califórnia em Los Angeles comparou três grupos de homens: um que seguiu uma dieta à base de vegetais e praticou exercícios; um que somente se exercitou; e um de controle, com sedentários que mantinham uma alimentação-padrão.[49]

O grupo da dieta com exercícios manteve a alimentação à base de vegetais por quatorze anos, acompanhada da prática de exercícios moderados, como uma caminhada diária. Em contrapartida, o grupo que só fez atividade física e manteve a dieta americana padrão passou quinze anos fazendo exercícios intensos uma hora por dia na academia pelo menos cinco vezes por semana. Os pesquisadores queriam descobrir se quem se exercita bastante e ao longo de muito tempo desenvolve uma capacidade de combate ao câncer igual à de quem caminha e mantém uma dieta à base de vegetais.[50]

Para se chegar à resposta, o sangue de cada participante dos três grupos foi pingado em células de câncer de próstata que cresciam em uma placa de Petri a fim de verificar quem era dono do sangue mais destruidor de câncer. O sangue do grupo de controle não era de todo indefeso: mesmo que você seja um sedentário acostumado a comer batata frita, seu sangue pode conseguir matar de 1% a 2% de células de câncer. Já o sangue de quem se exercitou intensamente todo dia útil ao longo de quinze anos matou 2.000% mais células de câncer do que o dos indivíduos do grupo de controle. Um resultado fantástico, porém o sangue do grupo da dieta à base de vegetais e dos exercícios exterminou impressionantes 4.000% mais células de câncer do que o do primeiro grupo. Ficou evidente que a prática de atividade física teve um efeito eficaz, mas, no fim, as milhares de horas na academia pareceram não ser páreo para a alimentação à base de vegetais.[51]

Reversão do câncer de próstata com dieta?

Se uma alimentação saudável pode transformar seu sangue em uma máquina de combate ao câncer, que tal usá-la não apenas para prevenir a doença, mas também para tratá-la? Se outras das principais causas de morte — incluindo a doença cardíaca, a diabetes tipo 2 e a hipertensão — podem ser prevenidas, controladas e até revertidas, então por que o câncer seria exceção?

Para pôr essa pergunta à prova, o dr. Ornish e seus colegas recrutaram 93 homens com câncer de próstata que haviam optado por não se submeterem a nenhum tratamento convencional. Esse tipo de câncer pode ter um crescimento tão lento e os efeitos colaterais do tratamento podem ser tão onerosos que os portadores da doença muitas vezes preferem ser colocados em um padrão médico chamado "espera vigilante" ou "conduta expectante". Como o passo seguinte ao diagnóstico costuma ser a quimioterapia, a radioterapia e/ou a cirurgia radical, que podem deixar o homem incontinente e impotente, os médicos tentam adiar o tratamento o máximo possível. E, como não estão tomando nenhuma atitude para tratar a doença, esses pacientes representam a população ideal para se investigar o poder de intervenções na dieta e no estilo de vida.

Os portadores de câncer de próstata foram divididos de modo aleatório em dois grupos: um de controle, que não recebeu nenhum aconselhamento sobre alimentação e estilo de vida além do que seus médicos pessoais lhes orientaram a fazer, e um grupo de vida saudável ao qual foi receitada uma alimentação estrita à base de vegetais, que tinha como foco o consumo de frutas, legumes, verduras, grãos integrais e feijões, além de terem sido orientados a adotar outras mudanças para um estilo de vida saudável, como caminhar trinta minutos seis dias por semana.[52]

A progressão do câncer foi acompanhada por meio de valores do PSA, um marcador do crescimento do câncer de próstata dentro do corpo. Após um ano, os valores do PSA do grupo de controle aumentaram 6%. É isso que o câncer tende a fazer: crescer com o passar do tempo. Mas no grupo de vida saudável os valores do PSA *diminuíram* 4%, o que sugere um encolhimento médio dos tumores.[53] Isso foi alcançado sem nenhuma cirurgia, quimioterapia ou radioterapia — apenas com uma alimentação e e estilo de vida saudável.

Biópsias feitas antes e depois da intervenção na dieta e no estilo de vida revelaram que a expressão de mais de quinhentos genes foi afetada. Essa foi uma das primeiras demonstrações de que mudar o que se come e o modo como se vive afeta o indivíduo em um nível genético, em termos de quais genes são ativados e quais são desativados.[54] Um ano após o fim do estudo, o câncer dos integrantes

COMO NÃO MORRER DE CÂNCER DE PRÓSTATA | 261

do grupo de controle cresceu tanto que 10% deles foram obrigados a passar por uma prostatectomia radical,[55] cirurgia que envolve a remoção da glândula da próstata inteira e de tecidos adjacentes. Essa medida pode causar não apenas incontinência urinária (vazamento de urina) e impotência, mas também alterações da função orgástica em cerca de 80% dos homens submetidos ao procedimento.[56] Em contrapartida, ninguém do grupo da dieta à base de vegetais e do estilo de vida saudável foi parar na mesa de cirurgia.

Como os cientistas conseguiram convencer um grupo de homens mais velhos a basicamente manter uma dieta vegana ao longo de um ano? Obviamente eles entregaram refeições prontas nas casas dos participantes.[57] Acho que os pesquisadores pensaram que os homens são tão preguiçosos que comeriam o que quer que fosse posto na frente deles — e deu certo!

Mas e no mundo real? Percebendo que, pelo visto, os médicos não conseguem convencer a maioria dos homens com câncer a comer sequer míseras cinco porções de frutas, legumes e verduras por dia,[58] um grupo de pesquisadores da Universidade de Massachusetts decidiu tentar mudar a proporção A:V deles — a proporção de proteínas de origem animal para proteínas vegetais em suas dietas.[59] Será que uma redução da ingestão de carne e laticínios e um aumento do consumo de alimentos vegetais bastariam para pôr o câncer em remissão?

Para testar essa hipótese, os cientistas dividiram de modo aleatório pacientes com câncer de próstata em dois grupos: um que assistiu a aulas sobre uma alimentação preponderantemente à base de vegetais e outro que recebeu uma assistência convencional, sem nenhuma orientação sobre como se alimentar. O grupo aconselhado a comer de forma saudável conseguiu diminuir sua proporção A:V para 1:1, obtendo metade das proteínas consumidas de fontes vegetais. Já a proporção do grupo de controle permaneceu em torno de 3:1, de proteínas de origem animal para proteínas vegetais.[60]

Aqueles que seguiram uma dieta semivegana pareceram retardar o crescimento do câncer. O tempo médio de duplicação do PSA deles — uma estimativa da rapidez com que os tumores dobram de tamanho — passou de 21 meses para 58 meses.[61] Em outras palavras, o câncer continuou crescendo, porém, mesmo uma dieta parcialmente à base de vegetais pareceu ser capaz de retardar de maneira significativa a expansão dos tumores. Vale notar, contudo, que o dr. Ornish e seus colegas demonstraram que uma dieta totalmente à base de vegetais gerou uma aparente *reversão* do crescimento do câncer: os valores de PSA dos participantes do estudo não apenas cresceram em uma velocidade mais lenta, como tenderam a diminuir. Portanto, a proporção ideal de proteína de origem animal para a vegetal pode ser mais próxima de 0:1.

O pior A e o melhor V

E se não tiver como fazer o vovô virar vegano, deixando você apenas com meio caminho andado? O que haveria na curta lista de alimentos a serem evitados, ou incluídos, na dieta dele?

Com base nos dados de Harvard sobre progressão e mortalidade do câncer de próstata detalhados anteriormente, o ovo e as aves domésticas devem ser os piores agressores: pacientes podem enfrentar o dobro do risco de progressão da doença por comerem menos de um único ovo por dia e até o quádruplo do risco por consumir menos de uma porção individual de frango ou peru diariamente.[62]

Em contrapartida, se tiver que adicionar algo à dieta, considere os vegetais crucíferos. Menos de uma simples porção diária de brócolis, couve--de-bruxelas, repolho, couve-flor ou couve-crespa pode reduzir em mais da metade o risco de progressão do câncer.[63]

Observar a proporção de proteína de origem animal para proteína vegetal pode ajudar na prevenção de câncer em geral. Por exemplo, o maior estudo já realizado sobre alimentação e câncer de bexiga — reunindo quase quinhentas mil pessoas — constatou que um aumento de apenas 3% no consumo de proteína de origem animal estava associado a um risco 15% maior de desenvolver câncer de bexiga. Já um aumento de apenas 2% na ingestão de proteína vegetal estava associado a um risco 23% *menor* de ter câncer.[64]

Semente de linhaça

Os índices de câncer de próstata variam muito ao redor do mundo. Os afro-americanos, por exemplo, podem ter uma incidência desse tipo de câncer clinicamente aparente trinta vezes maior do que a dos japoneses e 120 vezes maior do que a dos chineses. Tal discrepância tem sido atribuída, em parte, à quantidade maior de proteína de origem animal e de gordura presente nas dietas ocidentais.[65] Entretanto, outro fator relevante pode ser a soja, que é comum em muitas dietas asiáticas e contém fitoestrógenos protetores chamados isoflavonas.[66]

Conforme detalhado no Capítulo 11, a outra grande classe de fitoestrógenos é a das lignanas, presentes em todo o reino vegetal, mas com enorme concentração na semente de linhaça. Níveis mais altos de lignanas tendem a ser encontrados em fluidos da próstata de populações de homens com índices relativamente baixos de câncer desse órgão.[67] E constatou-se também que, em uma placa de Petri, as lignanas retardam o crescimento de células de câncer.[68]

Pesquisadores decidiram pôr as lignanas à prova pedindo a homens com cirurgia de remoção de próstata marcada para o mês seguinte que consumissem três colheres de sopa de semente de linhaça por dia. Após o procedimento, os tumores deles foram examinados: nessas poucas semanas, o consumo do alimento pareceu reduzir os índices de proliferação de células de câncer e ao mesmo tempo aumentar o índice de eliminação delas.[69]

Melhor ainda: a semente de linhaça talvez possa evitar que o câncer de próstata avance para esse estágio. A neoplasia intraepitelial prostática (NIP) é uma lesão de próstata pré-maligna encontrada em biópsias; é análoga ao carcinoma ductal *in situ* de mama. Portadores de NIP apresentam alto risco de terem um câncer identificado em biópsias subsequentes: de 25% a 79%.[70] Como esses homens tiveram que fazer outras biópsias na próstata a fim de monitorar a doença, os procedimentos oferecem uma oportunidade perfeita para se verificar se uma intervenção na alimentação pode impedir que tais lesões evoluam para um câncer.

Depois das primeiras biópsias com resultados positivos para NIP, foi solicitado a quinze homens que consumissem três colheres de sopa de semente de linhaça por dia durante seis meses, até a biópsia seguinte. Após esse período, foi identificada uma queda significativa dos valores do PSA e de índices de proliferação de células na biópsia, o que sugere que as sementes de linhaça podem, de fato, impedir a progressão da doença. Dois desses homens viram seus valores do PSA voltarem ao normal e sequer precisaram passar por uma segunda biópsia.[71]

Moral da história: as evidências sugerem que a semente de linhaça é uma fonte de nutrição segura e barata que pode reduzir os índices de proliferação do tumor.[72] Então por que não dar uma chance a ela? Apenas certifique-se de moer as sementes de linhaça se elas já não vierem moídas — do contrário, elas podem passar pelo corpo sem serem digeridas.

Próstata aumentada

Se uma alimentação saudável pode retardar o crescimento anormal de células de câncer de próstata, será que ela também pode retardar o crescimento anormal de células de próstata normais? A hiperplasia prostática benigna (HPB) é um distúrbio caracterizado pelo aumento da glândula da próstata. Nos Estados Unidos, essa condição afeta milhões de homens[73] — nada menos do que metade dos indivíduos na casa dos cinquenta anos e 80% dos que têm a partir de oitenta anos.[74]

Por cercar a saída da bexiga, se crescer demais a próstata pode obstruir o fluxo normal de urina. Isso pode gerar um jato fraco ou irregular e um esvaziamento inadequado da bexiga, exigindo frequentes idas ao banheiro. Além disso, a urina estagnada retida na bexiga pode facilitar o surgimento de infecções.

Infelizmente, pelo visto o problema só piora à medida que a glândula continua a crescer. Bilhões de dólares têm sido gastos em remédios e suplementos e milhões de americanos passaram por cirurgia devido à HBP.[75] Os procedimentos cirúrgicos envolvem várias técnicas de aspiração com acrônimos que parecem inocentes, tais como TUMT, TUNA e TURP. Os Ts querem dizer transuretral, o que significa inserir no pênis um instrumento chamado ressectoscópio. TUMT quer dizer termoterapia transuretral por micro-ondas, na qual os médicos abrem um túnel no pênis usando uma ferramenta semelhante a uma antena e queimam o tecido que bloqueia o jato de urina com micro-ondas.[76] TUNA quer dizer ablação transuretral com agulha — nesse caso, o caminho da urina é queimado com um par de agulhas aquecidas. E essas são as chamadas técnicas minimamente invasivas![77] O procedimento conhecido por ser o melhor e mais confiável é o TURP, em que o cirurgião basicamente usa uma presilha de arame para remover o tecido da próstata. Os efeitos colaterais incluem "desconforto pós-operatório".[78] Já pensou?!

Há uma maneira melhor de sanar o problema.

A HBP é tão comum que a maioria dos médicos a considera uma mera consequência inevitável do envelhecimento. Mas nem sempre foi assim. Na China dos anos 1920 e 1930, por exemplo, uma faculdade de medicina em Pequim relatou que a HBP afetou não 80% dos pacientes homens, mas um *total* de oitenta homens ao longo de quinze anos. A raridade histórica da HBP e do câncer de próstata no Japão e na China tem sido atribuída às tradicionais dietas à base de vegetais dos dois países.[79]

Tal hipótese foi avaliada pelos mesmos pesquisadores da Pritikin Foundation que compararam o sangue de indivíduos antes e depois da adoção de uma dieta à base de vegetais com o crescimento de células de câncer de próstata. Dessa vez, eles fizeram o mesmo experimento com o tipo de célula de próstata normal que cresce e obstrui o fluxo de urina. Em apenas duas semanas, os homens que seguiam uma alimentação à base de vegetais viram seu sangue adquirir a capacidade de suprimir o crescimento anormal de células de próstata não cancerosas — e o efeito não pareceu se dissipar com o tempo. A longo prazo, o sangue de quem adotou dietas à base de vegetais teve o mesmo efeito benéfico por até 28 anos consecutivos. Então, pelo visto, contanto que continuemos a comer de forma saudável, os índices de crescimento de células da próstata continuarão a diminuir e permanecerão baixos.[80]

COMO NÃO MORRER DE CÂNCER DE PRÓSTATA | 265

Alguns vegetais podem ser particularmente benéficos à próstata. Foi concluído por meio de pesquisas que a semente de linhaça pode ser usada para tratar HBP. Homens que receberam o equivalente a três colheres de sopa desse alimento por dia tiveram um alívio comparado ao proporcionado por remédios comumente receitados, como Flomax e Proscar[81] — isso sem os efeitos colaterais dos medicamentos, como tontura e disfunção sexual.

É possível prevenir a HBP? A ingestão de alho e cebola tem sido associada a um risco significativamente menor de desenvolver HBP.[82] Em geral, legumes e verduras têm mais efeito cozidos do que crus, e as leguminosas — feijão, grão--de--bico, ervilha seca e lentilha — também têm sido associadas a um risco menor.[83] A PVT — sigla de proteína vegetal texturizada — é um produto da soja usado com frequência em molhos de macarrão e *chili* vegetarianos. Eu recomendaria o PVT em vez da VTP — vaporização transuretral da próstata. [84]

IGF-1

Por que quem vive pelo menos cem anos parece escapar do câncer? À medida que se envelhece, o risco de desenvolver câncer e morrer em decorrência dele aumenta a cada ano — até se chegar aos 85 ou noventa anos, quando curiosamente esse risco começa a diminuir.[85] Se você não tiver câncer até certa idade, pode ser que nunca tenha. O que explica essa relativa resistência ao câncer entre os centenários? Talvez ela tenha a ver com um hormônio de crescimento promotor de câncer chamado fator de crescimento semelhante à insulina tipo 1 (IGF-1).[86]

Todo ano, você renasce. Você cria e destrói quase o peso inteiro do seu corpo em células novas a cada ano. Todos os dias, cerca de cinquenta bilhões de células suas morrem e cerca de cinquenta bilhões de novas células nascem para mantê--lo em equilíbrio.[87] É claro que às vezes é necessário crescer, como quando se é bebê ou durante a puberdade. Nossas células não se tornam maiores quando crescemos; elas apenas se tornam mais numerosas. Um adulto pode ter quarenta trilhões de células no corpo, quatro vezes mais do que uma criança.

Depois que se passa pela puberdade, já não é necessário produzir muito mais células do que as que morrem. Obviamente, as células ainda têm que crescer e se dividir, para que as velhas sejam eliminadas e as novas surjam. Só não se quer gerar mais células do que as que estão morrendo. Nos adultos, um aumento extra de células pode significar o desenvolvimento de tumores.

Como o corpo se mantém em equilíbrio? Enviando sinais químicos chamados hormônios a todas as células. Um sinal crucial é um hormônio de crescimento chamado IGF-1. Parece até nome de robô de *Star Wars*, mas na verdade ele é um fator essencial na regulação do aumento de células. Os níveis de IGF-1 sobem quando se é criança para impulsionar o desenvolvimento, porém, quando se chega à idade adulta, eles diminuem. É a dica do corpo para que pare de produzir mais células do que é capaz de matar.

No entanto, se os níveis de IGF-1 permanecerem altos demais quando se chega à idade adulta, as células do organismo continuarão recebendo a mensagem para aumentar, dividir-se e permanecer fazendo isso. Não surpreende que, quanto mais IGF-1 se tem na corrente sanguínea, maior é o risco de desenvolver cânceres, como o de próstata.[88]

Existe uma forma rara de nanismo chamada síndrome de Laron, causada pela incapacidade do corpo de produzir IGF-1. Os indivíduos afetados crescem pouco, porém, quase nunca têm câncer.[89] Essa síndrome é um tipo de mutação à prova de câncer, o que levou os cientistas a questionarem: e se pudéssemos obter todo o IGF-1 de que precisamos na infância para crescer até uma altura normal, mas depois regulássemos esse hormônio na vida adulta e, com isso, desativássemos o excesso de sinais de crescimento? Ocorre que é possível fazer isso — não com cirurgia ou medicamentos, mas por meio de simples escolhas alimentares.

A liberação de IGF-1 parece ser desencadeada pelo consumo de proteína de origem animal.[90] Isso talvez explique por que é possível manter a capacidade da corrente sanguínea de combater o câncer durante semanas após a adoção de uma dieta à base de vegetais. Você se lembra dos experimentos em que gotas de sangue de pessoas que tinham uma alimentação saudável foram pingadas em células de câncer e as eliminaram em maior quantidade? Bem, o que acontece quando é adicionada às células de câncer a quantidade de IGF-1 coletada do organismo dos indivíduos com alimentação à base de vegetais? O efeito da dieta e dos exercícios desaparece. As células de câncer voltam a crescer. É por isso que suspeitamos que uma alimentação à base de vegetais reforça as defesas do sangue: ao reduzir a ingestão de proteína de origem animal, caem os níveis de IGF-1.[91]

Depois de apenas onze dias de redução do consumo de proteína de origem animal, os níveis de IGF-1 podem cair 20% e os níveis de *proteína ligadora* de IGF-1 podem dar um salto de 50%.[92] Uma das maneiras de o corpo tentar se proteger do câncer — ou seja, do crescimento excessivo — é liberando uma proteína ligadora na corrente sanguínea para que esta se prenda a qualquer excesso de IGF-1. Pense nisso como o freio de emergência do corpo. Mesmo que você conseguisse regular a produção de novos IGF-1 por meio da dieta, o que seria do excesso de IGF-1 que ainda está circulando no organismo por causa dos ovos com bacon que você

COMO NÃO MORRER DE CÂNCER DE PRÓSTATA | 267

comeu duas semanas antes? Não tem problema: o fígado libera uma tropa de choque de proteínas ligadoras para ajudar a tirá-lo de circulação.

Até que ponto é preciso adotar uma dieta à base de vegetais para baixar os níveis de IGF-1? A proteína de origem animal estimula a produção de IGF-1, seja a proteína do músculo da carne, da clara do ovo ou do leite dos laticínios. Os vegetarianos que incluem ovos e laticínios na dieta não parecem obter uma redução significativa de IGF-1. Pelo visto, apenas homens[93] e mulheres[94] que limitam a ingestão de todas as proteínas de origem animal conseguem reduzir de maneira significativa os níveis do hormônio promotor de câncer e elevar os níveis de proteínas ligadoras protetoras.

O câncer de próstata não é inevitável. Certa vez, dei uma palestra em Bellport, Nova York, sobre prevenção de doenças crônicas por meio da alimentação. Um tempo depois, um membro da plateia chamado John se animou a me enviar um e-mail e contar sobre sua batalha contra o câncer de próstata. Ele recebeu o diagnóstico aos 52 anos e fez seis biópsias por agulha grossa — cada uma delas mostrou que o câncer era muito agressivo. Os médicos imediatamente recomendaram uma cirurgia para remover a próstata inteira.

Em vez de entrar na faca, John decidiu adotar uma dieta à base de vegetais. Oito meses depois, fez outra biópsia e os médicos ficaram impressionados ao ver que restavam apenas 10% do câncer. E mais: os resultados de seus exames do PSA têm sido normais desde então.

John recebeu o diagnóstico em 1996. Depois que mudou a alimentação, o câncer foi embora e não voltou mais.

Mas ele pode ter tido sorte. Não recomendo que as pessoas ignorem os conselhos de seus médicos. Independentemente do que você e sua equipe médica decidam juntos, uma dieta saudável e mudanças no estilo de vida só podem ajudar. Essa é a vantagem das intervenções relacionadas ao estilo de vida — elas podem ser somadas a quaisquer que sejam as outras opções de tratamento escolhidas. Em um ambiente de pesquisa, isso pode complicar as coisas, já que não é possível saber qual foi exatamente a ação responsável por uma melhora. Contudo, ao encarar o diagnóstico de câncer, talvez se queira buscar toda ajuda possível. Não importa se escolherem passar por quimioterapia, cirurgia ou radioterapia, os pacientes com câncer sempre podem melhorar sua alimentação. Uma dieta saudável para a próstata é uma dieta saudável para as mamas, que é uma dieta saudável para o coração, que é uma dieta saudável para o corpo.

CAPÍTULO 14

Como não morrer de mal de Parkinson

Nos anos 1960, no auge do movimento pelos direitos civis nos Estados Unidos, meu pai estava fugindo de balas durante conflitos no Brooklyn e procurando o ângulo certo para fotografar minha mãe sendo arrastada e presa em protestos várias vezes. Seu trabalho mais famoso — uma das Fotos do Ano da *Esquire* em 1963 — retrata um amigo da família, Mineral Bramletter, com os braços abertos, em uma pose parecida com a do Cristo crucificado, sendo segurado por dois policiais brancos enquanto um terceiro o agarra pelo pescoço.

Que ironia cruel do destino um fotojornalista célebre ter sofrido de uma doença que lhe causou tremores nas mãos. Durante anos, meu pai sofreu de Parkinson. Aos poucos, e muito dolorosamente, ele perdeu a capacidade de cuidar de si mesmo, de viver como sempre fizera. Ficou confinado a uma cama e comprometido de todas as formas imagináveis.

Após dezesseis anos de luta, ele foi levado ao hospital pela última vez. Como acontece com tanta frequência no caso de doenças crônicas, uma complicação levou à outra. Meu pai pegou pneumonia e passou suas últimas semanas ligado a um respirador, sofrendo uma morte dolorosa e lenta. As semanas que passou naquele leito de hospital antes de falecer foram as piores de sua vida e da minha.

Hospitais são lugares terríveis para estar e para morrer. Por isso precisamos cuidar de nós mesmos.

Como mostra a história do meu pai, o mal de Parkinson pode terminar mal. Ela é a segunda doença neurodegenerativa mais comum, perdendo apenas para o Alzheimer. É um distúrbio incapacitante, que afeta a velocidade, a qualidade e a facilidade dos movimentos. Seus sintomas característicos, que pioram à medida que a doença evolui, incluem tremores nas mãos, rigidez nos membros, desequilíbrio e dificuldade de locomoção. Também pode afetar o humor, o raciocínio e o sono. Atualmente a doença não tem cura.

O Parkinson é causado pela morte de células nervosas especializadas na área do cérebro que controla os movimentos. Em geral se revela depois dos cinquenta anos. Um histórico envolvendo traumas na cabeça pode aumentar o risco,[1] o que talvez seja o motivo pelo qual boxeadores peso-pesado, incluindo Muhammad Ali, e jogadores da liga nacional de futebol americano, incluindo Forrest Gregg, cujo nome está no Hall da Fama, têm sido vítimas da doença. Entretanto, é provável que a maioria das pessoas a desenvolva em virtude de poluentes tóxicos do meio ambiente que podem se acumular no suprimento de alimentos e acabar afetando o cérebro.

O relatório do painel sobre câncer 2008/2009, do Instituto Nacional do Câncer, debateu o grau em que estamos sendo inundados por substâncias químicas industriais. A conclusão foi:

Os americanos — antes mesmo de nascerem — são bombardeados de modo contínuo por uma miríade de combinações dessas exposições perigosas. Este painel recomenda com grande veemência que o senhor [o presidente dos Estados Unidos] use o poder de seu cargo para retirar os carcinógenos e outras toxinas de nossos alimentos, da água e do ar, que desnecessariamente aumentam os gastos com assistência médica, comprometem a produtividade da Nação e arrasam vidas americanas.[2]

Além de aumentarem o risco de se desenvolver vários tipos de câncer, os poluentes industriais também atuam no surgimento de doenças que deterioram o cérebro (neurodegenerativas), como a de Parkinson.[3] E essas toxinas estão presentes no corpo da maioria das pessoas.

De tempos em tempos, os Centros para Controle e Prevenção de Doenças medem os níveis de poluentes químicos presentes no organismo de milhares de americanos por todo o país. De acordo com as descobertas feitas pela agência, a maioria das mulheres dos Estados Unidos estão contaminadas por metais pesados, bem como por vários solventes tóxicos, substâncias químicas que afetam o sistema endócrino, retardantes de chamas, substâncias químicas de plásticos, bifenilas policloradas (PCBs) e pesticidas proibidos, como o DDT[4] (denunciado pela bióloga americana Rachel Carson em seu best-seller de 1962 *Primavera silenciosa*).

Em muitos casos, verificou-se que de 99% a 100% das centenas de mulheres examinadas tinham níveis detectáveis desses poluentes circulando na corrente sanguínea. Constatou-se que grávidas possuem, em média, até cinquenta substâncias químicas diferentes.[5] Será que esses potenciais tóxicos no organismo das gestantes estão sendo transmitidos para os fetos? Os pesquisadores buscaram a resposta medindo os níveis de poluentes no sangue do cordão umbilical de bebês na hora do parto. (Assim que o cordão é cortado, um pouco de sangue pode ser colhido em uma ampola.) Após analisar mais de trezentas mulheres que tinham dado à luz recentemente, os cientistas constataram que 95% das amostras de cordão umbilical apresentavam resíduos de DDT detectáveis.[6] E isso nos dias de hoje, décadas após a proibição do pesticida.

E os homens? Eles tendem a ter níveis de certos poluentes ainda mais altos do que as mulheres. Uma pista para solucionar esse mistério foi encontrada quando os históricos de amamentação foram levados em conta. Mulheres que nunca amamentaram tinham mais ou menos o mesmo nível de determinados tóxicos no corpo que o dos homens; porém, quanto mais amamentaram os filhos, mais os níveis diminuíam, o que sugere que as mães que amamentaram se desintoxicaram passando a poluição para os bebês.[7]

Parece que os níveis de alguns poluentes presentes no sangue das mulheres podem diminuir para quase a metade durante a gravidez,[8] em parte porque o corpo da gestante os transfere para o feto através da placenta.[9] Pode ser por isso que a concentração de poluentes no leite materno parece maior após a primeira gravidez do que nas subsequentes.[10] Isso talvez explique a descoberta de que a ordem dos nascimentos é um indicador significativo de níveis de poluentes em jovens. Basicamente, os primogênitos têm a primazia sobre o estoque de lixo tóxico da mãe, deixando menos para os irmãos menores.[11]

Mesmo as mães que foram elas próprias amamentadas na infância tendem a ter níveis mais altos de poluentes no leite que produzem quando adultas, o que sugere uma transmissão multigeracional de tais substâncias químicas.[12] Em outras palavras, o que você come hoje afeta os níveis de substâncias químicas tóxicas presentes em seus netos. Em se tratando da alimentação de bebês, o leite materno ainda é a melhor opção — sem dúvida[13] —, mas, em vez de intoxicar nossos filhos, deveríamos antes de mais nada nos esforçar para não nos intoxicarmos.

Em 2012, pesquisadores da Universidade da Califórnia-Davis publicaram uma análise das dietas de crianças californianas da faixa etária de dois a sete anos. (As crianças são consideradas ainda mais vulneráveis a substâncias químicas na alimentação por estarem em crescimento e, portanto, terem uma ingestão comparativamente maior de alimentos e líquidos em relação ao peso corporal.) Constatou-se que substâncias químicas e metais pesados presentes em crianças e provenientes de alimentos ingeridos excediam os níveis de segurança em uma margem maior do que a dos adultos. O risco relativo de câncer, por exemplo, era excedido por um fator de até cem ou mais. Em cada criança analisada, foram ultrapassados os níveis de referência para arsênico, o pesticida proibido dieldrina e subprodutos industriais altamente tóxicos chamados dioxinas, bem como para DDE, um subproduto do DDT.[14]

Quais alimentos contribuíram para a presença de maiores quantidades de metais pesados no organismo dos pequenos? A principal fonte de arsênico foram as aves domésticas no caso das crianças em idade pré-escolar e o atum no caso dos pais.[15] A principal fonte de chumbo? Laticínios. Mercúrio? Frutos do mar.[16]

Os pais preocupados em expor os filhos a vacinas que contêm mercúrio deveriam saber que a ingestão semanal de uma porção de peixe durante a gravidez pode gerar uma quantidade maior do metal no corpo da criança do que a injeção direta de uma dúzia de vacinas.[17] É preciso tentar minimizar a exposição ao mercúrio, porém, os benefícios da vacinação excedem muito os riscos. O mesmo não se pode dizer do consumo de atum.[18]

Em quais alimentos esses poluentes estão presentes? Hoje a maior parte do DDT provém da carne, sobretudo, do peixe.[19] Os oceanos são basicamente o esgoto da humanidade: tudo acaba escoando para o mar. O mesmo vale para a exposição alimentar aos PCBs, outro grupo de substâncias químicas proibidas, que eram muito utilizadas como fluido isolante em equipamentos elétricos. Um estudo realizado com mais de doze mil amostras de alimentos e rações em dezoito países verificou que a maior contaminação por PCB estava presente no peixe e no óleo de peixe, seguidos do ovo, dos laticínios e de outras carnes. A menor contaminação foi identificada na base da cadeia alimentar: nos vegetais.[20]

O hexaclorobenzeno, outro pesticida proibido há quase meio século, pode ser encontrado hoje principalmente em laticínios e na carne, incluindo o peixe.[21] E os perfluorocarbonos, ou PFCs? Eles são encontrados sobretudo no peixe e em outros tipos de carne.[22] Quanto às dioxinas, nos Estados Unidos, a fonte com maior concentração pelo visto é a manteiga, seguida do ovo e das carnes processadas.[23] Os níveis presentes no ovo talvez ajudem a explicar por que um estudo constatou que indivíduos que consumiam mais de meio ovo por dia tinham o dobro ou até o triplo de chances de sofrer de câncer de boca, cólon, bexiga, próstata e mama, em comparação a quem nunca comia ovo.[24]

Se uma mulher quiser limpar sua dieta antes de engravidar, em quanto tempo esses poluentes deixarão seu organismo? Para descobrir a resposta, cientistas pediram a pessoas que comessem uma grande porção de atum ou outro peixe com muito mercúrio toda semana, durante quatorze semanas, a fim de aumentar seus níveis de metal pesado, e depois interrompessem o consumo. Ao medir a velocidade com que os níveis de mercúrio dos participantes diminuíram, os cientistas calcularam a meia-vida do mercúrio no corpo humano.[25] Os participantes conseguiram eliminar metade do mercúrio do organismo em dois meses. Esse resultado sugere que o corpo humano pode eliminar quase 99% do mercúrio após um ano da interrupção do consumo. Infelizmente, nosso corpo pode demorar mais tempo para se livrar de outros poluentes industriais presentes no peixe: a meia-vida de certas dioxinas, PCBs e subprodutos do DDT encontrados nessa carne é de até dez anos.[26] Portanto, para obter a mesma queda de 99%, são necessários, pelo visto, mais de cem anos — muito tempo para esperar para ter o primeiro filho.

A essa altura é provável que você esteja se perguntando como essas substâncias químicas vão parar na comida. Uma explicação é a de que poluímos tanto nosso planeta que as substâncias químicas apenas descem nas chuvas. Por exemplo, cientistas identificaram oito pesticidas diferentes contaminando os picos nevados do Parque Nacional das Montanhas Rochosas, no Colorado.[27] Depois que penetram o solo, os poluentes podem chegar à cadeia alimentar em concentrações crescentes. Considere que, antes de ser abatida para ser vendida como carne, uma vaca leiteira pode comer 34 mil quilos de plantas. As substâncias químicas presentes nas plantas podem ficar armazenadas na gordura da vaca e se acumular em seu corpo. Então, no que se refere aos muitos pesticidas e poluentes solúveis em gordura, toda vez que se come um hambúrguer, se está na verdade comendo tudo o que o hambúrguer comeu. A melhor maneira de minimizar a exposição a toxinas industriais pode ser consumir alimentos que venham do nível mais baixo possível na cadeia alimentar, ou seja, adotar uma dieta à base de vegetais.

Como reduzir a ingestão de dioxina

As dioxinas são poluentes muito tóxicos que se acumulam na gordura do tecido animal, de tal forma que 95% da exposição humana provêm do consumo de produtos de origem animal.[28] Às vezes, isso é consequência da alimentação contaminada do animal. Nos anos 1990, por exemplo, uma pesquisa realizada em supermercados verificou que a maior concentração de dioxinas estava no peixe-gato criado em cativeiro.[29] Supõe-se que o peixe-gato comia uma ração misturada a um agente antiempedramento contaminado por dioxinas possivelmente provenientes da lama de esgoto.[30]

A mesma ração era dada a frangos, o que na época acabou afetando cerca de 5% da produção de aves domésticas nos Estados Unidos.[31] Isso significaria que as pessoas comeram centenas de milhões de frangos contaminados.[32] Obviamente, se a substância estava presente nos frangos, também estava presente nos ovos gerados por eles. De fato, níveis elevados de dioxinas foram encontrados também em ovos nos Estados Unidos.[33] O Departamento de Agricultura estimou que menos de 1% da ração estava contaminada, porém, 1% da produção de ovos equivaleria a mais de um milhão de ovos contaminados *por dia*. Entretanto, a contaminação do peixe-gato era ainda maior: constatou-se que, nos Estados Unidos, mais de um terço da amostra de peixes-gatos criados em cativeiro estava contaminada por dioxinas.[34]

Em 1997, a Food and Drug Administration pediu aos fabricantes de ração que parassem de utilizar ingredientes contaminados por dioxina, afirmando que "a exposição contínua a níveis elevados de dioxina na ração animal aumenta o risco de efeitos adversos para a saúde dos animais e dos humanos que consomem produtos alimentares derivados de animais".[35] Após essa solicitação, a indústria da ração melhorou sua conduta? Até 226 milhões de peixes-gatos ainda são produzidos em cativeiro a cada ano,[36] mas levou uma década para o governo verificar se a medida estava sendo cumprida. Pesquisadores do Departamento de Agricultura examinaram amostras de peixe-gato de todo o país e, em 2013, revelaram que *96%* delas continham dioxinas ou compostos semelhantes a ela. E o que os pesquisadores descobriram ao checar a ração utilizada na alimentação desses peixes? Mais da metade das amostras estavam contaminadas.[37]

Em outras palavras, a indústria da ração sabia há mais de vinte anos que o que estava dando aos animais (e, no fim das contas, à maioria de nós)[38] poderia conter dioxinas, mas, pelo visto, ela mantém essa prática com força total.

O Instituto de Medicina fez sugestões para reduzir a exposição à dioxina, entre elas retirar a gordura da carne, incluindo a de aves e de peixes, e evitar a reutilização da gordura animal no preparo de molhos.[39] No entanto, não seria mais prudente, em vez disso, eliminar os alimentos de origem animal da nossa dieta? Os cientistas estimaram que uma alimentação à base de vegetais poderia eliminar 98% da ingestão de dioxinas.[40]

Cigarro e mal de Parkinson

Há uns anos, os Centros para Controle e Prevenção de Doenças comemoraram o aniversário de cinquenta anos de um relatório histórico sobre o hábito de fumar apresentado pelo chefe do serviço de saúde pública dos Estados Unidos em 1964, considerado uma das grandes conquistas de saúde pública do nosso tempo.[41] É interessante voltar e ler as reações da indústria do tabaco a esse texto. Por exemplo, um membro da indústria salientou que, ao contrário do argumento apresentado pelo representante do governo de que o hábito de fumar custava bilhões à nação, "o hábito de fumar *poupa* o dinheiro do país ao aumentar o número de pessoas que morrem logo após se aposentarem".[42] Ou seja, pense no quanto estamos economizando em seguro-saúde e previdência social graças ao tabagismo.

A indústria do cigarro também criticou a "falta de equilíbrio" do chefe operacional de saúde pública "em relação aos benefícios do hábito de fumar".[43] Conforme testemunharam diante do Congresso americano, esses "benefícios positivos à saúde" incluíam "a sensação de bem-estar, satisfação, felicidade e tudo o mais". Além de toda essa felicidade que o representante do governo estava tentando eliminar, o Instituto do Tabaco explicou que o "tudo o mais" incluía proteção contra o mal de Parkinson.[44]

Realmente, de forma um tanto inesperada, mais de sessenta estudos realizados ao longo dos últimos cinquenta anos mostraram, juntos, que fumar estava de fato associado a uma incidência significativamente menor de mal de Parkinson.[45] Obstinadas tentativas não conseguiram encontrar uma explicação para essas descobertas. Talvez, reagiram os cientistas da área de saúde pública, o fenômeno se deva ao fato de os fumantes estarem morrendo antes de adquirir Parkinson. Não, parece que o tabagismo confere proteção em todas as idades.[46] Talvez seja porque os fumantes bebem mais café, que sabemos ser um protetor contra essa doença.[47] Não, o efeito protetor se mantinha o mesmo depois de os pesquisadores realizarem análises controladas sobre a ingestão de café.[48] Estudos feitos com gêmeos idênticos ajudaram a descartar fatores genéticos dessa equação.[49] Até mesmo o fato de simplesmente crescer em um lar com pais fumantes parece conferir proteção no que se refere ao desenvolvimento de Parkinson.[50] Então a indústria do cigarro estava certa? Mas será que isso importa?

Desde o relatório pioneiro do chefe de saúde pública de 1964, mais de vinte milhões de americanos morreram em virtude do tabagismo.[51] Mesmo que você não se importe em morrer de câncer de pulmão ou enfisema, mesmo que só se importe em proteger seu cérebro, *ainda* assim não deveria fumar, pois o cigarro é um fator de risco significativo para derrame.[52] Mas e se você pudesse desfrutar os benefícios do fumo sem ter que arcar com os riscos?

Talvez isso seja possível. O agente neuroprotetor presente no tabaco é a nicotina.[53] O tabaco faz parte da família Solanaceae, um grupo de plantas que inclui o tomate, a batata, a berinjela e as pimentas. Acontece que todos esses alimentos também contêm nicotina, mas em quantidades tão residuais — centenas de vezes menores do que as encontradas em um único cigarro — que o potencial protetor deles foi considerado irrelevante.[54] Mas então foi descoberto que apenas uma ou duas tragadas em um cigarro podem saturar metade dos receptores de nicotina do cérebro.[55] Depois revelou-se que até ser fumante passivo pode reduzir o risco de Parkinson[56] e que o nível de exposição à nicotina em um restaurante enfumaçado é da mesma ordem do obtido em uma refeição saudável feita em um ambiente sem fumaça.[57] Então será que, no fim das contas, o consumo de muitos alimentos da família Solanaceae conferiria proteção contra o Parkinson?

Pesquisadores da Universidade de Washington decidiram descobrir. Ao procurarem por nicotina, não encontraram nada na berinjela, apenas um pouco na batata, um pouco no tomate e uma quantidade significativa no pimentão. Tais resultados estão de acordo com o que cientistas encontraram ao analisar quase quinhentos pacientes com diagnósticos recentes de Parkinson comparados com indivíduos do grupo de controle. A ingestão de legumes e verduras com nicotina, sobretudo de pimentões, foi associada a um risco significativamente menor de mal de Parkinson.[58] (Esse efeito foi identificado apenas em não fumantes, o que faz sentido, já que é provável que a enxurrada de nicotina do cigarro se sobreponha a qualquer efeito da dieta.) Essa investigação pode ajudar a explicar as associações protetoras no que tange ao risco de Parkinson identificadas anteriormente de forma tênue no consumo de tomate e batata, bem como na dieta mediterrânea, que é rica em alimentos da família Solanaceal.[59]

Os pesquisadores da Universidade de Washington concluíram que é necessário realizar mais estudos antes que indivíduos considerem fazer intervenções na alimentação para prevenir o mal de Parkinson. Mas quando a intervenção é simplesmente comer pratos mais saudáveis, como pimentão recheado com molho de tomate, não vejo motivo para você ter que esperar.

Laticínios

Constatou-se que os pacientes com Parkinson têm, na corrente sanguínea, níveis elevados de um pesticida organoclorado, a classe de pesticidas em grande medida proibidos que inclui o DDT.[60] Estudos feitos a partir de autópsias também descobriram níveis altos de pesticidas no tecido cerebral de vítimas de Parkinson.[61] Níveis elevados de outros poluentes, como os PCBs, também foram identificados no cérebro desses indivíduos e, quanto mais alta a concentração de certos PCBs, maior o grau dos danos encontrados especificamente na área do cérebro considerada responsável pela doença, a chamada substância negra.[62] Conforme já observado, embora tenham sido proibidas décadas atrás, muitas dessas substâncias químicas podem ainda estar presentes no nosso ambiente. Você pode continuar a ser exposto a elas por meio do consumo de produtos de origem animal contaminados, incluindo os laticínios.[63] Verificou-se que pessoas com dietas que excluem laticínios, à base de vegetais, têm no sangue níveis significativamente mais baixos de PCBs envolvidos no desenvolvimento do mal de Parkinson.[64]

Uma metanálise de estudos envolvendo mais de trezentos mil participantes constatou que o consumo geral de laticínios estava associado a um risco muito maior de se desenvolver mal de Parkinson. Estimou-se que este pode aumentar 17% para cada xícara de leite consumida diariamente.[65] Os pesquisadores sugeriram que "a contaminação do leite por neurotoxinas pode ter uma relevância crítica".[66] Por exemplo, substâncias químicas neurotóxicas como a tetra-hidroisoquinolina, um composto utilizado para induzir parkinsonismo em primatas em estudos de laboratório,[67] são encontradas, na maior parte das vezes, em queijos.[68] As concentrações identificadas eram baixas, porém, a preocupação é a de que elas possam se acumular ao longo de uma vida de consumo,[69] resultando nos níveis elevados constatados no cérebro de pacientes com Parkinson.[70] A indústria dos laticínios tem recebido pedidos para que sejam realizadas análises no leite a fim de detectar tais toxinas,[71] mas até agora ela não os respondeu.

Um recente editorial de uma revista de nutrição considerou o caso encerrado: "A única explicação possível para esse efeito é a evidência de contaminação do leite por neurotoxinas."[72] Entretanto, há explicações alternativas para a relação "clara" entre laticínios e Parkinson.[73] Por exemplo, níveis de poluentes não explicariam por que o mal de Parkinson parece mais ligado ao consumo de lactose — um açúcar do leite — do que à gordura do produto,[74] além de mais ligado ao leite do que à manteiga.[75] Portanto, talvez o culpado seja a galactose, o açúcar do leite descrito no Capítulo 13, ao qual é atribuído um risco maior de fraturas ósseas, câncer e morte.[76] Indivíduos incapazes de eliminar a galactose do leite sofrem não apenas danos nos ossos, mas também no cérebro.[77] Isso talvez explique a relação entre consumo de leite e Parkinson, bem como entre o leite e outra doença degenerativa chamada doença de Huntington. Acredita-se que o consumo maior de laticínios possa dobrar o risco do surgimento precoce da doença de Huntington.[78]

COMO NÃO MORRER DE MAL DE PARKINSON | 277

Outra explicação seria a de que o consumo de leite diminui no sangue os níveis de ácido úrico, um importante antioxidante do cérebro[79] que se mostrou capaz de proteger as células nervosas contra o estresse oxidativo causado por pesticidas.[80] O ácido úrico pode reduzir a progressão da doença de Huntington[81] e do mal de Parkinson[82] e, o que é mais importante, pode reduzir o risco de adquirir o mal de Parkinson.[83] Contudo, o excesso de ácido úrico pode se cristalizar nas articulações e causar uma doença dolorosa chamada gota, então, deve-se considerá-lo uma faca de dois gumes.[84] O excesso de ácido úrico também é associado a doenças cardíacas e renais, enquanto sua falta é relacionada a Alzheimer, Huntington, Parkinson, esclerose múltipla e derrame.[85] Pessoas que mantêm uma alimentação sem laticínios e à base de vegetais parecem atingir o ponto ideal[86] em termos de níveis de ácido úrico mais adequados para a longevidade.[87]

Ao contrário do famoso slogan, o leite pode *não* fazer bem ao corpo, pelo menos em se tratando de ossos e cérebro.

Poluentes e dietas à base de vegetais

Conforme já foi discutido, os organoclorados são um grupo de substâncias químicas que inclui dioxinas, PCBs e inseticidas como o DDT. Embora a maioria tenha sido proibida há décadas, eles ainda estão presentes no meio ambiente e se infiltram na cadeia alimentar, penetrando na gordura dos animais consumidos pelos seres humanos.

Mas e se você não come nenhum produto de origem animal? Cientistas constataram que "os veganos são significativamente menos contaminados do que os onívoros", ao medirem os níveis de organoclorados no sangue, incluindo vários PCBs e um dos compostos Aroclor, da Monsanto, há muito tempo proibidos.[88] Essa descoberta está de acordo com investigações que identificaram níveis maiores de pesticidas organoclorados na gordura corporal[89] e no leite materno[90] de quem consome carne.

Verificou-se que pessoas que mantêm uma alimentação exclusivamente à base de vegetais têm níveis bem mais baixos de dioxinas no organismo,[91] bem como uma contaminação menor por PBDEs,[92] os poluentes químicos retardantes de chamas também relacionados a problemas neurológicos.[93] Nenhuma surpresa: os níveis mais altos de retardantes de chamas no suprimento de alimentos dos Estados Unidos foram encontrados no peixe, embora a principal fonte de ingestão, no caso da maioria dos americanos, sejam as aves domésticas, seguidas das carnes processadas.[94] Tal descoberta ajuda a explicar a presença de níveis bem menores de PBDEs no corpo daqueles que adotam dietas sem carne.[95] Parece que, quanto mais alimentos à base de vegetais se consome e quanto mais tempo se passa sem ingerir produtos de origem animal, mais os níveis caem.[96] Não foi estabelecido nenhum limite regulador para PBDEs em alimentos, porém, os cientistas do Departamento de Agricultura dos Estados Unidos observaram, em uma pesquisa sobre substâncias químicas retardantes de chamas na carne e em aves domésticas, que "reduzir os níveis de compostos tóxicos desnecessários e persistentes em alimentos e em sua dieta é, com certeza, desejável".[97]

Uma alimentação mais saudável também pode reduzir a concentração de metais pesados no corpo. Constatou-se que os níveis de mercúrio no fio de cabelo de pessoas que seguem dietas à base de vegetais eram até dez vezes mais baixos do que os de quem comia peixe.[98] Três meses depois da adoção de uma alimentação à base de vegetais, os níveis de mercúrio, chumbo e cádmio no fio de cabelo parecem diminuir de modo significativo (mas aumentam de novo quando a carne e o ovo voltam a ser incorporados à dieta).[99] Todavia, ao contrário dos metais pesados, alguns poluentes organoclorados podem permanecer no corpo por décadas.[100] E o DDT do seu KFC pode ficar em você pelo resto da vida.

Frutas vermelhas

O dr. James Parkinson, na descrição original que fez séculos atrás da doença que leva seu nome, revelou um aspecto característico dessa condição: intestinos "tórpidos", ou constipação intestinal, que podem preceder em muitos anos o diagnóstico.[101] Desde então aprendemos que a frequência das evacuações pode ser um indicador de mal de Parkinson. Constatou-se, por exemplo, que homens que evacuam com frequência inferior a uma vez por dia têm uma probabilidade quatro vezes maior de desenvolverem a doença anos depois.[102] Sugeriu-se então uma causalidade reversa: talvez a constipação não levasse ao Parkinson; talvez o Parkinson, mesmo décadas antes de ser diagnosticado, é que levasse à constipação intestinal. Essa ideia foi sustentada por indícios casuais indicando que, ao longo da vida, muitos daqueles que desenvolveram Parkinson relataram nunca sentir muita sede e talvez o consumo menor de água contribuísse para a constipação.[103]

COMO NÃO MORRER DE MAL DE PARKINSON | 279

Uma explicação alternativa, considerando a ligação entre poluentes obtidos por meio da alimentação e o Parkinson, seria a de que a constipação pode estar contribuindo de maneira direta para a doença: quanto mais tempo as fezes permanecem nos intestinos, mais substâncias neurotóxicas provenientes da alimentação são absorvidas.[104] Existem hoje mais de cem estudos relacionando pesticidas a um risco maior de se adquirir mal de Parkinson,[105] porém, muitos deles se baseiam na exposição das pessoas ao ambiente ou ao trabalharem. Cerca de 454 milhões de quilos de pesticidas são aplicados a cada ano nos Estados Unidos,[106] e o simples fato de morar ou trabalhar em áreas de muita pulverização aumenta o seu risco.[107] O uso de pesticidas domésticos comuns, como sprays contra insetos, também é associado a um risco bem maior.[108]

Como exatamente os pesticidas aumentam o risco de se desenvolver mal de Parkinson? Cientistas acham que eles podem causar mutações no DNA que aumentam a suscetibilidade do indivíduo[109] ou afetam o modo como certas proteínas se enovelam no cérebro. Para funcionar bem, estas precisam ter o formato certo. Quando o corpo produz novas proteínas nas células, se elas se enovelam da maneira errada, são simplesmente recicladas e o corpo tenta de novo. Entretanto, certas proteínas mal enoveladas podem assumir um formato que o corpo tem dificuldade em decompor. Quando esse defeito ocorre de modo contínuo, as proteínas malformadas podem se acumular e causar a morte das células nervosas do cérebro. As proteínas beta amiloide mal enoveladas, por exemplo, estão relacionadas ao mal de Alzheimer (ver o Capítulo 3); proteínas príons mal enoveladas causam a doença da vaca louca; outra proteína deformada causa a doença de Huntington; e proteínas alfa-sinucleína mal enoveladas podem ocasionar o mal de Parkinson.[110] Na mais abrangente investigação do tipo realizada até hoje, oito em doze pesticidas populares examinados conseguiram desencadear a acumulação de proteínas alfa-sinucleína em células nervosas humanas em uma placa de Petri.[111]

Conforme já expliquei, o mal de Parkinson é causado pela morte de células nervosas especializadas da área do cérebro que controla os movimentos. Quando os primeiros sintomas surgem, 70% dessas células cruciais já podem estar mortas.[112] Os pesticidas são tão bons em matar esses neurônios que cientistas costumam utilizá-los em laboratório para tentar recriar Parkinson em animais a fim de testarem novos tratamentos.[113]

Se os pesticidas estão matando células em seu cérebro, será que há algo que você possa fazer para impedir esse processo além de diminuir a exposição a eles? Não se conhece nenhum remédio que possa prevenir a acumulação dessas proteínas mal enoveladas, porém, certos fitonutrientes chamados flavonoides — presentes em frutas, legumes e verduras — podem gerar efeitos protetores. Pesquisadores analisaram 48 compostos vegetais diferentes capazes de cruzar a barreira sangue-cérebro para verificar se algum deles conseguia impedir a aglomeração de proteínas alfa-sinucleína. Para surpresa deles, vários flavonoides não apenas inibiram a acumulação dessas proteínas como também desmontaram depósitos existentes.[114]

Esse estudo sugere que, ao se alimentar de forma mais saudável, você pode reduzir a exposição a poluentes e ao mesmo tempo combater seus efeitos. E, quando se trata de combater os efeitos de pesticidas, as frutas vermelhas podem ser particularmente eficazes. Em um confronto direto entre pesticidas e frutas vermelhas, os cientistas constataram que a pré-incubação de células nervosas com um extrato de mirtilo permitiu que estas resistissem melhor aos efeitos debilitantes de um pesticida popular.[115] Contudo, a maioria dessas investigações foi realizada com células em uma placa de Petri. Haveria alguma evidência obtida com seres humanos de que a ingestão de frutas vermelhas poderia fazer diferença?

Um pequeno estudo publicado décadas atrás sugeriu que o consumo de mirtilo e morango pode conferir proteção contra o mal de Parkinson,[116] mas a pergunta permaneceu em grande parte sem resposta até que uma pesquisa de Harvard, realizada com cerca de 130 mil pessoas, verificou que quem come mais frutas vermelhas parece de fato ter um risco significativamente menor de desenvolver a doença.[117]

O editorial da revista *Neurology* que acompanha a matéria sobre o estudo concluiu que mais pesquisas são necessárias, porém, "até lá, uma maçã por dia pode ser uma boa ideia".[118] Pelo visto, as maçãs pareceram gerar proteção contra o mal de Parkinson, mas só no caso dos homens. Contudo, ambos os sexos pareceram se beneficiar do consumo de mirtilo e morango, as únicas frutas vermelhas analisadas no estudo.[119]

Se você decidir seguir minha recomendação de consumir frutas vermelhas todo dia, eu aconselharia não servi-las com creme de leite. Constatou-se que os laticínios não apenas bloqueiam alguns efeitos benéficos das frutas vermelhas[120], como, conforme já foi explicado aqui, podem conter compostos que causam justamente os danos que as frutas vermelhas estão tentando reverter.

Biomagnificação de alimentação canibalista

Se as pessoas comem apenas itens dos dois níveis mais inferiores da cadeia alimentar, apenas vegetais e animais que comem vegetais — ou seja, vacas, porcos e frangos alimentados com grãos e soja —, por que a população americana está tão contaminada? Quem se lembra da história do mal da vaca louca talvez saiba a resposta. No agronegócio moderno, quase não há mais herbívoros.

A cada ano, os animais de fazenda nos Estados Unidos ainda são alimentados com milhões de toneladas de subprodutos de abatedouros.[121] Transformamos esses animais não apenas em bichos que comem carne, mas praticamente em canibais. Ao alimentarmos animais de fazenda com toneladas de carne e farinha de osso, também os estamos alimentando com os poluentes contidos nessa ração. Então, depois que esses animais são abatidos, seus restos alimentam a próxima geração de animais de fazenda, podendo gerar a concentração de níveis de poluentes cada vez mais altos.[122] Portanto, assim podemos acabar no topo da cadeia alimentar, como os ursos polares ou as águias, e sofrer as consequências poluentes biomagnificadas. Ao comermos esses animais de criação, é quase como se estivéssemos comendo também cada animal que eles comeram.

O uso de subprodutos de abatedouros na ração dada a animais pode reciclar tanto metais pesados tóxicos quanto substâncias químicas industriais, levando-os de volta ao suprimento de alimentos. O chumbo se acumula em ossos de animais e o mercúrio, na proteína animal[123] (por isso a clara de ovo contém até vinte vezes mais mercúrio do que a gema).[124] Poluentes orgânicos lipofílicos persistentes (conhecidos como PLOPs[125]) se acumulam na gordura animal. A redução do consumo de carne pode ajudar a diminuir a exposição, porém, esses contaminantes podem chegar até nós por meio de diversos produtos de origem animal. Um toxicologista observou: "Embora um estilo de vida vegetariano possa reduzir a carga de PLOP, mercúrio e chumbo no corpo, esses benefícios podem ser minados pelo consumo de produtos de leite e de ovos contaminados. Animais de fazenda alimentados com produtos de origem animal contaminados vão originar produtos de leite e ovos contaminados."[126]

Se você quer diminuir o nível de PLOPs no seu organismo, coma itens do nível mais baixo possível da cadeia alimentar.

O café na prevenção e no tratamento do mal de Parkinson

Será que a xícara de café que você toma todas as manhãs poderia ajudar a prevenir, e quem sabe até a tratar, uma das doenças neurodegenerativas mais incapacitantes da atualidade? Pelo visto ele pode.

Foram realizados pelo menos dezenove estudos sobre o impacto que o café pode exercer em relação ao mal de Parkinson e, em geral, concluiu-se que o consumo da bebida está associado a um risco um terço menor.[127]

Acredita-se que o ingrediente-chave seja a cafeína, já que o chá também parece conferir proteção[128] contra a doença enquanto o café descafeinado, não.[129] Mostrou-se que, assim como os fitonutrientes das frutas vermelhas, a cafeína, em uma placa de Petri, impede que as células nervosas humanas sejam mortas por um pesticida e outras neurotoxinas.[130]

E que tal *tratar* o mal de Parkinson com café? Em uma pesquisa randomizada e controlada, os pacientes com a doença que receberam uma dose de cafeína equivalente a duas xícaras de café por dia (ou cerca de quatro xícaras de chá-preto ou oito de chá-verde) apresentaram melhoras significativas dos sintomas em três semanas.[131]

Porém uma xícara de café não dá tanto lucro assim, então, as companhias farmacêuticas tentaram ajustar a cafeína em novos remédios experimentais, como Preladenant e istradefilina. Mas acontece que eles não parecem ter uma eficácia maior do que um simples café, que é muito mais barato e tem um histórico melhor no que se refere a efeitos colaterais.[132]

Existem várias atitudes simples que você pode adotar para reduzir o risco de morrer de mal de Parkinson. Você pode usar cinto de segurança no carro e capacete ao andar de bicicleta para evitar bater a cabeça, pode praticar atividade física com regularidade,[133] evitar o sobrepeso,[134] consumir pimentões, frutas vermelhas e chá-verde e minimizar a exposição a pesticidas e metais pesados, bem como a ingestão de laticínios e outros produtos de origem animal. Vale a pena. Acredite em mim quando digo que nenhuma família deveria ter que suportar a tragédia que é o mal de Parkinson.

CAPÍTULO 15

Como não morrer de causas iatrogênicas
(ou como não morrer por causa de médicos)

Como diz o ditado, é melhor prevenir do que remediar. Isso é interessante, mas, para alguns, parece dar muito trabalho. Por que mudar a alimentação e o estilo de vida se existe a opção de deixar que a medicina moderna faça o trabalho de curar você?

Infelizmente a medicina moderna não é nem de longe tão eficiente quanto a maioria das pessoas pensa.[1] Os médicos são muito bons em tratar males agudos, como ajeitar ossos quebrados e curar infecções, porém, a medicina convencional não tem muito a oferecer quando se trata de doenças crônicas — que são as principais causas de morte e deficiência — e, na verdade, ela pode às vezes causar mais mal do que bem.

Por exemplo, estima-se que os efeitos colaterais de medicamentos administrados em hospitais matam 106 mil americanos a cada ano.[2] A estatística por si só torna a assistência médica a sexta principal causa de morte nos Estados Unidos. E esse número reflete apenas a quantidade de óbitos causados por remédios receitados. Outras sete mil pessoas falecem todo ano por tomarem o medicamento errado e mais vinte mil morrem em virtude de outros erros cometidos em hospitais.[3] Os hospitais são lugares perigosos, e esses números nem sequer levam em conta as cerca de 99 mil mortes anuais ocasionadas por infecções adquiridas no ambiente hospitalar.[4] Mas os óbitos por infecção podem ser atribuídos aos médicos? Sim, podem quando os médicos nem sequer lavam as mãos.

Sabe-se desde os anos 1840 que lavar as mãos é a melhor forma de prevenir infecções hospitalares, mas o cumprimento dessa medida pelos profissionais de saúde raramente ultrapassa os 50%. E os médicos são os piores infratores da regra.[5] Um estudo constatou que, mesmo em uma unidade de tratamento médico intensivo, um aviso claro de "precaução com contato" (que indica um risco particularmente alto de infecção) faz com que menos de um quarto dos médicos lavem as mãos da maneira correta ou usem antisséptico para as mãos ao lidar com os pacientes.[6] Isso mesmo: nem sequer um médico em cada quatro higieniza as mãos antes de tocar um doente. Muitos deles temem que um amplo conhecimento sobre quantas pessoas são mortas inadvertidamente por médicos a cada ano possa "minar a confiança pública".[7] Mas se nós, médicos, nem sequer nos importamos em higienizar as mãos, até que ponto merecemos confiança?

Essa situação infeliz (e grave!) significa que você pode se internar para passar por uma cirurgia simples e sair do hospital com uma infecção que ameaça sua vida — isso se sair. Todo ano, doze mil americanos morrem de complicações relacionadas a cirurgias que nem eram necessárias. Para quem está fazendo as contas: mais de duzentas mil pessoas faleceram em virtude das chamadas causas iatrogênicas (do grego antigo *iatrós*, que significa "médico"). E esse cálculo se baseia apenas nos dados sobre pacientes hospitalizados. Em ambientes ambulatoriais — por exemplo, em um consultório médico —, só os efeitos colaterais de remédios vendidos sob prescrição médica podem gerar mais 199 mil óbitos.[8]

O Instituto de Medicina estima que os erros médicos podem matar até mais americanos — alcançando a marca de 98 mil[9] —, o que leva o número total de mortes por ano para algo mais próximo de trezentas mil. Isso é mais do que a população inteira de cidades como Newark, Buffalo ou Orlando. Mesmo recorrendo a estimativas mais conservadoras de óbitos causados por erros médicos, a assistência médica se classifica como a *real* terceira principal causa de morte nos Estados Unidos.[10]

Qual foi a resposta dada pela comunidade médica a essas conclusões incriminadoras? Um silêncio absoluto, tanto em palavras quanto em ações.[11] O primeiro relatório sobre o tema, divulgado em 1978, sugere que 120 mil mortes ocorridas em hospitais poderiam ter sido evitadas.[12] Dezesseis anos depois, outro lembrete inflexível foi publicado na *Journal of the American Medical Association*, indicando que o número de mortes iatrogênicas pode ser "o equivalente a três acidentes com aviões a jato grandes a cada dois dias".[13] Nesses dezesseis anos que separam os dois relatórios, é possível que quase dois milhões de americanos tenham falecido devido a erros médicos, mas a comunidade médica se recusou a comentar essa tragédia e não fez nenhum esforço substancial para reduzir o número de óbitos.[14] Depois do que se supõe que tenham sido cerca de seiscentas mil mortes, o prestigioso Instituto de Medicina divulgou o próprio relatório decisivo sobre as consequências catastróficas dos erros médicos[15] — mas, de novo, pouco foi feito em resposta ao alerta.[16]

COMO NÃO MORRER DE CAUSAS IATROGÊNICAS | 285

Por fim, foram implementadas algumas mudanças. Por exemplo, médicos internos e residentes já não podem ser obrigados a trabalhar mais de oitenta horas por semana (pelo menos no papel) e os turnos não podem ter mais de trinta horas consecutivas. Isso pode parecer pouca coisa, porém, quando comecei a residência, após me formar na faculdade de medicina, fazíamos turnos de 36 horas a cada três dias — somado aos outros dias de trabalho, isso chegava a até 117 horas semanais de trabalho. Pesquisas sugerem que, quando forçados a virar a noite trabalhando, residentes podem cometer 36% mais erros médicos graves, cinco vezes mais erros de diagnóstico e o dobro de "falhas de atenção" (como cochilar durante uma cirurgia).[17] Espera-se que o paciente durma durante a operação, não o cirurgião. Portanto, não surpreende que médicos sobrecarregados possam causar 300% mais erros relacionados ao cansaço que acarretam a morte de pacientes.[18]

Se todos os dias aviões caíssem e matassem centenas de pessoas, esperaríamos que a Administração Federal de Aviação [FAA, na sigla em inglês] interviesse e tomasse uma atitude. Então por que ninguém confronta os profissionais da área médica? Em vez de apenas divulgar relatórios, entidades como o Instituto de Medicina poderiam exigir que médicos e hospitais adotassem pelo menos um conjunto mínimo de práticas preventivas, como pôr códigos de barra em remédios para evitar que os profissionais se confundam.[19] (Como você sabe, isso é algo que é feito até com embalagens de Twinkies na mercearia.)

Entretanto, somente quem está tomando medicamentos é morto por erros na administração das drogas ou efeitos colaterais causados por elas. É necessário estar no hospital para ser morto por um erro médico ou pegar uma infecção ali. A boa notícia é que a maioria das consultas médicas é motivada por doenças que podem ser prevenidas com uma alimentação e um estilo de vida saudáveis.[20]

A melhor maneira de evitar os efeitos adversos de exames e tratamentos médicos não é evitar os médicos, e sim evitar ficar doente.

Radiação

Há riscos associados não apenas ao tratamento médico, mas também às vezes ao diagnóstico. Em 2001, um estudo intitulado "Estimated Risks of Radiation-Induced Fatal Cancer from Pediatric CT", da Universidade de Colúmbia, reacendeu preocupações antigas com os riscos associados à exposição à radiação no processo de diagnóstico médico. Os exames de tomografia computadorizada (TC) utilizam muitos raios X de ângulos diferentes para criar imagens em corte transversal, expondo o corpo a centenas de vezes mais radiação do que uma radiografia X simples.[21] Com base no excesso de risco de câncer de sobreviventes de Hiroshima expostos a doses semelhantes de radiação,[22] estimou-se que, de todas as crianças submetidas a TC abdominal ou de crânio a cada ano, quinhentas "podem acabar morrendo de câncer atribuível à radiação de TC".[23] Em resposta a essa revelação, o editor-chefe de uma importante revista de radiologia admitiu: "Nós, radiologistas, podemos ser tão culpados quanto outros quando se trata de não ter cuidado com as crianças."[24]

O risco de desenvolver câncer após um único exame de TC pode ser de até 1 em cada 150 para um bebê.[25] Em geral, estima-se que a radiação médica diagnóstica realizada em um ano cause 2.800 casos de câncer de mama em americanas, bem como 25 mil casos de outros tipos de câncer.[26] Em outras palavras, os médicos podem estar causando dezenas de milhares de cânceres a cada ano.

Pacientes que fazem esses exames raramente são informados sobre esses riscos. Por exemplo, você sabia que se estima que uma TC de tórax inflige o mesmo risco de câncer que fumar setecentos cigarros?[27] Uma em cada 270 mulheres de meia-idade pode desenvolver câncer devido a uma única angiografia.[28] TCs e raios X podem salvar vidas, porém, existem boas provas que sugerem que de 20% a 50% de todas as TCs não são nem um pouco necessárias e poderiam ser substituídas por um tipo mais seguro de exame de imagem ou simplesmente não serem realizadas.[29]

Muita gente mostrou preocupação com a exposição sofrida em aeroportos devido à radiação de aparelhos de exame de corpo inteiro que utilizam retrodispersão de raios X,[30] e, desde então, essas máquinas foram desativadas. Entretanto, o avião em si é outra história. Como somos expostos a mais raios cósmicos do espaço quando estamos em atitudes mais altas, um único voo de ida e volta cruzando os Estados Unidos pode submeter o passageiro ao mesmo nível de radiação de um raio X de tórax.[31] (Considerando minha agenda de palestras, a essa altura eu devo estar reluzindo no escuro!)

Há algo que se possa fazer para mediar o risco da radiação? Assim como em tantas outras questões relativas à saúde, a resposta é que se pode ter uma alimentação mais saudável.

Em uma investigação financiada pelo Instituto Nacional do Câncer, pesquisadores estudaram as dietas e a integridade dos cromossomos de pilotos de avião, que são atingidos por radiação todos os dias, para verificar que alimentos poderiam protegê-los. Constatou-se que os pilotos que consumiam mais antioxidantes por meio da alimentação sofriam a menor quantidade de danos ao DNA no organismo. Repare no uso da palavra *alimentação*. Os suplementos de antioxidantes, como os de vitaminas C e E, não pareceram ter efeito. Contudo, os

COMO NÃO MORRER DE CAUSAS IATROGÊNICAS | 287

pilotos que mais consumiam vitamina C de frutas, legumes e verduras pareceram estar protegidos contra os danos ao DNA.[32] O consumo de suplementos de antioxidantes pode ser um desperdício de dinheiro. Constatou-se que pessoas que recebiam quinhentos miligramas de vitamina C por dia acabavam apresentando *mais* danos oxidativos no DNA.[33]

Lembre-se de que os antioxidantes naturais presentes nos alimentos funcionam de modo sinérgico; é a combinação de muitos compostos diferentes atuando juntos que tende a proteger o organismo, e não doses altas de antioxidantes separados encontradas em suplementos. De fato, os pilotos que consumiam uma mistura de fitonutrientes — concentrados em vários alimentos vegetais, como frutas cítricas, oleaginosas, sementes, abóbora e pimentões — tiveram os menores níveis de danos no DNA em resposta à radiação da galáxia pela qual eram bombardeados todos os dias.[34]

A equipe da pesquisa constatou que verduras como o espinafre e a couve-crespa parecem ter uma vantagem sobre frutas e outras verduras em se tratando de proteção contra radiação.[35] Eu sempre como chips de couve-crespa nos voos por serem muito leves, mas eles também podem estar protegendo o meu DNA.

A mesma proteção à base de vegetais desfrutada por pilotos foi encontrada também em sobreviventes da bomba atômica. Durante décadas, pesquisadores acompanharam 36 mil sobreviventes dos ataques nucleares a Hiroshima e Nagasaki. Aqueles que tinham uma alimentação rica em legumes e verduras ou frutas tiveram os riscos de câncer reduzidos em 36%.[36] O mesmo foi constatado após o acidente no reator nuclear em Chernobyl, na Ucrânia, onde, pelo visto, o consumo de frutas, legumes e verduras frescos protegeu o sistema imunológico de crianças, enquanto a ingestão de ovo e peixe foi associada a um risco significativamente maior de danos no DNA. Os cientistas sugerem que tal resultado se deva à contaminação desses alimentos de origem animal por elementos radioativos ou ao papel das gorduras de origem animal na formação de radicais livres.[37]

Incidentes nucleares oferecem oportunidades raras de estudar esses efeitos em seres humanos, já que, por motivos óbvios, é antiético expor pessoas à radiação intencionalmente. Entretanto, conforme foi descoberto com a liberação de documentos secretos sobre experimentos com radiação realizados nos Estados Unidos durante a Guerra Fria, isso não impediu que nosso governo injetasse plutônio[38] em pessoas "de cor" ou alimentasse crianças "retardadas" com isótopos radioativos nos cereais do café da manhã.[39] Apesar da insistência do Pentágono de que tais métodos foram "apenas meios viáveis" de desenvolver maneiras de proteger as pessoas da radiação,[40] desde então pesquisadores vêm propondo alguns métodos que não violam o Código de Nuremberg. Um deles é o de estudar células humanas em um tubo de ensaio. Pesquisas constataram, por exemplo, que os glóbulos brancos atingidos por raios gama sofreram menos danos no DNA quando pré-tratados com fitonutrientes da raiz do gengibre. Compostos do gengibre protegeram o DNA quase tão bem quanto o remédio mais prescrito para tratar o enjoo da radiação,[41] e isso em uma dose 150 vezes menor.[42] Aqueles que consomem gengibre como forma de prevenir o enjoo durante viagens aéreas podem estar se protegendo de muito mais do que a náusea.

Outros alimentos comuns que podem conferir proteção contra os danos da radiação são alho, cúrcuma, gojiberry e folhas de hortelã,[43] mas nenhum deles foi analisado em estudos clínicos. Como podemos testar o poder protetor dos alimentos em seres humanos e não em placas de Petri? Para avaliar como a dieta pode gerar proteção contra os raios cósmicos, estudou-se os pilotos de avião. Adivinha que pessoas foram estudadas para se verificar a possibilidade de os alimentos protegerem contra os raios X? Os técnicos de raio X.

A conclusão foi a de que quem trabalha em hospitais e opera rotineiramente máquinas de raio X sofre mais danos nos cromossomos e tem níveis mais altos de estresse oxidativo do que os demais funcionários de hospitais.[44] Por esse motivo, os pesquisadores recrutaram um grupo de técnicos de raio X e lhes pediram que bebessem duas xícaras de chá de erva-cidreira todo dia durante um mês. (A erva-cidreira é da família da hortelã.) Mesmo no curto período do estudo, o chá de erva-cidreira pareceu aumentar o nível de enzimas antioxidantes na corrente sanguínea dos participantes e, ao mesmo tempo, reduzir a quantidade de danos que eles sofreram no DNA.[45]

O real benefício da dieta *versus* os remédios

Com base em um estudo realizado com mais de cem mil moradores de Minnesota, supôs-se que sete em cada dez pessoas recebem pelo menos uma receita de remédio a cada ano. A mais da metade delas são prescritos dois ou mais medicamentos, e a 20% delas, pelo menos *cinco* medicamentos.[46] Ao todo, os médicos distribuem cerca de quatro bilhões de receitas para remédios no período de um ano nos Estados Unidos.[47] Isso são treze receitas por ano para cada homem, mulher e criança.

Os dois medicamentos vendidos sob prescrição médica mais passados em consultas médicas são a Sinvastatina, para baixar o colesterol, e o Lisinopril, para pressão arterial.[48] Portanto, muitos remédios estão sendo distribuídos em uma tentativa de prevenir doenças. Mas será que esses bilhões de comprimidos estão surtindo efeito?

COMO NÃO MORRER DE CAUSAS IATROGÊNICAS | 289

O excesso de confiança no poder dos remédios e procedimentos na prevenção de doenças pode ser um dos motivos pelos quais tanto os médicos quanto os pacientes subestimam as intervenções na alimentação e no estilo de vida. Quando perguntadas, as pessoas tendem a superestimar muito a capacidade das mamografias e colonoscopias de prevenirem mortes por câncer, ou o poder de remédios como Fosamax na prevenção de fraturas de quadril, ou de medicamentos como o Lipitor na prevenção de ataques cardíacos fatais.[49] Os pacientes acreditam que as estatinas, indicadas para baixar o colesterol, são vinte vezes mais eficientes do que de fato são para evitar ataques cardíacos.[50] Não é de se admirar que a maioria das pessoas ainda confie nos remédios para se salvar! Mas o segredinho que não querem que você saiba é que a maioria das pessoas consultadas declarou que não estaria disposta a tomar muitos desses remédios se soubesse como são poucos os benefícios oferecidos por eles.[51]

E quão eficazes são alguns dos remédios mais populares dos Estados Unidos? Em se tratando de medicamentos para baixar o colesterol, a hipertensão arterial e para afinar o sangue, até a chance de eles gerarem benefícios para pacientes de alto risco é, em geral, inferior a 5% no período de cinco anos.[52] Quando indagada sobre o assunto, a maioria dos pacientes declarou que queria saber a verdade.[53] No entanto, como médicos, sabemos que, se divulgássemos essa informação, poucos deles concordariam em tomar esses remédios todos os dias pelo resto da vida — o que prejudicaria o pequeno percentual de pacientes que de fato se beneficia deles. Por isso, os médicos bem informados e as empresas farmacêuticas exageram os benefícios, deixando convenientemente de mencionar o quanto eles são, na verdade, pequenos. No que se refere ao gerenciamento de doenças crônicas, pode-se pensar na prática da medicina convencional como sendo enganadora.

No caso de centenas de milhões de indivíduos que tomam esses remédios e não obtêm benefícios, a questão não se resume apenas à todo o dinheiro gasto nem a todos os efeitos colaterais suportados. Para mim, a verdadeira tragédia são todas as oportunidades perdidas de tratar os males dos pacientes pela raiz. Quando as pessoas superestimam a proteção conferida pelos medicamentos receitados, é menor a probabilidade de elas fazerem as mudanças alimentares necessárias para reduzir drasticamente os riscos que correm.

Tomemos como exemplo as estatinas indicadas para baixar o colesterol. O máximo que elas têm a oferecer em termos de redução absoluta do risco de ataque cardíaco ou morte subsequente são 3% em seis anos.[54] Em contrapartida, uma dieta à base de vegetais e alimentos não processados pode ser vinte vezes mais eficaz, podendo gerar uma redução absoluta de risco de 60% em menos de quatro anos.[55] Em 2014, o dr. Caldwell Esselstyn Jr. divulgou uma série de casos envolvendo cerca de duzentos portadores de doença cardíaca significativa, que revelou que uma alimentação à base de vegetais pode ser saudável o bastante para prevenir a ocorrência de outros episódios cardíacos graves em 99,4% dos pacientes que a adotam.[56]

Não podemos nos dar muito ao luxo de escolhermos entre ter uma alimentação saudável ou tomar um comprimido para prevenir um ataque cardíaco já que em 97% dos casos existe a possibilidade de os medicamentos não funcionarem em curto prazo. É claro que a dieta e os remédios não são mutuamente excludentes, e muitos pacientes sob os cuidados do dr. Esselstyn continuaram tomando os medicamentos para problemas cardíacos. O importante é ter uma compreensão realista do quão limitado é o poder do conteúdo da sua caixinha de remédios comparado ao conteúdo da sua geladeira. Se os médicos continuarem a depender de remédios e *stents*, a doença cardíaca permanecerá sendo a principal causa de morte entre os homens e as mulheres e, com o tempo, também entre os nossos filhos. Contudo, quando se tem uma dieta saudável o suficiente, é possível superar as limitações que tais recursos têm sobre o coração. Isso é algo do qual os médicos podem se orgulhar em divulgar aos pacientes.

Aspirina

E quanto à eficácia dos remédios de venda livre? Tomemos como exemplo a Aspirina, que talvez seja o medicamento mais usado do mundo.[57] Ela existe na forma de comprimido há mais de um século e seu ingrediente ativo, o ácido salicílico, é usado há milhares de anos em sua forma natural (um extrato da casca do salgueiro) para aliviar a dor e a febre.[58] Um dos motivos para que a Aspirina ainda seja popular — apesar de existirem hoje analgésicos anti-inflamatórios melhores — é o fato de ela ser usada todos os dias por milhões de pessoas para afinar o sangue e, com isso, reduzir o risco de ataque cardíaco. Como foi visto no Capítulo 1, o ataque cardíaco ocorre quando um coágulo sanguíneo se forma em resposta ao rompimento de uma placa aterosclerótica em uma das artérias coronárias. Tomar Aspirina pode impedir que isso aconteça.

Ela também pode diminuir o risco de câncer,[59] já que age suprimindo uma enzima do corpo que cria fatores pró-coagulação, afinando assim o sangue. Ao mesmo tempo, a Aspirina suprime compostos pró-inflamatórios chamados prostaglandinas, o que por sua vez reduz a dor, o inchaço e a febre. As prostaglandinas também dilatam os vasos linfáticos dentro de tumores, permitindo, assim, que as células de câncer se espalhem. Os cientistas acreditam que uma das maneiras pelas quais a Aspirina ajuda a prevenir mortes por câncer é ao agir

COMO NÃO MORRER DE CAUSAS IATROGÊNICAS | 291

contra as tentativas do tumor de arrombar as grades linfáticas de sua gaiola e se espalhar pelo organismo.[60]

Então todo mundo deveria tomar uma Aspirina "infantil" por dia? (Repare que, na verdade, nunca se deve dar Aspirina a bebês ou crianças.)[61] Não, não deve. O problema é que a Aspirina pode causar efeitos colaterais. O mesmo benefício de afinar o sangue que ajuda a prevenir um ataque cardíaco pode também causar um derrame hemorrágico em que há sangramento dentro do cérebro. Ela também pode danificar a parede interna do sistema digestório. Para quem já sofreu um ataque cardíaco e mantém a mesma dieta que o causou (e está, portanto, correndo um risco excessivamente alto de sofrer outro), a análise risco-benefício parece clara: a Aspirina poderia impedir seis vezes mais problemas graves do que poderia causar. Mas, na população em geral, entre quem ainda não teve o primeiro ataque cardíaco, os riscos e benefícios ficam mais perto de se equiparar.[62] Então, de forma geral não se recomenda tomar uma Aspirina por dia.[63] Acrescente até uma redução de 10% na mortalidade por câncer e então o equilíbrio entre risco e benefício poderia pender em favor do medicamento.[64] Considerando que esse uso em dose baixa, de modo regular, pode reduzir em um terço o risco de mortalidade por câncer,[65] é tentador recomendá-la a quase todo mundo. Se ao menos fosse possível obter os benefícios sem ter que arcar com o risco...

Bem, talvez seja possível.

O salgueiro não é a única planta que contém ácido salicílico. Essa substância está presente em muitas frutas, legumes e verduras.[66] É por isso que se costuma encontrar o ingrediente ativo da Aspirina na corrente sanguínea de quem não a está tomando.[67] Quanto mais frutas, legumes e verduras se come, maior deve ser o nível de ácido salicílico no sangue.[68] De fato, os níveis dessa substância na corrente sanguínea de pessoas com dietas à base de vegetais batem com os de alguns indivíduos que tomam doses baixas de Aspirina.[69]

Com todo esse ácido salicílico fluindo no organismo, seria de se pensar que quem tem uma alimentação à base de vegetais apresentaria índices de úlcera maiores, já que a Aspirina é conhecida por agredir as mucosas do sistema digestório. Entretanto, esse grupo parece, ter um risco de úlcera bem *menor*.[70] Mas como isso é possível? Isso se deve ao fato de nos vegetais o ácido salicílico estar naturalmente pré-embalado com nutrientes que protegem as vísceras. Por exemplo, o óxido nítrico dos nitratos obtidos por meio da alimentação protege o estômago, estimulando o fluxo sanguíneo e a produção de um muco protetor na parede interna desse órgão — efeitos que combatem a tendência da Aspirina em gerar úlceras.[71] Portanto, no caso da população em geral, ao comer vegetais em vez de tomar Aspirina é possível não apenas obter os benefícios do medicamento sem ter que assumir seus riscos, como também obter ainda mais benefícios.

Quem já sofreu um ataque cardíaco deve seguir os conselhos de seu médico, que provavelmente incluem tomar uma Aspirina todos os dias. Mas e todas as outras pessoas? Eu acho que todo mundo deve tomar Aspirina — mas na forma de produtos agrícolas, não de um comprimido.

O conteúdo de ácido salicílico presente nos vegetais pode ajudar a explicar por que dietas tradicionais à base de vegetais conseguem ser tão protetoras. Por exemplo, antes do processo de ocidentalização da alimentação, os produtos de origem animal constituíam apenas 5% da dieta japonesa média.[72] Durante um período nos anos 1950, os índices de morte devido a ocorrências de câncer de cólon, próstata, mama e ovário, levando em consideração a idade, eram de cinco a dez vezes mais baixos no Japão do que nos Estados Unidos, enquanto as incidências de câncer de pâncreas, leucemia e linfoma eram de três a quatro vezes menores. Esse fenômeno não era exclusivo dos japoneses. Conforme foi visto neste livro, verificou-se que os índices ocidentais de câncer e doença cardíaca são muito mais baixos em populações cuja alimentação se baseia em alimentos vegetais.[73]

Se parte dessa proteção provém de fitonutrientes da Aspirina, que vegetais específicos estão repletos dessas substâncias? Embora o ácido salicílico esteja sempre presente em frutas, legumes e verduras, as ervas e temperos contêm as concentrações mais altas.[74] A pimenta-malagueta em pó, a páprica e o cúrcuma são ricos no composto, porém o cominho é o que tem mais por porção — uma única colher de chá de cominho moído tem o equivalente a uma Aspirina infantil. Isso talvez explique por que a Índia, com suas dietas ricas em temperos, detém um dos índices mais baixos do mundo de câncer colorretal[75] — o câncer tido como mais sensível aos efeitos da Aspirina.[76]

E, quanto mais temperado, melhor! Calculou-se que um vindalho picante de legumes e verduras contém quatro vezes mais ácido salicílico do que um prato vegetariano de estilo Madras mais suave. Em uma única refeição, é possível obter o mesmo pico de ácido salicílico na corrente sanguínea de quando se toma uma Aspirina.[77]

Os benefícios gerados pelo ácido salicílico são outro motivo pelo qual se deve priorizar o consumo de produtos orgânicos. Como as plantas usam o composto como um hormônio de defesa, a concentração deste é maior quando o vegetal é picado por insetos. Plantas abarrotadas de inseticida não são tão picadas e, talvez por isso, parecem produzir menos ácido salicílico. Por exemplo, em um estudo, constatou-se que sopas feitas com legumes e verduras orgânicos contêm quase seis vezes mais ácido salicílico do que as preparadas com ingredientes convencionais, não cultivados de forma orgânica.[78]

Outro modo de obter mais ácido salicílico é optar por alimentos não processados. Os pães feitos com grãos integrais não apenas fornecem mais ácido salicílico como contêm em geral cem vezes mais fitoquímicos do que o pão branco — segundo consta, oitocentos em comparação a cerca de oito.[79]

A atenção tem se concentrado no ácido salicílico por causa dos substanciais dados sobre a Aspirina, porém, verificou-se que centenas de outros fitonutrientes também proporcionam ação anti-inflamatória e antioxidante. Ainda assim, considerando a força das evidências sobre a Aspirina, na comunidade de saúde pública há quem fale em uma "deficiência de ácido salicílico" disseminada, propondo que o composto seja classificado como uma vitamina essencial: a "vitamina S" [do nome em inglês *salicylic acid deficiency*].[80] Quer seja o ácido salicílico ou uma combinação de outros nutrientes o responsável pelos benefícios dos alimentos vegetais não processados, a solução é a mesma: consuma-os mais.

Colonoscopias

Colonoscopia. É difícil pensar em um procedimento de rotina que seja mais temido do que ele. Todo ano nos Estados Unidos, os médicos realizam mais de quatorze milhões de colonoscopias,[81] um exame utilizado para detectar alterações anormais no intestino grosso (cólon) e no reto. Durante o procedimento, o médico insere um tubo flexível de 1,5 metro de comprimento, equipado com uma pequena câmera de vídeo, e infla o cólon com ar para visualizar a parede interna do órgão. Durante o procedimento, é retirada uma amostra de qualquer pólipo suspeito ou outro tecido anormal a fim de que seja feita uma biópsia. A colonoscopia auxilia no diagnóstico das causas de sangramento retal ou diarreia crônica, mas o motivo mais comum para que seja realizada é o fato de ela fazer parte dos exames de rotina para detectar o câncer de cólon.

As razões pelas quais os médicos costumam ter dificuldade em convencer os pacientes a fazerem novas colonoscopias incluem a preparação do intestino, durante a qual é necessário beber litros de um forte líquido laxante a fim de deixar o intestino completamente vazio. Há também a dor e o desconforto do procedimento em si[82] (embora o paciente receba remédios com efeitos amnésicos para que não se lembre de como se sentiu),[83] a sensação de constrangimento e vulnerabilidade e o temor de complicações.[84] E eles não são infundados. Apesar da forma rotineira com que as colonoscopias são realizadas, ocorrem complicações graves em um em cada 350 casos, incluindo problemas como perfurações e sangramentos fatais.[85] Podem ocorrer perfurações quando a ponta do colonoscópio fura a parede do cólon, quando este é inflado em excesso ou quando o médico cauteriza um local de biópsia que está sangrando. Em casos muito raros, essa cauterização pode ativar algum gás residual e levar o cólon a literalmente explodir.[86]

A morte por colonoscopia é rara, ocorrendo em apenas um em cada 2.500 procedimentos.[87] Mas isso significa que esse exame pode estar matando milhares de americanos a cada ano, o que levanta a questão: os benefícios são maiores do que os riscos?

A colonoscopia não é a única técnica de exame para detectar câncer de cólon. A Força-Tarefa de Serviços Preventivos dos Estados Unidos [USPSTF, na sigla em inglês], órgão oficial de diretrizes de prevenção, considera a colonoscopia apenas uma das três estratégias aceitáveis de exame para identificar a presença de câncer de cólon. A partir dos cinquenta anos de idade, todo mundo deve fazer uma colonoscopia uma vez a cada dez anos, ter as fezes examinadas todo ano para verificar a presença de sangue oculto (o que não exige o uso de endoscópio) ou fazer uma retossigmoidoscopia a cada cinco anos, somado a um exame de fezes a cada três. As evidências em favor de colonoscopias "virtuais" ou pesquisas de DNA fecal foram consideradas insuficientes.[88] Os exames de rotina não são recomendados aos 75 anos, mas isso se deve ao fato de se pressupor que seus resultados tenham dado negativo ao longo de 25 anos. Se você tem 75 anos e nunca foi examinado, talvez seja uma boa ideia passar por exames pelo menos até chegar à casa dos oitenta anos.[89]

A retossigmoidoscopia utiliza um aparelho óptico bem menor do que o colonoscópio e gera dez vezes menos complicações.[90] Contudo, por poder percorrer apenas sessenta centímetros dentro do corpo, o aparelho pode deixar passar batido tumores mais internos. Então qual deles é o melhor no geral? Só descobriremos a resposta quando estudos randomizados e controlados sobre colonoscopia forem publicados, em meados dos anos 2020.[91] Entretanto, a maioria dos outros países desenvolvidos não recomenda nenhum dos dois procedimentos com o uso de aparelho óptico. Para exames de rotina para detectar câncer de cólon, eles ainda endossam a pesquisa de sangue oculto nas fezes (não invasivo).[92]

Qual das três opções é melhor para você? A Força-Tarefa de Serviços Preventivos recomenda que a decisão seja tomada individualmente, após você pesar os benefícios e riscos com o seu médico.

Mas até que ponto os médicos informam aos pacientes sobre suas opções? Para descobrir, pesquisadores gravaram consultas médicas em áudio. Eles estavam em busca de nove elementos essenciais para uma tomada de decisão informada, que incluíam explicar os prós e contras de cada opção, descrever as alternativas e se certificar de que o paciente entenda essas opções.[93]

COMO NÃO MORRER DE CAUSAS IATROGÊNICAS | 295

Infelizmente, quando se trata de exames para detectar o câncer de cólon, na maioria dos casos os médicos e profissionais de enfermagem analisados não deram nenhuma dessas informações vitais — zero dos nove elementos.[94] Como explicou um editorial da *Journal of the American Medical Association*: "Há probabilidades e incertezas demais para os pacientes considerarem e muito pouco tempo para que os clínicos as discutam com eles."[95] Portanto, os médicos tendem a decidir pelos pacientes. Mas o que eles escolhem? Uma pesquisa financiada pelo Instituto Nacional do Câncer com mais de mil médicos constatou que quase todos eles (94,8%) recomendavam uma colonoscopia.[96] Por que se promove a colonoscopia nos Estados Unidos enquanto a maior parte do restante do mundo parece preferir alternativas não invasivas?[97] Isso talvez se deva ao fato de a maioria dos médicos no restante do mundo não ser paga por procedimento.[98] Como explicou um gastroenterologista americano: "A colonoscopia [...] é a galinha que pôs o ovo de ouro."[99]

Uma análise do *The New York Times* sobre o custo crescente com saúde observou que, em muitos países desenvolvidos, a colonoscopia custa apenas algumas centenas de dólares. Mas e nos Estados Unidos? O procedimento pode custar milhares de dólares, o que os jornalistas concluíram que tem menos a ver com proporcionar uma assistência médica de primeira qualidade e mais com planos de negócios focados na maximização dos rendimentos, marketing e *lobby*.[100] Quem é responsável por estabelecer os preços? A Associação Médica Americana. Uma investigação do *The Washington Post* revelou que a cada ano uma comissão fechada dessa associação determina os padrões de faturamento para procedimentos comuns. O resultado é uma avaliação que arredonda para cima, de forma grosseira, o tempo que serviços comuns, como a colonoscopia, levam para ser realizados. Como observou o *The Washington Post*, fiando-se nos padrões da Associação Médica Americana, alguns médicos teriam que trabalhar mais de 24 horas por dia para realizar todos os procedimentos que reportam ao Medicare — o sistema de seguros de saúde gerido pelo governo americano — e a seguradoras privadas. Alguém se espanta com o fato de os gastroenterologistas faturarem quase 500 mil dólares por ano?[101]

Mas por que seu médico de família ou internista promove o procedimento se não é ele que o realiza? Muitos profissionais que encaminham seus pacientes a gastroenterologistas basicamente recebem propina. A Auditoria-Geral dos Estados Unidos chamou a atenção para essa chamada prática de autorrecomendação, um esquema em que os provedores encaminham os pacientes a entidades nas quais têm interesse financeiro. A auditoria estimou que os médicos fazem quase um milhão de encaminhamentos a mais a cada ano do que fariam se não obtivessem com isso um lucro pessoal.[102]

O que tomar antes de passar por uma colonoscopia

Você já chupou uma daquelas balas de menta para melhorar o hálito após uma grande refeição em um restaurante? A hortelã-pimenta não apenas melhora o hálito como ajuda a reduzir o reflexo gastrocólico — a vontade de defecar depois de uma refeição. Os nervos no estômago se distendem depois que se come, o que desencadeia espasmos no cólon para permitir que o corpo abra espaço para a comida que está descendo. A hortelã-pimenta reduz esses espasmos ao relaxar os músculos que revestem o cólon.[103]

Mas o que isso tem a ver com colonoscopia? Quando se pega tiras circulares de cólons humanos removidas em cirurgias e as coloca em uma mesa, elas espontaneamente se contraem três vezes por minuto. Isso não é meio assustador? Mas quando se pinga mentol (presente na hortelã--pimenta) nas tiras de cólon, a força das contrações diminui de modo significativo.[104] Durante uma colonoscopia, esses espasmos podem impedir o avanço do endoscópio e causar desconforto no paciente. Ao relaxar os músculos do cólon, a hortelã-pimenta torna o procedimento mais fácil tanto para o médico quanto para o paciente.

Médicos têm experimentado borrifar óleo de hortelã-pimenta pela ponta do colonoscópio,[105] bem como usar uma bomba manual para inundar o cólon de um líquido com a substância antes do procedimento.[106] Entretanto, a solução mais simples pode ser a melhor: pedir ao paciente para engolir cápsulas de óleo de hortelã-pimenta. Constatou-se que pré-medicar o correspondente a oito gotas de óleo essencial de hortelã-pimenta antes de uma colonoscopia reduz muito os espasmos do cólon, a dor do paciente e facilita a inserção e a retirada do colonoscópio, comparado a um placebo.[107]

Se você precisa fazer uma colonoscopia, pergunte ao seu médico sobre o uso desse remédio vegetal simples. Isso pode facilitar as coisas para você dois.

É notório que nos Estados Unidos os pacientes estão recebendo mais assistência médica do que de fato precisam. Essa é a afirmação da dra. Barbara Starfield, que escreveu um livro sobre medicina familiar.[108] Uma das médicas mais prestigiadas dos Estados Unidos, ela escreveu um texto contundente para a *Journal of the American Medical Association*, referindo-se à assistência médica como a terceira principal causa de morte entre os americanos.[109]

COMO NÃO MORRER DE CAUSAS IATROGÊNICAS | 297

Sua obra sobre medicina familiar foi bem aceita, porém, suas descobertas sobre a natureza potencialmente ineficiente e até prejudicial da medicina familiar no país quase não receberam atenção. "O público americano parece ter sido ludibriado a acreditar que mais intervenções levam a uma saúde melhor", declarou ela mais tarde em uma entrevista.[110] Como observou um consultor em qualidade de assistência médica, o pouco caso generalizado pelas evidências da dra. Starfield "lembra a distopia sombria de *1984*, de George Orwell, em que fatos estranhos são engolidos pelo 'buraco da memória', como se nunca tivessem existido".[111]

Infelizmente a dra. Starfield já não está entre nós. Por uma ironia do destino, ela pode ter morrido por causa de uma das reações adversas a remédios sobre as quais alertou com tanta veemência. Depois que passou a tomar dois remédios afinadores de sangue para evitar que um *stent* no coração acabasse obstruído, ela avisou ao seu cardiologista que estava se machucando mais e sangrando por mais tempo — esse é o risco do medicamento que se espera que não pese mais do que os benefícios. Aparentemente a dra. Starfield morreu após bater a cabeça enquanto nadava e ter uma hemorragia interna cerebral.[112]

A pergunta que faço a mim mesmo não é se ela deveria ter sido submetida a dois afinadores de sangue por tanto tempo quanto foi o caso — ou se, antes de mais nada, havia a real necessidade de ela ter um *stent*. Cerca de 96% dos ataques cardíacos podem ser evitados em mulheres que seguem uma dieta sadia e outros comportamentos de um estilo de vida saudável.[113] O principal assassino das mulheres quase nunca precisa aparecer.

PARTE 2

Introdução

Na Parte 1 deste livro, explorei a ciência que demonstra o auxílio que se pode obter com a alimentação à base de vegetais e rica em determinados alimentos na prevenção, no tratamento e até na reversão das quinze principais causas de morte nos Estados Unidos. Para aqueles que já foram diagnosticados com uma ou mais dessas doenças, as informações da Parte 2 podem salvar vidas. Mas, no caso de todas as outras pessoas — talvez as preocupadas em desenvolver uma doença genética já existente na família ou as que simplesmente querem adotar uma alimentação que promova saúde e longevidade —, a principal questão pode ter a ver com as escolhas de alimentos feitas todos os dias. Já dei mais de mil palestras, e uma das perguntas mais comuns que me fazem é: "O que *você* come todos os dias, dr. Greger?"

A Parte 2 de *Comer para não morrer* é a minha resposta.

Eu nunca fui tão louco por doces quanto era por gordura. Pizza de pepperoni. Uma porção de asas de frango fritas. Batatas chips com *sour cream* e cebola. Um bacon cheesebúrguer da Hardee's quase todo dia na época do ensino médio. Qualquer coisa oleosa e gordurosa — e tudo regado a um refrigerante Dr. Pepper bem gelado. Ok, talvez eu fosse um pouco louco por doces. Também gostava muito de donuts com cobertura de morango.

Embora a milagrosa recuperação da minha avó de uma doença cardíaca tenha me inspirado a seguir a carreira médica, eu só reavaliei a minha alimentação após a publicação do Lifestyle Heart Trial, o estudo decisivo do dr. Ornish, em 1990. Eu era tão nerd durante o ensino médio que passava as férias de verão na biblioteca de ciências da universidade local. E ali estava o estudo, publicado na revista médica com maior prestígio do mundo — uma prova de que a história da minha família não era um feliz acaso: a doença cardíaca podia ser revertida. O dr. Ornish e sua equipe haviam tirado raios X de artérias de pessoas antes e depois de sua intervenção, demonstrando assim como esses vasos podiam ser desobstruídos sem recorrer à angioplastia. Sem cirurgia. Sem remédio milagroso. Apenas com uma dieta à base de vegetais e outras mudanças que levassem a um estilo de vida saudável. Foi isso que me motivou a mudar minha própria alimentação e despertou minha paixão, que já dura 25 anos, pela ciência da nutrição. Desde aquele momento, tenho estado determinado a divulgar o poder dos alimentos de tornar e manter você saudável e, se necessário, de recuperar a sua saúde.

Para os propósitos deste livro, criei duas ferramentas simples que ajudarão você a integrar a sua vida diária tudo o que aprendi:

1. Um sistema de Sinal de Trânsito para identificar rapidamente as opções mais saudáveis.

2. Uma lista dos Doze por Dia [Daily Dozen], que ajudará você a incorporar os alimentos que considero essenciais para uma alimentação ideal. (Dê uma olhada no aplicativo grátis Daily Dozen para iPhone e Android.)

Então quais são os alimentos bons para você, e quais são os ruins?

Essa parece ser uma pergunta simples. Na verdade, acho difícil respondê-la. Sempre que me perguntam em uma palestra se determinado alimento é saudável, invariavelmente respondo: "Comparado a quê?" Por exemplo, o ovo é saudável? Comparado à farinha de aveia, com certeza não é. Mas comparado à salsicha, que, nos Estados Unidos costuma ser servida com ele no café da manhã? Sim, ele é.

E a batata-inglesa? Ela é colhida de uma planta, então deve ser saudável, certo? Alguém me perguntou isso alguns anos atrás, depois que um grupo de pesquisadores de Harvard levantou suspeitas em relação à batata assada e ao purê.[1] Então, ela é saudável? Comparada à batata frita, sim, ela é. E comparada à batata-*doce* assada ou ao purê de batata-*doce*? Não, ela não é.

Sei que essas respostas podem não agradar quem só quer saber se deve ou não comer a bendita da batata, mas a única maneira de responder a essa pergunta de forma adequada é questionando quais são as opções. Se você está em um restaurante fast-food, por exemplo, a batata assada pode muito bem ser a opção mais saudável.

Comparado a quê? não é só um exercício socrático de aprendizado que faço com meus pacientes e alunos. Comer é basicamente um jogo de soma zero: quando se escolhe comer uma coisa, em geral está se escolhendo não comer outra. Claro que é possível continuar com fome, mas no fim o corpo tende a equilibrar as coisas comendo mais depois. Portanto, tudo que optamos por comer tem um custo de oportunidade.

Toda vez que você come ou bebe algo, é uma oportunidade perdida de consumir um alimento ainda mais saudável. Pense nisso como ter 2 mil dólares na sua conta calórica todos os dias. Como você quer gastá-los? Pelo mesmo número de calorias, você pode comer um Big Mac, cem morangos ou um balde de dezenove litros de salada. Obviamente, essas três opções não pertencem ao mesmo nicho culinário — quando se quer comer um hambúrguer não tem jeito, e eu não vejo os morangos se tornando um grande sucesso de vendas em redes de fast-food, pelo menos não em um futuro próximo —, mas elas são um exemplo de como é imenso o valor nutritivo que pode ser comprado com o mesmo dólar calórico.

Os custos de oportunidade cobrados não englobam apenas os nutrientes que se poderia obter de outro modo, mas os componentes prejudiciais que se poderia evitar. Afinal, quando foi a última vez que um amigo seu recebeu o diagnóstico de Kwashiorkor, escorbuto ou pelagra? Essas são algumas das tradicionais doenças de deficiência de nutrientes sobre as quais as bases do campo da nutrição foram construídas. Até hoje, os profissionais da área de nutrição e dieta permanecem focados nos nutrientes que podem estar faltando no organismo, porém, a maioria de nossas doenças crônicas tem mais a ver com aquilo que estamos ingerindo em excesso. Você conhece alguém que esteja sofrendo de obesidade, doença cardíaca, diabetes tipo 2 ou hipertensão arterial?

Mas não é caro se alimentar de forma saudável?

Pesquisadores de Harvard tentaram descobrir quais são as maiores relações custo-benefício comparando o custo nos Estados Unidos e os benefícios que vários alimentos poderiam trazer à saúde. Eles constataram que, em termos de valor nutritivo por dólar, as pessoas deveriam comprar mais oleaginosas, alimentos de soja, feijões e grãos integrais, e menos carne e laticínios. E concluíram: "A compra de alimentos à base de vegetais é o melhor investimento para a saúde da dieta."[2]

Os alimentos menos saudáveis ganham dos mais saudáveis apenas em termos de custo por caloria — e essa era a forma como se media o custo da comida no século XIX. Naquela época, a ênfase estava em calorias baratas, não importando como elas eram obtidas. Desse modo, embora o feijão e o açúcar tivessem o mesmo preço na época (10 centavos de dólar o quilo), o

Departamento de Agricultura dos Estados Unidos promovia o açúcar como tendo um custo que compensava mais por puro "valor combustível".[3]

O Departamento de Agricultura pode ser perdoado por não levar em conta a diferença nutricional entre o feijão e o açúcar puro. Afinal, àquela altura as vitaminas ainda não tinham sido descobertas. Hoje, temos mais conhecimento e podemos comparar o custo dos alimentos com base no conteúdo nutricional. Uma porção média de legumes e verduras pode custar quatro vezes mais do que uma porção média de junk-food, mas ela pode ser 24 vezes mais nutritiva. Portanto, em termos de custo por nutrição, legumes e verduras oferecem seis vezes mais nutrição por dólar, comparados a alimentos muito processados. A carne custa o triplo que os legumes e as verduras, mas rende dezesseis vezes menos nutrição com base em um conjunto de nutrientes.[4] Como a carne é menos nutritiva *e* custa mais, os legumes e as verduras rendem ao consumidor *48 vezes* mais nutrição por dólar do que ela.

Se o seu objetivo é ingerir o máximo possível de calorias pela menor quantia de dinheiro, então os alimentos mais saudáveis saem perdendo; mas, se você quer se *nutrir* pelo menor custo possível, não olhe além da seção de hortifrúti. Gastando apenas 50 centavos de dólar a mais por dia em frutas, legumes e verduras, você acaba comprando uma queda de 10% em mortalidade.[5] Uma pechincha! Imagine se existisse uma pílula que reduzisse em 10% suas chances de morrer na próxima década e tivesse apenas efeitos colaterais bons. Quanto você acha que uma empresa farmacêutica cobraria por ela? Provavelmente mais de 50 centavos de dólar.

Comendo de acordo com o sinal de trânsito

As diretrizes alimentares oficiais do governo dos Estados Unidos têm (no momento em que escrevo este livro) um capítulo dedicado aos "componentes alimentares a serem reduzidos", que lista especificamente açúcares adicionados, calorias, colesterol, gordura saturada, sódio e gordura trans.[6] Ao mesmo tempo, há deficiência de pelo menos nove nutrientes, os quais não são ingeridos adequadamente por pelo menos um quarto da população do país. São eles: fibras; os minerais cálcio, magnésio e potássio; e as vitaminas A, C, D, E e K.[7] Mas as pessoas não comem "componentes" de alimentos. Elas comem alimentos. Não existe uma seção de magnésio na mercearia. Então quais são os alimentos que tendem a ter mais componentes bons e menos componentes ruins? Eu simplifiquei a questão na ilustração do sinal de trânsito (ver Figura 5).

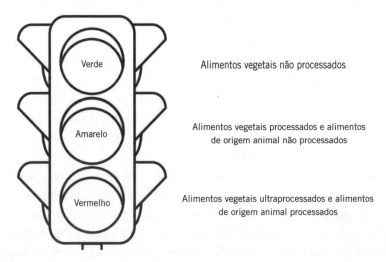

Figura 5

Assim como na rua, *verde* significa siga em frente, *amarelo* significa atenção e *vermelho*, pare. (Nesse caso, pare e reflita antes de ingerir o alimento.) O ideal é comer o máximo possível de itens da luz verde, o mínimo possível dos da luz amarela e evitar os da luz vermelha.

Mas será que *evitar* é uma palavra forte demais? Afinal, as diretrizes alimentares do governo americano apenas incentivam a população a "moderar" a ingestão de alimentos que não são saudáveis.[8] Por exemplo: "Coma menos [...] doces."[9] Entretanto, levando em conta a sua saúde, você não deveria em geral evitar os doces? As autoridades de saúde pública não se limitam a aconselhar a população a fumar *menos*; elas orientam a população a parar de fumar. As autoridades sabem que apenas uma pequena fração dos fumantes seguirá o conselho, mas é função delas dizer o que é melhor e deixar que as pessoas decidam por si mesmas.

É por isso que prezo pelas recomendações do Instituto Americano de Pesquisa em Câncer. Sem ter nenhum compromisso com o Departamento de Agricultura dos Estados Unidos, o instituto simplesmente apresenta os dados científicos. Quando se trata do pior dos piores, o instituto não pega leve. Diferente das diretrizes alimentares do governo para se consumir menos refrigerante,[10] as diretrizes para prevenção de câncer do instituto aconselham: "Evite bebidas açucaradas." De maneira semelhante, ele não diz apenas para que se reduza o consumo de bacon, presunto, salsicha, linguiça e frios. Suas diretrizes para prevenir o câncer aconselham a "evitar carne processada". Ponto. Mas por que ele dá essa orientação? Porque os "dados não corroboram nenhum nível de ingestão que possa, de forma confiável, demonstrar não estar associado a riscos".[11]

A dieta mais saudável é aquela em que se ingere o máximo possível de alimentos vegetais integrais e o mínimo possível de alimentos de origem animal e porcarias processadas. Explicando de maneira simples, coma mais alimentos da luz verde. Coma menos alimentos da luz amarela. E, principalmente, coma ainda menos alimentos da luz vermelha. Assim como ocorre quando se atravessa o sinal vermelho no mundo real, você pode escapar ileso de vez em quando, mas eu não recomendaria fazer disso um hábito.

Considerando isso, o que vimos nos capítulos anteriores faz muito sentido. Os alimentos vegetais não processados tendem a ter mais nutrientes protetores que estão em falta na alimentação dos americanos e menos fatores promotores de doenças. Não é de se admirar que o hábito alimentar considerado mais capaz de controlar nossas epidemias de doenças alimentares seja uma dieta à base de vegetais e alimentos integrais. Afinal, comer é pesar prós e contras..

Esse é um dos conceitos mais importantes em tudo que diz respeito à nutrição. Sim, há cálcio no queijo, proteína na carne de porco e ferro na bovina, mas e o que vêm na esteira desses nutrientes: a dose de hormônios dos laticínios, a banha de porco, a gordura saturada? Por mais que o Burger King anuncie que você pode comer "do seu jeito", não tem como ir ao balcão e pedir um hambúrguer sem gordura saturada e sem colesterol. Comer é, de fato, avaliar prós e contras.

Os laticínios são a principal fonte de cálcio nos Estados Unidos, mas também a principal fonte de gordura saturada. E o que vem "na esteira" do cálcio nas verduras? Fibras, folato, ferro e antioxidantes: justamente alguns dos nutrientes ausentes no leite. Ao se obter a maior parte da nutrição por meio de alimentos vegetais integrais, a "esteira" traz coisas positivas.

Quando o Conselho Nacional do Porco [NPB, na sigla em inglês] promove o presunto como uma "excelente fonte de proteína",[12] eu não consigo deixar de pensar na famosa citação de um vice-presidente sênior de marketing do McDonald's que, sob juramento em um tribunal, descreveu a Coca-Cola como nutritiva porque "fornece água".[13]

Por que as diretrizes para dieta não dizem não?

A mensagem da luz verde brilha forte em pronunciamentos que aconselham a população a "comer mais frutas, legumes e verduras", porém, as luzes amarela e

INTRODUÇÃO | 307

vermelha podem ser fracas e indistintas graças à política. Em outras palavras, as diretrizes são claras quando a mensagem é para que se coma mais ("Coma mais produtos agrícolas frescos"), enquanto a mensagem para que se coma menos é obscurecida recorrendo-se aos nomes dos componentes bioquímicos ("Coma menos ácidos graxos saturados e trans"). É muito raro que as autoridades nacionais da saúde dos Estados Unidos digam "coma menos carne e laticínios". É por isso que minha mensagem da luz verde soa familiar a você ("Ah, 'comer frutas, legumes e verduras', já ouvi isso antes") e as mensagens das luzes amarela e vermelha podem soar controversas ("O quê? Comer o mínimo de carne? É sério?").

Parte da missão do Departamento de Agricultura dos Estados Unidos é "expandir mercados para produtos agrícolas".[14] Ao mesmo tempo, é função da agência federal proteger a saúde pública ajudando a desenvolver as diretrizes alimentares do governo. É por isso que, quando essas duas diretivas estão em sincronia, a linguagem sobre alimentação é mais clara: "Aumente a ingestão de frutas." "Aumente o consumo de legumes e verduras."[15] Mas, quando essas atribuições estão em conflito — quando "melhorar a nutrição e a saúde" diverge de promover "a produção agrícola"[16] —, a mensagem de "coma menos" das diretrizes alimentares recebe uma nova roupagem e acaba falando de componentes bioquímicos: "Reduza a ingestão de gorduras sólidas (grandes fontes de ácidos graxos saturados e trans)."

Mas o que o consumidor médio deve fazer em relação a essa informação obscura?

Quando as diretrizes lhe dizem para consumir menos açúcar adicionado, calorias, gordura saturada, sódio e gordura trans, esse é o código para comer menos porcarias, carne, laticínios, ovo e alimentos processados. Mas as diretrizes não podem dizer isso de forma clara. Quando o fizeram, tempos atrás, foi um desastre. Por exemplo, quando a *newsletter* dos funcionários do Departamento de Agricultura apenas sugeriu que as pessoas tentassem ter um almoço sem carne uma vez por semana, como parte da iniciativa Segunda sem Carne da Faculdade de Saúde Pública da Universidade Johns Hopkins,[17] a reação política — proveniente da indústria de carne — levou a agência governamental a retirar a orientação horas depois.[18] Uma análise da *Food and Drug Law Journal* observa que, "como resultado desses conflitos [de interesse], as diretrizes às vezes favorecem os interesses das indústrias alimentícia e farmacêutica em detrimento do interesse público, que exigiria conselhos precisos e imparciais relacionados à alimentação".[19]

Isso lembra um relatório decisivo sobre gordura trans elaborado pelo Instituto de Medicina da Academia Nacional de Ciências, uma das instituições de maior prestígio dos Estados Unidos.[20] A academia concluiu que nenhuma quantidade de gordura trans é segura "porque qualquer aumento incremental de ingestão de gordura trans aumenta o risco de doença arterial coronariana".[21] Como essas gorduras estão naturalmente presentes na carne e nos laticínios,[22] a declaração colocou a entidade em um dilema: "Como as gorduras trans são inevitáveis nas dietas comuns, não veganas, consumir 0% de energia exigiria mudanças significativas nos padrões de ingestão alimentar."[23]

Então, se as gorduras trans estão presentes na carne e nos laticínios e a única ingestão segura de gorduras trans é zero, isso significa que o Instituto de Medicina continuou incentivando todo mundo a adotar uma dieta à base de vegetais, certo? Não, ele não fez isso. O diretor do Programa de Epidemiologia Cardiovascular de Harvard deu uma explicação que se tornaria famosa: "Não podemos dizer às pessoas que parem de comer todas as carnes e todos os laticínios. Bem, poderíamos dizer às pessoas que se tornem vegetarianas. Se verdadeiramente baseássemos isso apenas na ciência, nós o faríamos, mas isso é um pouco extremo."[24]

Nós, com certeza, não iríamos querer que cientistas baseassem as coisas na ciência!

Quão lamentável é a dieta americana padrão?

Por mais cético que eu tenha me tornado em relação a dieta e nutrição nos Estados Unidos, fiquei surpreso com um relatório de 2010 do Instituto Nacional do Câncer sobre o estado da dieta americana. Por exemplo, três em cada quatro americanos não consomem um único pedaço de fruta por dia, e quase nove em cada dez não alcançam a recomendação de ingestão diária mínima de legumes e verduras. Semanalmente, 96% dos americanos não batem o consumo mínimo de verduras e feijões (três porções por semana para adultos), 98% não comem o mínimo de legumes alaranjados (duas porções por semana) e 99% não ingerem o mínimo de grãos integrais (de 85 a 115 gramas por dia).[25]

E ainda tem a junk-food. As diretrizes federais eram tão negligentes que apregoavam que até 25% da dieta da população poderia ser formada por "calorias facultativas", o que significa "porcarias". Por esse parâmetro, daria para ficar dentro das recomendações das diretrizes mesmo que um quarto das calorias da alimentação fosse obtido com algodão--doce acompanhado pelo refrigerante. E, apesar disso tudo, nós fracassamos. Surpreendentemente, 95% dos americanos excediam o limite de calorias facultativas. Apenas *uma em cada mil* crianças americanas de dois a oito anos de idade estava abaixo do limite, consumindo menos do que o equivalente a uma dúzia de colheres cheias de açúcar por dia.[26]

E nós ainda nos questionamos por que estamos enfrentando uma epidemia de obesidade?

"Como conclusão", escreveram os pesquisadores, "quase toda a população dos Estados Unidos mantém uma dieta que não corresponde às recomendações. Tais descobertas acrescentam mais uma peça ao quadro um tanto perturbador que está surgindo da alimentação em crise de uma nação".[27]

Os fabricantes de produtos que não são saudáveis não estão tentando deixar você doente. Estão simplesmente tentando ganhar dinheiro. A margem de lucro da Coca-Cola, por exemplo, é de um quarto do preço de varejo do refrigerante, o que torna a produção de refrigerantes, juntamente com a de cigarros, uma das indústrias mais lucrativas do mundo.[28] O mais difícil de entender, no entanto, é por que a comunidade da saúde pública não está fazendo mais em relação a isso.

O chefe do Rudd Center for Food Policy & Obesity, da Universidade de Yale, declarou que "quando a história da tentativa do mundo de lidar com a obesidade for escrita, a maior falha poderá ser a colaboração e a conciliação com a indústria alimentícia".[29] Por exemplo, a Susan G. Komen, uma importante instituição de caridade voltada para a prevenção do câncer de mama nos Estados Unidos, associou-se à gigante do fast-food KFC para vender baldes cor-de-rosa de frango frito.[30]

A Save the Children costumava liderar o grupo que faz pressão pela taxação de impostos sobre refrigerantes com o objetivo de compensar o custo da obesidade infantil. No entanto, depois, a organização mudou radicalmente seu posicionamento e retirou seu apoio, afirmando que tais campanhas já não "combinavam com a maneira como a Save the Children trabalha". Talvez seja só coincidência o fato de ela estar buscando uma subvenção da Coca-Cola e já ter aceitado uma doação de 5 milhões de dólares da Pepsi.[31]

Embora os hábitos alimentares hoje estejam matando mais americanos do que o hábito de fumar,[32] com frequência ouço nos círculos da saúde pública o mantra de que temos que trabalhar com — e não contra — essas empresas porque, ao contrário do que ocorre com o cigarro, não precisamos fumar, mas precisamos comer.[33] Bem, nós precisamos respirar, mas não precisamos respirar fumaça. E sim, nós precisamos comer, mas não precisamos comer porcaria.

Como definir um alimento como "processado"?

Meu esquema de Sinal de Trânsito enfatiza dois conceitos gerais importantes: os alimentos vegetais — que têm mais fatores nutricionais protetores e menos fatores promotores de doenças — são mais saudáveis do que os alimentos de origem animal; e os alimentos não processados são mais saudáveis do que os processados. Isso é sempre verdade? Não. Eu estou dizendo que todos os alimentos vegetais são melhores do que todos os alimentos de origem animal? Não. Na verdade, um dos piores itens nas prateleiras dos mercados é a gordura vegetal parcialmente hidrogenada — um produto que tem *vegetal* no nome! Até alguns vegetais não processados — como a alga verde-azulada — podem ser tóxicos.[34] Quem já lidou com um sumagre venenoso sabe que as plantas nem sempre gostam que se metam com elas. Mas, no geral, devemos escolher alimentos vegetais em vez de alimentos de origem animal, e não processados em vez de processados. Michael Pollan, autor do best-seller *O dilema do onívoro*, afirma:"Se veio de uma planta, coma. Se foi feito de uma planta, não coma."[35]

Mas o que eu quero dizer com *processado*? O exemplo clássico é moer grãos de trigo integral para fazer farinha branca. Não é irônico chamá-los de "grãos refinados", uma palavra que significa aprimorado ou tornado mais elegante? A elegância não foi sentida por milhões de pessoas que morreram no século XIX de beribéri, uma doença de deficiência de vitamina B causada pelo polimento do arroz integral para torná-lo branco.[36] (O arroz branco agora é enriquecido com vitaminas para compensar o "refinamento".) Um prêmio Nobel foi concedido pela descoberta da causa do beribéri e de sua cura: o farelo de arroz, a parte marrom do arroz que era removida. Essa doença pode gerar danos ao músculo cardíaco, causando a morte por insuficiência cardíaca. Sem dúvida uma coisa dessas jamais poderia acontecer nos tempos modernos: uma epidemia de doença cardíaca que poderia ser prevenida e curada com uma mudança na alimentação? Ah, fala sério! (Por favor, releia o Capítulo 1.)

Entretanto, às vezes o processamento pode tornar o alimento mais saudável. Por exemplo, o suco de tomate talvez seja o único suco comum passível de ser mais saudável do que a fruta inteira. O processamento de produtos de tomate aumenta em até cinco vezes a disponibilidade de licopeno, um pigmento vermelho antioxidante.[37] De modo semelhante, a remoção da gordura da semente do cacau para fazer cacau em pó melhora o perfil nutricional, pois a manteiga de cacau é uma das raras gorduras vegetais saturadas (assim como o óleo de coco e o azeite de dendê) que podem aumentar o colesterol.[38]

Portanto, para os propósitos do esquema do Sinal de Trânsito, gosto de pensar em "não processado" como *nada de ruim adicionado, nada de bom retirado*. No

INTRODUÇÃO | 311

exemplo do parágrafo anterior, o suco de tomate poderia ser considerado relativamente não processado já que muitas fibras são retidas — a não ser que se acrescente sal, o que, para mim, o tornaria um alimento processado e o expulsaria na hora do sinal verde. De modo semelhante, eu consideraria o chocolate — mas não o cacau em pó — um alimento processado, por causa do açúcar adicionado.

Tendo em mente a minha definição de *nada de ruim adicionado, nada de bom retirado*, a aveia cortada em pedaços, os flocos de aveia e até a farinha de aveia instantânea (pura) podem ser considerados alimentos não processados. Obviamente, a amêndoa é um alimento vegetal integral. Eu também consideraria a manteiga de amêndoa sem adição de sal um alimento da luz verde, enquanto o leite de amêndoa não adoçado é um alimento processado, pois sua nutrição foi subtraída. Estou dizendo que o leite de amêndoa é ruim? Os alimentos não são exatamente bons ou ruins, mas sim melhores ou piores. Só estou dizendo que os alimentos não processados tendem a ser mais saudáveis do que os processados. Pense nisso assim: comer amêndoas é mais saudável do que beber leite de amêndoa.

Para mim, o papel limitado dos alimentos da luz amarela em uma alimentação saudável se deve ao fato de promoverem o consumo dos itens da luz verde. Por exemplo, se a única maneira de eu fazer com que os pacientes comam farinha de aveia de manhã é torná-la cremosa com leite de amêndoa, então lhes digo para acrescentarem o leite de amêndoa. O mesmo poderia ser dito sobre os alimentos da luz vermelha. Se não recorresse ao molho picante, minha ingestão de verduras verde-escuro despencaria. Sim, eu sei que há muitos tipos de vinagre sem sódio, temperados de maneiras exóticas, que eu poderia usar, e talvez um dia eu consiga me desapegar do Tabasco. Mas, considerando meu gosto atual, os fins verdes justificam os meios vermelhos. Se a única forma de você comer uma salada grande é salpicando chips de bacon, então vá em frente.

Os chips de bacon entram na categoria de alimentos *ultra*processados, sem nenhuma qualidade nutritiva que os redima, nenhuma semelhança com algo que tenha crescido na terra e, com frequência, contendo porcarias adicionadas. Eles têm, por exemplo, adição de gorduras trans, sal, açúcar e corante vermelho 40, proibido em vários países europeus.[39] Como alimento da luz vermelha, o ideal é que sejam evitados, mas, se a alternativa ao seu saladão de espinafre com chips de bacon é KFC, então é melhor comer a salada com bacon. Eles podem ser a colher de açúcar que faz o remédio descer. Aliás, o mesmo se aplica aos pedacinhos de bacon de verdade.

Percebo que algumas pessoas têm objeções religiosas ou éticas a quantidades até mesmo triviais de produtos de origem animal. (Como judeu criado perto da maior fábrica de carne suína a oeste do Mississippi, sei como é.) Mas, do ponto de vista da saúde humana, no que se refere aos produtos de origem animal e aos alimentos processados, é a dieta como um todo que importa.

O que significa exatamente "à base de vegetais e alimentos integrais"?

Às vezes, a dieta das pessoas adquire uma religiosidade toda própria. Eu me lembro de um homem que certa vez me contou que nunca conseguiria ficar "à base de vegetais" porque jamais abriria mão da sopa de galinha da sua avó. *Ãnh?* Então não desista! Após lhe pedir para mandar lembranças a sua avozinha, eu lhe disse que gostar da sopa dela não deveria impedi-lo de fazer escolhas mais saudáveis no restante do tempo. O problema do raciocínio de tudo ou nada é que ele faz com que as pessoas não deem nem sequer os primeiros passos. A ideia de *nunca* mais comer uma pizza de pepperoni de algum modo se transforma em uma desculpa para continuar pedindo-a toda semana. Por que não reduzir seu consumo para uma vez por mês ou reservá-la para ocasiões especiais? Não podemos deixar o "perfeito" ser inimigo do bom.

O mais importante é a alimentação do dia a dia. O que você come em ocasiões especiais é insignificante comparado ao que come todos os dias. Portanto, não se condene por querer pôr velas com aroma de bacon comestíveis no bolo de aniversário. (Eu não estou inventando isso!)[40] Seu corpo tem uma capacidade incrível de se recuperar de agressões esporádicas contanto que você não o provoque continuamente com um garfo.

Este livro não é sobre vegetarianismo, veganismo ou qualquer outro "ismo". Há pessoas que eliminam todo e qualquer produto de origem animal como parte de uma postura religiosa ou moral e podem acabar melhorando a saúde como um benefício colateral.[41] Mas estritamente do ponto de vista da saúde humana, seria difícil argumentar, por exemplo, que a dieta tradicional de Okinawa — que é 96% à base de vegetais[42] — é pior do que uma dieta ocidental típica 100% vegana. No guia "The Plant-Based Diet: A Healthier Way to Eat", da Kaiser Permanente, os autores definem uma dieta à base de vegetais como a que exclui por completo os produtos de origem animal, mas eles fazem questão de observar: "Se você não consegue fazer uma dieta à base de vegetais 100% do tempo, tenha como meta 80%. Qualquer iniciativa rumo ao consumo de a mais vegetais e menos produtos de origem animal pode melhorar a sua saúde!"[43]

Do ponto de vista da nutrição, o motivo pelo qual não gosto dos termos *vegetariano* e *vegano* é o fato de eles serem definidos apenas pelo que *não* se come.

INTRODUÇÃO | 313

Quando dava palestras em *campi* universitários, eu encontrava veganos que pareciam viver à base de batata frita e cerveja. Tecnicamente, eles eram veganos, mas sua alimentação não estava promovendo a saúde. É por isso que prefiro a expressão *nutrição à base de vegetais e alimentos integrais*. Pelo que sei, tendo em vista as provas científicas que temos disponíveis, a dieta mais saudável é a que tem como base os alimentos vegetais não processados. No dia a dia, quanto mais alimentos vegetais integrais e menos produtos de origem animal e processados, melhor.[44]

Preparando-se para adotar hábitos mais saudáveis

Primeiro você precisa se conhecer, de um ponto de vista psicológico. Há certos tipos de personalidade que se saem melhor quando entram com tudo. Se você tende a ter uma personalidade "viciante" ou se é o tipo de pessoa que faz as coisas de forma extrema — por exemplo, ou não bebe nada, ou bebe em excesso —, é provável que seja melhor tentar se focar no programa. Mas tem também quem consiga, por exemplo, "fumar socialmente"; consiga acender um cigarro algumas vezes no ano e escapar da dependência de nicotina.[45] Nós, médicos, defendemos que os fumantes larguem o cigarro em definitivo não por acharmos que um cigarro de vez em quando causará danos irreversíveis, mas por temermos que um cigarro possa levar a dois e logo se estabeleça o hábito prejudicial à saúde. De maneira semelhante, um hambúrguer (bem passado) não mata ninguém. É o que se come no dia a dia que conta. Você precisa fazer uma autoavaliação para saber se consegue superar o risco de escorregar ladeira abaixo.

Há um conceito em psicologia chamado "fadiga de decisão", que os publicitários usam para explorar os consumidores. Os seres humanos têm uma capacidade limitada de tomar muitas decisões em um intervalo de tempo curto, e a qualidade de nossas decisões se deteriora a ponto de começarmos a fazer escolhas totalmente irracionais. Você já se perguntou por que os supermercados colocam junk-food perto do caixa? Depois de passarmos pelos quarenta mil itens de um supermercado médio,[46] acabamos ficando com menos força de vontade para resistir a compras impulsivas.[47] Por isso, criar regras para si mesmo e segui-las pode ajudar você a fazer escolhas mais sensatas a longo prazo. Por exemplo, tomar a decisão inflexível de nunca cozinhar com óleo, evitar carne por completo ou comer apenas grãos integrais pode paradoxalmente resultar em mudanças de vida mais firmes. Quando não se tem porcarias em casa, remove-se a tentação removendo a opção. Eu sei que se tiver fome comerei uma maçã.

Pode haver também um argumento *fisiológico* para não se desviar radicalmente de uma dieta bem planejada. Após um cruzeiro de férias em que você se permitiu todo tipo de comida pesada, seu paladar fica entorpecido a ponto de os alimentos naturais dos quais você gostava uma semana antes já não satisfazerem seu gosto. Para alguns, isso exige apenas um período de readaptação; já para outros, esse afastamento de uma dieta saudável pode trazer de volta um exagero alimentar envolvendo adição de sal, açúcar e gordura.

Para aqueles de nós que crescemos seguindo a dieta americana padrão, começar a se alimentar de forma saudável pode ser uma grande mudança. Sei que para mim foi. Embora minha mãe sempre tentasse fazer com que comêssemos alimentos bons em casa, quando eu saía com os amigos detonávamos caixas de bolinhos Little Debbie e nos entregávamos a pratos gordurosos no restaurante chinês local, onde pedíamos costeletas de porco ou qualquer outro prato com nacos de carne frita. Um dos meus petiscos favoritos eram os Slim Jims, pedaços de carne-seca sabor *nacho* com queijo.

Felizmente consegui escapar das garras da dieta americana padrão antes que surgisse um problema de saúde evidente. Isso foi há 25 anos. Olhando para trás, vejo que foi uma das melhores decisões que tomei na vida.

Alguns fazem mudanças abruptas, enquanto outros preferem uma transição mais lenta, valendo-se de abordagens variadas. Ao atender pacientes, já sugeri o método dos três passos da Kaiser Permanente. Sabendo que a maioria das famílias americanas tende a alternar as mesmos oito ou nove pratos, o primeiro passo sugere que você pense em três pratos que já aprecia e que são à base de vegetais — como macarrão com molho marinara, que poderia ser facilmente substituído por macarrão integral e acrescido de alguns legumes. O segundo passo pede a você que pense em três pratos que já come e poderiam ser *adaptados* para se enquadrem na luz verde, como trocar o chili de carne bovina pelo chili de cinco feijões. O terceiro passo é o meu favorito: descubra novas opções saudáveis.[48]

Ironicamente muita gente que segue dietas saudáveis conta que hoje consome uma variedade ainda maior de alimentos do que quando mantinha uma dieta "irrestrita". Antes da disseminação do uso da internet, eu costumava dizer às pessoas para irem a bibliotecas públicas e pegarem emprestado livros de culinária. Hoje basta digitar "receitas à base de vegetais e alimentos integrais" no Google para que apareça um milhão de respostas. Se você está se sentindo atordoado [e sabe inglês], bons lugares para começar são:

- ForksOverKnives.com: Esse site, com o mesmo nome do documentário e do livro que fizeram bastante sucesso, oferece centenas de receitas.

INTRODUÇÃO | 315

- StraightUpFood.com: a professora de culinária Cathy Fisher compartilha mais de cem receitas nesse site.
- HappyHealthyLongLife.com: O slogan desse site é: "Aventuras de uma bibliotecária médica [da Cleveland Clinic] vivendo com base em evidências." Ela usou a palavra *evidências*; acho que estou apaixonado!

Uma vez que você descobriu três novos pratos que aprecia e consegue preparar com facilidade, o terceiro passo está completo. Você agora pode alternar nove pratos! Depois disso, no caso dos americanos, passar para o café da manhã e o almoço é fácil.

Se você odeia cozinhar e está interessado apenas na maneira mais barata e mais fácil de preparar refeições saudáveis, recomendo muito a série de DVDs *Fast Food*, de Jeff Novick. Usando alimentos comuns, como feijão em lata, legumes congelados, grãos integrais de cozimento rápido e mixes de temperos, Jeff mostra como você pode alimentar sua família de maneira saudável por 4 dólares por dia por pessoa. Os DVDs também incluem idas a mercearias, dicas de compras e informações sobre como decifrar tabelas de informações nutricionais. Dê uma olhada na série de culinária em jeffnovick.com/RD/DVDs.

Se você precisa de mais estrutura e apoio social, o Comitê Médico pela Medicina Responsável [PCRM, na sigla em inglês], uma organização sem fins lucrativos em prol de políticas e pesquisas em nutrição, em Washington, tem um fantástico programa inicial de três semanas para uma alimentação à base de vegetais. Dê uma olhada em 21DayKickstart.org. Esse programa de nutrição on-line gratuito começa no primeiro dia de cada mês e oferece um plano de refeições completo, receitas, dicas, recursos, um guia de restaurantes e um fórum comunitário. No momento em que este livro está sendo escrito, ele é oferecido em quatro idiomas. Centenas de milhares de pessoas já se beneficiaram do programa, portanto, sinta-se à vontade para tentar.

Sempre tento fazer com que meus pacientes pensem na alimentação saudável como um experimento. Pode ser opressivo pensar em uma mudança tão radical como algo permanente. É por isso que peço a eles que me deem três semanas. Percebo que, quando meus pacientes pensam nisso apenas como um experimento, é maior a probabilidade de se esforçarem de verdade e notarem ao máximo os benefícios. Mas isso é apenas eu tentando dar uma de esperto. Sei que após essas três semanas, se de fato se dedicaram ao regime, eles estarão se sentindo muito melhor, seus exames laboratoriais comprovarão isso e seu paladar terá começado a mudar. Alimentar-se de maneira saudável é algo que se torna cada vez mais saboroso conforme se vai repetindo a experiência.

Eu me lembro de conversar sobre isso com o dr. Neal Barnard, presidente fundador do Comitê Médico pela Medicina Responsável que publica um grande volume de pesquisas contrapondo dietas saudáveis a diversos males comuns — tem de tudo, desde acne e artrite até cólica menstrual e enxaqueca. Com frequência, ele usa o que é chamado de modelo de estudo "A-B-A". A saúde dos participantes é avaliada com base em sua dieta habitual e, em seguida, eles iniciam uma dieta terapêutica. A fim de assegurar que qualquer mudança na saúde sentida pelos pacientes com a nova dieta não seja apenas uma coincidência, eles voltam depois para a dieta habitual para que se verifique se as mudanças desaparecem.

Esse tipo de modelo de estudo rigoroso melhora a eficácia dos resultados, mas, segundo o dr. Barnard, o problema é que às vezes os participantes melhoram *demais*. Depois de algumas semanas sob uma dieta à base de vegetais, eles às vezes se sentem tão melhor que se recusam a voltar à dieta anterior[49] — embora isso seja exigido pelo protocolo do estudo. Como os participantes não concluem todo o processo conforme o planejado, seus dados têm que ser descartados e nunca constam no estudo final publicado. Ironicamente uma alimentação saudável pode ser tão efetiva que arruína os próprios estudos sobre sua eficiência!

Mas o que o dr. Greger come?

Costumam me perguntar sobre o que como. Sempre hesito em responder, por vários motivos. Primeiro, não deve ter importância o que eu ou qualquer outra pessoa come, diz ou faz. A ciência é a ciência. Uma parte grande demais do mundo da nutrição está dividida em partidos, cada qual seguindo seu respectivo guru. Que outro campo da investigação científica é assim? Afinal, 2 + 2 = 4, não importando o que o seu matemático preferido pensa. Isso porque não há uma indústria de 1 trilhão de dólares que lucra confundindo as pessoas em relação à aritmética. Se estivesse recebendo de todos os lados mensagens conflitantes sobre matemática básica, você, desesperado, teria que escolher uma autoridade e se apegar a ela, na esperança de que essa pessoa representasse da maneira correta as pesquisas disponíveis. Quem é que tem tempo de ler e decifrar todo o material que vem das fontes primárias?

Logo que comecei na carreira médica, decidi que não dependeria da interpretação de ninguém para o que, no fim das contas, poderiam ser decisões de vida ou morte para os meus pacientes. Eu tinha o acesso, os recursos e a experiência para interpretar a ciência por conta própria. Quando passei a fazer análises anuais da literatura em nutrição, só queria me tornar um médico melhor. Mas, quando descobri tamanho tesouro de informações, soube que não podia guardá-lo para

INTRODUÇÃO | 317

mim. Torço para que eu consiga compartilhá-lo mantendo o máximo de distância possível da equação. Não quero apresentar a dieta com a marca registrada do dr. Greger; quero apresentar a melhor dieta que existe baseada nas evidências científicas que temos. É por isso que em meus vídeos do NutritionFacts.org mostro os estudos originais, as tabelas, gráficos e citações com links para todas as fontes primárias. Tento restringir minha própria interpretação ao mínimo possível — embora, devo admitir, às vezes não consiga!

O que se escolhe fazer com as informações é muito pessoal e, com frequência, depende de fatores como a situação de vida de cada um e o quanto cada um está disposto a correr riscos. Com as mesmas informações, dois indivíduos podem tomar decisões totalmente diferentes, porém legítimas. Por esse motivo, venho hesitando em compartilhar minhas escolhas pessoais, por temer que elas influenciem indevidamente os outros a tomarem decisões que podem não ser corretas para eles. Eu preferiria apenas apresentar os dados científicos e deixar que cada um decida por si mesmo.

Além disso, os botões gustativos de cada indivíduo são diferentes. Consigo até imaginar alguém pensando: *Ele põe molho picante em quê?* Quando me ouvem falar sobre as maravilhas do homus (uma pasta de grão-de-bico do Oriente Médio), mas não do *baba ganoush* (uma pasta de berinjela assada do Oriente Médio), as pessoas podem ficar com a impressão de que considero um mais saudável do que o outro. Pode até ser que sim (e, provavelmente é), porém meu verdadeiro motivo para preferir um ao outro é simples: eu não gosto do sabor da berinjela.

E isso vale também para o contrário: só porque como algo não significa que seja saudável. Por exemplo, as pessoas ficam espantadas quando descobrem que uso cacau holandês (alcalino, processado). No processamento típico desse tipo de cacau, mais da metade dos antioxidantes e do fitonutriente flavanol são eliminados.[50] Por que, então, eu o utilizo? Porque para mim o sabor é muito melhor do que o do cacau não processado. Embora incentive as pessoas a usarem cacau natural, eu não sigo meu próprio conselho quanto a isso. Em alguns casos, seria melhor as pessoas fazerem o que digo e não o que faço.

E se eu compartilhasse uma receita que alguém achasse repulsiva? Eu odiaria que alguém pensasse: *Se isso é comer de maneira saudável, tô fora!* Quando se come de forma mais saudável, o paladar muda. Isso é um fenômeno incrível. Nossos botões gustativos estão sempre se adaptando — na verdade, eles fazem isso a cada minuto. Se você beber um suco de laranja agora, o sabor será doce. Mas, se comer algo doce e depois beber o mesmo suco, o sabor será tão amargo que chegará a ser desagradável. A longo prazo, quanto mais você se alimenta de maneira saudável, mais saborosos os alimentos saudáveis vão se tornando para o seu paladar.

Lembro-me da primeira vez que experimentei um smoothie verde. Eu tinha ido a Michigan para dar uma palestra e estava hospedado na casa de um querido casal de médicos. Eles me contaram que bebiam "saladas batidas no liquidificador" no café da manhã. De um ponto de vista racional, adorei a ideia. Verduras — o alimento mais saudável do planeta — em forma líquida? Que conveniente! Imaginei-me bebendo uma salada a caminho do trabalho todo dia. Mas então provei o smoothie. Parecia que eu estava bebendo grama. Regurgitei aquilo e quase vomitei na mesa da cozinha dos meus anfitriões.

Os smoothies verdes são algo ao qual é preciso ir se acostumando aos poucos. Todo mundo adora smoothies de frutas. Banana e morango congelados — humm! E você pode jogar um punhado de espinafre baby ali e mal vai sentir o gosto dele. Experimente! Você ficará surpreso. Ok, então se com um punhado fica bom, que tal passar a colocar dois? Aos poucos, seus botões gustativos se adaptarão a quantidades maiores de verduras. Isso acontece com todos os seus sentidos. Entre em uma sala escura e seus olhos se adaptarão aos poucos. Enfie o pé em uma banheira com água quente e, embora a princípio a água possa parecer quente demais, seu corpo se adaptará a um novo parâmetro. Da mesma forma, em poucas semanas você pode estar bebendo — e gostando de — preparados que hoje consideraria horríveis.

Dito tudo isso, agora prosseguirei contando a você o que como, o que bebo, o que faço e como faço as coisas. Nos próximos capítulos, eu me aprofundarei mais em cada um dos itens da minha lista dos Doze por Dia para descrever meus alimentos da luz verde preferidos, bem como os truques e técnicas que utilizo para prepará-los. Não entrarei em detalhes sobre cada tipo de feijão, fruta, legume, verdura, oleaginosa ou tempero que como. Em vez disso, meu objetivo aqui é explorar parte da interessante ciência por trás de algumas de minhas opções favoritas em cada categoria.

Por favor, entenda que minha estratégia é *uma* das maneiras de fazer isso, e não *a* maneira. Se por acaso ela funcionar para você também, ótimo. Se não, espero que você explore as inúmeras outras formas de utilizar esse mesmo conjunto de evidências para ajudar a melhorar e prolongar a sua vida.

Os Doze por Dia do dr. Greger

Nutrição à base de vegetais e alimentos integrais — parece bem autoexplicativo, certo? Mas alguns itens da luz verde não são melhores do que outros? Por exemplo, pelo visto dá para viver por longos períodos sem comer quase nada além de batata.[1] Esta seria, por definição, uma dieta à base de vegetais e alimentos integrais — mas uma não muito saudável. Nem todos os alimentos vegetais têm a mesma composição.

Quanto mais tenho pesquisado ao longo dos anos, mais tenho percebido que os alimentos saudáveis não são necessariamente intercambiáveis. Alguns alimentos e grupos de alimentos têm nutrientes especiais que não são encontrados em abundância em nenhum outro. Por exemplo, o sulforafano, o incrível composto que aumenta a eliminação de enzimas do fígado — descrita nos Capítulos 9 e 11 —, é derivado quase que exclusivamente dos vegetais crucíferos. Você pode comer toneladas de outras verduras e legumes no período de um dia e não obter nenhum sulforafano relevante se não tiver ingerido vegetais crucíferos. O mesmo ocorre com a semente de linhaça e os compostos de lignana anticâncer. Conforme mencionado nos Capítulos 11 e 13, a linhaça pode ter cem vezes mais lignanas do que outros alimentos. E os cogumelos sequer são plantas; eles pertencem a uma classificação biológica diferente e podem conter nutrientes (como a ergotioneína) que não são produzidos por nada do reino vegetal.[2] (Portanto, tecnicamente, talvez eu devesse usar a expressão "dieta à base de fungos, vegetais e alimentos integrais", mas aí ficaria um tanto longa.)

Tenho a impressão de que, toda vez que chego em casa vindo de uma biblioteca de medicina e tagarelando sobre algum novo dado empolgante, minha família revira os olhos, suspira e pergunta: "O que não podemos comer agora?"

Ou então eles dizem: "Ei, por que de repente tudo tem que ter salsinha?" Coitada da minha família. Eles têm sido muito tolerantes.

Os Doze por Dia

Número de porções

☑☑☑ Feijões

☑☑☑ Frutas vermelhas

☑☑☑ Outras frutas

☑ Vegetais crucíferos

☑☑ Verduras

☑☑ Legumes

☑ Sementes de linhaça

☑ Oleaginosas

☑ Temperos

☑☑☑ Grãos integrais

☑☑☑☑☑ Bebidas

☑ Exercícios

Figura 6

Como o número de alimentos que tentei encaixar na minha alimentação diária aumentou, fiz uma lista para me ajudar a manter as coisas sob controle e a escrevi em um pequeno quadro branco afixado na porta da geladeira. A partir de então, eu e minha família passamos a fazer um jogo em que marcávamos um X para cada porção consumida de cada grupo. Isso evoluiu para os Doze por Dia (ver a Figura 6).

Por *feijões*, quero dizer leguminosas, o que inclui soja, ervilha seca, grão-de-bico e lentilha. Embora talvez não pareça que tomar uma sopa de ervilha ou passar uma cenoura no homus seja comer feijão, na verdade é. Você deve tentar comer três porções por dia. Uma porção é definida como um quarto de xícara de homus ou pasta de feijão; meia xícara de feijão, ervilha seca, lentilha, tofu ou *tempeh*; ou uma xícara cheia de ervilhas frescas ou brotos de lentilha. Apesar de tecnicamente o amendoim ser uma leguminosa, eu o coloco na categoria das oleaginosas, assim como considero a vagem (manteiga ou macarrão) mais bem situada na categoria de outros legumes e verduras.

OS DOZE POR DIA DO DR. GREGER | 321

Uma porção de frutas vermelhas significa meia xícara de frutas vermelhas frescas ou congeladas ou um quarto de xícara de frutas vermelhas secas. Biologicamente falando, embora o abacate, a banana e até a melancia sejam bagas [que em inglês são *berries*, como são chamadas as frutas vermelhas nesse idioma], classifico como frutas vermelhas qualquer fruta pequena comestível, e por isso incluo a laranja kinkan e as uvas (e passas) nessa categoria, bem como frutas tipicamente consideradas frutas vermelhas, mas que, do ponto de vista técnico, não o são, como a amora-preta, a cereja, a amora, a framboesa e o morango.

No caso das outras frutas, uma porção significa uma fruta de tamanho médio, uma xícara da fruta cortada ou um quarto de xícara de frutas secas. De novo, estou usando uma definição coloquial, e não botânica, por isso enquadro o tomate no grupo dos outros legumes e verduras. (Curiosamente, isso é algo que a Suprema Corte dos Estados Unidos determinou em 1893.[3] O Arkansas decidiu usar as duas formas, declarando o tomate a fruta *e* o legume oficial do estado.[4])

Os vegetais crucíferos comuns incluem o brócolis, o repolho, a couve-manteiga e a couve-crespa. Recomendo o consumo de pelo menos uma porção por dia (em geral, de meia xícara), somado ao de pelo menos mais duas porções de verduras por dia, crucíferas ou não. O tamanho das porções para outros legumes e verduras é de uma xícara para folhas cruas, meia xícara para outras verduras e legumes crus ou cozidos e um quarto de xícara para cogumelos secos.

Todo mundo deveria tentar incorporar uma colher de sopa de sementes de linhaça à alimentação diária, além de uma porção de oleaginosas ou sementes. Um quarto de xícara de oleaginosas é considerado uma porção, ou então duas colheres de sopa de manteiga de algum tipo de oleaginosa ou de sementes, incluindo a manteiga de amendoim. (Em termos de nutrição, a castanha portuguesa e o coco não são incluídos na categoria das oleaginosas.)

Também recomendo a ingestão de um quarto de colher de chá de cúrcuma por dia, além de qualquer outra erva ou especiaria (sem sal) de que você goste.

Pode ser considerada uma porção de grãos integrais meia xícara de algum cereal servido quente, como o mingau de aveia, de grãos cozidos, como o arroz (incluindo os "pseudogrãos" amaranto, trigo sarraceno e quinoa), e de macarrão ou milho cozidos; uma xícara de cereais (frios) prontos para serem consumidos; uma tortilha ou uma fatia de pão; meio *bagel* ou *english* muffin; ou três xícaras de pipoca.

Já na categoria das bebidas, o tamanho da porção é um copo (360 mililitros), e os cinco copos por dia recomendados não incluem a água que se obtém naturalmente através dos alimentos.

Por fim, aconselho que se faça uma "porção" diária de exercícios, que pode ser dividida ao longo do dia. Recomendo a prática de noventa minutos de uma atividade de intensidade moderada, como caminhar depressa (6,4 quilômetros por hora), ou quarenta minutos de atividade intensa (como corrida ou esportes que exigem agilidade) todos os dias. Mas por que tanto? Explicarei os motivos no capítulo Exercícios.

Isso tudo pode dar a impressão de você ter que marcar muitos xis em vários itens, mas não é difícil marcar vários deles de uma só vez. Com um simples sanduíche de manteiga de amendoim e banana, já dá para assinalar quatro deles. Ou então pense em uma salada grande. Duas xícaras de espinafre, um punhado de rúcula, um pouco de nozes tostadas, meia xícara de grão-de-bico, meia xícara de pimentão vermelho e um tomate pequeno. Com esse prato, já se marca *sete* xis. Salpique sementes de linhaça, acrescente um punhado de gojiberries e saboreie isso tudo com um copo d'água e fruta de sobremesa — só com isso você dá cabo de quase metade dos xis diários com uma única refeição. E se você comê-la enquanto corre na esteira... Brincadeira!

Se eu marco cada copo d'água que bebo? Não. Na verdade, nem uso mais a lista; só a usei no início, como uma ferramenta para entrar na rotina. Sempre que me sentava para comer, eu questionava: *Posso acrescentar verduras a isso? Posso juntar feijões àquilo?* (Tenho sempre uma lata de feijão aberta na geladeira.) *Posso salpicar um pouco de semente de linhaça ou semente de abóbora, ou talvez algumas frutas secas?* Por causa da lista de controle acabei adquirindo o hábito de pensar: *Como posso tornar essa refeição ainda mais saudável?*

Também notei que a lista me ajudava nas compras no mercado. Embora eu sempre tenha sacos de frutas vermelhas e verduras no congelador, quando estou no mercado e quero comprar produtos de hortifrúti frescos para a semana, a lista me ajuda a calcular quanto de couve ou mirtilo preciso.

Ela também me ajuda a imaginar como será a minha refeição. Dê uma olhada na lista e você perceberá que há três porções de feijões, frutas e grãos integrais, e mais ou menos o dobro de verduras e legumes em relação a todos os outros componentes alimentares. Ao olhar meu prato, consigo imaginar um quarto dele preenchido por grãos, outro por leguminosas e metade por legumes e verduras, além de talvez uma salada de acompanhamento e frutas de sobremesa. Prefiro fazer a refeição em um só prato, com tudo misturado, mas mesmo assim a lista me ajuda a visualizá-la. Em vez de um grande prato de espaguete com um pouco de legumes, verduras e lentilhas por cima, penso em um grande prato de legumes e verduras com um pouco de macarrão e lentilha misturados. Em vez de um grande prato de arroz integral com legumes fritos por cima, imagino um prato com muitos legumes e verduras e... ah, olha só! Tem um pouco de arroz e feijão ali também.

No entanto, não há nenhuma necessidade de ficar obsessivo com os Doze por Dia. Em dias agitados de viagem, quando já dei cabo dos petiscos que carrego comigo e estou tentando montar algo que lembre uma refeição saudável na praça de alimentação do aeroporto, às vezes ter sorte significa conseguir apenas um quarto dos objetivos. Se você se alimentar mal um dia, tente comer melhor no seguinte. Minha esperança é a de que a lista funcione como um lembrete para que você tente consumir uma variedade dos alimentos mais saudáveis todos os dias.

Mas você deve comer os legumes e verduras crus ou cozidos? Precisa comprar os orgânicos ou não tem problema comer os convencionais? E os OGMs [organismos geneticamente modificados]? E o glúten? Todas essas perguntas e outras mais serão respondidas quando eu abordar em detalhes cada um dos Doze por Dia nos capítulos a seguir.

Feijões

Os feijões favoritos do dr. Greger

Feijão-preto, feijão-fradinho, feijão-manteiga, feijão cannellini, grão-de-
-bico, edamame, ervilha inglesa, feijão-roxo, lentilha (variedades beluga,
verde e vermelha), missô, feijão-branco, feijão-carioca, feijão-vermelho,
ervilha seca (amarela ou verde) e *tempeh*.

Tamanho das porções:
¼ de xícara de homus ou pasta de feijão
½ xícara de feijão, ervilha seca e lentilha cozidos, ou de tofu ou *tempeh*
1 xícara de ervilha fresca ou de brotos de lentilha

Recomendação diária:
3 porções

A campanha MyPlate, do governo federal dos Estados Unidos, foi desenvol-
vida para estimular os americanos a pensarem em montar refeições saudáveis. A
maior parte do nosso prato deve ser coberta de legumes, verduras e grãos — de
preferência grãos integrais —, enquanto o restante deve ser dividido entre frutas
e o grupo das proteínas. As leguminosas gozam de tratamento especial, perten-
cendo tanto ao grupo das proteínas quanto ao dos legumes e verduras. Elas são
repletas de proteína, ferro e zinco — como se poderia esperar de outras fontes de

proteína, como a carne —, mas também contêm nutrientes que estão concentrados no reino vegetal, incluindo fibras, folato e potássio. Ao comer feijões, se tem o melhor dos dois mundos, ingerindo ao mesmo tempo um alimento com pouca gordura saturada, pouco sódio e nenhum colesterol.

A investigação mais abrangente já feita sobre alimentação e câncer foi publicada em 2007 pelo Instituto Americano de Pesquisa em Câncer. Após analisar meio milhão de estudos, nove equipes de pesquisa independentes de várias partes do mundo elaboraram um relatório decisivo de consenso científico avaliado por 21 dos maiores pesquisadores em câncer do mundo. Uma de suas recomendações sumárias para a prevenção da doença é comer grãos integrais e/ou leguminosas (feijão, ervilha seca, grão-de-bico ou lentilha) em todas as refeições.[1] Não toda semana nem todo dia. *Em todas as refeições!*

Comer um pouco de aveia de manhã fica dentro da recomendação de grãos integrais, mas e as leguminosas? Quem come feijão no café da manhã? Bem, muita gente no mundo. Um tradicional café da manhã inglês inclui saborosas combinações de feijão cozido sobre torradas, cogumelos e tomate grelhado. É tradicional que no café da manhã japonês se inclua sopa de missô, e muitas crianças na Índia começam o dia com o *idli*, uma espécie de bolo de lentilha cozido no vapor. Um jeito mais familiar ao paladar americano de cumprir as diretrizes para prevenção do câncer pode ser comer um *bagel* de grãos integrais com homus. Meu amigo Paul amassa feijão cannellini no mingau de aveia e jura que não dá para vê-lo nem sentir seu gosto. Por que não tentar?

Soja

A soja provavelmente é o feijão que os americanos se sentem mais confortáveis em incorporar ao café da manhã. O leite de soja, por exemplo, tornou-se um negócio bilionário. Contudo, o leite de soja e até o tofu são alimentos processados. Em se tratando dos nutrientes que tendemos a associar às leguminosas — fibras, ferro, magnésio, potássio, proteína e zinco —, metade deles é perdida quando a soja é convertida em tofu. Entretanto, os feijões são tão saudáveis que dá para jogar fora metade de seu teor nutricional e *ainda* ter um alimento saudável. Se você come tofu, escolha variedades feitas com cálcio (a informação pode ser checada na lista de ingredientes), que podem ter incríveis 550 miligramas de cálcio por fatia (de cerca de 85 gramas).[2]

Mas melhor ainda do que comer tofu seria consumir um alimento de soja *integral*, como o *tempeh*, que é uma espécie de torta de soja fermentada. Quando se olha de perto o *tempeh*, dá para ver todos os pequeninos feijões de soja. Em geral, não o como no café da manhã, mas gosto de cortar uma fatia fina, mergulhá-la em uma mistura espessa de "ovos" de linhaça (veja a receita na página 394), passá-la em farinha de pão de grãos integrais temperada com um pouco de alecrim ou em farinha de milho azul grossa e assá-la no forno elétrico a duzentos graus Celsius, até ficar marrom-dourada. Então eu a mergulho em um molho picante para deixá-la, de uma forma saudável, mais parecida com as asas de frango de que gostava na juventude.

Mas e a soja geneticamente modificada?

Uma proeminente revista científica afirmou recentemente em editorial que, embora hoje tenhamos uma avalanche de informações sobre alimentos geneticamente modificados, grande parte do que estão nos dizendo está errada — dos dois lados do debate. "Mas muitas dessas informações incorretas são sofisticadas, apoiadas por pesquisas que parecem legítimas e escritas com convicção", relata o editorial, ironizando o fato de que, quando se trata de OGMs, uma boa medida da falácia das afirmações pode ser "a certeza com que são apresentadas".[3]

O feijão de soja Roundup Ready, da Monsanto, é o produto agrícola geneticamente modificado de maior destaque, projetado para ser resistente ao herbicida Roundup (também vendido pela Monsanto), o que permite que os agricultores pulverizem as plantações para matar ervas daninhas mantendo viva a planta da soja.[4]

Embora ainda haja muito debate sobre os riscos hipotéticos dos OGMs, a maior preocupação para a saúde humana talvez seja a possibilidade de esses alimentos conterem níveis elevados de resíduos de pesticida.[5] Esse temor veio à tona em 2014, quando foram identificados níveis altos do pesticida Roundup em feijões de soja geneticamente modificados (mas não nos que não eram modificados geneticamente e nos orgânicos).[6] Os níveis do pesticida foram considerados altos comparados aos níveis máximos de resíduos permitidos na época, mas eles seriam altos o bastante para gerarem efeitos adversos nos consumidores?

Ativistas anti-OGMs chamam a atenção para estudos que mostram que o Roundup pode interferir no desenvolvimento embrionário e afetar hormônios. Essas análises foram feitas, respectivamente, em embriões de ouriço-do-mar[7] e células de testículos de camundongos.[8] Blogs alardeiam

FEIJÕES | 327

manchetes como "Homens! Salvem seus testículos", citando artigos com títulos como "Prepubertal Exposure to Commercial Formulation of the Herbicide Glyphosate Alters Testosterone Levels and Testicular Morphology"[9] ["Exposição pré-púbere à fórmula comercial do herbicida glifosato altera níveis de testosterona e morfologia testicular"]. Mas o estudo em questão é sobre puberdade em ratos. Duvido que o blog teria conseguido tantos acessos se houvesse posto a manchete "Homens! Salvem os testículos dos ratos pré-púberes!".[10]

Estou sendo crítico demais? Afinal, onde os cientistas poderiam encontrar tecido humano vivo para fazer seus experimentos? Uma equipe de pesquisa propôs uma solução brilhante: estudar placentas! Milhões de americanas dão à luz todo ano, e a placenta — o órgão temporário formado no útero para nutrir o feto durante a gestação — é, em geral, incinerada após o parto. Por que não testar o Roundup no tecido da placenta humana? Ao fazerem isso, os pesquisadores constataram que, na concentração pulverizada em plantações nos campos, o pesticida de fato gera efeitos tóxicos no tecido humano.[11]

Essa descoberta pode ajudar a explicar alguns poucos estudos que sugerem a existência de efeitos adversos em quem trabalha com o pesticida[12,13] e também em seus filhos;[14] no entanto, o pesticida já está muito diluído quando entra no suprimento alimentar. As concentrações do pesticida Roundup podem ser de apenas algumas partes por milhão no alimento e de algumas partes por bilhão no corpo do consumidor final. Mas os cientistas descobriram que algumas partes por *trilhão* do pesticida ainda podem gerar efeitos colaterais. Constatou-se que, mesmo em uma dose minúscula, o Roundup gera efeitos em atividades estrogênicas *in vitro*, estimulando o crescimento de células de câncer de mama com receptores de estrogênio positivos.[15]

Todavia, conforme foi visto no Capítulo 11, o consumo de soja é associado a um risco *menor* de câncer de mama e a uma sobrevivência maior à doença. Isso pode se dever ao fato de a maior parte da soja geneticamente modificada dos Estados Unidos ser usada para alimentar galinhas, porcos e gado, enquanto a maioria dos grandes produtores de *alimentos* de soja utiliza soja não modificada geneticamente. Pode ser por isso também que os benefícios de se consumir qualquer tipo de soja sejam muito maiores do que os riscos. Independentemente disso, por que aceitar qualquer risco quando se pode comprar produtos de soja orgânicos, que por lei excluem os OGMs?

A moral da história é que não há nenhum dado obtido com estudos feitos diretamente com humanos sugerindo qualquer dano por se ingerir alimentos geneticamente modificados, embora não tenham sido feitas investigações para averiguar essa hipótese (o que os críticos afirmam ser exatamente a questão).[16] É por isso que a presença de avisos obrigatórios em produtos geneticamente modificados seria útil, para que os pesquisadores de saúde pudessem analisar se os OGMs geram algum efeito adverso em seres humanos.

Mas acho que é importante pôr a questão do OGM em perspectiva. Como tentei mostrar, podemos fazer mudanças na alimentação e no estilo de vida que poderiam eliminar a maioria das doenças cardíacas, derrames, diabetes e cânceres. *Milhões* de vidas podem ser salvas. Por esse motivo, sou solidário à exasperação da indústria de biotecnologia com as preocupações com os OGMs quando ainda temos pessoas caindo mortas por causa de todas as outras coisas que estão comendo.[17] Como concluiu uma análise: "O consumo de alimentos geneticamente modificados acarreta um risco de efeitos indesejáveis semelhante ao do consumo da comida tradicional."[18] Em outras palavras, comprar bolinhos recheados não modificados geneticamente não está fazendo muito bem ao seu corpo.

O missô é outro exemplo de alimento de soja integral fermentada. Essa pasta espessa costuma ser misturada a água quente para se preparar uma sopa deliciosa que é um alimento básico da culinária japonesa. Se você quiser experimentar, sugiro o missô branco, que tem um sabor mais suave do que o vermelho. Preparar a sopa de missô pode ser tão fácil quanto misturar uma colher de sopa de missô a dois copos de água quente e os legumes e verduras da sua preferência. É só isso!

Como o missô pode conter bactérias probióticas,[19] provavelmente é melhor não cozinhá-lo, para que elas não sejam mortas. Quando preparo esse prato, fervo cogumelos secos com uma pitada de alga marinha arame, um pouco de tomate seco ao sol e verduras; transfiro um quarto de xícara do caldo quente para uma tigela grande, acrescento o missô e o amasso com um garfo até restar apenas uma pasta fina. Em seguida, transfiro o restante da sopa para a tigela e misturo para incorporá-la ao missô. E, como sou um tanto louco por molho picante, adiciono um pouco de Sriracha. Nos últimos tempos, o que mais tenho gostado de acrescentar são sementes de gergelim recém-tostadas. Coloco uma camada de sementes de gergelim descascadas cruas no forno elétrico até elas começarem a ficar douradas e então coloco-as bem quentes à sopa. Um aroma divino se espalha por toda a cozinha.

Sopa de missô: soja *versus* sódio

O processo de produção de missô envolve o acréscimo de sal — muito sal. Uma única tigela de sopa de missô pode conter metade do limite diário recomendado pela Associação Americana do Coração, por isso eu instintivamente a evitava ao vê-la em um cardápio. Mas, quando pesquisei a fundo, fiquei surpreso com o que descobri.

Há dois motivos principais para se evitar o consumo excessivo de sal: o câncer de estômago e a hipertensão arterial. Considerado uma "causa provável" de câncer de estômago,[20] ele pode causar milhares de casos da doença a cada ano nos Estados Unidos.[21] O risco elevado de câncer de estômago associado ao consumo de sal parece equivaler aos do hábito de fumar e da ingestão excessiva de álcool, mas pode corresponder apenas à metade do risco associado ao uso de ópio[22] ou à ingestão diária de uma porção de carne. Uma pesquisa realizada com quase meio milhão de pessoas constatou que o consumo de uma porção de carne por dia (do tamanho aproximado de um baralho de cartas) estava associado a chances cinco vezes maiores de se desenvolver câncer de estômago.[23]

Isso talvez explique por que pessoas com dietas à base de vegetais parecem ter um risco significativamente menor de contrair a doença.[24] Mas não só os produtos de origem animal ricos em sódio — como as carnes processadas e os peixes salgados — são associados a um risco maior de câncer de estômago. Alimentos vegetais conservados em salmoura também são.[25] O *kimchi*, um acompanhamento picante feito com verduras e legumes em salmoura, é um alimento básico da culinária coreana e pode ajudar a explicar por que esse país tem os índices de câncer de estômago mais altos do mundo.[26]

No entanto, o missô *não* foi associado a um risco maior de câncer.[27] Os efeitos carcinógenos do sal podem ser neutralizados pelos efeitos anticarcinógenos da soja. Por exemplo, a ingestão de tofu foi associada a um risco 50% menor de câncer de estômago[28] e o sal, a um risco 50% maior,[29] o que explica como esses dois podem anular um ao outro. Além disso, há a proteção adicional conferida pelas plantas do gênero *Allium* (cebola)[30], o que pode fazer a balança do combate ao câncer pesar a favor da sopa de missô, que leva alho ou um pouco de cebolinha.

Contudo, o câncer não é o principal motivo pelo qual se pede às pessoas que evitem o sal. E a sopa de missô e a hipertensão? Pode haver uma relação semelhante aí. O sal da sopa pode elevar a pressão arterial enquanto a proteína da soja do missô a baixa.[31] Por exemplo, ao se comparar os efeitos do leite de soja com os do leite desnatado (para fazer uma comparação mais justa, tirando o fator gordura saturada do leite da equação), o de soja diminui a pressão arterial com eficácia nove vezes maior do que o desnatado.[32] Mas os benefícios da soja seriam suficientes para contrabalançar os efeitos do sal no missô? Pesquisadores japoneses resolveram ir atrás da resposta.

Ao longo de um período de quatro anos, eles acompanharam homens e mulheres na casa dos sessenta anos que no início da análise tinham pressão arterial normal, para verificar quem tinha uma probabilidade maior de receber o diagnóstico de hipertensão arterial: quem tomava pelo menos duas sopas de missô por dia ou quem tomava até uma. Consumir duas tigelas por dia equivaleria a adicionar meia colher de chá de sal à alimentação diária, porém foi constatado que quem ingeria pelo menos essa quantidade de missô tinha um risco cinco vezes *menor* de se tornar hipertenso. Os cientistas concluíram: "Nossos resultados sobre a sopa de missô mostraram que o efeito anti-hipertensivo do missô é possivelmente superior ao efeito hipertensivo do sal."[33] Portanto, no geral a sopa de missô pode de fato conferir proteção.

O edamame é o alimento de soja mais integral que se pode encontrar. Afinal, são os feijões da soja ainda na vagem. Dá para comprá-las congeladas e prepará-las com um pouco de água fervente sempre que se quiser um petisco saudável. As vagens cozinham em cinco minutos. Tudo o que se precisa fazer é retirá-las e, se você é dos meus, salpicar um bocado de pimenta fresca moída na hora e mordiscar os feijões. (Também é possível comprá-los pré-descascados, mas aí não é tão divertido comê-los.)

No extremo oposto do espectro do processamento estão as alternativas à carne à base de vegetais, como os hambúrgueres vegetarianos, que são saudáveis apenas na medida em que substituem a carne propriamente dita. O Beyond Chicken, por exemplo, tem fibras, gordura saturada zero, colesterol zero e a mesma quantidade de proteínas e menos calorias do que o peito de frango (além de, na teoria, apresentar menor risco de intoxicação alimentar). No entanto, ele é fraco comparado à nutrição conferida pela soja, pelas ervilhas amarelas e pelos grãos de amaranto com os quais é feito. É claro que quem escolhe essas alternativas à carne não está em pé no mercado agonizando entre Beyond Chicken Grilled Strips e uma tigela de legumes, verduras e grãos integrais. Portanto, se o objetivo é comer *fajitas*, então não há dúvida de que seria mais saudável escolher a carne falsa à base de vegetais do que a carne em si. Eu reconheço o mérito desses produtos alternativos à carne como alimentos de transição mais saudáveis para afastar as pessoas da dieta americana padrão. Mesmo que você tenha parado neles, já está melhor — porém, quanto mais você se aproximar de uma nutrição com alimentos integrais, maiores serão os benefícios. Você não vai querer ficar estancado na luz amarela.

Ervilha

Assim como o edamame, a ervilha inglesa crua pode ser um ótimo petisco natural. Eu me apaixonei pelas ervilhas na vagem quando as colhi pela primeira vez na trepadeira de uma fazenda que eu e meu irmão visitamos durante um verão da nossa infância. Elas eram como doces. Todo ano fico na expectativa pelas poucas semanas em que elas podem ser encontradas frescas.

Lentilha

A lentilha é uma leguminosa pequena em formato de lente. (A palavra lente vem, de fato, de lentilha; *lens* é lentilha em latim). Ela ganhou fama em 1982 por causa da descoberta do "efeito lentilha", ou a capacidade dessa leguminosa de reduzir a alta de açúcar gerada por alimentos consumidos horas depois, em uma refeição subsequente.[34] A lentilha também é tão rica em prebióticos que oferece um banquete para as bactérias benéficas da sua flora intestinal, as quais, por sua vez, alimentam você com compostos benéficos, como o propionato, que relaxa o estômago e retarda a absorção de açúcares pelo organismo.[35] Constatou-se que o grão-de-bico e outras leguminosas exercem uma influência semelhante, por isso esse fenômeno mais tarde foi rebatizado de "efeito segunda refeição".[36]

A lentilha já é uma das leguminosas mais ricas em nutrientes. Entretanto, quando germina, seu poder antioxidante duplica (e, no caso do grão-de-bico, esse poder até quintuplica).[37] A lentilha é germinada com facilidade e dá um dos petiscos mais saudáveis possíveis. Fiquei impressionado quando tentei plantá-la pela primeira vez. O que no início parecem ser pequenos seixos duros em poucos dias se transforma em pedacinhos macios. Por que acrescentar proteína em pó a *smoothies* quando se pode adicionar brotos de lentilha? Em um pote para germinação — ou simplesmente um pote de vidro com uma gaze presa com elástico tampando a boca — deixe a lentilha de molho de um dia para o outro, escorra e depois lave-as e escorra duas vezes por dia por mais dois dias. Para mim, a germinação é como uma jardinagem com esteroides — consigo criar produtos frescos em três dias na bancada da cozinha. (Obviamente dá para comer lentilha em três segundos apenas abrindo uma lata.)

Feijão enlatado é tão saudável quanto o cozido em casa?

O feijão enlatado é prático, mas ele é tão nutritivo quanto o que cozinhamos em casa? Um estudo recente descobriu que é — exceto pelo sódio. Em geral se acrescenta sal à versão enlatada, o que gera níveis de sódio até cem vezes maiores do que o do feijão cozido sem o tempero.[38] Escorrer e lavar o feijão enlatado pode eliminar metade do sal adicionado, mas junto seria removida também parte da nutrição. Recomendo que se compre feijão em lata sem sal e se cozinhe com o líquido do feijão, seja qual for o prato que esteja sendo preparado.

O feijão cozido em casa é mais saboroso e tem uma textura bem melhor. O enlatado às vezes é um pouco mole. Quando deixado de molho e cozido da forma certa, o feijão pode ficar gostoso e firme, porém macio — além disso, a versão seca é mais barata. Alguns pesquisadores constataram que a versão em lata pode custar o triplo do cozido em casa, mas a diferença foi de apenas 20 centavos de dólar por porção.[39] A minha família prefere gastar 20 centavos a mais para poupar as horas que o feijão pode levar para ser cozido.

A única leguminosa que tenho paciência para cozinhar é a lentilha. A cocção dela é rápida, além de não precisar deixar de molho. Dá para cozinhá-la como se faz com o macarrão, em uma panela com muita água por meia hora. Aliás, se você vai preparar macarrão e tem um pouco de tempo sobrando, por que não deixar um pouco de lentilha na água fervente por vinte minutos antes de incorporar a massa? Ela fica ótima no molho do espaguete. É o que faço quando preparo arroz ou quinoa: acrescento um pouco de lentilha seca na panela de arroz elétrica e ela fica pronta junto com o grão. Lentilha cozida, amassada e temperada também dá uma ótima pasta vegetariana. Com isso, você marca dois xis!

FEIJÕES | 333

Legumes mergulhados em homus são um petisco que vale dois xis. E não se esqueça que há outras misturas feitas com feijão, como a pasta de feijão-branco com alho, o patê de feijão-carioca e a pasta picante de feijão-preto. Outro petisco fantástico (já deu para perceber que eu adoro petiscos?) é o grão-de-bico assado. Dê uma olhada no Google. Meu favorito é o Buffalo Ranch (do blog Kid Tested Firefighter Approved),[40] usando papel-manteiga ou um tapete de silicone.

As opções de refeição podem incluir pratos como burrito de feijão; chili; *pasta e fagioli*; feijão-vermelho com arroz; minestrone; cozido toscano de feijão-branco; e sopa de feijão-preto, lentilha ou ervilha seca. Minha mãe incutiu em mim o gosto por misturas para sopa de ervilha pré-cozida desidratada. (A marca com menos sódio que achei aqui, nos Estados Unidos, é a da linha de alimentos do dr. John McDougall.) É só adicionar a mistura à água fervente com algumas verduras congeladas e mexer. (No supermercado Whole Foods tem sacos congelados baratos com cerca de meio quilo de uma combinação de couve-crespa, couve-manteiga e folhas de mostarda. Não tem como ser mais fácil!) Quando viajo, levo a mistura para sopa de ervilha na bagagem — ela é leve e posso preparar na cafeteira do quarto do hotel.

Faturando muito com os benefícios do feijão

Há mais de uma década, os alimentos feitos a partir da soja gozam do raro privilégio da alegação de serem saudáveis — tendo o rótulo de "aprovado pela Food and Drug Administration" — por sua capacidade de conferir proteção contra doenças cardíacas. Sua indústria bilionária tem muito dinheiro para financiar pesquisas que apregoam os benefícios de seus feijões. Mas será que a soja realmente é o melhor feijão ou há outras leguminosas tão poderosas quanto ela? Pelo que se constatou, os feijões que *não* são de soja — incluindo a lentilha, o feijão-manteiga o feijão-branco e o feijão-carioca — reduzem os níveis de colesterol[41] tão efetivamente quanto a proteína de soja.[42] Um estudo, por exemplo, concluiu que o consumo de meia xícara de feijão-carioca cozido por dia ao longo de dois meses pode baixar o colesterol em dezenove pontos.[43]

Uma das minhas refeições rápidas preferidas começa assando algumas tortilhas de milho (a Food for Life, a mesma empresa que faz o pão ezekiel, tem uma tortilha de milho que costuma ser vendida na seção de congelados). Em seguida, amasso com um garfo um pouco de feijão enlatado em cima delas e acrescento uma ou duas colheres de molho de tomate picante. Melhor ainda se tiver em casa coentro fresco, verduras ou abacate para acrescentar. Quando estou com sorte de ter couve-manteiga fresca, cozinho algumas folhas no vapor e, no lugar das tortilhas, as uso para embrulhar os burritos. Lá em casa, chamamos isso de *couvilhas*. Verdura e feijão — não poderia ser mais saudável!

Existe alguma opção de sobremesa com leguminosas? Quatro palavras: brownie de feijão-preto. Não tenho minha própria receita, mas se você procurar na internet encontrará muitas boas, incluindo a do dr. Joel Fuhrman, compartilhada em *The Dr. Oz Show*, que usa manteiga de amêndoa como fonte de gordura da luz verde e tâmara como fonte de açúcar da luz verde.[44]

Na maioria das vezes, acrescento feijão a tudo que preparo. Procuro sempre deixar uma lata aberta bem visível na geladeira como lembrete. Aqui em casa compramos caixas de latas de feijão-preto. (O feijão-preto parece ter mais fitonutrientes fenólicos do que as outras leguminosas comuns,[45] mas o melhor feijão provavelmente é aquele que você gosta de comer em maior quantidade!)

O feijão e a flatulência

Feijão, feijão. Bom para o coração. Quanto mais você come... mais você vive? Constatou-se que as leguminosas são "o mais importante prognosticador de sobrevivência entre os mais velhos"[46] ao redor do mundo. Quer sejam os japoneses comendo produtos de soja, os suecos comendo feijão-marrom e ervilha, ou os habitantes da região mediterrânea comendo lentilha, grão-de-bico e feijão-branco, a ingestão de leguminosas tem sido, com frequência, associada a uma expectativa de vida maior. Pesquisadores identificaram uma redução de 8% no risco de morte prematura para cada vinte gramas a mais na ingestão diária de leguminosas — o equivalente a duas meras colheres de sopa![47]

Então, por que não há mais pessoas tirando proveito dessa "fonte da juventude" alimentar? Medo de flatulência.[48] Então é essa a escolha que lhe resta? Evitar os gases ou evitar a morte? Soltar pum ou bater as botas?

Mas as preocupações com os gases do feijão são infundadas?

Quando cientistas tentaram acrescentar meia xícara de feijão à dieta das pessoas, a maioria delas não apresentou nenhum sintoma. Mesmo entre aquelas que tiveram mais gases, 70% relataram que o problema diminuiu na segunda ou terceira semana do estudo. Os pesquisadores concluíram que "as preocupações das pessoas com o excesso de flatulência por comer feijão devem ser exageradas".[49]

A flatulência talvez seja mais comum do que você pensa. Os americanos relatam que soltam gases, em média, quatorze vezes por dia,[50] sendo que o limite do que é considerado normal se estende a até 23 vezes por dia.[51] A flatulência vem de dois lugares: do ar que é engolido e da fermentação no intestino. Os fatores que podem levar alguém a engolir mais ar incluem mascar chiclete, usar dentadura mal ajustada, chupar balas duras, beber com canudo, comer depressa demais, falar enquanto come e fumar. Então, se o medo de câncer de pulmão não convence você a largar o cigarro, talvez o medo de flatulência o faça.

Entretanto, a principal fonte de gases do corpo humano é a fermentação bacteriana normal de açúcares não digeridos no cólon. Os laticínios são uma das principais causas de flatulência excessiva,[52] o que se deve à má digestão da lactose, um açúcar do leite.[53] Um dos pacientes com mais flatulência citados na literatura médica ficou curado após a retirada dos laticínios da sua dieta. O caso, relatado na *New England Journal of Medicine* e submetido ao *Guinness Book of World Records*, envolveu um homem que, depois de comer laticínios, teve "setenta episódios de gases em um período de quatro horas".[54]

No longo prazo, a maioria das pessoas que come uma grande quantidade de alimentos vegetais com muitas fibras não parece ter grandes problemas com gases.[55] A flutuação de fezes causada por gases presos pode, na verdade, ser um sinal da ingestão adequada de fibras.[56] Os açúcares não digeríveis presentes no feijão que chegam ao cólon podem até agir como prebióticos, alimentando as bactérias benéficas e contribuindo para um cólon mais saudável.

Por ser tão saudável, é aconselhável que se tente a todo custo novas formas de incluir o feijão na dieta mesmo que no início ele provoque gases. Lentilha, ervilha seca e feijão em lata tendem a produzir menos gases, e o tofu em geral não causa problemas. Lavar várias vezes o feijão seco em água com um quarto de uma colher de chá de bicarbonato de sódio para cada 3,7 litros[57] e descartar a água do cozimento pode ajudar, caso você mesmo prepare o feijão. Dos temperos testados, o cravo-da-índia, a canela e o alho são os que mais reduzem os gases, seguidos do cúrcuma (somente se não for cozido), da pimenta e do gengibre.[58] Se a coisa ficar feia, há suplementos baratos que contêm alfa-galactosidase, uma enzima que se mostrou capaz de decompor os açúcares do feijão e fazer você se sentir melhor.[59]

O odor é outra questão. O cheiro parece se dever sobretudo à digestão de alimentos ricos em enxofre. Portanto, para reduzir o fedor, os especialistas recomendam que se diminua o consumo de alimentos como a carne e o ovo.[60] (Não é à toa que o sulfeto de hidrogênio é chamado de "gás de ovo podre".) Talvez seja por isso que se constatou que quem tem o hábito de comer carne gera até quinze vezes mais sulfetos do que quem segue uma dieta à base de vegetais.[61]

Há alimentos saudáveis que são ricos em enxofre, como o alho e a couve-flor. Se você embarcasse em uma longa viagem em um meio de transporte um tanto apertado depois de comer um grande prato de *aloo gobi* — que leva couve-flor —, Pepto-Bismol e equivalentes genéricos poderiam se ligar ao enxofre no intestino para eliminar os odores. No entanto, esses medicamentos devem ser usados apenas como solução de emergência, devido ao potencial de toxicidade do bismuto com o uso crônico.[62]

Há também soluções de alta tecnologia, como roupas íntimas feitas de fibra de carbono que eliminam o odor (preço: 65 dólares), testadas em uma série de estudos que incluíram pérolas como: "Utilizando-se calças de Mylar à prova de gases, avaliou-se a capacidade de um acolchoamento revestido de carvão vegetal absorver gases contendo enxofre introduzidos no ânus de oito voluntários."[63] O nome do acolchoamento revestido de carvão mineral? Armadilha para rum.

Moral da história: os gases intestinais são algo normal e saudável. Atribui-se a ninguém menos que Hipócrates a frase: "Soltar gases é necessário para o bem-estar."[64] Em uma análise sobre remédios e recursos para acabar com a flatulência, o dr. John Fardy, especialista em gastroenterologia, escreveu: "Talvez ter uma tolerância maior ao flato fosse uma solução melhor, já que estamos mexendo de maneira indevida, por nossa conta e risco, com um fenômeno natural inofensivo."[65]

O consumo de leguminosas é associado a uma cintura mais fina e a uma pressão arterial mais baixa, e estudos randomizados revelaram que elas podem se igualar ou superar a redução de calorias na diminuição da gordura da barriga, bem como na melhora da regulação do açúcar no sangue, dos níveis de insulina e do colesterol. O feijão é repleto de fibras, folato e fitato, que ajudam a reduzir os riscos de derrame, depressão e câncer de cólon. Os fitoestrógenos da soja, em particular, pelo visto ajudam tanto na prevenção do câncer de mama quanto na melhora da sobrevivência à doença. Não é de se admirar que as diretrizes para o combate ao câncer sugerem que se tente incluir feijão nas refeições — e fazer isso é muito fácil! Ele pode ser acrescentado a quase todas elas, incorporado sem dificuldade aos lanches ou servido como prato principal. As possibilidades são infinitas.

Frutas vermelhas

As frutas vermelhas favoritas do dr. Greger

Açaí, uva-espim, amora-preta, mirtilo, cereja (doce ou ácida), uva Concord, cranberry, gojiberry, quincã, amora, framboesa (preta ou vermelha) e morango.

Tamanho das porções
½ xícara de frutas frescas ou congeladas
¼ de xícara de frutas secas

Recomendação diária
1 porção

Ao longo deste livro tem sido feita a defesa das frutas vermelhas. Acredita-se que elas confiram proteção contra o câncer (Capítulos 4 e 11), estimulem o sistema imunológico (Capítulo 5) e cuidem do fígado (Capítulo 8) e do cérebro (Capítulos 3 e 14). Um estudo da Sociedade Americana do Câncer realizado com quase cem mil homens e mulheres constatou que aqueles que consumiam mais frutas vermelhas pareciam ter uma probabilidade significativamente menor de morrer de doença cardiovascular.[1]

Espere aí: além de serem deliciosas, elas *ainda* nos ajudam a viver mais? Sim, ajudam. É isso o que uma alimentação à base de vegetais faz.

Enquanto as verduras são as hortaliças mais saudáveis, as frutas vermelhas são as frutas mais saudáveis — em parte devido a seus respectivos pigmentos vegetais. As folhas contêm o pigmento verde clorofila, que desencadeia a tempestade da fotossíntese; por isso as verduras precisam estar cheias de antioxidantes para lidar com os elétrons carregados de energia que são formados. (Lembra o superóxido do Capítulo 3?) Já as frutas vermelhas evoluíram para ter cores fortes, chamativas, a fim de atrair bichos que comem frutas para que estes ajudassem a espalhar suas sementes. E as mesmas características moleculares que conferem cores vibrantes a essas frutas são responsáveis por sua capacidade antioxidante.[2]

Os americanos comem muitos alimentos pálidos e bege: pão branco, macarrão, batata e arroz branco. Os alimentos coloridos em geral são mais saudáveis porque contêm pigmentos antioxidantes, seja o betacaroteno, que torna a cenoura e a batata-doce alaranjadas; o pigmento antioxidante licopeno, responsável pelo vermelho do tomate; ou os pigmentos antocianinas, que dão o tom azul do mirtilo. As cores *são* os antioxidantes. Esse conhecimento por si só deveria revolucionar seu passeio pela seção de hortifrúti.

Adivinhe o que tem mais antioxidantes: a cebola roxa ou a cebola branca? Não é necessário pesquisar para encontrar a resposta. Dá para ver a diferença com os olhos. (De fato, o poder antioxidante da cebola roxa é 76% maior do que o da branca, e a amarela fica entre as duas.[3] Então, se dá para escolher, por que você continuaria a comprar a cebola branca?

O repolho roxo pode conter oito vezes mais antioxidantes do que o verde,[4] e é por isso que você nunca encontrará o verde na minha casa.

Desafio: o que destrói mais radicais livres: a toranja rosa ou a comum? A maçã verde tipo Granny Smith ou a vermelha Red Delicious? A alface-americana ou a romana? A uva roxa ou a branca? O milho amarelo ou o branco? Viu? Você não precisa da minha ajuda ao fazer compras. Pode comprar tudo isso sozinho.

Mas e a berinjela de casca roxa ou de casca branca? Que pergunta capciosa! Lembre-se: o pigmento é o antioxidante, então a cor da casca não faz diferença se ela for descartada. Conforme aprendemos no Capítulo 11, é por isso que nunca devemos descascar maçãs. Pelo mesmo motivo, a quincã talvez seja a fruta cítrica mais saudável, já que pode ser consumida com casca e tudo.

Sempre tente comprar os morangos mais vermelhos, as amoras-pretas mais pretas, os tomates mais escarlates e os brócolis mais verde-escuros que encontrar. As cores *são* os antioxidantes antienvelhecimento e anticâncer.

O conteúdo antioxidante é um dos motivos pelos quais decidi dar às frutas vermelhas um tratamento especial. Elas só perdem para as ervas e temperos como categoria de alimentos mais cheios de antioxidantes. Como grupo, elas têm em média quase dez vezes mais antioxidantes do que outras frutas, legumes e verduras (e cinquenta vezes mais do que os alimentos de origem animal).[5]

O poder antioxidante das frutas vermelhas

Assim como no caso dos outros alimentos da luz verde, o tipo mais saudável é aquele que você vai acabar comendo com mais frequência. Mas, se você não tem nenhuma preferência, por que não incorporar a fruta vermelha que tem mais antioxidantes ao seu mingau matinal? Hoje sabemos que fruta é essa graças a um estudo que comparou mais de cem frutas vermelhas e produtos feitos a partir delas.[6]

As frutas preferidas nos Estados Unidos são a maçã e a banana, cujos poderes antioxidantes são de sessenta e quarenta unidades, respectivamente. A manga — a fruta preferida no mundo desconsiderando os Estados Unidos — até tem mais força antioxidante, em torno de 110 unidades (o que faz sentido quando se considera o quanto ela é mais colorida por dentro). Mas nenhuma delas se compara às frutas vermelhas. O morango tem 310 unidades por xícara; o cranberry, 330; a framboesa, 350; o mirtilo, 380 (embora o mirtilo silvestre possa ter o dobro disso);[7] e a amora-preta, colossais 650 unidades. Acima dela ainda estão tipos exóticos que podem ser colhidos na tundra ártica, como o arando vermelho. Mas, levando-se em conta o que é encontrado facilmente no mercado, a amora-preta é a vencedora. (A minha receita de coquetel de frutas inteiras que usa uma das campeãs, o cranberry, está na página 185). Fico satisfeito desde que você coma uma porção de qualquer fruta vermelha todo dia, mas, em termos de conteúdo antioxidante, preferir a amora-preta ao morango parece lhe dar o dobro de poder antioxidante.[8]

E todo o açúcar das frutas?

Há algumas dietas populares por aí que exortam as pessoas a pararem de consumir frutas por se pensar que seus açúcares naturais (a frutose) contribuem para o ganho de peso. A verdade é que apenas a frutose dos açúcares adicionados está associada ao declínio da função hepática,[9] à hipertensão arterial e ao ganho de peso.[10] Mas como a frutose do açúcar pode ser ruim enquanto que a mesma frutose na fruta é inofensiva? Pense na diferença entre um cubo de açúcar e uma beterraba-sacarina (a beterraba é a principal fonte de açúcar nos Estados Unidos).[11] Na natureza, a frutose vem pré-embalada com fibras, antioxidantes e fitonutrientes que anulam os efeitos adversos dela.[12]

As pesquisas mostram que se você beber um copo d'água com três colheres de sopa de açúcar (semelhante ao que haveria em uma lata de refrigerante), terá um pico dos níveis de açúcar no sangue na primeira hora. Isso leva o corpo a liberar tanta insulina para eliminar o excesso de açúcar que você, na verdade, passa do limite e fica hipoglicêmico na segunda hora, o que significa que sua taxa glicêmica cai ainda mais do que se você estivesse em jejum. Seu corpo detecta isso, pensa que você pode estar em uma situação qualquer de fome e responde lançando gordura na corrente sanguínea como fonte de energia para mantê-lo vivo.[13] Essa gordura excessiva no sangue pode, então, vir a causar mais problemas. (Veja o Capítulo 6.)

Mas e se você comer uma xícara de frutas vermelhas sortidas *além* do açúcar? As frutas vermelhas têm seus próprios açúcares, é claro — o que corresponde a uma colher de sopa a mais da substância —, portanto, o nível de açúcar no sangue deve chegar a um pico ainda pior, certo? Na verdade, não. Os participantes do estudo que comeram frutas vermelhas e ainda tomaram a xícara de água com açúcar não apresentaram nenhum pico de glicemia no sangue e nenhuma queda hipoglicêmica depois; seus níveis de açúcar no sangue apenas subiram e desceram e não houve aumento súbito de gordura no sangue.[14]

O consumo de açúcar na forma de frutas não apenas é inofensivo como, na verdade, é benéfico. A ingestão de frutas vermelhas pode enfraquecer o pico de insulina provocado por alimentos que aumentam a taxa glicêmica, como o pão branco.[15] Isso ocorre porque as fibras das frutas têm um efeito formador de gel no estômago e no intestino delgado que torna a liberação de açúcares mais lenta,[16] ou isso talvez aconteça por causa de certos fitonutrientes das frutas que parecem bloquear a absorção de açúcar pela parede do intestino e para a corrente sanguínea.[17] Portanto, consumir frutose na maneira concebida pela natureza traz benefícios, e não riscos.

A ingestão de uma dose baixa de frutose pode, na verdade, beneficiar o controle do açúcar no sangue. Acredita-se que comer um pedaço de fruta em cada refeição reduza, e não aumente, a reação ao açúcar no sangue.[18] Mas e quem tem diabetes tipo 2? Diabéticos de um grupo restringidos de modo aleatório a não consumir mais do que dois pedaços de fruta por dia não apresentaram um controle de açúcar no sangue melhor do que o dos integrantes do grupo ao qual foi pedido que comessem *no mínimo* dois pedaços de fruta por dia. Os pesquisadores concluíram que "a ingestão de frutas por pacientes com diabetes tipo 2 não deve ser restringida".[19]

É claro que deve haver *algum* nível de consumo de frutose que seja prejudicial quando vindo direto da Mãe Natureza, presente em alimentos da luz verde, certo? Parece que não há.

Pediu-se a dezessete pessoas que comessem *vinte* porções de frutas por dia durante meses. Apesar do conteúdo de frutose muito alto dessa dieta à base de frutas — um açúcar equivalente ao de oito latas de refrigerante por dia —, os cientistas relataram resultados benéficos e nenhum efeito adverso geral sobre o peso corporal, a pressão arterial[20] e os níveis de insulina, de colesterol e de triglicerídeos.[21] Recentemente, o grupo de pesquisa que criou o índice glicêmico constatou que alimentar pessoas com uma dieta à base de frutas, legumes, verduras e oleaginosas, que incluía vinte porções de frutas por dia durante algumas semanas, não teve nenhum efeito adverso sobre o peso, a pressão arterial ou os triglicerídeos — e ainda baixou o colesterol LDL ("ruim") em impressionantes 38 pontos.[22]

A baixa do colesterol não foi o único recorde quebrado: pediu-se aos participantes que consumissem 43 porções de legumes e verduras por dia além das frutas. O resultado do experimento foi que os pesquisadores registraram os maiores números de evacuações já documentados em uma intervenção na alimentação.[23]

Mas as frutas vermelhas congeladas são tão nutritivas quanto as frescas? Estudos realizados com a cereja,[24] a framboesa[25] e o morango[26] sugerem que a maior parte de suas características nutricionais são preservadas até quando elas são congeladas. Em geral, prefiro comprar frutas vermelhas congeladas, pois duram mais, estão disponíveis o ano inteiro e tendem a ser mais baratas. Se você olhar agora para o meu congelador, verá que metade dele está ocupada por verduras enquanto a outra tem frutas vermelhas. O que faço com elas? Sorvete, é claro.

A sobremesa favorita lá em casa é "sorvete" aerado de uma combinação de frutas congeladas. É só bater as frutas congeladas no liquidificador, no processador de alimentos ou na centrífuga e *voilà*! Sorvete de fruta instantâneo. Tem que provar para acreditar. A receita mais simples tem apenas um ingrediente: banana congelada. Descasque e congele algumas bananas maduras (quanto mais maduras, melhor — eu estou falando de marrom). Uma vez congeladas, coloque-as no processador de alimentos e bata. Elas dão uma sobremesa suave, leve, fofa, mais barata, mais saudável e mais saborosa do que qualquer coisa que se poderia comprar em uma loja de *frozen yogurt* da moda.

É claro que seria ainda mais saudável se fosse um sorvete de *frutas vermelhas* ou pelo menos uma mistura de frutas vermelhas e banana. O meu favorito é com chocolate. Para fazê-lo, bata cerejas escuras e doces ou morangos misturados com uma colher de sopa de cacau em pó, um pingo de leite do tipo que preferir (ou mais se você quiser um milk-shake), uma tampinha cheia de essência de baunilha e algumas tâmaras sem caroço. Caso você não tenha comido sua porção diária de oleaginosas, pode acrescentar um pouco de manteiga de amêndoa. De qualquer forma, você se permite saborear uma sobremesa de chocolate instantânea e tão nutritiva que quanto mais comer, mais saudável ficará. Vou repetir: quanto mais comer, mais saudável você ficará. Esse é meu tipo de sorvete!

Cereja ácida

Pesquisas realizadas há meio século sugerem que a cereja ácida tem um poder anti-inflamatório tão grande que pode ser usada para tratar com êxito um tipo doloroso de artrite chamado gota.[27] Tratamentos alimentares deliciosos são muito bem-vindos, já que alguns remédios para gota podem custar 2 mil dólares a dose,[28] não trazer distinção clara entre as doses não tóxicas, as tóxicas e as letais[29] ou causar um efeito colateral raro em que a pele descola do corpo.[30] É claro que a melhor maneira de lidar com a gota é, em primeiro lugar, tentar preveni-la com uma alimentação preponderantemente à base de vegetais.[31]

A cereja também reduz o nível de inflamação em indivíduos saudáveis (medido por uma queda nos níveis de proteína C reativa no sangue),[32] então fiquei animado ao encontrar uma fonte desse alimento da luz verde que está disponível o ano inteiro: um produto enlatado com apenas dois ingredientes, cerejas e água. Eu transfiro o líquido (que costumo usar em minha receita de ponche de hibisco da página 448) para uma tigela, à parte, misturo as cerejas com mingau de aveia, cacau em pó e sementes de abóbora. Quando se adoça isso com açúcar de tâmara ou eritritol (veja a página 447), é como comer cerejas cobertas de chocolate no café da manhã.

Um alerta: pelo mesmo motivo que se deve evitar doses altas de remédios anti-inflamatórios como a Aspirina durante o terceiro trimestre de gestação, o cacau, as frutas vermelhas e outros alimentos com teores elevados de polifenóis anti-inflamatórios devem ser consumidos com moderação no final da gravidez.[33]

Gojiberry

A cereja ácida contém naturalmente melatonina e tem sido usada para melhorar o sono sem apresentar qualquer efeito colateral.[34] No entanto, a gojiberry tem as maiores concentrações dessa substância.[35] Ela tem a terceira maior capacidade antioxidante de todas as frutas secas — cinco vezes mais do que a das passas, perdendo apenas para as sementes de romã secas e a uva-espim (uma fruta que costuma ser encontrada em mercados e lojas de temperos do Oriente Médio).[36] A gojiberry também tem um pigmento antioxidante específico que confere a cor amarela ao milho: a zeaxantina. Quando ingerida, a zeaxantina é lançada no interior da retina (a parte de trás do olho) e confere proteção contra a degeneração macular, uma das principais causas de perda de visão.[37]

A indústria do ovo se gaba do teor de zeaxantina presente nas gemas, porém, a gojiberry tem cerca de cinquenta vezes mais desse pigmento do que o ovo.[38] Um estudo duplo-cego, randomizado e placebo-controlado constatou que a frutinha pode até ajudar quem já sofre de degeneração macular.[39] Os cientistas usaram leite para melhorar a absorção de zeaxantina (que, como todos os carotenoides, é solúvel em gordura), mas uma forma mais saudável de consumi-la seria recorrer a fontes de gordura de alimentos da luz verde, como as oleaginosas e as sementes — em outras palavras, um mix com gojiberry!

Mas a gojiberry não é cara? Em lojas de produtos naturais, quase meio quilo pode custar 20 dólares, porém, nos Estados Unidos, em mercados asiáticos dá para comprá-la como "Lycium", e ela é ainda mais barata que as passas. Portanto, embora você esteja acostumado a comer passas — seja como lanche, em pães e bolos ou no cereal ou aveia do café da manhã —, recomendo que as substitua pela gojiberry.

Cassis e uva-do-monte

Por falar em frutas vermelhas e visão, um estudo duplo-cego, placebo-controlado e cruzado com cassis constatou que estes podem melhorar os sintomas de tensão ocular digital (conhecida na linguagem médica como "alteração transitória da refração induzida por trabalho em terminal de monitor de vídeo").[40] O que é tido como cassis nos Estados Unidos em geral são passas de uva champagne, e não o verdadeiro cassis — que é proibido em âmbito federal no país há um século a pedido da indústria madeireira (que temia que ele pudesse disseminar uma doença de plantas que afeta o pinheiro-branco, uma árvore que hoje mal cultivamos, por isso, desde então, alguns estados suspenderam a proibição). Atualmente, o cassis de verdade está voltando a ser consumido nos Estados Unidos, mas se os benefícios — como suspeitam os pesquisadores — têm a ver com os pigmentos antocianinas, outras frutas vermelhas, como a uva-do-monte, o mirtilo e a amora-preta, também são benéficas. Os pigmentos antocianinas são responsáveis por muitas das cores azul intenso, preto, roxo e vermelho das frutas vermelhas e de outras frutas, legumes e verduras. As maiores concentrações estão presentes na arônia [aronia berry] e na elderberry, seguidas da framboesa preta, do mirtilo (sobretudo as variedades "silvestres" menores) e da amora-preta. No entanto, a fonte mais barata é provavelmente o repolho-roxo.[41]

As uvas-do-monte ganharam notoriedade durante a Segunda Guerra Mundial, quando se dizia que pilotos da Força Aérea Real Britânica (RAF) "estavam comendo geleia de uva-do-monte para melhorar a visão noturna".[42] Pelo visto, isso pode ter sido uma história inventada para ludibriar os alemães. O motivo mais provável pelo qual os britânicos de repente passaram a mirar os bombardeiros nazistas no meio da noite não foram as uvas-do-monte, mas uma nova invenção ultrassecreta: o radar.

Infelizmente, os pigmentos antocianinas são afetados quando as frutas vermelhas são processadas para virar geleia. Nada menos do que 97% desses pigmentos são perdidos quando morangos são transformados em geleia.[43] Contudo, a liofilização parece preservar incrivelmente os nutrientes.[44] Eu me lembro de experimentar um "sorvete de astronauta" quando era criança e também de visitar o Museu do Ar e do Espaço do Instituto Smithsonian. Para mim é esse o gosto que os morangos liofilizados têm. Eles derretem na boca. São deliciosos, nutritivos, porém caros.

Obviamente, as frutas vermelhas frescas são divinas. Minha família gosta de colhê-las em passeios pelo campo e depois congelá-las em abundância. Eu também fiquei conhecido por estender um lençol sob os galhos de amoreiras silvestres de um parque próximo a nossa casa e derrubar delicadamente as frutas maduras com um cabo de vassoura. Quase todas as frutas vermelhas "agregadas" (as que parecem aglomerados de bolinhas, como o mirtilo, a framboesa e a amora) da América do Norte são comestíveis,[45] mas, por favor, certifique-se de identificá-las com enorme rigor antes de colhê-las.

Em toda a sua glória colorida, doce e saborosa, as frutas vermelhas são pequenas usinas de energia antioxidante protetora. A questão não deve ser se você comerá sua porção diária mínima, mas sim como conseguir parar de comê-las. Em seu smoothie, como sobremesa, na salada ou simplesmente puras, elas são doces da natureza.

Outras frutas

As outras frutas favoritas do dr. Greger

Maçã, damasco seco, abacate, banana, melão cantaloupe, clementina, tâmara, figo seco, toranja, melão honeydew, kiwi, limão, limão-siciliano, lichia, manga, nectarina, laranja, mamão papaia, maracujá, pêssego, pera, abacaxi, ameixa (especialmente a preta), *pluot*, romã, ameixa seca, tangerina e melancia.

Tamanho das porções:
1 fruta de tamanho médio
1 xícara de fruta cortada
¼ de xícara de fruta seca

Recomendação diária:
3 porções

Levou anos para que quase quinhentos pesquisadores de mais de trezentas instituições de cinquenta países desenvolvessem o Estudo de Carga de Doença Global 2010. Financiada pela Fundação Bill e Melinda Gates, esta é a maior análise da história sobre fatores de risco para morte e doenças.[1] Nos Estados Unidos, a imensa pesquisa determinou que a principal causa de morte e deficiência era a dieta americana, seguida do hábito de fumar.[2] O que foi o pior aspecto de nossa alimentação? Não comer frutas o suficiente.[3]

Não se limite a consumir as frutas apenas na forma como são arrancadas da árvore. Embora sejam perfeitas como lanches rápidos, não se esqueça de que também podem ser cozidas. Pense nas maçãs assadas, nas peras escaldadas e no abacaxi grelhado.

Se você gosta de consumir a fruta na forma de bebida, a melhor forma de preservar a nutrição é batê-la no liquidificador em vez de extrair apenas o suco. A extração do suco remove mais do que apenas as fibras, pois a maioria dos fitonutrientes polifenóis (veja o Capítulo 3) das frutas, legumes e verduras parece estar ligada às fibras e só é liberada para absorção pelas bactérias benéficas da flora intestinal. Quando se bebe apenas o suco, se perde as fibras e toda a nutrição ligada a ela.[4] Mesmo o suco de maçã turvo, que retém um pouco das fibras da fruta, parece ter quase o triplo de compostos fenólicos comparado ao suco de maçã límpido.[5]

Embora um consumo maior de frutas inteiras tenha sido associado a uma probabilidade menor de desenvolver diabetes tipo 2, pesquisadores de Harvard constataram que um consumo maior de suco estava associado a um risco maior de desenvolver diabetes. Portanto, ao escolher fontes de fruta que estejam entre os itens da luz amarela, como suco ou geleia, é possível não apenas perder os nutrientes, mas também agir ativamente contra a saúde.[6]

Uma maçã por dia

Qualquer um que alega falta de tempo para se alimentar de forma saudável não sabe o que é uma maçã. Isso sim que é comida pronta para consumo! Àqueles que cresceram em um mundo dominado pela vermelha Red Delicious e pela verde Granny Smith, tenho a felicidade de revelar que existem milhares de variedades. É provável que, em termos de saúde, a maçã silvestre seja a melhor,[7] mas, no que se refere ao sabor, a minha favorita é a Honeycrisp — ou qualquer variedade que eu possa colher localmente. Se nunca experimentou uma maçã que pegou diretamente do pé, você não sabe o que está perdendo. Se não for possível colher da árvore, os mercados de produtores podem oferecer bons preços por ótimos produtos de hortifrúti. Minha família compra quilos de maçã.

Tâmara

Meu lanche de frutas favorito no outono e no inverno são fatias de maçã com tâmaras, por causa da mistura perfeita de ácido com doce. Quando era criança, eu não gostava de tâmara. Ela era seca, parecia cera. Mas depois descobri que havia variedades macias, gordas e úmidas que não tinham o gosto de giz das que me assombraram durante a infância. A tâmara Barhi, por exemplo, é úmida e pegajosa, mas quando congelada adquire sabor e consistência de caramelo. É sério. Combinada com a maçã Honeycrisp, dá uma espécie de maçã caramelada, inclusive com aroma de butterscotch.

Dá para comprar tâmaras Medjool decentes em mercearias especializadas em produtos do Oriente Médio e em muitas lojas de produtos naturais, mas é provável que você tenha que recorrer à internet para comprar as variedades úmidas demais para serem vendidas comercialmente. Já experimentei tâmaras da maioria dos grandes comerciantes na internet e sempre acabo pedindo as da Date People, uma pequena fazenda da Califórnia. Não gosto de apoiar estabelecimentos comerciais, porém não encontrei outro lugar com um padrão de qualidade e consistência tão bons (embora as Black Sphinx, de Phoenix, cheguem perto!). A colheita anual da Date People é feita perto do meu aniversário, em outubro. Sempre me permito o luxo de me dar esse presente e compro uma caixa grande para guardar no congelador.

Azeitona e azeite de oliva

A azeitona e o azeite de oliva extravirgem são alimentos da luz amarela. O consumo de azeitona deve ser minimizado porque ela é mergulhada em salmoura: uma dúzia de azeitonas grandes pode ter quase a metade do limite de sódio diário recomendado. O azeite de oliva não tem sódio, porém a maior parte de seu valor nutritivo foi removido. Deve-se pensar no azeite de oliva extravirgem um pouco como um suco de fruta: tem nutrientes, mas as calorias que se obtém dele são relativamente vazias comparadas às da fruta inteira. (Afinal, a azeitona é uma fruta.)

O sumo de azeitona recém-extraído já confere menos nutrição do que a fruta inteira, porém os produtores de azeite de oliva também jogam fora a água residual da azeitona, que contém nutrientes solúveis. Por causa disso, o consumidor final acaba obtendo apenas uma pequena fração do valor nutritivo da fruta inteira ao adquirir o azeite extravirgem engarrafado. O azeite de oliva refinado (não virgem) é ainda pior. Eu o classificaria, com outros óleos vegetais, como um alimento da luz vermelha, já que oferece uma nutrição muito escassa para sua grande carga calórica. Uma colher de sopa de óleo pode conter mais de cem calorias sem satisfazer você. (Compare essa única colher de sopa com o tamanho das porções com cem calorias de outros alimentos na página 139.)

Eu encaro o óleo como o açúcar de mesa do reino das gorduras. Assim como pegam alimentos como a beterraba e jogam fora sua nutrição para fazer açúcar, os fabricantes pegam o milho, que é saudável, e acabam com ele para fazer óleo de milho. Assim como ocorre com o açúcar, as calorias do óleo de milho são piores do que se fossem apenas vazias. No Capítulo 1, falei da deterioração da função arterial que pode ocorrer horas após a ingestão de alimentos da luz vermelha, como fast-food e cheesecake. O mesmo efeito prejudicial ocorre depois do consumo de azeite de oliva[8] e outros óleos[9] (mas não após a ingestão de fontes de gordura da luz verde, como as oleaginosas).[10] Até o azeite de oliva extravirgem pode prejudicar a capacidade das artérias de relaxar e dilatar.[11] Portanto, assim como qualquer alimento da luz amarela, seu consumo deve ser restringido.

Cozinhar sem óleo é surpreendentemente fácil. Para que os ingredientes não grudem na panela, basta refogá-los em vinho, xerez, caldos, vinagre ou apenas em água pura. Para assar, uso com sucesso itens da luz verde, como banana ou abacate amassados, ameixa seca embebida em água e até purê de abóbora enlatado no lugar do óleo, para conferir uma umidade parecida.

A redução do consumo de alimentos da luz amarela é uma questão de frequência e quantidade. Se você for se aventurar fora da zona verde, meu conselho é simples: faça valer a pena. Não desperdice as ocasiões preciosas em que você se dá ao luxo de comer porcaria. Não quero parecer arrogante em relação à comida, mas, se você vai comer algo que não seja o máximo do saudável, eu digo: se dê um mimo e saboreie de verdade. Quando quero comer azeitona, jamais pego aquelas abominações pretas e duras enlatadas. Eu fatio algumas azeitonas pretas que têm sabor genuíno. Se você vai se mimar de vez em quando, o meu conselho é: faça isso direito!

Manga

A manga é a minha fruta preferida durante a primavera e o verão, mas é necessário saber onde comprar as boas. Nos Estados Unidos, é bom dar uma olhada nos mercados latino-americanos e nas mercearias indianas. Aqui, a diferença entre a manga do Walmart e a da loja de especiarias indianas é como a que existe entre um tomate duro, opaco, sem gosto e cor-de-rosa e um do tipo Heirloom maduro, saboroso, vindo da fazenda. Para ver se está boa, você deve sentir o cheiro da manga mesmo com o braço esticado.

A minha forma favorita de comê-la é sorvendo-a como se fosse um suco já pronto em um saquinho. Quando a fruta está macia e madura, eu a rolo entre as palmas da mão, amassando-a com os dedos até ela virar uma polpa líquida em uma bolsa. Então faço um buraco na casca mordendo-a, aperto de leve a fruta e sugo o seu caldo.

Melancia

Algumas frutas não processadas são melhores do que outras? As frutas vermelhas são as que mais contêm antioxidantes, enquanto o melão se aproxima dos níveis baixos da alface-americana. Em contrapartida, as *sementes* de melancia têm níveis bem respeitáveis de antioxidantes, por isso dou preferência às variedades que as têm. Uma colher de sementes de melancia pode ter tantos antioxidantes quanto uma xícara inteira de melão em pedaços.[12] Com ou sem sementes, a melancia contém um composto chamado citrulina, que aumenta a atividade da enzima responsável pela dilatação dos vasos sanguíneos do pênis, que gera a ereção. Um grupo de pesquisadores italianos constatou que uma suplementação de citrulina proporcional a cinco porções de melancia vermelha por dia melhorou a rigidez da ereção em homens com disfunção erétil moderada, permitindo um aumento de 68% na frequência mensal de relações sexuais.[13] Já a melancia amarela tem quatro vezes mais citrulina,[14] por isso apenas uma fatia por dia (um sexto de uma melancia de tamanho modesto) gera o mesmo efeito. Se você não sabia disso, talvez seja porque o orçamento de marketing de empresas farmacêuticas como a Pfizer — que fatura bilhões de dólares todo ano com a venda de remédios para disfunção erétil — é mil vezes maior[15] do que o orçamento inteiro do Comitê Nacional de Promoção da Melancia.[16]

Frutas secas

Adoro manga seca, mas é difícil achá-la na versão sem adição de açúcar. Eu me lembro de perguntar ingenuamente a um amigo do ramo de alimentos por que as empresas sentiam a necessidade de adoçar uma fruta que por si só já é doce. "Peso adicionado", explicou ele. Assim como a indústria responsável pelo processamento de aves domésticas injeta sal no frango para acrescentar o peso da água, as companhias de alimentos processados costumam usar o açúcar como uma forma barata de aumentar o peso de produtos vendidos a quilo.

Isso fez com que eu decidisse preparar eu mesmo a minha comida. Estou muito feliz por ter comprado um desidratador no eBay. As frutas são 90% água, então imagine o sabor de uma manga fresca e madura intensificado dez vezes. É incrível! Descascar uma manga pode ser um saco, mas depois de fazer isso eu a corto em fatias de mais ou menos um centímetro de espessura e salpico sementes de chia antes de pô-las no desidratador. Se vou levá-las no avião ou em uma caminhada, seco-as por completo. Do contrário, só deixo a parte de fora secar. A camada externa, incrustada de chia, fica com uma textura crocante, enquanto o interior permanece úmido e, quando mordido, explode na boca. Esse é o tipo de coisa que não posso comer vendo um filme ou lendo um livro. O gosto é tão bom que tenho de parar, fechar os olhos e saborear.

Também gosto de desidratar fatias finas de maçã. Costumo salpicar canela ou esfregar gengibre recém-ralado nelas. Dá para secá-las até ficarem mastigáveis ou desidratá-las por completo, transformando-as em chips de maçã crocantes. A ingestão de uma dúzia de rodelas de maçã por dia pode gerar uma queda do nível de colesterol LDL de 16% em três meses e de 24% em seis meses.[17]

Eu recomendo que, ao comprar frutas secas, você escolha variedades não sulfuradas. Conservantes que contêm enxofre — como o dióxido de enxofre nas frutas secas e os sulfitos nos vinhos — podem formar sulfeto de hidrogênio no intestino; esse é o gás de ovo podre envolvido no desenvolvimento da colite ulcerativa, doença inflamatória dos intestinos. A principal fonte de sulfeto de hidrogênio é o metabolismo da proteína animal,[18] mas é possível reduzir a exposição a ele evitando aditivos com enxofre (seja prestando atenção nas informações nutricionais dos produtos, seja escolhendo alimentos orgânicos, nos quais é proibida a adição de conservantes). O enxofre presente naturalmente nos vegetais crucíferos não parece elevar o risco de colite,[19] portanto, fique à vontade para acrescentar chips de couve-crespa a seu cardápio de petiscos saudáveis.

Prescrevendo kiwi

Na literatura médica, parece que há um número desproporcional de artigos sobre os benefícios clínicos do kiwi. Seria porque ele é melhor do que as outras frutas? Ou porque a indústria de kiwi dispõe de mais dinheiro para investir em pesquisas? A Nova Zelândia possui uma participação substancial do mercado global de kiwi, por isso ela tem o maior interesse em financiar estudos sobre a fruta. Como resultado, não faltam análises atestando os benefícios do kiwi.

Ele é uma das frutas que prescrevo aos meus pacientes com insônia (comer dois kiwis uma hora antes de dormir parece melhorar de modo significativo a chegada, a duração e a eficiência do sono)[20] e também aos que sofrem de síndrome do intestino irritável (SII) com constipação (consumir dois kiwis por dia parece melhorar também a função intestinal de modo significativo). Não há dúvida de que o kiwi é uma opção melhor do que o principal medicamento para SII, retirado do mercado aparentemente por matar muitas pessoas.[21]

Pelo visto, o kiwi também ajuda a função imunológica. Crianças em idade pré-escolar escolhidas de modo aleatório para comer kiwi amarelo todos os dias pareceram ter o risco de contrair resfriado e gripe reduzido quase à metade, comparadas às selecionadas de modo aleatório para comer banana[22]. Um experimento semelhante foi realizado com idosos, outro grupo de alto risco. Os integrantes do grupo de controle, o da banana, que sofreram infecção do sistema respiratório superior tiveram dor de garganta e congestão durante mais ou menos cinco dias, enquanto os que consumiram kiwi se sentiram melhor após um ou dois dias.[23] Entretanto, uma em cada 130 crianças pode ser alérgica a essa fruta,[24] o que faz dela o terceiro alérgeno mais comum (atrás apenas do leite e do ovo).[25] Portanto, o kiwi não é para todo mundo.

Frutas cítricas

A adição de um pouco de raspas de uma fruta cítrica às refeições não apenas lhes confere mais cor, sabor, aroma e certa sofisticação culinária, mas também nutrição. As cascas das frutas cítricas dão um gás aos pratos, e podem fazer o mesmo com a nossa capacidade de reparar o DNA. Estima-se que, em média, o ser humano sofra oitocentos danos ao DNA por hora. Se eles não forem sanados, pode haver mutações que dão origem ao câncer.[26] Ao comparar gêmeos idênticos e fraternos, os cientistas constataram que apenas parte da função de reparo do DNA é determinada pela genética. O restante pode estar sob o nosso controle.[27]

O fator alimentar que se revelou mais eficiente no estímulo ao reparo do DNA foram as frutas cítricas.[28] Horas depois de consumir esse tipo de fruta, o DNA se torna bem mais resistente a danos,[29] o que pode ajudar a explicar por que o consumo delas é associado a um risco menor de câncer de mama.[30]

Contudo, alguns compostos das frutas cítricas considerados responsáveis por isso — que se concentram na mama[31] e aumentam o reparo do DNA[32] — são encontrados na casca. Talvez seja por isso que pessoas que comem pelo menos um pouco da casca das frutas cítricas parecem ter taxas de câncer de pele menores do que aquelas que não comem.[33]

Coma a fruta propriamente dita, pois os suplementos não parecem aumentar o reparo de DNA[34], assim como os sucos cítricos pelo visto também não têm muito efeito. Na verdade, beber suco de laranja toda manhã pode até aumentar o risco de câncer de pele.[35] Os alimentos da luz verde sempre são os melhores, e você pode consumir as frutas cítricas de uma forma ainda *menos* processada acrescentando um pouco de raspas da casca à sua dieta. Eu gosto de congelar limões Tahiti, limões-siciliano e laranjas inteiros para tê-los sempre à mão e poder usar a casca ralada em pratos que ficariam mais interessantes com ela.

Minha única advertência sobre o consumo de frutas cítricas inteiras é a de que você deve informar ao seu médico caso coma toranja, pois essa fruta pode suprimir as enzimas que ajudam a eliminar mais da metade dos remédios que costumam ser receitados — e, quando os medicamentos são menos eliminados, suas substâncias ficam mais concentradas no organismo.[36] Isso, na verdade, pode ser bom caso se queira um efeito maior da sensação de alerta provocada pela cafeína do café matinal[37] ou se seu médico quiser ajudá-lo a poupar dinheiro aumentando os efeitos de remédios caros, em vez de eliminá-los na urina.[38] Entretanto, níveis mais altos de medicamentos no corpo também podem significar um risco maior de efeitos colaterais; por isso, se você come toranja regularmente, pode ser que seu médico queira alterar a prescrição ou mudar a dosagem.

Frutas exóticas

A faculdade de medicina que frequentei fica no meio de Chinatown, em Boston. Eu me lembro da primeira vez que dei uma olhada no corredor de produtos de hortifrúti de um grande supermercado asiático. Diante de opções que iam da bizarra pitaia ao rambutã, que parece um pingo do Star Trek, eu me senti como se estivesse em outro planeta. Toda semana experimentava algo novo. Incorporei alguns itens à minha alimentação — eu ainda como lichia no cinema —, porém outros foram apenas romances passageiros. Vou lhe contar o Incidente do Durião.

O durião é a fruta mais intimidante que existe. Imagine uma bola de futebol americano de mais de dois quilos coberta de espinhos afiados, como uma clava medieval. Que outra fruta poderia ser descrita na literatura médica como causadora de "sérios ferimentos no corpo", em estudos com títulos como "Penetrating

OUTRAS FRUTAS | 353

Ocular Injury by Durian Fruit" ["Ferimento ocular penetrante causado por um durião"]?[39] E eu ainda nem falei de sua característica mais distinta: o cheiro. Com um odor cuja melhor descrição talvez seja a de "merda de porco, terebintina e cebola com um toque de meia de ginástica",[40] o durião é proibido em muitos espaços públicos — como metrôs e aeroportos — no Sudeste Asiático, onde é cultivado.

Eu tinha que experimentar uma coisa doida dessas!

O durião é vendido congelado. (Logo eu entenderia por quê.) Levei um para o *campus* e consegui cortar um pedaço sem me espetar em um espinho. A fruta tinha um gosto que parecia picolé de cebola caramelizada. Deixei o que sobrou no armário — que erro! No dia seguinte, quando cheguei, encontrei o andar inteiro do centro médico — incluindo o escritório do reitor — isolado por um cordão. Estavam indo de armário em armário, arrancando todos os cadeados, em busca da causa de um fedor tão forte que nem dava para localizar sua origem. Era como uma névoa de mau cheiro. Funcionários do hospital até chegaram a achar que alguém havia roubado partes de cadáveres do laboratório de anatomia macroscópica. E então me dei conta. *Ai ai ai.* O durião tinha descongelado. Quando percebi que era tudo culpa minha, arrastei-me até o reitor para implorar seu perdão. Eu já tinha um histórico de desentendimentos com a administração porque havia posto em xeque algumas questões relativas ao currículo, e então aquilo. Jamais me esquecerei do que ele me disse naquele dia: "Por que não estou surpreso por você estar envolvido nisso?"

Para acrescentar o máximo possível de frutas à dieta, você com certeza não precisa buscar frutas fedorentas que têm a aparência de armas medievais, mas também não precisa ficar restrito às mesmas de sempre. Permita-se experimentar coisas novas! Divirta-se degustando as diversas variedades das muitas frutas ao seu redor. Pode ser muito legal passear em um mercado de agricultores no fim de semana e escolher frutas cultivadas localmente — você pode usá-las para realçar o sabor dos pratos, preparar smoothies, fazer frutas secas, incorporar aos seus pratos favoritos ou, o melhor de tudo, consumi-las em sua forma natural. As oportunidades estão maduras à espera de serem colhidas!

Vegetais crucíferos

Os vegetais crucíferos favoritos do dr. Greger

Rúcula, repolho-chinês, brócolis, couve-de-bruxelas, repolho, couve-flor, couve-manteiga, raiz-forte europeia, couve-crespa (toscana, verde e vermelha), mostarda, rabanete, folha de nabo e agrião.

Tamanho das porções
½ xícara de vegetais cortados
¼ de xícara de couve-de-bruxelas e brotos de brócolis
1 colher de sopa de raiz-forte europeia

Recomendação diária
1 porção

Quando lecionava para alunos de medicina na Tufts, eu dava uma aula sobre uma nova substância medicinal incrível chamada "silocórB". Eu falava sobre todas as evidências a seu favor, as coisas boas que ela podia fazer, seu excelente perfil de segurança. Justo quando os alunos começavam a se interessar em comprar ações da empresa e receitar o remédio para os futuros pacientes, eu fazia a grande revelação. Pedindo desculpas pela minha "dislexia", admitia que tinha escrito de trás para a frente. Eu estava falando o tempo todo do brócolis.

VEGETAIS CRUCÍFEROS | 355

O brócolis é o alimento mais mencionado neste livro, e por bons motivos. Vimos, no Capítulo 2, que vegetais crucíferos como ele podem prevenir danos ao DNA e a disseminação metastática do câncer; no Capítulo 5, que ele ativa as defesas contra patógenos e poluentes; no Capítulo 9, que ajuda a evitar o linfoma; no Capítulo 11, que aumenta a taxa das enzimas que desintoxicam o fígado e atacam células-tronco de câncer de mama; e, no Capítulo 13, que reduz o risco de progressão do câncer de próstata. Acredita-se que o componente responsável por tais benefícios seja o sulforafano, que se forma quase que exclusivamente nos vegetais crucíferos. É por isso que eles formam uma categoria à parte entre os Doze por Dia.

Além de ser um promissor agente anticâncer,[1] o sulforafano pode ajudar a proteger o cérebro[2] e a visão[3], reduzir inflamações das vias nasais em decorrência de alergias[4] e controlar a diabetes tipo 2[5]; além disso, recentemente constatou--se que ajuda a tratar o autismo. Um estudo placebo-controlado, duplo-cego e randomizado realizado com meninos com autismo constatou que uma quantidade de sulforafano equivalente a de duas a três porções de vegetais crucíferos por dia[6] melhora a interação social, o comportamento anormal e a comunicação verbal em questão de semanas. Os pesquisadores, em sua maioria de Harvard e da Universidade Johns Hopkins, sugerem que o efeito pode se dever à função "desintoxicante" do sulforafano.[7]

Estratégias para aumentar a formação de sulforafano

A formação de sulforafano em vegetais crucíferos é como uma reação química explosiva: exige a mistura de um composto precursor com uma enzima chamada mirosinase, que é inativada pelo cozimento[8] (embora os brócolis feitos no micro-ondas pareçam reter parte de capacidade de combater o câncer). Isso talvez explique por que em uma análise realizada em um tubo de ensaio se vê uma supressão drástica do crescimento de células de câncer causada por brócolis, couve-flor e couve-de-bruxelas crus, mas mal se percebe uma reação quando estes estão cozidos.[9] Mas quem vai querer comer couve-de-bruxelas crua? Eu que não vou. Ainda bem que há maneiras de desfrutar dos benefícios dos vegetais crus na forma cozida.

Comer brócolis é como provocar uma baita explosão química. Quando o brócolis cru (ou qualquer outro vegetal crucífero) é picado ou mastigado, o precursor do sulforafano se mistura à enzima mirosinase e o sulforafano é criado estando o legume na tábua de corte ou no estômago esperando para ser digerido.[10] Embora a enzima seja destruída pelo cozimento, tanto o precursor quanto o produto final são resistentes ao calor. Portanto, eis o truque: use o que eu chamo de técnica "Corte e Espere".

Se você cortar o brócolis (ou a couve-de-bruxelas, a couve-crespa, a couve-manteiga, a couve-flor ou qualquer outro vegetal crucífero) e esperar quarenta minutos, poderá cozinhá-lo o quanto quiser. A essa altura, o sulforafano já foi formado, então a enzima não será mais necessária para se obter o benefício máximo. O trabalho já estará feito. (Você também pode comprar sacos de verduras frescas e outros crucíferos pré-cortados, que, na teoria, podem ser cozidos imediatamente.)

Tendo isso em mente, você já percebeu que a maioria das pessoas prepara sopa de brócolis do jeito errado? Em geral, elas cozinham o brócolis antes de batê-lo no liquidificador. Mas, ao fazer isso, elas estão apenas misturando o precursor com uma enzima que foi inativada pelo cozimento. Então inverta a ordem: primeiro bata o legume no liquidificador e depois espere quarenta minutos para cozinhá-lo. Assim você aumentará ao máximo a produção de sulforafano.

Mas e o brócolis e outros crucíferos *congelados*? O brócolis congelado produzido comercialmente não tem a capacidade de formar o sulforafano, pois é escaldado antes do congelamento para desativar as enzimas.[11] Esse processo prolonga a validade do produto, porém, quando o consumidor final tira o legume do congelador, a enzima está inerte. A essa altura, não importa o quanto você corte ou o quanto espere: nenhum sulforafano será formado. Talvez seja por isso que a couve-crespa fresca se mostrou capaz de suprimir o crescimento de células de câncer *in vitro* com dez vezes mais eficácia do que sua versão congelada.[12]

Contudo, um legume crucífero congelado ainda possui bastante do precursor — lembre-se que este é resistente ao calor. Você pode produzir muito sulforafano a partir daí ao acrescentar um pouco de enzima.[13] Mas onde se pode obter a mirosinase? Os cientistas compram enzimas de empresas químicas, mas você pode apenas ir a uma mercearia.

A folha de mostarda também é um vegetal crucífero. Ela nasce de sementes de mostarda, que podem ser compradas moídas na seção de temperos como mostarda em pó. Será que, se salpicarmos um pouco de mostarda em pó no brócolis congelado que foi cozido, este começaria a produzir sulforafano? Sim, começaria!

Ferver o brócolis impede a formação de qualquer nível significativo de sulforafano devido à inativação da enzima. Entretanto, a adição de sementes de mostarda em pó ao brócolis cozido aumenta de maneira significativa a formação de sulforafano.[14] Então isso é quase tão bom quanto comê-lo cru! Portanto, se você não tem como esperar quarenta minutos entre o corte e o cozimento, ou se está usando o legume congelado, basta salpicar um pouco de mostarda em pó antes de comer o brócolis e pronto. O rabanete-japonês, o rabanete comum, a raiz-forte europeia e a raiz-forte japonesa (wasabi) são vegetais crucíferos e geram o mesmo efeito. Pelo visto, basta uma pitada para reativar a produção de sulforafano.[15] Você também pode adicionar uma pequena quantidade de verduras frescas às verduras cozidas. É por isso que, quando acrescento tiras de repolho-roxo aos meus pratos, estas não apenas o deixam mais bonito e dão uma crocância agradável como estão cheias de enzimas produtoras de sulforafano.

Uma das primeiras coisas que eu costumava fazer toda manhã era cortar verduras para o dia, usando a minha técnica Corte e Espere. Mas agora, com o Plano Mostarda em Pó, cortei esse afazer da minha lista.

Raiz-forte europeia

Os tamanhos das porções sugeridos na página 35 correspondem mais ou menos à ingestão diária necessária para se alcançar as taxas que ajudam na prevenção contra o câncer, de acordo com o inovador estudo sobre cirurgia de mama que detalhei no Capítulo 11. Como está claro pelas porções sugeridas, a raiz-forte europeia tem o menor tamanho de porção, o que significa que ela é o mais concentrado dos vegetais crucíferos. Uma colher de sopa dela e os seus Doze por Dia caem para Onze por Dia. Dá para usar a raiz-forte europeia em um molho ou como tempero para realçar o sabor do prato e de quebra marcar mais um xis. Ela fica ótima com purê de batata ou, para uma opção ainda mais saudável, com purê de couve-flor. É só ferver a couve-flor por dez minutos, até ficar macia, e em seguida amassá-la com um garfo ou um espremedor de batata ou batê-la no processador de alimentos com um pouco do líquido do cozimento reservado até formar uma pasta. Eu tempero esse purê com pimenta, alho assado, bastante raiz-forte e depois rego com um molho de cogumelos. Fica delicioso!

Assando vegetais crucíferos

Por mais que eu adore purê de couve-flor, gosto mais dela assada (pode ser bró-colis também). Ao ser assada, ela fica com um sabor que lembra o de nozes, ca-ramelizado. Eu a fatio em "bifes", asso-os a duzentos graus Celsius durante meia hora e depois os rego com um molho de limão Tahiti e *tahine*. Tem dias que estou mais minimalista e apenas salpico o suco e as raspas de limão, alcaparra e alho. (Este capítulo está me dando fome!)

Chips de couve-crespa

Falarei sobre algumas das formas mais tradicionais de se preparar verduras na pró-xima seção, porém os chips de couve-crespa merecem destaque. Você pode recor-rer a um desidratador se tiver um em casa, mas eu não costumo ter paciência para usá-lo. Quando fico com vontade de comer chips de couve-crespa, quero *naquela hora*. Os chips são tão simples que só precisam de um ingrediente: a couve-crespa. Retire as folhas das hastes e corte-as em pedaços grandes. Certifique-se de que estejam secas, caso contrário, elas ficarão moles, e não crocantes. Faça uma única camada de folhas cortadas em uma assadeira forrada com papel-manteiga ou tape-te de silicone, para que não grudem, e asse na temperatura baixa (por volta de 120 graus Celsius), dando uma olhada de vez em quando para evitar que queimem. Em vinte minutos as folhas viram petiscos leves e crocantes. Tempere-as antes de assá-las ou depois que estiverem prontas. Há milhares de receitas na internet. Recomendo que você comece pela de Ann Esselstyn no site de seu filho Rip, Engine2Diet.com, em inglês.[16] Quando se trata de chips de couve, quanto mais você come, mais saudável fica.

Guarnições crucíferas

Da mesma forma que sempre deixo uma lata de feijão aberta na geladeira como lembrete para acrescentá-lo a qualquer prato, sempre tenho repolho-roxo na ga-veta de verduras da geladeira para me ajudar a tornar as refeições da minha famí-lia mais crucíferas. Eu o corto em tiras e as uso para enfeitar quase tudo. Aqui, nos Estados Unidos, o repolho-roxo custa em média 2 dólares o quilo,[17] é encontrado em quase todas as mercearias e mercados, pode durar semanas na geladeira (em-bora o fato de deixar que isso aconteça signifique que você não o está comendo o bastante!) e tem mais antioxidantes por dólar do que qualquer outro item da seção de hortifrúti. Existem outros alimentos mais saudáveis do que ele, mas não

VEGETAIS CRUCÍFEROS | 359

pelo mesmo preço. Por exemplo, o repolho-roxo tem um poder antioxidante por dólar três vezes maior do que o do mirtilo.[18] Em termos de alimentação saudável barata, ele é imbatível. Ou será que não?

Após cortá-lo em pedaços e jogar fora os restos, um repolho-roxo representa, em média, 45 centavos de dólar por xícara.[19] Mas os brotos de brócolis podem ser ainda mais baratos se você mesmo cultivá-los. Nos Estados Unidos, é possível comprar sementes de broto de brócolis pela internet ou em lojas de produtos naturais a 20 dólares cerca de meio quilo, o que rende 75 xícaras de brotos. Em termos de teor de sulforafano, isso pode significar trezentas xícaras de brócolis maduros. Ou seja, os brotos de brócolis cultivados por você mesmo oferecem uma fonte de sulforafano da luz verde por cerca de 5 centavos de dólar por dia.

Fazer os brotos de brócolis germinarem é tão fácil quanto fazer isso com a lentilha. Pegue um pote de vidro tampado por uma tela apropriada. Coloque uma colher de sopa de sementes nele, deixe-as embebidas em água de um dia para o outro; escorra a água de manhã e depois enxague as sementes; então enxague rapidamente e deixe escorrer duas vezes por dia. A maioria das pessoas espera cinco dias para que as sementes germinem por completo (ficando com a aparência de brotos de alfafa), mas novos dados científicos sugerem que o conteúdo de sulforafano atinge seu auge 48 horas após o primeiro escorrimento.[20] Isso torna o cultivo e o consumo dos brotos ainda mais rápido e fácil. Em geral, quando não estou viajando, revezo alguns vidros. Podemos estar no meio do inverno, mas mesmo assim cultivo minha salada na bancada da cozinha! É possível ter todo dia xícaras de produtos frescos para a sua família sem ter que ir a uma loja.

Suplementos de crucíferos?

Se você não gosta do sabor dos vegetais crucíferos, porém quer tirar vantagem dos benefícios do sulforafano, que tal lançar mão dos suplementos de brócolis encontrado hoje à venda? Recentemente, os pesquisadores testaram a eficácia de um dos suplementos mais populares do tipo. O BroccoMax se gaba de ter o equivalente a 225 gramas de brócolis em cada cápsula. Os participantes do estudo receberam, por dia, seis cápsulas do produto ou uma única xícara de brotos de brócolis. O suplemento mal gerou efeito, enquanto os brotos aumentaram em oito vezes os níveis de sulforafano na corrente sanguínea por um custo oito vezes menor. Os cientistas concluíram: "Nossos dados fornecem mais evidências de que a biodisponibilidade [de sulforafano] é drasticamente menor quando as pessoas consomem suplementos de brócolis em comparação a quando consomem brotos de brócolis frescos."[21]

Uma coisa boa em excesso faz mal?

Se os brotos de brócolis são tão baratos e efetivos, por que não comê-los em abundância? Uma análise formal de segurança não identificou nenhum efeito adverso significativo no consumo de 1,5 xícara por dia,[22] mas só tivemos acesso a dados sobre um possível limite máximo de quanto ingerir quando uma equipe de pesquisadores italianos tentou superar essa quantidade. Como queriam propor uma dose de infusão intravenosa a ser usada como quimioterapia, eles precisavam saber até onde poderiam chegar. Eles descobriram que a ingestão de pelo menos quatro xícaras de brotos de brócolis gerava níveis de sulforafano na corrente sanguínea que podiam, na verdade, ser prejudiciais.[23] Entretanto, os cientistas declararam que nenhum dano tinha sido constatado em "concentrações atingíveis nutricionalmente". Mas isso não é toda a verdade. O broto de brócolis tem um quê de picante, mas, em teoria, é *factível* que alguém coma quatro xícaras de brotos por dia. (Pelo visto, eles não conhecem os mesmos fanáticos por saúde que eu).

Vou lhe contar uma história. Alguns anos atrás, um homem me procurou após uma palestra que dei em Miami e me contou que ouvira falar que suco de germe de trigo era bom para a saúde. Ele havia lido que esse tal suco "limpa você". Então pensou *Por que não?* e decidiu se empanturrar desse suco. Ele me disse que calculou o volume do sistema digestório humano (de cerca de nove metros) e bebeu essa quantidade de modo contínuo, litro após litro, até a bebida começar a sair pela outra extremidade. Intrigado, perguntei a ele o que aconteceu. O homem me encarou com uma expressão que só posso descrever como extasiada e respondeu: "Foi *vulcânico*."

Para mim, seria difícil dizer que os vegetais crucíferos não são bons quando consumidos em excesso. Eles fazem maravilhas pela sua saúde, desde combater a progressão de um câncer e aumentar as defesas contra patógenos e poluentes até ajudar a proteger o cérebro, a visão e outras funções do corpo. E você pode usar essa família de plantas como desculpa para dar uma de cientista maluco na cozinha, manipulando a química das enzimas para aumentar ao máximo os benefícios à saúde.

Verduras

As verduras favoritas do dr. Greger

Rúcula, folha de beterraba, couve-manteiga, couve-crespa (preta, verde e vermelha), mesclun (salada de folhas), folha de mostarda, azedinha, espinafre, acelga e folha de nabo.

Tamanho das porções
1 xícara de verduras cruas
½ xícara de verduras cozidas

Recomendação diária
2 porções

Popeye estava certo ao se gabar de ser forte até o fim porque comia espinafre. As verduras verde-escuras são os alimentos mais saudáveis do planeta. Como alimentos não processados, elas oferecem o máximo de nutrição por caloria. Só para enfatizar esse ponto, um estudo publicado na revista *Nutrition and Cancer* tem por título "Antioxidant, Antimutagenic, and Antitumor Effects of Pine Needles"[1] ["Efeitos antioxidantes, antimutagênicos e antitumorais de agulhas de pinheiro"]. Pelo visto, as folhas comestíveis dos mais variados formatos e tamanhos são alimentos saudáveis.

Em 1777, o general George Washington emitiu uma ordem geral para que os soldados americanos procurassem verduras silvestres que cresciam nos campos porque "essas verduras são muito úteis para a saúde e tendem a prevenir [...] todos os distúrbios desagradáveis".[2] No entanto, desde então, os americanos têm declarado independência em relação às verduras. Hoje apenas um em cada 25 consome pelo menos uma dúzia de porções ao longo de um mês inteiro.[3] Eu recomendo a ingestão de mais de uma dúzia de porções por semana.

Alerta importante: as verduras e a varfarina

Em 1984, aconteceu o trágico caso de uma mulher de 35 anos que não tinha informado ao médico sobre uma mudança que fizera na alimentação. Por causa de uma válvula cardíaca mecânica, ela tomava um remédio para afinar o sangue chamado varfarina. Mas, como queria perder peso, ela começou a fazer uma dieta composta quase que inteiramente por saladas, brócolis, folhas de nabo e folhas de mostarda. Cinco semanas depois, ela teve um coágulo sanguíneo e morreu.[4]

Se você toma varfarina (conhecida também como Coumadin), converse com o seu médico antes de aumentar o consumo de verduras. Esse medicamento age (tanto como veneno de rato quanto como afinador de sangue humano) incapacitando a enzima que recicla a vitamina K, relacionada à coagulação do sangue. Se o seu organismo receber um influxo de vitamina K fresca — que é bem concentrada nas verduras —, isso reduz a eficácia do remédio. Você não deixará de comer suas verduras, mas seu médico terá que ajustar a dose do medicamento para compatibilizá-la com a ingestão regular delas.

Comer verduras quase todo dia talvez seja um dos passos mais importantes que se possa dar para prolongar a expectativa de vida.[5] De todos os grupos de alimentos analisados por uma equipe de pesquisadores de Harvard, as verduras foram associadas a uma proteção mais forte contra as principais doenças crônicas,[6] incluindo uma redução de até 20% no risco de ataque cardíaco[7] e derrame[8] para cada porção diária a mais.

Imagine se existisse uma pílula que prolongasse sua vida e só tivesse efeitos colaterais bons. Todo mundo a estaria tomando! Ela renderia bilhões de dólares à feliz companhia farmacêutica responsável por sua criação. Nos Estados Unidos, todos os planos de saúde, por lei, teriam que cobri-la. Pessoas de todas as classes sociais e de todo canto do mundo clamariam por ela. Mas, por essa "pílula" ser simplesmente o consumo de verduras, todo mundo perde o interesse.

Fabricantes de medicamentos ainda precisam patentear os brócolis (embora a Monsanto esteja tentando!).[9] Os médicos, porém, não precisam esperar que animados representantes de vendas das empresas farmacêuticas lhes tratem a pão de ló e os bajulem para que prescrevam o espinafre da marca Pfizer ou a couve da marca GlaxoSmithKline. Eis minha receita para você:

Se todo o espectro de pigmentos vegetais coloridos faz bem para nós, por que as verduras são os alimentos mais saudáveis? Quando o outono na Nova Inglaterra explode em tons brilhantes, de onde vem todo aquele amarelo e laranja? Na verdade, eles estavam ali o tempo todo, apenas mascarados pelo pigmento verde clorofila, que no outono começa a se decompor.[10] Do mesmo modo, as folhas verde-escuras das verduras contêm em si muitos outros pigmentos vegetais. Como já foi explicado, esses compostos coloridos em geral são os mesmos antioxidantes relacionados a muitos dos benefícios do consumo de frutas, legumes e verduras. Portanto, em essência, ao comer suas verduras, você está comendo o arco-íris.

Como regenerar a coenzima Q10 naturalmente

Um dos motivos para as verduras figurarem entre os alimentos da luz verde mais saudáveis pode estar relacionado a sua cor verde. Décadas atrás, teve início uma busca por moléculas "interceptoras" que poderiam agir como a primeira linha de defesa do corpo contra o câncer. A hipótese era a de que, se encontrássemos algo que pudesse se ligar firmemente aos carcinógenos e impedi-los de entrar no DNA, conseguiríamos então prevenir algumas das mutações que dão origem ao câncer. Após anos pesquisando a existência dessas moléculas que se prenderiam aos carcinógenos, um interceptador foi identificado: a clorofila, o pigmento vegetal onipresente do mundo. Esse tempo todo, ele estava bem debaixo do nosso nariz (isso se estivéssemos nos alimentando de forma saudável!).[11]

Em uma placa de Petri, determinados danos ao DNA de células humanas expostas a um carcinógeno podiam ser "totalmente abolidos" pela clorofila.[12] Mas isso também valia para os seres humanos? Em nome da ciência, voluntários beberam uma solução de aflatoxina (um carcinógeno) radioativa com ou sem clorofila de espinafre. Uma quantidade equivalente à clorofila de seis xícaras de espinafre pareceu bloquear 40% do carcinógeno.[13] Incrível! Mas isso não é tudo que a clorofila pode fazer.

Na faculdade, aprende-se que quase tudo o que nos ensinaram sobre biologia na escola não é verdade. Depois, na pós-graduação, desaprendem-se todas as simplificações exageradas ensinadas na faculdade. Justo quando você acredita que entende alguma coisa de biologia, as coisas sempre parecem um pouco mais complicadas do que se pensava. Por exemplo, até pouco tempo atrás supúnhamos que as plantas e os organismos vegetais eram os únicos que podiam capturar de maneira direta a energia do sol e utilizá-la. As plantas fazem fotossíntese; já os animais, não. Isso porque as plantas têm clorofila e os animais, não. Bem, tecnicamente, você *tem* clorofila no corpo — por um tempo, pelo menos — após comer verduras. No entanto, a clorofila que entra na corrente sanguínea depois daquela salada não reage à luz do sol. Afinal, a luz não penetra através da pele, certo?

Errado. Qualquer criança que já pôs a luz de uma lanterna entre os dedos contaria isso a você.

Os comprimentos de onda vermelhos da luz do sol penetram, sim, o nosso corpo.[14] Na verdade, quando você sai de casa em um dia ensolarado, há tanta luz alcançando seu cérebro que daria para se refugiar dentro dele e ler um livro — daria até para ler este![15] Nossos órgãos internos são banhados pela luz do sol, assim como qualquer clorofila que esteja circulando na corrente sanguínea. Embora a energia produzida por ela possa ser desprezível,[16] a clorofila presente no organismo e ativada pela luz pode ajudar a regenerar uma molécula crucial chamada coenzima Q10.[17]

A CoQ10, também conhecida como ubiquinol, é um antioxidante. Quando destrói um radical livre, o ubiquin*ol* é oxidado e se transforma em ubiquin*ona*. Para que o ubiquinol volte a agir como um antioxidante efetivo, o corpo precisa regenerá-lo a partir da ubiquinona. Pense nisso como um fusível elétrico: o ubiquinol só pode ser usado uma vez antes de ser restaurado. É aí que entram a luz do sol e a clorofila.

Os cientistas expuseram um pouco de ubiquinona e metabólitos da clorofila alimentar ao tipo de luz que atinge a corrente sanguínea e... puf! A CoQ10 renasceu. Contudo, sem a clorofila, ou sem a luz, nada aconteceu. O tempo todo, acreditamos que o principal benefício da luz do sol era apenas a formação de vitamina D e que o principal benefício das verduras eram os antioxidantes contidos nelas. Mas agora suspeitamos de que a combinação das duas coisas possa de fato ajudar o corpo a criar e manter o próprio estoque interno de antioxidantes.

Manter uma dieta à base de vegetais e rica em clorofila pode ser ainda mais importante para quem toma estatina para baixar o colesterol, já que tais medicamentos impactam a produção de CoQ10.

Verduras podem ter um gosto ótimo

Espero ter convencido você a comer verduras com o máximo de frequência possível. O problema para muita gente é fazê-las ter um *gosto* bom. Temo que muitos de nós ainda soframos com lembranças de coisas verdes, viscosas e cozidas demais na bandeja do refeitório da escola.

A couve-crespa, por exemplo. Ela é fibrosa e tem gosto de capim, certo? Também é meio amarga, não é? Algumas variedades são mais palatáveis do que outras. Na seção de hortifrúti de um bom supermercado, talvez você encontre os três tipos: a verde, a roxa e a vermelha. Em termos de nutrição, as diferenças entre elas parecem ser insignificantes comparadas à quantidade que você estaria disposto a ingerir.[18,19] A couve-crespa mais saudável é a que você comerá em uma maior quantidade.

Eu recomendo o consumo da couve-crespa roxa (também chamada lacinato, dinossauro e toscana), a vermelha (também encontrada como couve-russa) e a baby, pois essas variedades têm sabor mais suave e são mais macias do que a couve-crespa verde madura, a mais comum.

Comece lavando bem as folhas em água corrente. Em seguida, retire os talos e corte as folhas em pedaços pequenos. Você também pode fazer rolinhos com elas e cortar tiras finas. Se quiser facilitar as coisas, compre couve congelada. Aqui, nos Estados Unidos, as verduras congeladas são mais baratas, duram mais e vêm pré-lavadas e pré-cortadas.

Há um fenômeno chamado condicionamento sabor-sabor, pelo qual é possível mudar o paladar ligando um sabor menos agradável (como o azedo ou o amargo) a outro mais agradável (digamos, o doce). Por exemplo, quando os pesquisadores adicionaram açúcar a um suco de toranja amargo, as pessoas gostaram mais da bebida — o que não é nenhuma surpresa. Entretanto, poucos dias depois os participantes do estudo passaram a gostar mais do suco de toranja *não adoçado* do que gostavam antes do experimento. Esse recondicionamento do paladar durou pelo menos algumas semanas após a retirada do açúcar.[20]

O mesmo ocorre quando os cientistas mergulham brócolis em água com açúcar ou adicionam aspartame.[21] Sei que isso parece grotesco, mas na verdade esses artifícios não deixam os brócolis com um gosto doce — a doçura extra apenas mascara o amargor, enganando os botões gustativos.[22] É por isso que o tal ingrediente secreto em muitas receitas de couve-manteiga é uma colher de açúcar. Mas, se há um alimento que para estimular seu consumo justifica o uso de algo da luz amarela ou da vermelha, com certeza é o mais saudável de todos: as verduras. Eu uso vinagre balsâmico, embora este leve um pouco de açúcar. Contudo, seria mais saudável deixar a comida um pouco mais doce com um alimento da luz verde, como figo ou maçã ralada.

É por causa do truque de tornar mais doce que os *smoothies* verdes podem ser deliciosos (ainda que tenham um aspecto um pouco esquisito). Eles são uma ótima forma de introduzir verduras na dieta das crianças. O trio básico é formado por um líquido, frutas maduras e verduras frescas. Eu começaria com uma proporção de duas frutas para uma verdura antes de pesar a balança mais para as verduras. Por exemplo, uma xícara de água, uma banana congelada, uma xícara de frutas vermelhas congeladas e uma xícara de espinafre baby dão um *smoothie* verde clássico para iniciantes.

Gosto também de usar folhas de hortelã para adicionar mais sabor (e ainda mais folhas). Comprar ervas frescas na loja pode sair caro, mas a hortelã dá como mato em jardins ou até no peitoril de uma janela. Pode ser muito delicioso comer ervas e verduras no café da manhã, como ao fazer um mingau de aveia com chocolate e hortelã: é só misturar aveia cozida, folhas de hortelã picadas, cacau em pó e um adoçante saudável (veja a página 446).

Ao tentar pensar em formas de combinar verduras com algo que você já adora para deixá-las mais palatáveis, considere misturá-las com uma fonte de gordura da luz verde: oleaginosas, sementes, manteiga de nozes ou de sementes, ou abacate. Muitos dos nutrientes que fazem das verduras os alimentos tão notáveis são solúveis em gordura, incluindo o betacaroteno, a luteína, a vitamina K e a zeaxantina. Ou seja, combinar verduras com uma fonte de gordura da luz verde não só melhora o gosto delas como maximiza a absorção de nutrientes. Isso pode significar saborear um molho de *tahine* na salada, colocar nozes no *pesto* ou salpicar um pouco de sementes de gergelim torradas na couve-crespa *sauté*.

O salto na absorção de nutrientes não é algo a ser menosprezado. Quando pesquisadores alimentaram pessoas com uma saudável salada de espinafre, alface--romana, cenoura e tomate, além de uma fonte de gordura, houve um pico impressionante de fitonutrientes carotenoides na corrente sanguínea delas durante as oito horas seguintes. Mas, quando a salada foi guarnecida com um molho sem gordura, a absorção de carotenoides caiu a níveis desprezíveis; foi como se os participantes do estudo não tivessem comido a salada.[23] Do mesmo modo, acrescentar um pouco de abacate ao molho de tomate pode triplicar a quantidade de nutrientes solúveis em gordura que chegam à corrente sanguínea (nesse caso, o licopeno do tomate).[24] Não preciso de muito: três gramas de gordura em uma refeição completa são suficientes para aumentar a absorção.[25] Isso representa uma única noz ou uma colher de abacate ou de coco ralado. Belisque alguns pistaches após a comida e pronto. As verduras e a fonte de gordura só precisam ir parar ao mesmo tempo no estômago.

Outra maneira de tirar o amargor das verduras é escaldá-las ou fervê-las, porém, infelizmente, isso elimina alguns componentes saudáveis, que ficam na água do cozimento.[26] No caso do preparo de uma sopa, isso não é problema, já que os nutrientes não são destruídos, apenas deslocados. No entanto, se o líquido do cozimento for descartado, parte do poder nutritivo do alimento é perdida. Mas, mesmo que metade desses compostos saudáveis desça pelo ralo, isso não será problema se a redução do amargor motivar você a comer o dobro de verduras! Sempre que preparo macarrão, por exemplo, acrescento um pouco de verduras frescas minutos antes de escorrê-lo. Sei que estou perdendo alguns nutrientes ao descartar a água do cozimento, mas considero que vale a pena pela conveniência de pôr tudo em apenas uma panela e fazer com que minha família coma ainda mais verduras.

Tente incorporar verduras ao máximo de refeições possível. Eu coloco praticamente tudo o que como sobre uma cama de folhas verdes. Assim, elas pegam o sabor do restante do prato. Todavia, caso você queira comer "diretamente" as verduras cozidas, pode também adicionar suco de limão Tahiti, vinagres aromáticos, lascas de pimentão vermelho, alho, gengibre, molho de soja com baixo teor de sódio ou ainda cebola caramelizada. Eu, pessoalmente, gosto de deixar as minhas verduras picantes, doces, defumadas e com sal. Uso um molho picante para dar um ardor, vinagre balsâmico para adoçar e ainda páprica defumada e fumaça líquida. Para salgar, eu adorava usar um substituto do molho de soja chamado Bragg Liquid Aminos até levar mais a sério minha redução de ingestão de sódio. O melhor substituto do sal sem sódio que encontrei à venda é algo chamado Table Tasty.

Nos mercados, é possível encontrar corredores inteiros repletos de molhos prontos que você pode experimentar. A maioria deles contém sal, óleo ou açúcar, portanto, tento usá-los somente nos alimentos que são excepcionalmente saudáveis. Misturar alimentos da luz amarela com os da luz vermelha (como, por exemplo, mergulhar batata frita e nuggets no molho barbecue) apenas piora as coisas, mas eu não comeria metade das minhas batatas-doces assadas com alecrim se não as mergulhasse em um ketchup batizado com molho picante. E, se há uma desculpa plausível para se recorrer aos molhos e sair da luz verde, são as verduras.

Em meus tempos de solteirice, eu tinha o hábito de pedir em casa comida chinesa — de maneira geral, era brócolis com molho de alho (sem arroz branco). Então eu colocava arroz integral ou quinoa, além de lentilha seca, na panela de arroz elétrica e preparava quase meio quilo de verduras no vapor ou no micro-ondas. Quando o delivery chegava, eu já estava com aquilo pronto. Misturava tudo e ainda sobrava bastante.

Você também pode comprar saquinhos de comida indiana pela internet, em restaurantes indianos ou em lojas de produtos naturais. Vale a pena reforçar: uso-os como molho, e não como a refeição principal. Meu favorito é o *spinach dal* [prato indiano à base de cereais, em geral lentilhas, com espinafre] — assim, eu como verdura com molho de verdura! Trata-se do mesmo princípio do *pesto* na couve-crespa: use uma verdura (manjericão) como forma de melhorar o sabor de outra verdura (couve-crespa).

Os benefícios do vinagre para a saúde

O vinagre pode ser um condimento bom para a nossa saúde. Estudos randomizados e controlados realizados com diabéticos e não diabéticos sugerem que acrescentar duas colheres de chá de vinagre à refeição melhora o controle do açúcar no sangue, enfraquecendo em 20% o pico de glicemia após uma refeição.[27] Portanto, adicionar vinagre a uma salada de batata ou ao arroz (como os japoneses fazem ao preparar o arroz do sushi) ou molhar o pão no vinagre balsâmico pode reduzir os efeitos desses alimentos muito glicêmicos.

O efeito antiglicêmico do vinagre é conhecido há mais de 25 anos, porém ainda não sabemos ao certo como ele funciona.[28] A princípio, acreditava-se que o vinagre retardava o esvaziamento do estômago, mas mesmo o consumo de vinagre fora das refeições parece ajudar. Constatou-se, por exemplo, que diabéticos do tipo 2 que consumiam duas colheres de sopa de vinagre de maçã antes de dormir acordavam de manhã com melhores taxas de glicemia.[29] A ingestão de picles ou *pílulas* de vinagre não parece ter o mesmo efeito.[30] No entanto, não beba o vinagre puro — pois ele pode queimar o esôfago —[31] nem em excesso, já que foi descoberto que uma xícara por dia durante seis anos (isso dá duas mil xícaras!) não é uma boa ideia.[32]

O vinagre também pode ser usado para tratar casos de síndrome dos ovários policísticos (SOP), melhorar a pressão arterial e ajudar na redução da gordura corporal. Uma colher de sopa de vinagre de maçã por dia restaurou em alguns meses a função ovariana de quatro em cada sete portadoras de SOP.[33] Constatou-se que uma colher de sopa de vinagre de arroz melhora bastante a função arterial de mulheres na pós-menopausa. Não se sabe bem o porquê, mas o acetato do ácido acético presente no vinagre melhora a produção de óxido nítrico (veja a página 169).[34] Seria de se esperar que esse efeito ajudasse a combater a hipertensão e, de fato, há um estudo em curso cujo objetivo é averiguar os benefícios de uma colher de sopa de vinagre por dia para a pressão arterial.[35]

Apesar de a sabedoria popular dizer o contrário, o vinagre não parece ser efetivo no combate a piolhos,[36] mas pode ajudar na perda de peso. Foi realizado um estudo duplo-cego e placebo-controlado (porém financiado por uma empresa de vinagre) em que obesos consumiram todos os dias bebidas de vinagre — parte dos participantes tomou duas colheres de sopa de vinagre de maçã e outra parte, uma colher da substância — ou uma bebida placebo com gosto de vinagre, mas sem ácido acético. Os dois grupos cujos integrantes consumiram vinagre perderam significativamente mais peso do que o grupo de controle. Embora o resultado tenha sido modesto — quase dois quilos em um período de três meses —, exames de tomografia computadorizada revelaram que os membros dos grupos do vinagre perderam uma quantidade significativa de gordura "visceral", a gordura abdominal associada, em especial, ao risco de doenças crônicas.[37]

Hoje há muitos tipos de vinagres aromáticos e exóticos a serem explorados, inclusive vinagres de figo, pêssego e romã. Eu incentivo você a experimentar e encontrar formas de incorporar alguns deles à sua alimentação.

Tempos de salada

Comer uma salada grande todo dia é uma boa maneira de dar cabo dos Doze por Dia. Usando como base uma salada mesclun com rúcula, acrescento tomate, pimentão vermelho, feijão e uva-espim, além de nozes tostadas se o molho não tiver gordura. No momento, minha receita favorita de molho é uma variação do usado na salada Caesar compartilhada pelo dr. Michael Klaper, do TrueNorth Health Center:

2 colheres de sopa de farinha de amêndoa
3 dentes de alho amassados
3 colheres de sopa de mostarda Dijon
3 colheres de sopa de levedura nutricional em flocos
2 colheres de sopa de missô branco
3 colheres de sopa de suco de limão
1/3 de xícara de água

Misture e aproveite! (Se o seu liquidificador tiver velocidade alta, você pode substituir a farinha por amêndoas inteiras.)

O espinafre baby tem níveis de fitonutrientes mais elevados do que os das folhas de espinafre maduras,[38] mas que tal consumir o espinafre baby *de verdade* — as chamadas microverduras, as plântulas de verduras e ervas? Uma análise nutricional de 25 microverduras disponíveis nos mercados dos Estados Unidos constatou que elas têm densidades de nutrientes significativamente maiores. Por exemplo, a microverdura de repolho roxo tem uma concentração de vitamina C seis vezes maior do que a do repolho roxo maduro, além de quase setenta vezes mais vitamina K.[39] Mas ela é consumida em quantidades tão pequenas que, mesmo como guarnição em um prato do restaurante tido como mais saudável e prestigioso, não causará muito impacto no corpo.

No entanto, se você quiser cultivar suas próprias microverduras, pode criar um sistema de rodízio no cultivo delas, apenas fazendo podas com uma tesoura, para ter provavelmente a salada mais saudável que existe. (Certa vez, quando eu estava em viagem para dar palestras, hospedei-me na casa de uma pessoa que fazia isso, e desde então fiquei com inveja.) As microverduras são plantas perfeitas para os jardineiros sem paciência, pois crescem por completo em uma ou duas semanas.

A única verdura a ser evitada

Embora as verduras sejam o alimento mais saudável que existe, há uma delas cujo consumo eu não recomendo: o broto de alfafa. Ao longo de doze anos, foram registrados nos Estados Unidos 28 surtos de intoxicação alimentar por *Salmonella* associados a esses brotos, afetando 1.275 pessoas.[40] Segundo estimativas, ovos contaminados por *Salmonella* adoecem 142 mil americanos todo ano,[41] mas isso não torna menos trágica a situação dos que foram hospitalizados e morreram em virtude dos brotos de alfafa contaminados. As sementes desses brotos têm reentrâncias e fendas microscópicas nas quais bactérias presentes na água de irrigação contaminada por adubo podem se esconder. Por isso, nem as sementes de alfafa germinadas em casa devem ser consideradas seguras.

Nunca esquecerei uma apresentação que fiz em Boston. Tentei criar uma espécie de jogo em que concorrentes da plateia tinham que classificar os alimentos que eu havia levado comigo do mais saudável para o menos saudável. O resultado foi pessoas animadas, berrando conselhos contraditórios. Dá até para imaginar o espanto da plateia quando revelei que o broto de alfafa — o ápice do alimento saudável — estava no topo da lista dos itens a serem evitados.

Mais tarde, naquela noite, fiquei com os brotos depois que todos os alimentos mais saudáveis e apetitosos tinham sido distribuídos como prêmio. Eu acabara de dizer à plateia para não comê-los... mas detesto desperdiçar comida. Em um momento "faça o que eu digo, mas não faça o que faço", acrescentei-os à minha salada naquela noite. Sim, eles haviam ficado o dia inteiro no carro e horas no palco. Sim, no meu jogo eles figuravam no topo da lista de alimentos que não devem ser consumidos. Mas quais eram as chances de um pacote específico estar contaminado? No dia seguinte, voltei para o trabalho na emergência do New England Medical Center — não como médico, mas como paciente com intoxicação alimentar por *Salmonella*.

Portanto, tirando o terrível broto de alfafa, as verduras são mesmo o alimento mais saudável do planeta. Nada as supera em termos de nutrição por caloria. Explore, inove, experimente, brinque e trabalhe o seu paladar. Seja mascarando-as em um *smoothie* refrescante, incorporando-as a molhos, usando-as como base para pratos principais ou consumindo-as diretamente em uma grande e vibrante salada, coma-as. Seu corpo agradecerá por cada bocado de verduras que você levar à boca.

Outras verduras e legumes

Outras verduras e legumes preferidos do dr. Greger

Alcachofra, aspargo, beterraba, pimentões, cenoura, milho, alho, cogumelos (paris, ostra, portobello e shiitake), quiabo, cebola, batata-roxa, abóbora (delicata, summer e espaguete), algas marinhas (arame, dulse e nori), ervilha manteiga, batata-doce, inhame, tomate e abobrinha.

Tamanho das porções
1 xícara de verduras cruas
½ xícara de legumes crus ou cozidos
½ xícara de suco de legumes ou verduras
¼ de xícara de cogumelos secos

Recomendação diária:
2 porções

O gigantesco Estudo de Carga de Doença Global identificou a dieta americana padrão como a principal causa de morte e deficiências,[1] e a ingestão insuficiente de legumes e verduras como o nosso quinto maior fator de risco alimentar, quase tão ruim quanto o nosso consumo de carne processada.[2] A União dos Cientistas Preocupados [UCS, na sigla em inglês] estima que se os Estados Unidos aumentassem o consumo de frutas, legumes e verduras para cumprir as diretrizes alimentares, salvaríamos a vida de mais cem mil pessoas por ano.[3]

Você deve comer mais frutas, legumes e verduras como se sua vida dependesse disso, porque talvez ela dependa mesmo.

Variedade na horta: diversificando seu portfólio de legumes e verduras

Talvez o conselho menos controverso sobre nutrição seja o de que se deve comer mais frutas, legumes e verduras, o que quer dizer comer mais plantas, já que *legumes e verduras* significam todas as partes da planta que não são as frutas. Existem os tubérculos, como a batata-doce; os caules, como o ruibarbo; as vagens, como as ervilhas; e até as flores, como o brócolis (a couve-*flor* não tem esse nome por acaso). Já falamos sobre as folhas na seção sobre verduras. Se as verduras verde-escuras são o alimento mais saudável que existe, por que então devemos consumir as outras partes da planta? Sim, temos que comer o arco-íris, mas não acabamos de aprender que as folhas verdes têm todo o espectro de cores escondido dentro delas?

Ao contrário do que ocorre com compostos mais genéricos como a vitamina C — muito presente em diversas frutas, legumes e verduras —, outros nutrientes não são distribuídos de maneira tão uniforme. Assim como determinadas frutas, como as cítricas, fornecem fitonutrientes únicos que não são pigmentos e não estão presentes em outras frutas, legumes e verduras diferentes contribuem com compostos diferentes. A couve-flor, que não tem pigmentos antioxidantes, não parece ter muito a oferecer à primeira vista, mas, por pertencer à família dos crucíferos, é uma das opções mais saudáveis que existe. Do mesmo modo, o cogumelo branco pode parecer pouco atraente, porém fornece nutrientes que não são encontrados facilmente na natureza.

Hoje se sabe que determinados fitonutrientes se ligam a receptores específicos e a outras proteínas do corpo. Falei sobre os receptores Ah, presentes nos brócolis, no Capítulo 5. No nosso organismo também há receptores do chá-verde — ou seja, receptores para a EGCG, um componente crucial da bebida. Há proteínas de ligação para fitonutrientes em uvas, cebolas e alcaparras. Recentemente, foi identificado até um receptor na superfície das células para um nutriente concentrado na casca da maçã. Entretanto, essas proteínas específicas não serão ativadas se você não ingerir determinados alimentos.[4]

Desse modo, os diferentes perfis dos fitonutrientes geram efeitos clínicos diferentes. Por exemplo, a ingestão de suco de tomate recuperou a função imunoló-

OUTRAS VERDURAS E LEGUMES | 375

gica de participantes de um estudo que estavam debilitados por uma deficiência equivalente a duas semanas sem o consumo de frutas, legumes e verduras; porém o suco de cenoura não conseguiu provocar o mesmo resultado.[5] Até partes distintas do mesmo legume podem gerar efeitos diferentes. Um dos motivos pelos quais certos produtos de tomate conferem proteção contra ataques cardíacos[6] é o fato de o fluido amarelo que envolve as sementes ter uma concentração de um composto que suprime a ativação de plaquetas[7] (as plaquetas são o que ajuda a desencadear os coágulos sanguíneos que causam ataques cardíacos e a maioria dos derrames). A Aspirina tem um efeito semelhante, porém não funciona em todo mundo e pode aumentar o risco de sangramento — duas limitações que são superadas pelo composto do tomate.[8,9] Mas, ao se consumir apenas o suco e o molho de tomate, ou ketchup, esse efeito provavelmente é perdido,[10] já que as sementes são removidas durante o processamento. Portanto, quando for comprar produtos de tomate enlatados, prefira os que têm tomates inteiros amassados ou em cubos, em vez de molho, purê ou massa de tomate.

Além disso, vegetais distintos podem afetar a mesma parte do corpo de várias maneiras. Consideremos a função mental, por exemplo. Em um estudo que avaliou dezenas de frutas, legumes e verduras — da framboesa à rutabaga —, determinados vegetais pareceram melhorar domínios cognitivos específicos. Por exemplo, a ingestão de alimentos vegetais específicos foi associada à melhora da função executiva, da velocidade de percepção e da memória semântica (baseada em fatos), enquanto o consumo de outros foi mais associado à melhora das habilidades visuais-espaciais e da memória autobiográfica.[11] Em outras palavras, é necessário comer muitas frutas, legumes e verduras variados para garantir uma boa proteção.

Um dos motivos pelos quais as pesquisas subestimam os efeitos protetores dos alimentos vegetais é o fato de elas tenderem a medir a *quantidade* de frutas, legumes e verduras consumidos, e não a *qualidade* desse consumo. Em geral, as pessoas comem mais banana e pepino do que mirtilo e couve, mas variar também é importante. Nos Estados Unidos, metade das porções de frutas ingeridas é formada por apenas cinco frutas — maçã e suco de maçã, banana, uva, suco de laranja e melancia — e a maioria das porções de legumes e verduras consumidas provém de tomate em lata, batata e alface-americana.[12]

Em uma das poucas análises que avaliaram especificamente a diversidade do consumo de frutas, legumes e verduras, a variedade dos alimentos foi um indicador ainda melhor da redução de inflamações no organismo de adultos de meia-idade do que a quantidade absoluta da ingestão.[13] Mesmo após se descartar os efeitos da quantidade, a adição de dois tipos distintos de frutas e legumes ou verduras por semana foi associada a uma redução de 8% na incidência de diabetes tipo 2.[14] Dados como esse levaram a Associação Americana do Coração a acrescentar uma recomendação às diretrizes alimentares mais recentes: comer também uma *variedade* de frutas, legumes e verduras.[15] É um acréscimo importante, pois, do contrário, um saco de batata frita grande ou uma alface-americana inteira podem tecnicamente dar conta ou até exceder as nove porções diárias recomendadas.

É melhor comer uma laranja inteira do que tomar um comprimido de vitamina C, já que o último nos priva de todos os nutrientes maravilhosos presentes na fruta. O mesmo princípio se aplica quando não se diversifica o consumo de frutas, legumes e verduras. Quando se come apenas maçã, perde-se os nutrientes da laranja. Não se obtém os limonoides das frutas cítricas — como limonina, limonol ou tangeretina —, embora se adquira mais ácido málico (do latim *malum*, que significa maçã). Em se tratando do perfil de fitonutrientes único de cada fruta, legume e verdura, é como comparar maçã com laranja! É por isso que devemos misturá-los.

Entretanto, em certo sentido, todas as frutas são frutas, enquanto os legumes e as verduras são outras partes da planta. As raízes têm nutrientes diferentes dos presentes nos brotos. Por esse motivo, a questão da variedade é ainda mais importante no que se refere aos legumes e verduras, para que se possa obter os benefícios de todas as partes da planta, como ficou constatado em um grande estudo sobre câncer realizado com quase meio milhão de pessoas.[16] Uma análise recente concluiu: "Como cada legume e verdura contém uma combinação única, deve-se comer uma grande diversidade de legumes e verduras [...] para se obter todos os benefícios à saúde."[17] A variedade não é apenas o tempero da vida; ela também pode prolongá-la.

Comendo melhor para ter uma aparência melhor

Todos nós já ouvimos falar do proverbial brilho dourado que costuma ser visto como sinal de saúde, vitalidade e juventude. Mas, em vez de partir para o bronzeamento artificial em busca de um tom mais dourado, você pode conquistá-lo com verduras.

Certos animais lançam mão da dieta para se tornarem mais atraentes sexualmente. O chapim-real, um inconfundível pássaro cantante verde-oliva e preto encontrado por toda a Europa e Ásia, prefere se alimentar de lagartas ricas em carotenoide — que deixa mais vivo o amarelo da plumagem de seu peito —, para ficar mais atraente para as parceiras em potencial.[18] Será que um fenômeno semelhante poderia ocorrer com os seres humanos?

Cientistas tiraram fotografias digitais de homens e mulheres africanos, asiáticos e caucasianos e pediram a outros participantes que manipulassem o tom da pele de seus rostos com um medidor até se chegar ao que consideravam ser a cor da aparência mais saudável.[19] Como era de se esperar, indivíduos de ambos os sexos preferiram o "brilho dourado" que pode ser alcançado por meio da "deposição do carotenoide alimentar na pele".[20] Em outras palavras, ao se consumir pigmentos amarelos e vermelhos de frutas, legumes e verduras, como o betacaroteno da batata-doce e o licopeno do tomate, é possível adquirir naturalmente um brilho mais dourado e rosado na pele. E os pesquisadores decidiram pôr essa teoria à prova.

Com base em um estudo de seis semanas realizado com universitários, constatou-se que, com a ingestão das nove porções de frutas, legumes e verduras recomendadas pelos Doze por Dia, o tom de pele obtido tinha uma aparência significativamente mais saudável e mais atraente do que o adquirido com o consumo de três porções por dia.[21] Quanto mais saudável sua alimentação é, mais saudável você parece. De fato, estudos constatam que "indivíduos que consomem menos frutas, legumes e verduras apresentam a maior melhora na aparência".[22]

E as rugas? Um estudo realizado no Japão usou a escala Daniell, de seis pontos, para classificar a extensão dos pés de-galinha em torno dos olhos de mais de setecentas mulheres, sendo um ponto conferido aos casos mais leves e seis, aos mais graves. Os pesquisadores verificaram que "uma maior ingestão de verduras e legumes verdes e amarelos estava associada a menos rugas faciais". Mulheres que ingeriam menos de uma porção desses alimentos por dia obtiveram média três na escala Daniell, enquanto as que consumiam mais de duas porções por dia tiveram uma média mais próxima de dois. Os cientistas comemoram "o potencial desses estudos de promover uma dieta saudável".[23]

Não há dúvida de que apelo para a vaidade das pessoas, em especial no caso dos pacientes mais jovens, que tendem a ter mais interesse na mudança alimentar que dará fim à acne do que na redução do risco de desenvolver uma doença crônica no futuro. Por isso, fico feliz ao ver artigos abordando esse tipo de estudo com títulos como "Greens to Be Gorgeous" [verduras para ser lindo].[24] Ainda assim, embora seja bom ter uma ótima aparência externa, é ainda melhor ter uma ótima aparência interna.

Os benefícios dos cogumelos

A ergotioneína é um aminoácido incomum. Apesar de ter sido descoberta há mais de um século, ela era ignorada até pouco tempo atrás, quando cientistas constataram que o corpo humano tem uma proteína transportadora destinada especificamente a extrair a ergotioneína dos alimentos e levá-la aos tecidos. Isso sugere que esse aminoácido desempenha um papel fisiológico importante. Mas qual? A primeira pista foi a distribuição nos tecidos: a ergotioneína se concentra em partes do corpo onde há muito estresse oxidativo — o fígado e o cristalino dos olhos, por exemplo —, bem como em tecidos sensíveis como a medula óssea e o sêmen. Os pesquisadores supuseram, então, que ela aja como um citoprotetor — um protetor de célula. E, de fato, essa tese foi confirmada em seguida.[25]

A ergotioneína parece funcionar como um potente antioxidante intramitocondrial, o que significa que ela penetra a mitocôndria — a usina de energia microscópica localizada no interior das células. O DNA dentro da mitocôndria é especialmente vulnerável aos danos provocados pelos radicais livres, já que muitos outros antioxidantes não conseguem penetrar a membrana mitocondrial. Esse é um dos motivos pelos quais a ergotioneína é tão importante. Privar as células humanas desse aminoácido leva a uma aceleração dos danos ao DNA e à morte de células. Para o nosso azar, o corpo humano não produz ergotioneína; só é possível adquiri-la por meio da alimentação. Os pesquisadores da Universidade Johns Hopkins concluíram: "Em virtude de sua origem alimentar e da toxicidade associada à sua depleção, a ergotioneína pode representar uma nova vitamina,"[26] Se fosse classificada como tal, ela seria a primeira substância a ser considerada uma nova vitamina desde que a B12 foi isolada, em 1948.[27]

Mas quais são as melhores fontes alimentares de ergotioneína? Até agora, os níveis mais altos foram identificados em cogumelos. Por exemplo, os cogumelos ostras — que você mesmo pode cultivar em apenas duas semanas com um desses kits que só demandam a adição de água — têm mais de mil unidades (µg/dag) de ergotioneína, nove vezes mais do que seu concorrente mais próximo, o feijão--preto. E uma porção de feijão-preto tem oito vezes mais desse aminoácido do que uma porção da terceira principal fonte, o fígado de frango. A carne de frango, assim como a bovina e a suína, tem dez unidades, cem vezes menos do que a presente no cogumelo ostra. O feijão-roxo tem quatro vezes mais ergotioneína do que a carne, mas mesmo assim — com suas 45 unidades — é fraco quando comparado a alguns cogumelos.[28]

A ergotioneína é estável no calor, o que significa que não é destruída quando os cogumelos são cozidos.[29] Essa é uma boa notícia, já que é melhor não comê-los crus: nós devemos minimizar a exposição à agaritina, uma toxina presente nos cogumelos comestíveis. Felizmente, ela é destruída pelo cozimento — trinta segundos no micro-ondas eliminam a maior parte da agaritina dos cogumelos. O congelamento também acaba com a maior parte, porém o processo de desidratação não. Se você for usar cogumelos secos ao preparar uma sopa, é melhor fervê--los por pelo menos cinco minutos.[30] O cogumelo morel é um caso especial, pois seu nível da toxina é mais alto e ele pode reagir com o álcool mesmo após o cozimento.[31] Considero todos os outros cogumelos comestíveis cozidos como alimentos da luz verde, e todos os outros comestíveis crus como alimentos da luz amarela. Entretanto, na minha opinião, o cogumelo morel cru, o cogumelo morel cozido servido com álcool e todos os cogumelos colhidos na natureza figuram na lista da luz vermelha.

É preciso comer cogumelos para ser saudável? Não (se fosse, eles constituiriam o décimo terceiro item da lista de alimentos que eu recomendo). Na minha família, a minha mãe é conhecida por nunca ter comido cogumelos, e ela nunca os comerá porque acha a aparência deles "esquisita". Contudo, devido aos potenciais benefícios imunológicos e anticâncer documentados nos Capítulos 5 e 11, eu incentivo você a encontrar maneiras de incorporá-los à alimentação.

Meu jeito preferido de comer cogumelos é grelhar portobellos. Comprei um grill George Foreman em um bazar de caridade perto da minha casa e a minha família o rebatizou oficialmente de Grill Cogumelo Portobello. Sei que em geral se marina os portobellos primeiro, mas eu apenas coloco um pouquinho de vinagre balsâmico, grelho até o líquido começar a escorrer e acrescento pimenta moída. Fica tão bom que os comemos assim mesmo.

Desafio: Qual é o mais saudável: o cogumelo branco simples ou o portobello? Que pergunta capciosa! Na verdade, os dois são o mesmo cogumelo. O pequeno cogumelo branco vira o portobello quando cresce — o branco simplesmente é o portobello baby.

Os cogumelos podem ser recheados, saboreados em sopas como a *mushroom barley*, ser a estrela de um risoto ou de um patê, formar a base de um molho maravilhoso ou ser um componente saboroso de molhos para macarrão ou ainda podem simplesmente ser refogados com alho amassado e vinho tinto.

Ainda mais legumes e verduras!

Minha forma preferida de comer legumes e verduras crus é mergulhando palitos de pimentão, cenoura ou vagem em homus ou pasta de feijão; já no caso dos cozidos, eu gosto de assá-los. Quando os assamos eles se transformam em criaturas do outro mundo. Se você não acredita em mim, experimente assar pimentão vermelho, couve-de-bruxelas, beterraba ou abóbora. Você acha impossível gostar de quiabo por causa da baba? Experimente assá-lo.

Um dos meus pratos favoritos para comer durante a primavera é aspargo assado mergulhado em guacamole. (Eis um fato interessante sobre o aspargo: você sabia que há quatro tipos de pessoas no mundo? As cuja urina fede depois de comerem aspargo; as cuja urina não fede depois de comê-los; as que, ao que tudo indica, são geneticamente incapazes de sentir o odor do aspargo na urina; e, por fim, as que sentem o odor. Ou seja, algumas pessoas podem achar que a urina delas não fede por causa do aspargo, mas a verdade é que elas simplesmente não sentem o cheiro!)[32]

A batata-doce é um dos meus petiscos favoritos. Durante o rigoroso inverno de Boston, quando estava na faculdade de medicina, eu pegava duas batatas-doces recém-saídas do micro-ondas e as colocava nos bolsos do casaco como aquecedores de mão. Quando esfriavam, elas viravam petiscos saudáveis! Mas é melhor fervê-las para que se preserve o valor nutritivo.[33] Independentemente do método de cozimento utilizado, não descarte a casca, pois ela tem quase dez vezes mais poder antioxidante do que a polpa interna (tendo como base o peso), o que lhe confere uma capacidade antioxidante próxima à do mirtilo.[34]

A batata-doce pode ser considerada um super-alimento.[35] Ela é classificada como um dos alimentos mais saudáveis do planeta[36] — e talvez até chegue a ostentar tal título fora do planeta, já que a Nasa a selecionou para o envio em futuras missões espaciais.[37] Na verdade, ela é um dos alimentos mais saudáveis *e* mais baratos, com uma das maiores pontuações em quantidade de nutrientes por dólar.[38] Ao escolhê-las no supermercado, lembre-se de que seu conteúdo nutritivo está diretamente ligado à intensidade de sua cor. Quanto mais amarelo ou alaranjado for o seu interior, mais saudável ela é.[39]

A batata-doce é mais saudável do que as batatas comuns, mas, se você optar pelas últimas, priorize as com polpa azul ou roxa. Constatou-se que o consumo diário de uma batata roxa cozida em fervura durante seis semanas reduz inflamações, algo que nem a branca nem a amarela fizeram.[40] O mesmo foi verificado no que se refere à oxidação, porém de modo muito mais acelerado. Horas após o consumo, a batata roxa aumentou a capacidade antioxidante da corrente sanguínea dos participantes do estudo, enquanto o amido da batata branca pareceu, na verdade, ter um efeito pró-oxidante.[41] O poder antioxidante da batata azul é dez vezes maior do que o das brancas comuns.[42] A pesquisa mais animadora sobre a batata roxa feita até hoje fez com que hipertensos comessem, por dia, de seis a oito batatas roxas pequenas assadas no micro-ondas, e o nível da pressão arterial deles foi reduzido significativamente em um mês.[43]

Já a batata-*doce* roxa oferece o melhor dos dois mundos.[44] Fiquei tão animado ao descobri-la que a dei de presente para a minha família certa vez num feriado — elas são lembrancinhas que fazem bem à saúde!

Fazendo as crianças (e os pais) comerem legumes e verduras

Algumas das estratégias mais comuns usadas para fazer as crianças (de todas as idades) comerem legumes e verduras incluem cortá-los em fatias, tiras e estrelas — o formato mais popular.[45] Parece que colocar um adesivo de Elmo fez com que 50% das crianças preferissem os brócolis a uma barra de chocolate.[46] Entretanto, se mesmo assim elas não quiserem comê-los, você pode recorrer ao truque que uso para dar remédio ao nosso cachorro: passe os legumes e verduras na manteiga de amendoim. Uma pesquisa concluiu que a combinação de legumes e verduras com manteiga de amendoim aumenta a ingestão destes "até no caso das crianças avessas a legumes e verduras".[47] Constatou-se também que oferecer um molho para a salada ajuda.[48]

O simples fato de ter alimentos saudáveis disponíveis em um local acessível pode aumentar a ingestão deles. Adivinhe o que aconteceu quanto pesquisadores colocaram tigelas com frutas frescas picadas junto com os pratos que os pais costumam levar para as comemorações no jardim de infância? Não foi necessário nenhum esforço especial para incentivar os alunos a comerem as frutas, os cientistas simplesmente as deixaram na mesa com os outros alimentos. Será que as crianças comeriam as frutas mesmo tendo opções como bolo de aniversário, sorvete e salgadinhos de queijo disponíveis? Sim! Em média, cada criança consumiu uma porção inteira de frutas.[49] Por essa você não esperava!

Até mesmo dar outro nome a legumes e verduras pode ajudar. Escolas primárias conseguiram duplicar o consumo de legumes e verduras simplesmente ao inventar nomes com apelo maior entre as crianças. Os alunos comeram o dobro de cenouras quando estas foram chamadas de "Cenouras de Visão Raio X", em comparação ao que comiam quando estas eram chamadas de "Alimento do Dia".[50] Os adultos são crédulos? Pelo visto, sim. Por exemplo, adultos relataram que o "Arroz com Feijão-Vermelho Cajun Tradicional" era mais saboroso do que o "Arroz com Feijão-Vermelho"... embora os dois fossem o mesmíssimo prato.[51]

Quando cantinas escolares colocaram placas como Brócolis da Força no Murro e Vagem Maravilha ou chamaram o brócolis de Copinha de Árvore Saborosa, a escolha por ele aumentou 110% e a da vagem teve um salto de quase 180%.[52] Os pesquisadores concluíram que "tais estudos demonstram que utilizar um nome que atrai as pessoas ao descrever um alimento saudável em uma cantina é muito efetivo, duradouro, além de uma ação viável de ser realizada em escalas maiores com pouco ou nenhum gasto a mais nem conhecimento específico. Esses nomes *não* foram cuidadosamente criados, debatidos em grupo e depois pré--testados". Foram inventados do nada. E as crianças foram levadas a se alimentarem de forma mais saudável durante semanas apenas porque os adultos criaram plaquinhas bobas. Com os novos nomes divertidos à vista no balcão da cantina, a aquisição de legumes e verduras aumentou quase 100%, enquanto nas escolas de controle, que não usaram as placas, a escolha por esses alimentos começou baixa e, na verdade, diminuiu.[53] Então por que será que todas as escolas do Estados Unidos não estão empregando essa estratégia atualmente? Levante esse assunto na próxima reunião de pais e professores.

Não esqueçamos a tática de mascarar os legumes e as verduras. Estudos mostraram que o brócolis, a couve-flor, o tomate, a abóbora e a abobrinha podem ser disfarçados e adicionados a pratos sem que a aparência, o sabor e a textura destes sejam alterados (como legumes amassados em um molho de macarrão).[54] Também foi constatado que o truque funciona com os adultos. Os cientistas conseguiram inserir até quase meio quilo de legumes e verduras clandestinos na alimentação diária dos adultos (o que resultou na ingestão de menos 350 calorias).[55] Entretanto, camuflar os legumes e as verduras na comida não deveria ser a única forma de servi-los às crianças. Tendo em vista que a predisposição a comer um legume que, a princípio, não parece apetitoso pode aumentar por meio do contato repetido com esse alimento, é fundamental utilizar diversas estratégias para assegurar que as crianças comam legumes e verduras não processados. Afinal, é importante lembrar que elas nem sempre se alimentarão em casa. Constatou-se que um dos mais importantes indicadores do consumo de frutas, legumes e verduras por crianças é o consumo dos pais.[56] Por isso, se você quiser que seus filhos tenham uma alimentação saudável, ser um exemplo ajuda.

Os legumes e as verduras que mais combatem o câncer

De acordo com um relatório decisivo do Instituto Americano de Pesquisa em Câncer, todo efeito de uma alimentação à base de vegetais "provavelmente não se deve apenas à exclusão da carne, mas também à inclusão de um número e uma diversidade maior de alimentos vegetais, que contêm uma extensa variedade de substâncias com potencial de prevenir o câncer".[57] Em outras palavras, apenas reduzir a carne pode não ser suficiente; é necessário ingerir a maior quantidade possível de alimentos vegetais integrais saudáveis. As Segundas Sem Carne são ótimas, mas são melhores ainda quando seguidas da Terça do Tomate, da Quarta da Couve, e assim por diante.

Legumes e verduras diferentes podem atingir cânceres distintos — às vezes, até no mesmo órgão. Por exemplo, o repolho, a couve-flor, o brócolis e a couve-de-bruxelas são associados a um risco menor de câncer de cólon nas partes média e direita do corpo, enquanto o risco de câncer de cólon mais abaixo e no lado esquerdo pelo visto diminui com o consumo da cenoura, da abóbora e da maçã.[58]

Um estudo extraordinário publicado na revista *Food Chemistry* contrapôs, *in vitro*, 34 legumes e verduras comuns a oito tipos diferentes de células de câncer humanas: câncer de mama, tumor no cérebro, câncer de rim, câncer de pulmão, tumor cerebral em crianças, câncer de pâncreas, câncer de próstata e câncer de estômago. Tomemos como exemplo o câncer de mama: sete dos alimentos estudados (berinjela, repolho-chinês, cenoura, tomate, endívia, funcho e alface-romana) parecem inúteis quando se trata de suprimir o crescimento de células desse tipo de câncer comparados ao grupo de controle. Mas seis alimentos (pimentão laranja, pepino japonês, radicchio, pimenta jalapenho, batata e beterraba) reduziram quase à metade o crescimento do câncer e cinco (couve-flor, couve-de-bruxelas, cebolinha, alho-poró e alho) "aboliram" por completo o crescimento do câncer, estancando células de tumor de mama.[59]

Podemos apreender duas coisas desse estudo notável. A primeira é que você deve comer legumes e verduras variados. O rabanete, por exemplo, é incapaz de impedir o crescimento de células de câncer de pâncreas, porém é 100% efetivo no combate ao crescimento de células de câncer de estômago. Já o pimentão laranja se mostrou ineficaz contra o câncer de estômago, mas suprimiu em mais de 75% o crescimento de células de câncer de próstata. Nas palavras dos cientistas, "uma dieta diversificada, contendo várias classes distintas de legumes e verduras (e, consequentemente, de fitoquímicos) é essencial para a prevenção eficaz do câncer".[60]

Como montar uma salada para combater o câncer

Imagine que você está na fila de um desses restaurantes em que dá para montar a própria salada, com a alface, outros ingredientes e o molho. A título de exemplo, digamos que lhe deixem escolher uma opção entre cinco verduras analisadas no estudo da *Food Chemistry*: alface lisa, endívia, radicchio, alface-romana e espinafre. Qual delas você deveria escolher? Com base nas descobertas da pesquisa, seria o espinafre. Ele supera as outras quatro opções no que se refere ao combate a câncer de mama, tumor no cérebro, câncer de rim e de pulmão, tumor cerebral infantil, câncer de pâncreas, de próstata e de estômago. Quem ficou com o segundo colocado? O radicchio.[61]

Quais ingredientes você acrescentaria à salada de espinafre? Só dá para escolher cinco e, após consultar a cópia da lista dos Doze por Dia guardada na carteira, você pode marcar logo de cara três xis: feijão, frutas vermelhas e oleaginosas. Mas ainda faltam dois ingredientes. Dos 32 legumes e verduras restantes do estudo, quais são os dois que você deveria escolher? Analise com cuidado:

Abóbora	Repolho-crespo	Alho-poró
Aspargo	Berinjela	Pimentão laranja
Beterraba	Endívia	Batata
Repolho-chinês	Pepino japonês	Radicchio
Alface lisa	Funcho	Rabanete
Brócolis	*Fiddleheads*	Repolho-roxo
Couve-de-bruxelas	Alho	Alface-romana
Repolho	Vagem	Rutabaga
Cenoura	Cebolinha	Tomate
Couve-flor	Pimenta jalapenho	Cebola amarela
Aipo	Couve-crespa	

Quais foram os dois que você escolheu? Se um dos eleitos foi a couve-de-bruxelas, o repolho-crespo ou a couve-crespa *e* o outro foi o alho, a cebolinha ou o alho-poró, você merece uma estrelinha! De todos os legumes e verduras analisados, esses apresentaram o maior potencial de prevenção contra o câncer. Você notou que há algo em comum entre todos eles? Todas as melhores opções pertencem a uma de duas famílias de superalimentos: os vegetais crucíferos e os do gênero *Allium*, que inclui o alho e as cebolas. Como os pesquisadores explicaram, "a inclusão dos vegetais crucíferos e dos integrantes do gênero *Allium* na dieta é essencial para estratégias quimiopreventivas [que previnem contra o câncer] eficientes baseadas na alimentação".[62]

Note que os legumes e verduras mais comuns não foram recomendados. Os cientistas concluíram que "a maioria dos extratos vegetais analisados no presente estudo, incluindo alimentos comumente consumidos em países ocidentais, como a batata, a cenoura, a alface e o tomate, tiveram pouca influência na proliferação de linhagens de células tumorais".[63]

O alimento mais eficiente foi o alho, que ficou em primeiro lugar no combate aos cânceres de mama, de cérebro infantil e adulto, de pulmão, pâncreas, próstata e estômago — e ele ficou atrás apenas do alho-poró no combate ao câncer de rim. Então você me permite sugerir um molho de salada que leva alho, como o da página 370?

Alho e cebola

Como o exemplo de salada do parágrafo anterior sugere, o alho, a cebola, o alho--poró e outros legumes do gênero *Allium* possuem propriedades especiais. Mas, espere aí. Assim como ocorre com a quimioterapia, será que o alho pode ser tóxico não apenas para as células de câncer, mas para *todas* as células? Isso não seria nada bom. Os cientistas também levantaram essa questão e decidiram comparar os efeitos do alho e de outros alimentos no crescimento de células de câncer e de células normais. A mesma dose de alho que bloqueou quase 80% da proliferação de células de câncer pareceu não impactar as células normais, e outros vegetais do gênero *Allium* e crucíferos geraram resultados semelhantes. Em outras palavras, os legumes e as verduras são seletivos: eles destroem células de câncer, mas deixam as normais em paz.

Contudo, tais resultados foram obtidos em uma placa de Petri, e, embora uma análise desse tipo possa ser de grande relevância no caso dos cânceres do trato digestivo que entram em contato direto com esses alimentos, para que estes protejam contra outros cânceres seria necessário que os compostos anticâncer fossem absorvidos pela corrente sanguínea. E, no caso dos tumores cerebrais, tais compostos teriam ainda que vencer a barreira sangue-cérebro. No entanto, essas descobertas parecem estar de acordo com outras pesquisas — realizadas tanto em populações humanas quanto em outras condições — que corroboram os benefícios de combate ao câncer dos vegetais crucíferos,[64] do alho e das cebolas.[65] Independentemente disso, esse estudo revela as diferenças radicais que há entre a capacidade biológica de vegetais específicos e de famílias de vegetais e assinala a importância de incorporar uma grande variedade de legumes e verduras à alimentação.

Qual é o melhor método de cozimento?

É melhor comer os legumes e as verduras crus ou cozidos? Se a sua resposta é crus, você acertou. Mas se achou que era cozidos, também está certo.[66] Ficou confuso? Bem, vários nutrientes, como a vitamina C, são parcialmente destruídos pelo cozimento. Por exemplo, o brócolis cozido no vapor têm 10% menos vitamina C do que o cru.[67] Se, porém, você prefere tanto consumi-lo cozido que comeria sete florezinhas cozidas no vapor em vez de seis cruas, então essa perda é mais do que compensada.

Todavia, outros nutrientes se tornam *mais* absorvíveis após o cozimento. Por exemplo, adquire-se seis vezes mais vitamina A na corrente sanguínea ao comer cenouras cozidas em comparação com o consumo das cruas.[68] Um estudo realizado com pessoas que praticavam o crudismo há um bom tempo surpreendentemente identificou níveis baixos do pigmento vermelho antioxidante licopeno na corrente sanguínea dos participantes.[69] A questão não é o que se come, mas o que o corpo absorve, e o tomate cozido parece ser melhor no que se refere ao aumento dos níveis de licopeno no sangue.[70] O cozimento no vapor também pode melhorar a capacidade dos legumes e das verduras de se ligarem aos ácidos biliares,[71] o que ajuda a reduzir o risco de câncer de mama.[72]

As dietas baseadas em alimentos crus eliminam automaticamente a maioria dos itens das luzes vermelha e amarela, o que é uma evolução não apenas em relação à dieta americana padrão, mas também em relação a muitas dietas à base de vegetais. Entretanto, não há evidências que indiquem que a ingestão predominante ou exclusiva de alimentos crus é mais saudável do que a de uma combinação de alimentos vegetais integrais cozidos e crus.

Mas alguns métodos de cozimento são preferíveis a outros. Os alimentos fritos, sejam de origem vegetal (como a batata frita) ou animal (como o frango frito) têm sido associados a um risco maior de câncer.[73] A fritura leva à produção de aminas heterocíclicas perigosas na carne (conforme foi detalhado no Capítulo 11) e de acrilamida nos alimentos vegetais. O risco de câncer atribuível ao consumo de batata frita na infância, por exemplo, pode chegar a um ou dois em cada dez mil — o que significa que um em cada dez mil meninos e meninas que comem batata frita pode desenvolver um câncer que não ocorreria caso *não* tivesse consumido batata frita. Os cientistas recomendam que se adote tempo e temperatura de fritura tão baixos quanto possível, mas "ainda mantendo uma qualidade de sabor".[74] (Eles não iriam querer reduzir tanto o risco de câncer a ponto de os alimentos fritos não serem saborosos!) Escaldar a batata antes de fritar reduz a formação de acrilamida, porém as fabricantes de batata frita argumentam que isso

OUTRAS VERDURAS E LEGUMES | 387

impacta negativamente as "propriedades nutritivas do produto frito", já que eliminaria parte da vitamina C.[75] Entretanto, se você está se valendo da batata frita para obter vitamina C, a acrilamida provavelmente é o menor dos seus problemas.

Qual é a melhor forma de cozinhar legumes e verduras preservando os valores nutricionais? Com frequência me fazem essa pergunta, e é difícil respondê-la, pois a resposta varia de acordo com o alimento. Seria necessário realizar um estudo que avaliasse vários métodos de cozimento para diversos legumes e verduras. Ainda bem que isso foi feito em 2009. Uma equipe de pesquisa espanhola fez todo o esforço possível, realizando mais de trezentos experimentos separados com vinte legumes e verduras e seis métodos de cozimento, e considerando o tempo todo três medidas diferentes da atividade antioxidante. Eles avaliaram alimentos assados, cozidos em fervura, fritos, grelhados na chapa (em fritadeira espessa sem óleo), cozidos no micro-ondas e na panela de pressão.[76]

Comecemos pelos piores métodos em termos de perda de antioxidantes: a fervura e a panela de pressão. Quando se utiliza esses métodos, parte da nutrição é perdida na água do cozimento, mas menos do que eu imaginava. Por exemplo, os pesquisadores constataram que a fervura remove em média 14% do poder antioxidante dos legumes e das verduras. Portanto, se você gosta de comer espiga de milho cozida em fervura, acrescente um quarto de espiga à panela (seis quartos cozidos em fervura têm todo o poder antioxidante de cinco quartos crus, assados ou cozidos no micro-ondas).[77] Dos seis métodos de cozimento analisados, o grelhado na chapa e o cozimento no micro-ondas foram os mais suaves. O forno de micro-ondas parece preservar em média mais de 95% do poder antioxidante.[78]

Contudo, isso são as médias de vinte legumes e verduras. Alguns vegetais são mais resistentes, e o poder antioxidante deles na verdade *aumenta* quando são cozidos. Qual você acha que é o alimento mais vulnerável — ou seja, o que provavelmente é melhor se consumido cru? Se você pensou no pimentão, acertou. Constatou-se que 70% da capacidade antioxidante do pimentão são perdidos quando ele é assado no forno. Eu continuarei assando os meus porque adoro o sabor, porém estou ciente de que assim obtenho menos nutrição por dólar. (Mas não tem problema, basta adicionar mais uma pitada de orégano ao meu molho de macarrão de pimentão vermelho assado).

Em contrapartida, três alimentos parecem ser pouquíssimo afetados pelo cozimento: a alcachofra, a beterraba e a cebola. Dá até para cozinhá-los em fervura e ainda assim reter 97,5% de seu poder antioxidante.

Por fim, há dois legumes que podem se tornar *mais saudáveis* ao serem cozidos: a modesta cenoura e o aipo. Independentemente da forma como são preparados, eles parecem ganhar em poder antioxidante — mesmo quando fervidos. A vagem recebe uma menção honrosa, já que seu poder antioxidante aumenta quando cozida por todos os métodos, exceto no caso da fervura e da panela de pressão. A vagem cozida no micro-ondas, por exemplo, fornece mais antioxidantes do que quando crua. Então vá em frente, prepare uma bela sopa de legumes e de quebra aumente o teor de antioxidantes dos ingredientes.

Como higienizar frutas, legumes e verduras

Os alimentos orgânicos reduzem a nossa exposição a pesticidas, mas não a eliminam por completo. Resíduos de pesticidas foram detectados em 11% das amostras de produtos orgânicos em virtude de uso acidental ou fraudulento, contaminação cruzada por campos não orgânicos vizinhos ou devido à presença prolongada de poluentes como o DDT no solo.[79]

Há muitos produtos à venda para higienizar frutas, legumes e verduras que visam remover pesticidas, porém vários deles foram analisados e pelo visto são um total desperdício de dinheiro.[80] Por exemplo, a Procter & Gamble vendia um produto que alegava comprovadamente "ser 98% mais efetivo do que a água na remoção de pesticidas". Contudo, quando foi posto à prova, ele não superou em nada a simplória água de torneira.[81] Em geral, a lavagem em água corrente remove menos da metade dos resíduos de pesticidas.[82] Constatou-se que um banho de removedor de esmalte de unha à base de acetona é mais efetivo na remoção de pesticidas,[83] mas é claro que não estou recomendando que você mergulhe suas frutas, legumes e verduras nisso! O objetivo é justamente tornar seu tomate *menos* tóxico.

Um método efetivo é dar um banho de ácido acético a 5% — ou seja, vinagre branco puro, que mostrou remover a maior parte de determinados resíduos de pesticidas.[84] Mas 5% significa que não há adição de água, então seria caro comprar litros de vinagre branco só para lavar frutas, legumes e verduras. Infelizmente pelo visto o banho em vinagre branco diluído é só um pouco mais eficaz do que a água da torneira.[85]

Ainda bem que existe uma solução barata e efetivo: a água salgada. Constatou-se que a lavagem em água salgada a 10% funciona tão bem quanto o vinagre puro.[86] Para dar o seu banho redutor de pesticidas, adicione uma parte de sal a nove partes de água. Apenas certifique-se de remover todo o sal antes de consumir o alimento.

OUTRAS VERDURAS E LEGUMES | 389

Vale a pena comprar produtos orgânicos?

Dê uma passada na seção de hortifrúti da sua mercearia.Você verá muitos produtos com o selo de "orgânico", mas o que isso realmente significa?

De acordo com o Departamento de Agricultura dos Estados Unidos, as práticas de agricultura orgânica preservam o meio ambiente e evitam o uso da maioria dos materiais sintéticos, incluindo pesticidas e antibióticos. Entre outras exigências, os produtores de orgânicos têm que passar por inspeções anuais, utilizar apenas materiais aprovados pelo departamento do governo e não usar produtos geneticamente modificados. Para serem inseridos no mercado varejista americano de orgânicos — que movimenta 35 bilhões de dólares —, os vegetais recebem um selo de produto orgânico do Departamento de Agricultura.[87]

O fato de ser orgânico não significa que o alimento seja saudável — a indústria de produtos orgânicos não se tornou tão lucrativa vendendo cenoura. Por exemplo, hoje é possível comprar batata frita sem pesticidas e jujubas orgânicas.[88] Tem até biscoito Oreo orgânico. Junk-food ainda é junk-food, mesmo quando produzida seguindo práticas orgânicas. O selo de orgânico não transfere um item da luz vermelha para a luz verde.

Muitos ficarão surpresos (como eu fiquei!) ao saber que uma análise de centenas de estudos constatou que os produtos agrícolas orgânicos não parecem ter uma quantidade significativamente maior de vitaminas e minerais. Contudo, pelo visto as frutas, os legumes e as verduras orgânicos contêm mais nutrientes não tão comuns, como os antioxidantes polifenois.[89] Acredita-se que isso se deva ao fato de as plantas cultivadas da forma convencional, que recebem altas doses de fertilizantes sintéticos de nitrogênio, empregarem mais recursos para o seu crescimento do que para a sua defesa.[90] Talvez seja por isso que, como aprendemos no Capítulo 4, as frutas vermelhas orgânicas suprimem melhor o crescimento de câncer *in vitro* do que as cultivadas da forma convencional.

Tendo como parâmetro seus elevados níveis de antioxidantes, os produtos agrícolas orgânicos podem ser considerados de 20% a 40% mais saudáveis do que os cultivados com as técnicas tradicionais, o que equivale a adicionar o valor de uma ou duas porções a um regime de cinco por dia. Entretanto, os produtos agrícolas orgânicos podem ser 40% mais caros do que os convencionais — ou seja, com a mesma quantia, dá para comprar o valor das porções extras em produtos convencionais. Pensando apenas em termos de nutrientes por dólar, não está claro se os alimentos orgânicos são melhores do que os tradicionais.[91] Mas as pessoas não os compram apenas por serem mais saudáveis — e a questão da segurança?

Os produtos agrícolas convencionais parecem ter o dobro do nível de cádmio, um dos três metais pesados tóxicos provenientes dos alimentos — junto com o mercúrio e o chumbo.[92] Acredita-se que o cádmio provenha de fertilizantes de fosfato utilizados em plantações convencionais.[93] No entanto, a principal preocupação da maioria das pessoas em relação aos produtos agrícolas convencionais são os resíduos de pesticidas.

As pessoas tendem a supervalorizar os benefícios nutricionais dos alimentos orgânicos e também os riscos dos pesticidas.[94] Pesquisas constataram que muitos consumidores acreditam equivocadamente que o número de mortes causadas pela presença de resíduos de pesticidas nos alimentos convencionais é muito próximo ao das provocadas por acidentes de carro,[95] ou que consumir produtos não orgânicos é quase tão ruim quanto fumar um maço de cigarros por dia.[96] Esse tipo de raciocínio é perigoso e pode levar a uma redução do consumo total de frutas, legumes e verduras.

Se metade da população dos Estados Unidos aumentasse a ingestão de frutas, legumes e verduras em uma única porção diária, estima-se que vinte mil casos de câncer poderiam ser evitados a cada ano. Esse valor foi calculado com base no consumo de produtos agrícolas convencionais, portanto, se supõe que o fardo adicional do pesticida de todos esses vegetais extras cause dez novos casos de câncer. O estudo sugere que, no cômputo geral, se metade dos americanos comesse mais uma porção de frutas, legumes e verduras por dia, evitaríamos que 19.900 indivíduos se tornassem pacientes de câncer a cada ano. Para mim isso é animador!

Infelizmente essa pesquisa foi conduzida por cientistas de aluguel, pagos por produtores de produtos agrícolas convencionais e que, portanto, tiveram um incentivo para supervalorizar os benefícios e subestimar os riscos.[97] Entretanto, acho que a conclusão é confiável. Ao comer frutas, legumes e verduras convencionais você recebe benefícios tremendos que superam quaisquer que sejam os pequenos riscos possíveis por conta dos pesticidas.[98] Mas por que correr riscos quando se pode optar pelos orgânicos? A minha família os compra sempre que dá, porém não permitimos que a preocupação com os pesticidas nos impeça de comer o máximo possível de frutas, legumes e verduras.

Pelo menos metade do seu prato deve ser ocupada por legumes e verduras. Uma regra simples: inclua-os em tudo e, quanto mais, melhor. Burritos de feijão são melhores do que *carnitas*, mas melhor ainda é burrito de feijão recheado com muitos legumes e verduras. Em vez de espaguete com molho marinara, faça espaguete com molho marinara... e muitos legumes e verduras. O marinara sem dúvida é melhor do que o Alfredo, porém ele fica melhor ainda quando você se esforça e o enche dos seus legumes e verduras favoritos.

Semente de linhaça

> ## As sementes de linhaça favoritas do dr. Greger
>
> As douradas ou as marrons.
>
> **Tamanho da porção**
> 1 colher de sopa de sementes moídas
>
> **Recomendação diária**
> 1 porção

Já falei sobre as maravilhas da semente de linhaça em alguns capítulos deste livro, incluindo os que trataram da hipertensão (Capítulo 7), do câncer de mama (Capítulo 11) e do câncer de próstata (Capítulo 13). Lembra que a semente de linhaça aparentemente proporciona uma "defesa milagrosa contra algumas doenças críticas"?

Ok, você já se convenceu. Mas onde se encontra as sementes de linhaça e qual é a melhor maneira de consumi-las?

As sementes podem ser compradas a granel em lojas de produtos naturais por alguns reais o quilo. Elas vêm na melhor embalagem da natureza: uma casca dura natural que as mantêm frescas. No entanto, a Mãe Natureza as embala um pouco bem demais. Se você comê-las inteiras, é muito provável que elas passem pelo seu corpo sem liberar nutrientes. Portanto, para obter o máximo de benefícios, moa primeiro as sementes em um liquidificador ou em um moedor de café ou de condimentos, ou então já as compre moídas ou trituradas. (A outra opção é mastigá-las muito bem.) Graças ao seu poder antioxidante, as sementes de linhaça moídas duram pelo menos quatro meses em temperatura ambiente.[1]

A linhaça moída é um pó leve, com textura semelhante à das nozes moídas, que pode ser salpicado no mingau de aveia, nas saladas, nas sopas — na verdade, dá para adicioná-la a qualquer coisa que você estiver comendo. É possível até assar com linhaça sem danificar as lignanas[2] e os ácidos graxos ômega 3[3] (ao contrário do que ocorre com o óleo de semente de linhaça). Quando estava na faculdade de medicina, eu costumava preparar algumas dúzias de muffins de semente de linhaça de uma só vez e congelá-los. Depois, toda manhã, antes de sair correndo de casa, esquentava um deles no micro-ondas e comia minha dose diária de linhaça enquanto tomava discretamente meu café da manhã no metrô.

As barrinhas de frutas e oleaginosas engordam?

Existem à venda inúmeras barrinhas energéticas que contêm apenas ingredientes da luz verde, como frutas secas, sementes e oleaginosas. Elas são muito populares por serem fáceis de levar em uma pasta, mochila ou bolsa, além de serem um petisco bem prático de ser consumido em qualquer lugar.

As frutas secas, as sementes e as oleaginosas são alimentos ricos em nutrientes, mas também em calorias. Será que tantas calorias concentradas em uma barrinha energética podem contribuir para o ganho de peso? Para descobrir a resposta, pesquisadores da Universidade de Yale dividiram cerca de cem homens e mulheres com sobrepeso em dois grupos. Todos os participantes mantiveram suas dietas habituais, porém, foi pedido a metade deles que acrescentassem duas barrinhas de frutas e oleaginosas a sua alimentação diária. Após dois meses, apesar da ingestão das 340 calorias a mais por dia das barras, o grupo que as consumiu não teve nenhum aumento no peso corporal.[4]

As frutas secas e as oleaginosas dão tanta saciedade que as pessoas se sentem satisfeitas e inconscientemente compensam as calorias de algum modo ao longo do dia. Estudos sobre anéis de maçã seca,[5] figos[6] e ameixa secos[7] e passas[8] obtiveram resultados semelhantes. Na pesquisa que analisou a maçã, mulheres na pós-menopausa que acrescentaram uma quantidade de anéis de maçã equivalentes a duas maçãs inteiras à dieta diária durante seis meses não apenas não engordaram como tiveram uma tremenda queda de 24% no colesterol LDL[9] (o "ruim"). (Isso é quase o efeito que se obtém com o uso de algumas estatinas!) Em geral, os 7% de americanos que consomem em média pelo menos uma colher de sopa de frutas secas por dia tendem a estar menos acima do peso e menos obesos; além disso, a cintura deles é mais fina e eles têm menos obesidade abdominal do que os americanos que não comem tanta fruta seca.[10]

É claro que, ao comprar barrinhas energéticas, é imperativo que se leia as informações nutricionais, pois muitas marcas adicionam açúcares. Também dá para economizar uma graninha ao priorizar o bom e velho mix de oleaginosas e frutas secas. O melhor mesmo é comer um pedaço de fruta fresca, mas, se as opções de petisco à tarde forem uma barrinha energética e uma barra de chocolate, a escolha é óbvia.

Outras formas de ingerir semente de linhaça

Quando não der para salpicar linhaça moída no cereal, na salada na ou sopa, ou então comer muffins que a levem na massa, você pode recorrer a muitas outras maneiras de consumir sua porção diária de sementes de linhaça. Hoje há à venda diversas barrinhas, biscoitos e petiscos de linhaça bem práticos, e algumas opções têm apenas ingredientes da luz verde.

Mas é muito fácil fazer seus próprios biscoitos de linhaça. É só misturar duas xícaras de sementes de linhaça moídas com uma xícara de água, adicionar as ervas e os temperos da sua preferência e em seguida transferir a massa para uma assadeira forrada com papel-manteiga ou silicone, alisando-a até ficar fina e uniforme. Corte a massa em 32 pedaços e asse a duzentos graus Celsius por cerca de vinte minutos. Para temperar, eu uso meia colher de chá de cada um dos seguintes ingredientes: páprica defumada, alho em pó e cebola em pó, mas você pode fazer experimentos até descobrir a combinação de temperos (sem sal) que mais lhe agrada. Como a massa é cortada em 32 pedaços, cada biscoito corresponde à recomendação de uma porção dos Doze por Dia.

Eu também uso meu confiável desidratador, pelo qual — como já mencionei — não paguei muito, para fazer biscoitos de linhaça crus. Basta misturar uma xícara de sementes de linhaça inteiras com uma xícara de água, acrescentando ingredientes saborosos, como tomate seco e manjericão. Depois de deixar a mistura descansar por uma hora e adquirir uma consistência semelhante a gelatina, eu a espalho até deixá-la fina e a desidrato. Experimente! Se você passar os biscoitos de linhaça em homus ou em uma pasta de feijão, já marca dois xis da lista. Como a receita usa sementes de linhaça inteiras, não deixe de mastigá-las por completo para usufruir todos os benefícios.

As sementes de linhaça dão uma consistência maravilhosa a misturas, o que faz delas um ótimo ingrediente para *smoothies* mais espessos, do tipo milk-shake. Coloque uma colher de sopa de linhaça moída no liquidificador com algumas frutas vermelhas congeladas, leite de soja não adoçado e meia banana ou manga madura — ou algumas tâmaras — para adoçar e você terá uma bebida deliciosa com as duas classes de fitoestrógenos protetores: as lignanas da linhaça e as iso-flavonas da soja (veja o Capítulo 11). Acrescente um pouco de cacau em pó para fazer milk-shake de chocolate que melhorará as suas chances tanto de prevenir os cânceres de mama e próstata quanto de sobreviver a eles.

Essa mesma capacidade de dar uma boa consistência a cremes e bebidas torna as sementes de linhaça um engrossador da luz verde capaz de substituir a maisena. Eu as uso no meu molho favorito de fritura rápida na panela. Começo com um pouco de repolho-chinês e cogumelos frescos. A água que fica no repolho-chinês após a lavagem e o líquido que os cogumelos soltam durante o cozimento são suficientes para o rápido cozimento dos ingredientes em uma panela quente sem óleo algum. Quando o repolho-chinês está macio-crocante, junto uma xícara de água misturada a uma colher de chá dos seguintes ingredientes: *tahine*, sementes de linhaça moídas e um pouco de molho de feijão-preto e alho asiático — um condimento amarelo-claro fermentado que vem em um pote de vidro e é vendido na maioria das grandes mercearias. Quando o molho engrossa, é hora de adicionar um pouco de pimenta fresca moída (e molho picante, se você, como eu, também for fã dele) e... *voilà*!

É possível substituir o ovo por sementes de linhaça moídas ao assar bolos, pães e afins. Para cada ovo da receita original, bata uma colher de sopa de sementes de linhaça moídas com três colheres de sopa de água até a mistura ficar pegajosa. Ao contrário do ovo de galinha, o "ovo de linhaça" não tem colesterol e é repleto de fibras solúveis que baixam o colesterol[11] em vez de aumentá-lo.

A capacidade dessas sementinhas de promover a saúde nunca deixa de me surpreender. Com uma mera colher de sopa por dia e tantas maneiras deliciosas e fáceis de incorporá-las a bebidas e pratos, não tem por que você não marcar esse xis na lista dos Doze por Dia todos os dias.

Oleaginosas e sementes

As oleaginosas e sementes favoritas do dr. Greger

Amêndoa, castanha-do-pará, castanha-de-caju, semente de chia, avelã, semente de cânhamo, macadâmia, noz-pecã, pistache, semente de abóbora, semente de gergelim, semente de girassol e noz.

Tamanho das porções
¼ de xícara de oleaginosas ou sementes
2 colheres de sopa de manteiga de alguma oleaginosa ou semente

Recomendação diária
1 porção

Às vezes parece que as 24 horas do dia não são suficientes para darmos conta de tudo. Então, em vez de tentar prolongar o dia, por que não prolongar a vida por mais dois anos? É esse o tempo de vida que pode ser ganho com o consumo regular de oleaginosas — um punhado (ou um quarto de xícara), pelo menos cinco dias por semana.[1] Esse ato simples e delicioso pode por si só aumentar seus anos de vida.

O Estudo de Carga de Doença Global calculou que a não ingestão de uma quantidade suficiente de oleaginosas e sementes é o terceiro maior fator de risco de origem alimentar para morte e deficiências no mundo, causando mais óbitos do que o consumo de carne processada. Acredita-se que a ingestão insuficiente de oleaginosas e sementes leva à morte de milhões de pessoas todos os dias, quinze vezes mais do que a soma de todos os óbitos por overdose de heroína, crack e demais drogas ilícitas.[2]

Formas de consumir nozes trituradas

As oleaginosas são petiscos práticos e deliciosos, mas minha forma preferida de utilizá-las é como fonte de gordura da luz verde no preparo de molhos saborosos e cremosos. Quer seja um molho Alfredo com castanha-de-caju, um molho de gengibre e amendoim ou um molho verde fantástico à base de *tahine*, com as oleaginosas e sementes é possível maximizar a obtenção de nutrientes tanto ao melhorar a absorção deles pelo organismo quanto ao aumentar a ingestão de legumes e verduras por ter dado um toque cremoso ao molho.

Um jeito de utilizar oleaginosas que costuma ser subestimado é como ingrediente-chave em sopas, como no ensopado de amendoim africano. Quando batida no liquidificador e aquecida, a castanha-de-caju engrossa caldos e pode ser usada como base para uma sopa incrivelmente cremosa. As manteigas de oleaginosas e sementes também combinam bem com legumes, verduras e frutas. Quase todo mundo aqui, nos Estados Unidos, adora as clássicas combinações da infância de manteiga de amendoim com aipo ou maçã. Um dos meus maiores prazeres é passar morangos frescos em uma calda de chocolate irresistível. Para prepará-la, você só precisa de meia xícara de leite não adoçado, uma colher de sopa de sementes de chia, uma colher de sopa de cacau em pó, uma colher de chá de manteiga de amêndoa e o adoçante da sua preferência (eu uso uma colher de sopa de eritritol, que abordarei na página 447). Misture todos os ingredientes e aqueça até a manteiga de amêndoa derreter e o adoçante ser dissolvido. Transfira a mistura para uma tigela, bata até ficar lisa e leve à geladeira para esfriar. A chia e as fibras do cacau ajudam o creme a engrossar e virar uma delícia irresistível. (Você pode moer as sementes de chia primeiro, mas eu gosto da textura do tipo tapioca dada pelas bolinhas de chia.)

As nozes vitoriosas

Qual oleaginosa é a mais saudável? Em geral, minha resposta é: a que você mais gosta de comer — e pode fazê-lo — com mais frequência. Mas pelo visto as nozes ocupam o primeiro lugar. Seus níveis de antioxidantes[3] e ômega-3[4] estão entre os mais altos, e *in vitro* elas vencem as outras oleaginosas na supressão do crescimento de células de câncer.[5] Mas como elas se saem na vida real, fora do laboratório?

O Prevención con Dieta Mediterránea, mais conhecido como Predimed, é um dos maiores estudos intervencionistas em dieta já realizados. Lembrando: os estudos intervencionistas são aqueles em que os participantes são divididos aleatoriamente entre diferentes dietas, para ver quem se sai melhor. Isso ajuda os pesquisadores a burlar o problema das variáveis de confundimento ao tentarem determinar a relação de causa e efeito em estudos de coorte. Por exemplo, em sucessivos grandes estudos,[6,7,8] os participantes que consomem oleaginosas tendem a viver mais e morrer menos de câncer, doença cardíaca e doença respiratória. Contudo, restou uma questão: tais descobertas mostraram uma causalidade ou apenas uma correlação? Afinal, talvez quem come oleaginosas tenda a manter outros comportamentos de estilo de vida saudável. Talvez quem come oleaginosas tenha uma probabilidade maior de cuidar muito da própria saúde. Em contrapartida, se os cientistas designassem, de modo aleatório, milhares de pessoas a consumir níveis variados de oleaginosas e o grupo dos que comessem mais oleaginosas fosse o mais saudável ao fim da análise, teríamos mais confiança de que as oleaginosas não estão apenas *associadas* a uma saúde melhor, mas, na verdade, *proporcionam* uma saúde melhor. Foi isso o que o Predimed fez.[9]

Mais de sete mil homens e mulheres com alto grau de risco cardiovascular foram divididos aleatoriamente em grupos com dietas distintas e acompanhados ao longo de anos. Um dos grupos recebeu de graça cerca de duzentos gramas de oleaginosas toda semana. Além do aumento do consumo desse alimento, foi pedido a seus integrantes que melhorassem a sua alimentação de outras formas, como ingerindo mais frutas, legumes e verduras e menos carnes e laticínios — mas, ao fim do estudo, eles não tiveram tanto êxito em nenhum desses objetivos secundários quando comparados ao grupo de controle. Entretanto, o fato de receber de graça duzentos gramas de oleaginosas toda semana durante quatro anos consecutivos os convenceu a consumir mais desse alimento.[10] (É pena que os pesquisadores não tenham conseguido incluir também um pouco de brócolis grátis!)

No início, antes de a análise começar, os milhares de participantes designados para o grupo das oleaginosas já comiam em torno de quinze gramas de oleaginosas por dia. Graças à porção oferecida gratuitamente, eles acabaram aumentando o consumo para cerca de trinta gramas (um punhado). Como resultado, o estudo pôde determinar o que ocorre quando pessoas com alto grau de risco de doença cardíaca que seguem uma dieta específica comem quinze gramas a mais de oleaginosas por dia.

Sem uma grande mudança na ingestão de carne e laticínios, não houve uma diferença significativa no consumo de gordura saturada e colesterol. Portanto, como era de se esperar, não houve diferença nos níveis de colesterol na corrente sanguínea nem no número subsequente de ataques cardíacos entre os participantes. Todavia, o grupo das oleaginosas acabou tendo significativamente menos derrames. De certo modo, todos os grupos da pesquisa estavam seguindo dietas que poderiam provocar derrame. Integrantes de todos os grupos sofreram derrames após manterem cada uma das dietas durante anos — portanto, o ideal teria sido que tivessem sido escolhidas dietas que pudessem interromper ou reverter o processo da doença, e não incentivá-lo. Mas entre aqueles que não estavam dispostos a fazer grandes mudanças na alimentação, a pequena alteração de acrescentar oleaginosas reduziu à metade o risco de derrame.[11] No grupo das oleaginosas ainda houve derrames, porém, o número caiu à metade. Se isso for válido também para a população em geral, 89 mil derrames por ano seriam evitados só nos Estados Unidos. Seriam menos dez derrames por hora evitados apenas com adição de nozes, amêndoas e avelãs à dieta diária do país.

Seja qual tenha sido o grupo para o qual os participantes foram designados, os que consumiram mais oleaginosas todos os dias tiveram um risco geral significativamente menor de sofrer uma morte prematura.[12] Aqueles que ingeriram mais fontes de gordura das luzes vermelha e amarela — azeite de oliva e azeite de oliva extra virgem — não desfrutaram nenhum benefício na sobrevivência.[13] Isso está de acordo com o modo como Ancel Keys, o chamado pai da dieta mediterrânea, via o azeite de oliva. Ele considerava esse azeite mais um meio de substituir as gorduras de origem animal — ou seja, tudo vale a pena para fazer com que as pessoas comam menos banha de porco e manteiga.[14]

De todas as oleaginosas analisadas no Predimed, os cientistas constataram que os maiores benefícios estavam associados às nozes, em especial por prevenirem mortes por câncer.[15] Os participantes que comiam mais de três porções de nozes por semana pareceram ter o risco de morrer de câncer reduzido à metade. Uma análise da literatura científica concluiu que "os efeitos positivos de longo alcance de uma dieta à base de vegetais que inclui nozes podem ser a principal mensagem a ser transmitida para a população".[16]

O poder do amendoim

Você sabia que o amendoim não faz parte da família das oleaginosas? Tecnicamente, ele é uma leguminosa, mas costuma ser colocado na categoria das oleaginosas em pesquisas e estudos sobre alimentação, por isso tem sido difícil separar seus efeitos. No Estudo das Enfermeiras, os pesquisadores de Harvard tentaram burlar esse problema, fazendo perguntas às participantes sobre sua ingestão de manteiga de amendoim. Eles constataram que as mulheres com alto grau de risco de doença cardíaca que comiam oleaginosas *ou* uma colher de sopa de manteiga de amendoim cinco ou mais dias por semana pareciam ter quase metade do risco de sofrer um ataque cardíaco, comparadas às que ingeriam até uma porção por semana.[17] Pelo visto, essa proteção cruzada entre as oleaginosas de verdade e o amendoim também parece se estender à doença fibrocística da mama. Meninas adolescentes do ensino médio que consumiam pelo menos uma porção de amendoim por semana pareceram ter um risco significativamente menor de desenvolver inchaço de mama, que pode ser um indicador de risco maior de se desenvolver câncer de mama.[18] Salve o sanduíche de geleia e manteiga de amendoim!

Oleaginosas e obesidade: pesando as evidências

As oleaginosas e as manteigas feitas a partir delas são muito nutritivas — e calóricas. Por exemplo, duas colheres de sopa de manteiga de uma oleaginosa ou semente pode conter quase duzentas calorias. Entretanto, provavelmente é melhor ingerir duzentas calorias de uma manteiga de oleaginosa do que consumir a mesma quantidade de calorias seguindo a dieta americana padrão. Considerando o fato de as oleaginosas terem grande concentração calórica — seria necessário comer quase um repolho inteiro para se obter a mesma quantidade —, será que, se adicionarmos uma porção delas à nossa dieta diária, ganharemos peso?

Até hoje, foram realizados cerca de vinte estudos clínicos sobre oleaginosas e peso corporal, e nenhum deles teve como resultado o ganho de peso que seria de se esperar. Todos os estudos mostraram menos ganho de peso do que o previsto, nenhum ganho de peso ou até uma *perda* de peso — mesmo depois de os participantes acrescentarem um ou dois punhados de oleaginosas à alimentação diária.[19] No entanto, essas pesquisas duraram algumas semanas ou meses. Quem sabe se o consumo prolongado de oleaginosas leva a um ganho de peso? Essa questão foi analisada de seis maneiras distintas em estudos que duraram até oito anos. Um deles não constatou nenhuma mudança significativa, e os outros cinco verificaram significativamente *menos* ganho de peso e um risco reduzido de obesidade abdominal naqueles que consumiram mais oleaginosas.[20]

A primeira lei da termodinâmica afirma que a energia não pode ser criada nem destruída. Se as calorias, que são unidades de energia, não podem desaparecer, então para onde elas estão indo parar? Em uma pesquisa, por exemplo, os participantes que ingeriram até 120 pistaches como petisco todas as tardes, ao longo de três meses, não pareceram ganhar peso.[21] Mas como trinta mil calorias podem desaparecer?

Levantou-se então a hipótese chamada de Princípio do Pistache: talvez tudo se deva ao fato de as oleaginosas serem muito trabalhosas de comer. Em geral, o pistache é comprado ainda na casca, o que faz com que se leve mais tempo para consumi-lo, permitindo ao cérebro regular melhor o apetite do indivíduo.[22] Isso parece plausível, mas e as oleaginosas que são compradas descascadas, como a amêndoa e a castanha-de-caju? Um estudo do Japão sugeriu que o aumento da "dificuldade de ingestão" (o que significa dificuldade de mastigar) está associado a uma cintura mais fina.[23] Quem sabe toda essa mastigação acabe cansando a pessoa?

Ainda tem a hipótese da excreção fecal. Muitas paredes celulares de amêndoas mastigadas, por exemplo, permanecem intactas no sistema digestório. Em outras palavras, é possível que muitas das calorias das oleaginosas não sejam digeridas e acabem nas fezes, por não terem sido mastigadas o bastante. As duas hipóteses foram testadas por um grupo internacional de cientistas que deu aos participantes meia xícara de amendoim na casca ou meia xícara de amendoim moído e transformado em manteiga. Se a hipótese do Princípio do Pistache e a da extração fecal estivessem corretas, o grupo da manteiga de amendoim engordaria, já que não sobraria nenhuma caloria do amendoim que não tivesse sido digerida e nenhuma caloria seria queimada pelo esforço da mastigação. Mas, no fim, nenhum dos dois grupos ganhou peso, portanto deve haver outra resposta para o mistério.[24]

Mas e a hipótese da compensação alimentar? Ela propõe que as oleaginosas dão tanta saciedade e suprimem tão bem o apetite que a pessoa acaba comendo menos no geral. Isso poderia explicar por que alguns estudos verificaram que os participantes tinham perdido peso após passarem a comer oleaginosas. Para testar essa ideia, pesquisadores da Escola de Medicina de Harvard deram a dois grupos *smoothies* com o mesmo número de calorias, mas com um deles contendo nozes e o outro não. Apesar de beberem a mesma quantidade de calorias, o grupo do *smoothie* placebo (que não tinha nozes) relatou se sentir bem menos saciado do que o grupo que ingeriu o que tinha as nozes.[25] Então, sim, pelo visto as nozes podem fazer com que nos sintamos saciados mais depressa do que ocorre quando consumimos outros alimentos.

Desse modo, parece que 70% das calorias das oleaginosas são perdidos por meio da compensação alimentar e 10% são eliminados nas fezes.[26] Mas e os 20% restantes? Como não sabemos onde todas as calorias foram parar, seria de se esperar que houvesse algum ganho de peso. A resposta parece estar na capacidade das oleaginosas de acelerar o metabolismo. Quando se come oleaginosas, queima-se mais gordura. Pesquisadores verificaram que enquanto as pessoas do grupo de controle queimavam vinte gramas de gordura em um período de oito horas, o grupo que comia a mesma quantidade de calorias e gordura, mas incluía oleaginosas na dieta queimava mais: 31 gramas de gordura.[27] Se uma pílula pudesse fazer isso, as empresas farmacêuticas estariam ainda mais ricas!

Moral da história: é verdade, as oleaginosas são muito calóricas, porém, os mecanismos de compensação alimentar, a incapacidade do corpo de absorver parte da gordura e um metabolismo acelerado de queima de gordura fazem com que elas possam ser uma gostosura sem aumentar sua cintura.

Pistache para tratar a disfunção sexual

Disfunção erétil (DE) é a incapacidade recorrente ou persistente de alcançar ou manter uma ereção para um desempenho sexual satisfatório. Até trinta milhões de americanos e cerca de cem milhões de homens no mundo sofrem dessa condição.[28] Mas espere aí. Os Estados Unidos têm menos de 5% da população mundial, mas detêm 30% dos casos de impotência? Somos o número um!

O motivo para isso pode estar relacionado à nossa dieta obstrutora de artérias. A disfunção erétil e a principal causa de mortes no nosso país, a doença arterial coronariana, são na verdade manifestações da mesma enfermidade — artérias inflamadas, entupidas e avariadas —, qualquer que seja o órgão afetado.[29] Mas não tem porque nos preocuparmos, já que os americanos têm pílulas vermelhas, brancas e azuis, como o Viagra... certo? O problema é que essas pílulas escondem os sintomas da doença vascular e não fazem nada pelas causas não evidentes.

A aterosclerose é considerada um distúrbio sistêmico que afeta uniformemente todos os grandes vasos sanguíneos do corpo. O endurecimento das artérias pode levar ao comprometimento da ereção, pois artérias enrijecidas não conseguem relaxar, dilatar-se e deixar o sangue fluir. Desse modo, a disfunção erétil pode ser apenas a ponta flácida do iceberg em termos de distúrbio sistêmico.[30] No caso de dois terços dos homens que foram parar em salas de emergência com uma dor esmagadora no peito, por anos os pênis tentaram em vão avisar que havia algo de errado na circulação deles.[31]

Por que a aterosclerose tende a atingir primeiro o pênis? As artérias desse órgão têm metade do tamanho da artéria coronária "fazedora de viúvas", no coração. Portanto, uma quantidade de placa que nem sequer se sentiria no coração poderia entupir metade da artéria peniana, causando uma restrição sintomática de fluxo sanguíneo.[32] É por isso que a disfunção erétil tem sido chamada de "angina peniana".[33] De fato, ao medir o fluxo sanguíneo no pênis com um aparelho de ultrassom, os médicos podem prever os resultados do teste de estresse cardíaco do paciente com uma precisão de 80%.[34] A função sexual masculina é como um teste de estresse peniano, uma "janela para o coração dos homens".[35]

Na faculdade de medicina, aprendemos a regra do quarenta por quarenta: 40% dos homens com mais de quarenta anos têm disfunção erétil. Homens com mais de quarenta anos com dificuldade de ereção têm um risco cinquenta vezes maior de ter um evento cardíaco (como a morte súbita).[36] Costumávamos pensar na disfunção erétil em homens mais jovens (os indivíduos com menos de quarenta anos) como "psicogênica" — o que significa que seria tudo psicológico. Contudo, agora estamos percebendo que é mais provável que a disfunção erétil seja um sinal precoce de doença vascular. Alguns especialistas defendem que um homem com disfunção erétil — mesmo que não tenha sintomas cardíacos — "deva ser considerado um paciente cardíaco até que se prove o contrário".[37]

O motivo pelo qual até os jovens devem tomar cuidado com as taxas de colesterol é o fato de elas poderem indicar disfunção erétil no futuro,[38] o que por sua vez indica ataque cardíaco, derrame e uma expectativa de vida menor.[39] Como explicou uma revista médica, a mensagem que deve ser difundida é a de que "disfunção erétil = morte precoce".[40]

Mas o que isso tem a ver com as oleaginosas? Um estudo clínico constatou que homens que comeram de três a quatro punhados de pistache por dia ao longo de três semanas tiveram uma melhora expressiva no fluxo sanguíneo do pênis, acompanhada de ereções significativamente mais firmes. Os cientistas concluíram que três semanas de consumo de pistache "resultaram em uma melhora significativa da função erétil [...] sem qualquer efeito colateral".[41]

Mas esse não é um problema exclusivo dos homens. As mulheres com níveis de colesterol mais altos relatam excitação, orgasmo, lubrificação e satisfação sexual significativamente menores. A aterosclerose das artérias pélvicas pode levar a um ingurgitamento vaginal menor e à "síndrome de insuficiência erétil do clitóris", definida como "incapacidade de alcançar a intumescência [ingurgitamento] do clitóris". Acredita-se que esse seja um fator relevante na disfunção sexual feminina.[42] Aprendemos com o Estudo da Saúde das Enfermeiras, feito por Harvard, que consumir apenas dois punhados de oleaginosas por semana pode prolongar a vida da mulher tanto quanto praticar corrida quatro horas por semana.[43] Portanto, uma alimentação mais saudável pode não apenas prolongar sua vida sexual como também sua vida como um todo.

Por que as leguminosas, os grãos integrais e as oleaginosas promovem tanto a saúde? Talvez seja porque todos eles são sementes. Pense nisso: tudo o que é preciso para uma bolota explodir e se transformar em um carvalho são água, ar e luz solar. Todo o restante está contido na semente, que possui o complexo inteiro de nutrientes protetores necessários para transformá-la em uma planta ou árvore. Quer esteja comendo um feijão-preto, uma noz, um grão de arroz integral ou uma semente de gergelim, em essência você está obtendo a planta inteira em uma embalagem minúscula. Como dois especialistas em nutrição concluíram: "As recomendações alimentares devem incluir um amplo conjunto de sementes como parte de um padrão alimentar à base de vegetais".[44]

As oleaginosas talvez sejam o item mais fácil e mais saboroso de ser assinalado dos Doze por Dia. No caso de quem tem alergia a amendoim ou a oleaginosas, de maneira geral as sementes e manteigas feitas a partir delas são alternativas seguras. Mas e quem tem diverticulose? Durante cinquenta anos, os médicos disseram a pacientes que sofriam dessa doença intestinal comum que evitassem oleaginosas, sementes e pipoca, mas quando a questão foi enfim colocada à prova, revelou-se que tais alimentos saudáveis, na verdade, parecem ser protetores.[45] Então, a diverticulose também não deve ser um impeditivo para que esse ponto nos Doze por Dia seja marcado. Esse ato simples e delicioso pode acrescentar anos à sua vida sem acrescentar quilos ao seu peso.

Ervas e temperos

As ervas e temperos favoritos do dr. Greger

Pimenta-da-jamaica, uva-espim, manjericão, louro, cardamomo, pimen-ta-malagueta em pó, coentro, canela, cravo-da-índia, cominho, caril, endro, feno-grego, alho, gengibre, raiz-forte europeia, capim-limão, manjerona, mostarda em pó, noz-moscada, orégano, páprica defumada, salsa, pimenta, hortelã-pimenta, alecrim, açafrão, sálvia, tomilho, cúrcuma e baunilha.

Recomendação diária
¼ de colher de chá de cúrcuma, com qualquer outra erva e tempero (sem sal) da sua preferência.

Eis uma dica simples: use seus sentidos para escolher alimentos saudáveis. Há um bom motivo biológico para você se sentir atraído pelas cores vibrantes da seção de hortifrúti: em muitos casos, as cores *são* os antioxidantes. É possível descobrir qual de dois tomates tem mais antioxidantes simplesmente observando qual deles tem a casca com o vermelho mais intenso. É claro que a indústria alimentícia tenta tirar proveito desse instinto que temos em relação aos alimentos coloridos com abominações como Froot Loops, mas se você se ativer aos alimentos da luz verde, pode usar as cores como parâmetro na escolha dos alimentos. Conforme estamos percebendo agora, o mesmo se aplica ao sabor.

Assim como muitos pigmentos vegetais são benéficos, os cientistas estão descobrindo que muitos compostos de sabor das ervas e dos temperos também são antioxidantes potentes.[1] Vide os exemplos do ácido rosmarínico, do cuminal, do timol e dos gingerois, que estão presentes, respectivamente, no alecrim, no cominho, no tomilho e no gengibre. Os sabores *são* os antioxidantes. Esse conhecimento pode guiar as suas decisões na mercearia. Seguindo essa lógica, dá para perceber que a cebola roxa tem mais antioxidantes do que a cebola branca e dá para sentir no gosto que a cebola amarela tem mais antioxidantes do que a do tipo Vidalia, que é mais suave, mais leve.[2]

Acredita-se que os compostos amargos e pungentes das famílias dos crucíferos e do alho são responsáveis por seus benefícios à saúde. Cores fortes e sabores fortes podem ser sinais de fortes benefícios. Para uma saúde ótima, é aconselhável comer alimentos coloridos e de sabores intensos. De fato, as diretrizes alimentares de vários países incentivam agora especificamente o consumo de ervas e temperos não apenas como substitutos do sal, mas também por suas propriedades saudáveis.[3] E no topo da minha lista de ervas e temperos saudáveis está o cúrcuma: um tempero colorido *e* de sabor intenso.

Por que você deve incluir o cúrcuma na sua alimentação diária

Nos últimos anos, foram publicados mais de cinco mil artigos na literatura médica sobre a curcumina, o pigmento do cúrcuma que lhe dá a cor amarelo intenso. Muitas dessas pesquisas exibem diagramas impressionantes, sugerindo que a curcumina pode ser benéfica no caso do combate a uma grande gama de males por meio de uma série vertiginosa de mecanismos.[4] A curcumina foi isolada pela primeira vez há mais de um século, porém, entre milhares de experimentos, apenas alguns realizados no século XX foram estudos clínicos que tiveram por objetos seres humanos. Entretanto, a partir da virada do século, mais de cinquenta estudos clínicos testaram o impacto da curcumina no combate a diversas doenças; além disso, ainda serão realizados dezenas de outros estudos.[5]

Vimos que a curcumina pode ajudar na prevenção e no tratamento de doenças pulmonares e cerebrais e de diversos tipos de câncer, incluindo o mieloma múltiplo e os cânceres de cólon e de pâncreas. Contudo, também foi mostrado que a substância acelera a recuperação após cirurgias[6] e é um tratamento efetivamente melhor para a artrite reumatoide do que o principal remédio recomendado.[7] Ela também pode ser efetiva no tratamento de osteoartrite[8] e de outras doenças inflamatórias, como o lúpus[9] e as doenças intestinais inflamatórias.[10] A pesquisa mais recente sobre colite ulcerativa — um estudo multicêntrico, randomizado, placebo-controlado e duplo-cego — verificou que, com o consumo da curcumina, mais de 50% dos pacientes apresentaram remissão em apenas um mês, comparados a *nenhum* dos pacientes que receberam o placebo.[11] Se você já está tão convencido quanto eu de que deve incorporar o cúrcuma à sua dieta para se beneficiar do pigmento curcumina, as próximas perguntas são: qual é a quantidade recomendada, como ela deve ser ingerida e quais são os riscos apresentados pelo seu consumo?

Um quarto de colher de chá de cúrcuma todos os dias

O cúrcuma é algo potente. Se eu pegasse uma amostra do seu sangue e a expusesse a uma substância química oxidante, os pesquisadores poderiam quantificar os danos causados ao DNA de suas células sanguíneas com uma tecnologia sofisticada que lhes permite contar o número de quebras nos filamentos de DNA. Se, depois desse procedimento, eu lhe desse uma simples pitada de cúrcuma para que fosse ingerida uma vez por dia ao longo de uma semana, pegasse uma nova amostra do seu sangue e expusesse suas células sanguíneas aos mesmos radicais livres, seria possível constatar que com essa quantidade minúscula de cúrcuma a bordo, o número de células com danos no DNA estaria reduzido à metade.[12] Isso não é misturar cúrcuma com células em uma placa de Petri — é fazer você consumir o tempero e depois medir os efeitos no sangue. E não se trata de um suplemento especial de curcumina nem de um *extrato* de cúrcuma. É o tempero puro, disponível em qualquer mercearia. E a dose foi pequena: um oitavo de uma colher de chá.

Isso, sim, é potente!

As doses de cúrcuma que têm sido usadas em estudos com seres humanos variam entre menos da décima sexta parte de uma colher de chá até quase duas colheres de sopa por dia.[13] Poucos efeitos adversos têm sido relatados até no caso das doses altas, porém, em geral, essas análises duraram mais ou menos um mês. Não se sabe quais podem ser os efeitos das doses altas no longo prazo. Uma vez que o cúrcuma pode ter efeitos tão fortes quanto os de um remédio, até que tenhamos dados melhores sobre a segurança de seu uso, eu não aconselho ninguém a usar mais do que as doses culinárias que têm um longo histórico de aparente segurança. Mas quanto é isso? Embora dietas indianas tradicionais incluam até uma colher de chá de cúrcuma por dia, a ingestão média diária na Índia é mais próxima de um quarto de colher de chá.[14] Portanto, é essa a quantidade que recomendo como parte dos Doze por Dia.

Como consumir o cúrcuma

Os povos primitivos costumavam utilizar temperos de maneiras sofisticadas. Por exemplo, o quinino da casca da cinchona era usado para tratar os sintomas de malária muito antes de a doença ser ao menos identificada, e os ingredientes básicos da Aspirina eram usados como analgésicos populares muito antes de o senhor Friedrich Bayer surgir.[15] Nos últimos 25 anos, metade dos novos medicamentos descobertos se originou de produtos naturais.[16]

Há uma planta no sul da Ásia chamada adhatoda (*adu* significa "cabra" e *thoda*, "não tocar"; ela é tão amarga que nem as cabras a comem). Suas folhas são colocadas em infusão com pimenta para se preparar um remédio popular efetivo no tratamento da asma. De algum modo, sabia-se o que os cientistas só descobririam em 1928: a adição de pimenta potencializa as propriedades antiasmáticas da planta. E agora compreendemos o porquê: 5% da pimenta-do-reino, por peso, são formados por um composto chamado piperina, o responsável pelo sabor e o aroma pungentes dela. Além disso, a piperina também é um potente inibidor do metabolismo dos medicamentos.[17] Uma das formas pelas quais o fígado se livra de substâncias estranhas é tornando-as solúveis em água, para que sejam eliminadas na urina. Contudo, a molécula da pimenta-do-reino inibe esse processo, aumentando, assim, os níveis presentes na corrente sanguínea dos compostos medicinais da adhatoda — e ela pode fazer a mesma coisa com a curcumina da raiz do cúrcuma.

Uma hora depois de se consumir cúrcuma, a curcumina aparece na corrente sanguínea, mas apenas em pequenas concentrações. Mas por que apenas quantidades escassas permanecem no organismo? É provável que isso se deva ao fato de o fígado agir ativamente para se livrar dela. Mas e se esse processo de eliminação for suprimido pela ingestão de um pouco de pimenta-do-reino? Se for consumida a mesma quantidade de curcumina e se acrescentar um quarto de colher de chá de pimenta-do-reino, o nível de curcumina na corrente sanguínea aumentará em 2.000%.[18] Até mesmo a mais leve pitada de pimenta — a vigésima parte de uma colher de chá — gera um aumento significativo nos níveis de curcumina no sangue.[19] E adivinha que ingrediente é comum em muitos curries em pó, além do cúrcuma? A pimenta-do-reino. Na Índia, o curry em pó também costuma ser servido com uma fonte de gordura, que por si só aumenta de sete a oito vezes a biodisponibilidade de curcumina.[20] (Infelizmente, nesse caso o conhecimento tradicional parece ter falhado no que se refere à melhor fonte dessa gordura. A culinária indiana emprega um bocado de manteiga clarificada, ou *ghee*, o que pode explicar os índices relativamente altos de doença cardíaca no país, apesar da dieta, que, em outros aspectos, parece ser saudável.)[21]

Meu jeito preferido de incorporar o cúrcuma à dieta é usar sua raiz fresca. Qualquer grande mercado asiático a tem na seção de hortifrúti. A raiz lembra uma raiz de gengibre com dedos finos, mas, quando ela é aberta, nos deparamos com a mais irreal cor laranja fluorescente. Minha recomendação de um quarto de colher de chá de cúrcuma seco equivale a cerca de seis milímetros de raiz de cúrcuma fresca. As raízes têm mais ou menos cinco centímetros de comprimento e duram semanas na geladeira, ou uma eternidade no congelador. Todo ano, você pode comprar por 5 dólares um suprimento de cúrcuma fresco para doze meses.

Existem evidências que sugerem que as formas cozida e crua podem ter propriedades distintas. O cúrcuma cozido parece conferir uma proteção melhor ao DNA, enquanto o cru pelo visto gera maiores efeitos anti-inflamatórios.[22] Eu gosto dos dois jeitos. Eu o ralo para acrescentar meus seis milímetros diários ao que quer que esteja cozinhando (ou direto na batata-doce cozida) ou acrescento uma fatia crua a um *smoothie*. Na bebida, nem dá para sentir o gosto direito: cúrcuma fresco tem um sabor muito mais sutil do que o seco, por isso pode ser uma opção muito boa para quem não aprecia o seu sabor. Mas dá para perceber sua presença por causa do visual: tenha cuidado, pois mancha roupas e superfícies. O cúrcuma pode tornar não apenas sua saúde dourada, mas também as pontas dos seus dedos.

O consumo de cúrcuma com soja pode oferecer um duplo benefício a quem sofre de osteoartrite.[23] A combinação clássica é misturá-lo ao tofu, mas vou compartilhar duas das minhas favoritas: uma com ele cru e outra com ele cozido. Você pode fazer um *smoothie* de torta de abóbora em menos de três minutos. É só bater no liquidificador uma lata de purê de abóbora, um punhado de cranberries congelados e tâmaras sem caroço, um mix dos temperos em geral usados na torta de abóbora (canela, gengibre, noz-moscada etc.) a gosto, uma fatia de seis milímetros de cúrcuma (ou um quarto de colher de chá de cúrcuma em pó) e leite de soja não adoçado para conferir a consistência da sua preferência à mistura.

Outro favorito é o meu custard de abóbora (também conhecido como torta de abóbora sem massa). Tudo o que você precisa fazer é bater no liquidificador uma lata de purê de abóbora com cerca de 280 gramas de tofu cremoso (o da marca Mori-Nu é bem prático porque permanece fresco sem refrigeração), tempero de torta de abóbora a seu gosto e de uma a duas dúzias de tâmaras sem caroço (dependendo de quão doce você quer que fique). Transfira a mistura para uma travessa e asse a 175 graus Celsius até surgirem rachaduras na superfície. Ao se eliminar a massa da torta e ficar só com o que seria o recheio, o prato fica apenas com os legumes, o tofu, os temperos e as frutas. Quanto mais come, mais saudável você fica.

Fresca ou em pó, o cúrcuma é um sabor habitual nas culinárias indiana e marroquina, mas eu o adiciono a praticamente qualquer coisa. Acho que combina muito bem com pratos de arroz integral, sopa de lentilha e couve-flor assada. Em geral, a mostarda amarela preparada já tem cúrcuma para dar cor, mas tente encontrar uma que não tenha sal — que leve basicamente vinagre, um vegetal crucífero (semente de mostarda) e cúrcuma. Não consigo pensar em um condimento que seja mais saudável.

E os suplementos de cúrcuma?

Não seria mais prático tomar um suplemento de curcumina todo dia? Além da questão do gasto extra, vejo três possíveis aspectos negativos. Primeiro, a curcumina não é um equivalente do cúrcuma. Os fabricantes de suplementos costumam cair na mesma armadilha reducionista em que as empresas farmacêuticas caem. Como se supõe que as ervas têm apenas um ingrediente ativo principal, acredita-se que, se for possível isolá-lo e purificá-lo em uma pílula, seus efeitos serão aumentados. Bem, a curcumina é descrita como o ingrediente ativo do cúrcuma,[24] mas será que ela é *o* ingrediente ativo ou apenas *um* ingrediente ativo? Na verdade, é um dos diversos componentes do tempero integral.[25]

Estudos têm comparado o cúrcuma à curcumina, e alguns sugerem que o cúrcuma pode conferir ainda mais benefícios. Por exemplo, pesquisadores do MD Anderson Cancer Center, no Texas, colocaram tanto o cúrcuma quanto a curcumina em sete diferentes tipos de células de câncer humanas *in vitro*. Contra o câncer de mama, a curcumina agiu bem, mas o cúrcuma foi melhor ainda. O mesmo ocorreu no caso do câncer de pâncreas, do câncer de cólon, do mieloma múltiplo, da leucemia mielógena e de outros: o cúrcuma levou o primeiro lugar, à frente de seu pigmento amarelo, a curcumina. Tais descobertas sugerem que outros componentes além da curcumina contribuem para as atividades anticâncer do tempero.[26]

Embora se acredite que a curcumina responda pela maioria das atividades promotoras de saúde do cúrcuma, análises publicadas nos últimos dez anos indicaram que o cúrcuma *sem* curcumina — com o chamado ingrediente ativo removido — pode ser tão eficaz ou ainda melhor do que o cúrcuma com curcumina. No cúrcuma (mas não nos suplementos de curcumina processados) estão presentes, por exemplo, as turmeronas, que apresentam atividades anticâncer e anti-inflamatórias. Por ingenuidade, achei que os pesquisadores que fizeram essa descoberta defenderiam o consumo de cúrcuma, e não o de suplementos de curcumina, mas eles sugeriram a produção de todo tipo de suplemento derivado do cúrcuma.[27] Afinal, quem é que consegue lucrar muito com um alimento não processado que custa centavos de dólar por dia?

Minha segunda preocupação envolve a dosagem. Embora as pesquisas realizadas com o cúrcuma tenham usado quantidades modestas que se pode imaginar que seriam consumidas por meio da alimentação, estudos feitos apenas com a curcumina analisaram a quantidade de curcumina encontrada em xícaras cheias de cúrcuma — cem vezes mais do que os fanáticos por curry consomem há séculos.[28] Alguns suplementos acrescentam também pimenta-do-reino, aumentando assim os níveis para o equivalente a 29 xícaras de cúrcuma por dia, o que pode resultar em curcumina no sangue suficiente para potencialmente *causar* danos ao DNA, com base em dados obtidos em análises *in vitro*.[29]

Por fim, há a preocupação com a contaminação por metais tóxicos, como o arsênio, o cádmio e o chumbo. Não foi identificada a contaminação por metais pesados em nenhuma das amostras examinadas de cúrcuma em pó do mercado americano, porém, o mesmo não pode ser dito em relação aos suplementos de curcumina.[30]

Nenhuma dessas preocupações (exceto a relacionada ao custo) se aplica a suplementos que contêm apenas cúrcuma integral moído, em pó. Contudo, quase todos os suplementos de cúrcuma são extratos. De que outra maneira a indústria poderia justificar a venda de um frasquinho com comprimidos por 20 dólares quando meio quilo do tempero a granel pode custar menos de 20 dólares? Um frasco pode durar dois ou três meses. Pelo mesmo valor, o tempero a granel pode durar dois ou três anos se consumido na dosagem dos Doze por Dia.

Um meio-termo entre praticidade e custo pode ser você fazer suas próprias cápsulas de cúrcuma. Há dispositivos para rechear cápsulas que permitem isso. Considerando a discrepância de custo entre o cúrcuma a granel e os suplementos, um equipamento como esse provavelmente se pagaria após o primeiro lote. Em uma cápsula de tamanho "00" caberia a dose diária de um quarto de colher de chá. Fazer as próprias cápsulas pode levar um pouco de tempo, mas, se você não for consumir cúrcuma de outro jeito, esse pode ser um tempo bem gasto. É provável que a raiz de cúrcuma moída seja o mais próximo que se pode chegar de uma pílula mágica, com um único ingrediente.

Quem não deve consumir cúrcuma

Nos casos de quem sofre de cálculo biliar, o cúrcuma pode desencadear dor. Ela é um agente colecistocinético, o que significa que facilita a ação bombeadora da vesícula biliar para impedir a estagnação da bile.[31] Estudos com ultrassonografia mostram que um quarto de colher de chá do tempero faz a vesícula biliar se contrair, liberando, assim, metade do seu conteúdo.[32] Esse mecanismo ajuda a *prevenir* a formação de cálculo biliar. Mas e se a pessoa já tiver uma pedra obstruindo o ducto biliar? Nesse caso, a compressão induzida pelo cúrcuma pode ser dolorosa.[33] Contudo, no caso de todas as outras pessoas, espera-se que o efeito do cúrcuma seja o de reduzir o risco de formação de cálculo biliar e, em última análise, até reduzir o risco de câncer de vesícula biliar.[34]

Entretanto, o excesso de cúrcuma pode aumentar o risco de certos tipos de pedras nos rins. O tempero é rico em oxalatos solúveis, que podem se ligar ao cálcio e desenvolver a forma mais comum de pedra nos rins: o oxalato de cálcio insolúvel, responsável por 75% dos casos da doença. Quem tem tendência à formação dessas pedras deve provavelmente restringir o consumo de oxalato alimentar total a não mais que cinquenta miligramas por dia. Isso significaria no máximo uma colher de chá de cúrcuma por dia.[35] (Aliás, o consumo do cúrcuma é considerado seguro durante a gravidez, mas os suplementos de curcumina podem não ser.)[36]

Meu quarto de colher de chá de cúrcuma diário recomendado é somado a qualquer outra erva ou tempero (sem sal) de sua preferência. Nos Doze por Dia, incentiva-se o consumo de ervas e temperos em geral, e não apenas o do cúrcuma, não por todos eles serem intercambiáveis — o cúrcuma parece ter benefícios únicos —, mas porque há evidências de que outras ervas e temperos também trazem benefícios para a saúde. Eu falei sobre o papel do açafrão, por exemplo, nos tratamentos contra o Alzheimer (Capítulo 3) e a depressão (Capítulo 12). Os temperos não apenas melhoram o sabor dos alimentos; melhoram a comida para você. Eu o incentivo a manter o armário de temperos bem abastecido e transformar em hábito a adição das ervas e temperos que lhe agradam a qualquer prato.

O que se segue aqui é uma análise mais aprofundada de algumas das ervas e temperos sobre os quais há mais dados científicos disponíveis. Descreverei alguns estudos fascinantes que mostram os benefícios desses potencializadores de sabor e explicam algumas das maneiras mais fáceis de incorporá-los a suas refeições.

Feno-grego

A semente de feno-grego em pó é um tempero comum nos pratos da culinária da Índia e do Oriente Médio. Acredita-se que ele melhora significativamente a força muscular e a potência em levantamento de peso, permitindo a homens que praticam musculação, por exemplo, empurrar 36 quilos a mais com as pernas no aparelho de *leg press* do que aqueles que ingeriram um placebo.[37] O feno-grego também possui "potentes propriedades anticâncer" *in vitro*.[38] Eu não gosto do sabor do pó, então coloco algumas sementes de feno-grego para germinar junto com as minhas sementes de brócolis.

Todavia, há um efeito colateral no consumo de sementes de feno-grego: as axilas podem ficar com cheiro de xarope de bordo.[39] Não estou brincando. É um fenômeno inofensivo, o que não é o caso da doença da urina do xarope do bordo, um sério distúrbio congênito. Mães que consomem feno-grego para aumentar a produção de leite podem receber o diagnóstico equivocado de que seus bebês têm o distúrbio, que não tem nenhuma relação com a ingestão do tempero.[40] Se você está grávida ou amamentando e consome feno-grego, certifique-se de que seu médico não pense que seu bebê tem a doença da urina do xarope do bordo.

Coentro

Um sinal de que a demografia está mudando nos Estados Unidos é a substituição do ketchup pelo molho de tomate picante como principal condimento nas mesas do país.[41] Um componente popular desse molho é o coentro, um dos alimentos mais polêmicos e que mais provoca reações contrastantes. Algumas pessoas são loucas por ele, já outras o odeiam com todas as forças. O interessante é que aqueles que adoram e aqueles que odeiam parecem sentir o gosto desse tempero de formas distintas. Indivíduos que gostam de coentro em geral o descrevem como fresco, aromático ou quase cítrico, enquanto aqueles que não gostam da erva comparam o seu gosto ao de sabão, mofo, terra ou inseto.[42] Não sei bem como as pessoas conhecem o gosto de insetos, mas é raro as opiniões sobre sabores serem tão opostas e extremas.

Parece que diferentes grupos étnicos têm diferentes níveis de aversão ao coentro, sendo que os judeus asquenazes estão entre os que mais o odeiam.[43] Outra pista veio de estudos realizados com gêmeos que revelam que gêmeos idênticos tendem a compartilhar a preferência pelo coentro, enquanto gêmeos fraternos não têm essa correlação tão forte.[44] O código genético humano contém cerca de três bilhões de letras, portanto, teríamos que analisar o DNA de cerca de dez mil indivíduos para encontrar um gene do coentro. Obviamente os pesquisadores geneticistas têm coisas melhores a fazer do que assumir esse desafio, certo?

Talvez não. Estudos genéticos realizados com mais de 25 mil participantes que relataram sua preferência por coentro descobriram uma área no cromossomo 11 que parece ter alguma relação. Mas o que há nessa área? Um gene chamado OR6A2, que nos permite sentir o cheiro de substâncias químicas como o E-(2)-decenal, o principal componente do coentro e que também está presente na secreção de defesa de insetos fedorentos. Então talvez o coentro tenha, sim, gosto de inseto! Os amantes dessa plantinha talvez sejam mutantes genéticos incapazes de sentir o cheiro do composto desagradável.[45]

Mas, na verdade, isso pode ser uma vantagem, já que o coentro é um troço saudável. A Mãe Natureza tem sido descrita como a farmácia mais completa de todos os tempos, e o coentro é uma de suas receitas herbáceas mais antigas.[46] Vinte raminhos de coentro por dia, ao longo de dois meses, diminuíram os níveis de inflamação em portadores de artrite e reduziram à metade os níveis de ácido úrico, o que sugere que uma boa quantidade de coentro pode ajudar quem sofre de gota.[47]

Pimenta caiena

Em um estudo publicado com o título "Secretion, Pain and Sneezing Induced by the Application of Capsaicin to the Nasal Mucosa in Man" ["Secreção, dor e espirro induzidos pela aplicação de capsaicina na mucosa nasal do homem"], os cientistas constataram que se uma pessoa cortar uma pimenta picante e esfregá-la nas narinas, o seu nariz irá escorrer e doer e o indivíduo começará a espirrar. (A capsaicina é o componente ardente das pimentas picantes.) Mas por que eles fariam um experimento desses? Quem já mexeu com pimentas picantes sabe que, se deixar cair um pouco no nariz, sentirá uma intensa sensação ardente. (E não é necessário chegar ao nariz, conforme tive o desgosto de descobrir certa vez quando não lavei as mãos antes de ir ao banheiro!) Contudo, os pesquisadores observaram que "esse fenômeno não tinha sido investigado". Então decidiram que "parecia valer a pena estudar os efeitos produzidos pela aplicação tópica de capsaicina no [nariz] humano".[48]

Os cientistas recrutaram um grupo de alunos de medicina e pingaram um pouco de capsaicina no nariz deles. Os universitários começaram a espirrar e seu nariz, a arder e escorrer. Em uma escala de um a dez, eles classificaram a dor como oito ou nove. Nenhuma surpresa. Mas as coisas acabaram ficando um pouco mais interessantes. O que aconteceu quando o experimento foi repetido dia após dia? Seria de se imaginar que os universitários se tornassem mais sensíveis à capsaicina, com seu nariz, já irritado desde o dia anterior, sofrendo de dor e desconforto ainda maiores, certo? Na verdade, a capsaicina doeu menos. No quinto dia, ela mal doeu — o nariz dos participantes nem sequer escorreu.

Será que o nariz dos pobres estudantes de medicina tinha ficado permanentemente anestesiado? Não. Mais ou menos um mês depois, a falta de sensibilidade passou e eles voltaram a ficar agoniados sempre que os pesquisadores tentavam pingar capsaicina em seu nariz. O que provavelmente aconteceu foi que as fibras da dor — os nervos que conduzem a sensação de dor — usaram tanto o neurotransmissor da dor (chamado substância P) que este se esgotou. Expostos dia após dia, os nervos exauriram suas reservas e só conseguiram transmitir as mensagens de dor quando passaram a produzir mais neurotransmissores a partir do zero, o que demora algumas semanas.

Como isso poderia ser explorado para propósitos médicos? Há uma síndrome rara de dor de cabeça, chamada cefaleia em salvas, que foi descrita como uma das piores dores que um ser humano pode sentir. Poucos distúrbios de saúde são mais dolorosos, se é que existe algum. Seu apelido é dor de cabeça suicida, porque pacientes já deram fim à própria vida em virtude dela.[49]

Acredita-se que a cefaleia em salvas seja provocada por compressão do nervo trigêmeo, no rosto. Os tratamentos envolvem desde bloqueios do nervo até aplicação de Botox e cirurgia. Mas esse nervo se prolonga até o nariz. E se levássemos o nervo inteiro a se desfazer de toda a sua substância P? Os pesquisadores realizaram o experimento do consumo diário de capsaicina com vítimas de cefaleia em salvas. Ao contrário dos estudantes de medicina fracotes que classificaram a ardência no nariz como oito ou nove em uma escala de dor de dez pontos, os participantes, que estavam acostumados à brutalidade das crises de cefaleia em salvas, classificaram a dor causada pela capsaicina como apenas três ou quatro. No quinto dia, eles também ficaram insensíveis à dor gerada pela capsaicina. O que aconteceu com as dores de cabeça? Os participantes que esfregaram capsaicina na narina do lado da cabeça onde a cefaleia ocorria reduziram à metade o número médio de ataques. Na verdade, metade dos pacientes parecia ter sido curada — as cefaleias em salvas sumiram por completo. De um modo geral, 80% responderam bem, o que é um resultado pelo menos igual ao de todos os tratamentos atuais disponíveis, se não melhor.[50]

Mas o que ocorreria no caso das outras síndromes que causam dor? Acredita-se que a síndrome do intestino irritável seja provocada por uma hipersensibilidade da parede interna do cólon. Mas como se determina que o intestino de alguém é hipersensível? Pesquisadores japoneses inovadores desenvolveram um dispositivo para gerar "distensão retal dolorosa repetitiva", que é basicamente um balão de quase meio litro preso a uma bomba de ar especial que é inserido e inflado até o paciente não suportar mais a dor. Indivíduos com SII tinham um limite de dor significativamente menor, apresentando muito menos "complacência retal".[51]

Então que tal seria tentar dessensibilizar o intestino esgotando as reservas de substância P? Já é ruim o bastante ter que esfregar pimenta ardente no nariz,

ERVAS E TEMPEROS | 415

mas onde ela seria introduzida para tratar o intestino irritável? Ainda bem que os cientistas optaram pela via oral. Eles constataram que cápsulas de pimenta-malagueta em pó com revestimento entérico reduziram de modo significativo a intensidade da dor abdominal e do inchaço, sugerindo "uma maneira de lidar com essa doença funcional frequente e dolorosa".[52]

E o uso da pimenta-malagueta em pó no caso da dor de indigestão crônica (dispepsia)? Após um mês tomando o equivalente a 1,5 colher de chá de pimenta caiena por dia, a dor no estômago e a náusea diminuíram.[53] Receitado com frequência, o remédio Prepulsid (cisaprida) funcionou quase tão bem quanto a malagueta em pó e foi considerado bem tolerado no geral — quer dizer, até começar a matar pessoas. O Prepulsid foi retirado do mercado depois de causar arritmias fatais.[54]

Gengibre

Muitos tratamentos naturais bem-sucedidos começam assim: um médico fica sabendo que uma planta tem sido usada na tradição médica antiga para tratar determinado mal e pensa: "Por que não experimentá-la com os meus pacientes?" O gengibre é utilizado há séculos para sanar a dor de cabeça, por isso um grupo de médicos dinamarqueses aconselhou uma de suas pacientes que sofria de enxaqueca a dar uma chance à planta. Ao primeiro sinal do surgimento da enxaqueca, a mulher misturou um quarto de colher de chá de gengibre em pó com um pouco de água e bebeu. Em trinta minutos, a dor sumiu. E, no caso dela, isso funcionou todas as vezes, sem nenhum efeito colateral aparente.[55]

Isso é chamado de relato de caso. Embora sejam apenas histórias de glória, os relatos de casos têm tido um papel importante na história da medicina, desde a descoberta da aids[56] até um remédio ineficaz contra a dor no peito que apresentou um efeito colateral de um bilhão de dólares — o Viagra.[57] Os relatos de caso são considerados o tipo mais fraco de evidência, porém, costumam ser o ponto de partida das investigações.[58] Portanto, o relato de caso sobre o tratamento bem-sucedido com o gengibre de uma paciente com enxaqueca não é tão útil por si só, mas pode inspirar os cientistas a colocá-lo à prova.

Com o tempo, foi realizado um estudo clínico duplo-cego, randomizado e controlado comparando a eficácia do gengibre no tratamento da enxaqueca com a eficácia da sumatriptana (Sumax), um dos medicamentos mais vendidos do mundo, com faturamento na casa do bilhão de dólares. Apenas um oitavo de colher de chá de gengibre em pó funcionou tão bem, e tão rápido, quanto o remédio (e custa menos que 1 centavo de dólar). A maioria das vítimas de enxaqueca do estudo o começou com uma dor moderada ou intensa, porém após tomar o remédio ou o gengibre, acabou tendo uma dor suave ou ficou sem nenhuma dor. A mesma proporção de vítimas de enxaqueca relatou satisfação com o resultado de um ou outro tratamento.

Para mim, o gengibre saiu vencedor. Ele não apenas é alguns bilhões de dólares mais barato como causou significativamente menos efeitos colaterais. Enquanto tomaram o remédio, os participantes relataram ter sentido tontura, um efeito sedativo, vertigem e azia, mas o único efeito colateral do gengibre relatado foi dor no estômago em uma das 25 pessoas.[59] (A ingestão de uma colher de sopa de gengibre em pó com o estômago vazio irrita qualquer um,[60] portanto, não exagere.) Restringir-se a um oitavo de colher de chá não apenas é três mil vezes mais barato do que tomar o medicamento, como também faz com que seja menos provável que você acabe se tornando um relato de caso, como quem teve ataque cardíaco[61] ou morreu[62] depois de tomar sumatriptana para enxaqueca.

A enxaqueca é descrita como uma das síndromes de dor "mais comuns", afetando nada menos que 12% da população.[63] Isso é comum? E a cólica menstrual, que acomete até 90% das mulheres mais jovens?[64] Será que o gengibre pode ajudar nesse caso? Até mesmo um oitavo de colher de chá de gengibre em pó três vezes por dia reduziu o nível da dor de oito para seis, em uma escala de um a dez, e a diminuiu ainda mais — para três — no segundo mês de consumo.[65] E essas participantes não tomaram gengibre o mês inteiro; elas passaram a tomá-lo um dia antes do início da menstruação, o que sugere que, caso não sintam um bom efeito logo no primeiro mês, as mulheres devem continuar com as tentativas.

E a duração da dor? Verificou-se que consumir um quarto de colher de chá de gengibre em pó três vezes por dia não apenas reduz a intensidade da dor menstrual de sete para cinco, como reduz a duração desta de um total de dezenove para quinze horas,[66] sendo significativamente melhor do que o placebo, uma cápsula cheia de torrada em pó. Mas as mulheres não comem migalhas de pão para melhorar da cólica. Como o gengibre se sai comparado ao ibuprofeno? Os cientistas compararam a ingestão de um oitavo de colher de chá de gengibre em pó com quatrocentos miligramas de ibuprofeno, e a erva funcionou tão bem quanto o remédio popular.[67] Ao contrário do medicamento, o gengibre também reduziu a intensidade do fluxo menstrual: de meia xícara para um quarto de xícara por ciclo menstrual.[68] Além disso, a ingestão de um oitavo de colher de chá de gengibre duas vezes por dia, iniciada uma semana antes de cada novo ciclo menstrual, pode gerar uma queda significativa dos sintomas pré-menstruais físicos e os relacionados ao humor e ao comportamento.[69]

Gosto de salpicar gengibre em pó na batata-doce ou consumi-lo fresco, com limão-siciliano, para fazer as fatias de maçã que uso como remédio para náusea (desde pequeno sofro de enjoo em viagens). Existe uma série de medicamentos fortes contra náusea, porém, eles vêm acompanhados de uma lista de efeitos colaterais de dar enjoo, então sempre que possível recorro a remédios naturais para tratar a mim e aos meus pacientes.

O gengibre é utilizado há milhares de anos em sistemas de cura tradicionais. Na Índia, ele é conhecido como *maha-aushadhi*, o que significa "o grande remédio". Entretanto, só foi provado que ele reduz a náusea em 1982, quando venceu o Dramin em um teste direto em que voluntários de olhos vendados foram rodados em uma cadeira giratória com encosto inclinado.[70] O gengibre hoje é considerado um antiemético não tóxico e de amplo espectro, eficaz no combate às náuseas desencadeadas por movimento, gravidez, quimioterapia, radioterapia e pós-cirúrgico.[71]

Experimente fazer minha maçã com gengibre e limão-siciliano: no liquidificador, bata um limão-siciliano descascado com uma "mão" de raiz de gengibre fresca do tamanho de uma palma. Com essa mistura, cubra fatias finas de quatro maçãs e em seguida leve-as ao desidratador até ficarem na consistência desejável para serem mastigadas. Gosto delas um pouco úmidas, mas você pode desidratá-las mais para fazer chips de maçã com limão-siciliano e gengibre, que duram mais do que as minhas. Para mim, comer alguns pedaços vinte minutos antes de viajar faz maravilhas.

Nota: Em geral, o gengibre é considerado seguro durante a gravidez, mas a dose diária máxima recomendada dele fresco durante a gestação é de vinte gramas (cerca de quatro colheres de chá de raiz de gengibre recém-ralada).[72] Consumir mais do que isso pode ter efeitos estimuladores no útero. As mulheres que usarem a minha receita de fatias de maçã mastigáveis para combater o enjoo matinal devem ingerir as fatias obtidas com as quatro maçãs ao longo de vários dias.

Hortelã-pimenta

Quais são as ervas que têm mais antioxidantes? A erva mais rica em antioxidantes é a folha de uva-de-urso norueguesa seca. (Boa sorte para encontrá-la!) A erva *comum* que mais contém antioxidantes é a hortelã-pimenta.[73] Por isso eu a uso na minha receita favorita de ponche de hibisco (veja a página 448) e por isso tento acrescentá-la à comida sempre que possível. A hortelã é um ingrediente tradicionalmente utilizado nas saladas do Oriente Médio, como o tabule, nos chutneys indianos, nas sopas vietnamitas e nos rolinhos vietnamitas frescos. Gosto de incorporá-la também a pratos e bebidas achocolatados.

Orégano e manjerona

O orégano é uma erva tão rica em antioxidantes que os pesquisadores decidiram verificar se reduz os efeitos nocivos da radiação ao DNA. O iodo radioativo às vezes é dado a pacientes com a glândula tireoide hiperativa ou câncer de tireoide, para destruir parte da glândula ou eliminar células de tumor restantes após uma cirurgia. Durante dias após a injeção do isótopo, os pacientes ficam tão radioativos que são aconselhados a não beijar ninguém nem a dormir perto de outra pessoa (ou de animais de estimação), além de ficar o mais longe possível de crianças e grávidas.[74] O tratamento pode ser muito efetivo, porém toda essa exposição à radiação parece aumentar o risco de desenvolver outros cânceres mais tarde.[75] Tendo por meta a prevenção de danos ao DNA associados a esse tratamento, os cientistas testaram a capacidade do orégano de proteger os cromossomos de células sanguíneas humanas *in vitro* da exposição ao iodo radioativo. Na dose mais alta, os danos aos cromossomos foram reduzidos em 70%. Os pesquisadores concluíram que o orégano pode "agir como um potente agente radioprotetor".[76]

Outros estudos realizados com o orégano em placa de Petri sugerem que ele possui propriedades anticâncer e anti-inflamatórias. Em uma comparação entre os efeitos de diversos extratos de temperos — folhas de louro, erva-doce, lavanda, orégano, páprica, salsa, alecrim e tomilho —, o orégano venceu todos, exceto as folhas de louro, em capacidade de suprimir o crescimento de células do câncer do colo de útero *in vitro* sem afetar as células normais.[77] Dos 115 alimentos testados para propriedades anti-inflamatórias *in vitro*, o orégano ficou entre os cinco primeiros, junto com o cogumelo ostra, a cebola, a canela e as folhas de chá.[78]

A manjerona é uma erva muito parecida com o orégano, e também se mostrou promissora em estudos de laboratório. Ela parece inibir de modo significativo a migração e invasão de células de câncer de mama *in vitro*.[79] Contudo, nenhuma dessas pesquisas sobre as ervas da família do orégano foi realizada com seres humanos, por isso não se sabe como tais efeitos se traduzirão em um ambiente clínico, se é que haverá algum. Uma das únicas análises randomizadas e controladas de que tenho conhecimento é um estudo sobre o chá de manjerona para o tratamento da síndrome do ovário policístico (SOP). Supostamente o chá era usado na fitoterapia para "restaurar o equilíbrio hormonal", então os pesquisadores decidiram colocá-lo à prova. Eles instruíram as portadoras de SOP a beber duas xícaras de chá de manjerona de estômago vazio todos os dias, durante um mês. Foram observados efeitos benéficos nos níveis de hormônios, o que levou os cientistas a concluir que tal fato "pode justificar a melhora alegada por praticantes e pacientes da medicina tradicional".[80]

Cravo-da-índia

O *tempero* comum que mais possui antioxidantes é o cravo-da-índia.[81] Ele tem um sabor fortíssimo, por isso tente adicionar apenas uma pitada mínima a qualquer prato ou bebida em que colocaria canela ou gengibre. O cravo moído fica ótimo em peras cozidas e maçãs assadas, conferindo-lhes um gosto agradável, de sidra. E uma caneca de chai é um jeito fantástico de ingerir de uma só vez uma boa quantidade de especiarias comuns de alto grau de promoção de saúde.

Amla

O tempero *incomum* que mais tem antioxidantes é a amla,[82] uma groselha indiana vendida seca, em pó. Como médico com formação ocidental, eu nunca tinha ouvido falar nela, apesar de seu uso frequente em fitoterápicos da Ayurveda. Fiquei surpreso ao encontrar na literatura médica quatrocentos artigos sobre esse tempero pouco conhecido e fiquei ainda mais espantado ao me deparar com artigos com títulos como "Amla... a Wonder Berry in the Treatment and Prevention of Cancer" ["Amla... uma fruta maravilhosa no tratamento e na prevenção do câncer"]. A amla talvez seja a planta mais importante da medicina Ayurvedica, utilizada tradicionalmente para tudo, desde na neutralização do veneno de cobra até como tônico capilar.[83] Eu a como porque pelo visto ela é o alimento da luz verde que mais possui antioxidantes da Terra.[84]

Com um laser de argônio, os pesquisadores conseguem medir e rastrear os níveis de antioxidantes carotenoides presentes em seres humanos em tempo real. A descoberta mais relevante desse trabalho é a de que as taxas de antioxidantes podem despencar duas horas após um evento estressante em termos oxidativos. Quando ficamos preso no trânsito, respirando fumaça de diesel, ou quando estamos com privação de sono ou resfriados, por exemplo, nosso corpo começa a usar parte de sua reserva de antioxidantes. O que é passível de ser perdido em apenas duas horas pode levar até três dias para ser reposto.[85]

Mesmo processos comuns do organismo, como transformar a comida em energia, podem produzir radicais livres. Até aí tudo bem, desde que os alimentos que se coma contenham muitos antioxidantes. Mas caso eles não contenham — como quando a pessoa se entope de água com açúcar —, o nível de radicais livres e gordura oxidada na corrente sanguínea sobe durante as horas seguintes, enquanto as taxas de vitamina E caem e as reservas de antioxidantes do corpo são gastas.[86] Se ingerisse a mesma quantidade de açúcar na forma de laranjas, a pessoa não teria esse pico de oxidação.[87] Os cientistas então concluíram: "Isso indica fortemente a necessidade de incluir alimentos muito antioxidantes em cada refeição, a fim de prevenir esse desequilíbrio redox [radicais livres *versus* antioxidantes]".[88]

A dieta americana padrão não é o que poderíamos chamar de rica em antioxidantes. Eis o conteúdo de antioxidantes (em unidades de antioxidantes daµmol, usando uma análise do FRAP) de alguns itens típicos do café da manhã americano: bacon (7) com ovos (8), uma tigela de flocos de milho (25) com leite (10), um Egg McMuffin (11), panquecas (21) com xarope de bordo (9) e um bagel (20) com cream cheese (4). Um café da manhã típico pode ter 25 unidades de antioxidantes.[89]

Comparemos esse número com o *smoothie* que tomei hoje no café da manhã. Comecei com uma xícara de água (0), meia xícara de mirtilo congelado (323) e a polpa de uma manga madura (108). Acrescentei uma colher de sopa de sementes de linhaça moídas (8), meia xícara de folhas de hortelã frescas (33) e um punhado de folhas de chá branco (103). (Para saber mais sobre as folhas de chá, veja a página 443). Enquanto o café da manhã típico da dieta americana padrão fornece 25 unidades de antioxidantes, meu *smoothie* me deu mais de quinhentos. E, quando adiciono o ingrediente final, uma única colher de chá de amla, obtenho mais 753 unidades de antioxidantes. Isso corresponde a 4 centavos de dólar de amla, o que duplicou o teor antioxidante de todo o meu *smoothie*. Antes mesmo de estar totalmente desperto, já consumi mais de mil unidades de antioxidantes — isso é mais do que um americano comum obtém em uma semana inteira. Eu poderia beber meu *smoothie*, comer apenas donuts durante o restante da semana e ainda assim a maioria das pessoas não conseguiria alcançar o meu consumo de antioxidantes. Observe que, embora eu tenha enchido meu liquidificador de alimentos incríveis, como o mirtilo e as folhas de chá, metade do poder antioxidante veio da simples colher de chá da groselha em pó de 4 centavos de dólar.

Dá para comprar amla pela internet ou em qualquer loja de temperos indianos. No geral, é melhor manter distância dos suplementos herbáceos da medicina Ayurvedica, já que se constatou que eles são muito contaminados por metais pesados,[90] alguns dos quais são acrescentados de propósito.[91] Mas não foi identificada contaminação em nenhuma das amostras de amla em pó analisadas até hoje. É possível encontrar groselhas indianas inteiras na seção de congelados de mercearias indianas, mas, sinceramente, acho-as intragáveis — elas são ao mesmo tempo adstringentes, azedas, amargas e fibrosas. O pó não é muito mais saboroso; no entanto, pode ser camuflado em algo com sabor forte, como um *smoothie*. Uma alternativa é comprar amla em cápsulas, assim como ocorre com o cúrcuma. Sempre que estou em viagem ou em uma turnê de palestras, tento tomar

ERVAS E TEMPEROS | 421

cápsulas de cúrcuma e amla todos os dias até voltar para casa e retomar o controle sobre a minha alimentação.

Mixes de temperos

Embora já tenha sido realizado um número considerável de estudos com temperos isolados, poucos deles analisaram o consumo crescente de temperos em geral. Contudo, um grupo da Universidade Estadual da Pensilvânia comparou os efeitos de uma refeição de frango rica em gordura com e sem uma mistura de nove ervas e temperos. As ervas e os temperos foram escolhidos por terem, grama por grama, mais antioxidantes do que qualquer outro grupo de alimentos (e também porque o estudo foi financiado pela produtora de temperos McCormick).[92]

Como era de se esperar, os integrantes do grupo que comeu o frango com os temperos apresentaram o dobro do poder antioxidante na corrente sanguínea quando comparados aos membros do grupo que ingeriu o frango sem os temperos. Além disso, é interessante notar que o grupo dos temperos acabou com 30% menos gordura (triglicerídeos) na corrente sanguínea após a refeição e melhorou a sensibilidade à insulina. Os pesquisadores concluíram que "a incorporação de temperos à alimentação diária pode ajudar a normalizar as alterações pós-prandiais [após as refeições] em homeostase [regulação] de glicose [açúcar] e lipídios [gordura], aumentando ao mesmo tempo a defesa antioxidante".

Mas por que ter essas alterações para início de conversa? O estudo me lembra aqueles que mostram que a ingestão de verduras protege em especial os fumantes contra o câncer.[93] Ou seja, a mensagem a ser transmitida não deveria ser a de que os fumantes devem comer verduras, e sim a de que eles devem largar o cigarro. Obviamente eles podem fazer as duas coisas — o que, no contexto do estudo sobre temperos, significaria adotar uma dieta rica em antioxidantes da luz verde, que ofereça o melhor dos dois mundos.

Alguns dos meus mixes de temperos favoritos incluem as especiarias usadas na torta de abóbora, curry em pó, pimenta-malagueta em pó, as cinco especiarias chinesas em pó, uma saborosa combinação de temperos indianos chamada *garam masala*, uma combinação etíope chamada *berbere*, tempero italiano, tempero para frango e uma combinação do Oriente Médio chamada zátar. Os mixes de temperos são uma forma prática de obter um equilíbrio de sabores e ao mesmo tempo aumentar a variedade de temperos consumidos, mas certifique-se de que as misturas não tenham sal.

Consumir a fumaça líquida é seguro?

Não sei como consegui viver tanto tempo sem páprica defumada. Juro que o gosto é de batata chips sabor churrasco. Depois que a descobri, fiquei louco por páprica defumada e a colocava em quase tudo, mas agora a reservo principalmente para as verduras e quando tosto abóbora fresca e sementes de abóbora. (Aposto que você não se surpreenderá por essa ser para mim a melhor parte do Halloween!) Eu tinha medo de que pudesse haver nos temperos defumados produtos do processo de combustão que fossem carcinógenos (semelhantes ao benzopireno encontrado na fumaça de cigarro e em escapamentos de diesel), mas esses compostos tendem a ser solúveis em gordura. Portanto, quando se defuma um tempero ou se faz uma solução à base de água como a fumaça líquida, os compostos do sabor defumado são capturados sem que seja capturada a maior parte dos compostos *de câncer* da fumaça. O mesmo já não pode ser dito dos alimentos gordurosos defumados. Enquanto seria necessário tomar três frascos de fumaça líquida para exceder o limite de segurança, um sanduíche de presunto defumado ou peru defumado nos deixa no meio do limite, e uma única coxa de frango de churrasco o ultrapassaria. Os peixes defumados, como o arenque ou o salmão, parecem ser os piores. Comer um bagel com salmão defumado faz com que fiquemos dez vezes acima do limite de segurança.[94]

Alguns riscos ao se temperar a vida

Há alguns temperos que podem lhe dar coisas boas em excesso. Tomemos como exemplo as sementes de papoula.

A papoula usada na produção de heroína é a mesma que fornece as sementes de papoula dos muffins e bagels. A ideia de que as sementes de papoula podem ser a origem de quantidades consideráveis de narcóticos não recebeu muito crédito, apesar de um antigo hábito europeu de recomendar uma chupeta cheia de sementes de papoula para tranquilizar bebês barulhentos.[95] Quer dizer, não recebeu muito crédito até uma mãe dar ao filho de seis meses um pouco de leite coado no qual fervera algumas sementes de papoula com a melhor das intenções de ajudá-lo a dormir melhor. O bebê parou de respirar — mas por sorte sobreviveu.[96]

Os casos de overdose de sementes de papoula não se limitam às crianças. Na literatura médica, há outro caso de um adulto que teve "uma sensação estranha na cabeça" após comer um espaguete com meia xícara de sementes de papoula salpicadas.[97] Então qual é o consumo máximo de sementes de papoula que provavelmente é seguro? Com base em níveis medianos de morfina,[98] ele seria de uma colher de chá para cada 4,5 quilos de peso corporal. Isso significa que alguém que pesa 68 quilos não deve comer mais que cinco colheres de sopa de sementes de papoula cruas de uma só vez.[99]

O cozimento pode eliminar metade da morfina e da codeína contidas naturalmente nas sementes de papoula, o que oferece uma margem um pouco maior ao assá-las.[100] Deixar as sementes de papoula de molho por cinco minutos e descartar a água antes de adicioná-las a uma receita pode eliminar metade do que restou, no caso de uma torta recheada de sementes de papoula ou outros pratos assados para as crianças. Do contrário, não deve haver nenhum risco em ingerir os níveis habituais — a não ser que você vá passar por um teste antidoping. Nesse caso, pode ser melhor evitá-las por completo.[101]

O consumo excessivo de noz-moscada também pode causar problemas. Um artigo intitulado "Christmas Gingerbread... and Christmas Cheer: Review of the Potential Role of Mood Elevating Amphetamine-like Compounds..." sugeriu que certos componentes naturais de temperos como a noz-moscada podem formar dentro do organismo compostos de anfetamina suficientes para "elevar o humor e ajudar a dar uma alegria natalina a mais" durante o período das festas de fim de ano.[102]

Esse risco hipotético foi levantado já nos anos 1960 na *New England Journal of Medicine*, em um artigo intitulado "Nutmeg Intoxication".[103] O texto questionava se o antigo costume de adicionar noz-moscada ao *eggnog* [uma espécie de gemada tradicional no Natal americano] tinha origem no "efeito psicofarmacológico" descrito em casos de intoxicação por esse tempero. É evidente que esses casos remontam aos anos 1500, quando a noz-moscada era usada para induzir o aborto.[104] Nos anos 1960, o tempero era usado como droga psicotrópica.[105] Nessa década, profissionais da área de saúde mental concluíram que, embora a noz-moscada fosse "muito mais barata e provavelmente menos perigosa do que a heroína, que leva ao vício, deve-se afirmar que ela não está livre de apresentar riscos e pode causar morte".[106]

A dose tóxica de noz-moscada é de duas a três colheres de chá. Eu achava que ninguém nunca chegaria perto de ingerir essa quantidade intencionalmente até que li o relato sobre um casal que comeu macarrão, desmaiou e foi hospitalizado. Só descobriram o que tinha acontecido quando o marido revelou que, sem querer, adicionara um terço de um frasco de noz-moscada ao macarrão enquanto cozinhava.[107] Isso são quatro colheres de chá do condimento. Não sei como eles conseguiram comer! Imagino a pobre esposa tentando ser educada.

Outro tempero popular e poderoso é a canela, que tem sido valorizada por sua capacidade de baixar os níveis de açúcar no sangue.[108] Ela funciona tão bem que dá até para "burlar" um teste de diabetes ao se consumir duas colheres de chá de canela na noite anterior. Doze horas depois, a alta de açúcar no sangue em virtude das refeições ainda estará significativamente enfraquecida.[109] Até uma colher de chá por dia parece fazer uma diferença significativa.[110] Infelizmente, a canela já não pode ser considerada um tratamento seguro e efetivo contra o diabetes.

Há dois tipos especiais de canela: a canela-do-ceilão e a cássia (também conhecida como canela-da-china). Nos Estados Unidos, tudo o que é rotulado só como "canela" provavelmente é a cássia, a mais barata. Isso é lamentável, pois esse tipo contém um composto, chamado cumarina, que pode ser tóxico para o fígado em doses altas. Se a canela não for especificamente rotulada como canela-do-ceilão, o consumo de um quarto de colher de chá até mesmo poucas vezes por semana pode ser demais para crianças pequenas, e uma colher de chá por dia excede o limite de segurança tolerável para adultos.[111] Mas não seria possível substituí-la pela canela-do-ceilão e obter os benefícios sem ter que correr os riscos? Sem os riscos, sim, mas já não se tem certeza quanto aos benefícios.

Quase todos os estudos que mostram os benefícios da canela para o controle do nível de açúcar no sangue foram realizados com a cássia. Nós apenas acreditávamos que o mesmo se aplicaria à canela-do-ceilão, mais segura, porém, recentemente isso foi posto à prova. A bela redução do nível de açúcar no sangue observado em reação à cássia desapareceu quando os pesquisadores usaram a canela-do-ceilão.[112] Na verdade, o tempo todo pode ter sido a tóxica cumarina o ingrediente ativo responsável pela queda do açúcar no sangue. Desse modo, evitar a toxina trocando a cássia pela canela-do-ceilão pode eliminar o benefício. Portanto, em suma, em se tratando de baixar o nível de açúcar no sangue, a canela pode não ser segura (cássia) ou pode ser segura, mas aparentemente inefetiva na redução da taxa de açúcar no sangue (canela-do-ceilão).

Eu ainda incentivo o consumo desse último tipo de canela, considerando que ela é uma das mais baratas fontes alimentares comuns de antioxidantes, ficando atrás apenas do repolho-roxo. Mas o que um portador de diabetes do tipo 2 deve fazer? Mesmo a canela cássia só baixou o nível de açúcar no sangue de maneira modesta — em outras palavras, saiu-se apenas tão bem quanto o principal remédio contra diabetes no mundo, a metformina, vendida como Glucophage.[113] Sim, a canela cássia pode ser tão efetiva quanto o principal medicamento receitado contra a doença, mas isso não quer dizer muito. A melhor forma de tratar a diabetes é tentar curá-la por completo com uma alimentação saudável (ver o Capítulo 6).

ERVAS E TEMPEROS | 425

★ ★ ★

Mas quem sabia que as ervas e os temperos que hoje acrescentamos a molhos e salpicamos nos pratos poderiam ter tais impactos sobre a saúde? Use sua criatividade na cozinha e tempere as refeições e bebidas para torná-las mais saborosas e mais saudáveis — mas não se esqueça de consumir um quarto de colher de chá de cúrcuma todos os dias. Em virtude do conjunto de evidências disponível, tenho muita segurança em destacar o cúrcuma como algo que todo mundo deveria incorporar à dieta diária.

Grãos integrais

Os grãos integrais favoritos do dr. Greger

Cevada, arroz integral, trigo-sarraceno, painço aveia, milho de pipoca, quinoa, centeio, teff, macarrão integral e arroz selvagem.

Tamanho das porções
½ xícara de cereais quentes ou de grãos, macarrão ou milho cozidos
1 xícara de cereais frios
1 tortilha ou uma fatia de pão
½ bagel ou *english muffin*
3 xícaras de pipoca

Recomendação diária
3 porções

Indo ao encontro das recomendações de importantes autoridades em câncer[1] e doença cardíaca,[2] recomendo a ingestão de pelo menos três porções de grãos integrais por dia. Duas preeminentes pesquisas complementares em nutrição realizadas por Harvard — o Estudo de Saúde das Enfermeiras e o Estudo de Acompanhamento de Profissionais da Saúde — acumularam até agora quase três milhões de pessoas-anos de dados. Uma análise de 2015 constatou que indivíduos que consomem mais grãos integrais tendem a viver significativamente mais, quaisquer que sejam os outros fatores alimentares e de estilo de vida.[3] Isso não surpreende, considerando que os grãos integrais reduzem o risco de se desenvolver doença cardíaca,[4] diabetes tipo 2,[5] obesidade e derrame.[6] Uma ingestão maior de grãos integrais pode salvar a vida de mais de um milhão de pessoas no mundo todos os anos.[7]

Na internet, circulam muitas alegações sobre nutrição que carecem de base científica, e algumas declarações muito recorrentes estão em total desacordo com as evidências disponíveis. Sempre que vejo livros, sites, artigos e blogs repetindo afirmações como "os grãos são inflamatórios — até mesmo os integrais", pergunto-me em que planeta vivem os autores.

Escolha um indicador de inflamação. Tomemos como exemplo a proteína C reativa (PCR). Os níveis de PCR no organismo sobem em reação a agressões inflamatórias; por isso a medida é usada em exames laboratoriais para detectar inflamações sistêmicas. Estima-se que cada porção diária de grãos integrais *reduza* as concentrações de PCR em cerca de 7%.[8] Além disso, há uma sopa de letrinhas inteira de marcadores inflamatórios que parecem ser atenuados com a ingestão de grãos integrais: ALT, GGT, [9] IL-6,[10] IL-8,[11] IL-10,[12] IL-18,[13] PAI-1,[14] TNF-α,[15] TNF-R2,[16] viscosidade do sangue total e filtração de eritrócitos.[17] Ou, conforme dito de forma menos técnica na *American Journal of Clinical Nutrition*: "A ingestão de grãos integrais acalma inflamações."[18] Além da questão do combate à doença cardíaca e ao câncer, a ingestão habitual de grãos integrais também está relacionada a um risco significativamente menor de morrer de doenças inflamatórias.[19]

Mas e o glúten?

Você provavelmente já ouviu falar de um distúrbio autoimune chamado doença celíaca, na qual o consumo de glúten causa reações adversas, incluindo problemas gastrointestinais. O glúten é um grupo de proteínas presentes em determinados grãos, incluindo o trigo, a cevada e o centeio. No entanto, a doença celíaca é relativamente rara, afetando menos de 1% da população.[20] Mas será que no caso dos mais de 99% restantes — compostos por indivíduos que não sofrem do distúrbio — o glúten seria inócuo ou até beneficiaria a saúde, assim como ocorre com outras proteínas vegetais?

Em 1980, pesquisadores da Inglaterra relataram que uma série de mulheres que sofriam de diarreia crônica tinham sido curadas por uma dieta sem glúten, sendo que nenhuma delas apresentava sintomas de doença celíaca.[21] Elas pareciam ter uma espécie de sensibilidade ao glúten não celíaca. Ao mesmo tempo, a comunidade médica expressou ceticismo em relação à existência de algo do tipo,[22] e mesmo hoje há especialistas que a questionam.[23] Era comum que os médicos indicassem tratamento psiquiátrico aos pacientes que alegavam ter sensibilidade não celíaca a glúten, por acreditarem se tratar de uma doença mental subjacente.[24]

A comunidade médica tem um histórico de achar que certas doenças existem "apenas na cabeça do paciente". Exemplos disso incluem o transtorno de estresse pós-traumático (TEPT), a colite ulcerativa, enxaqueca, úlcera, asma, mal de Parkinson, doença de Lyme e esclerose múltipla. Apesar da resistência da corrente médica dominante, depois foi confirmado que cada uma dessas enfermidades é um distúrbio legítimo.[25] Já a internet está cheia de alegações infundadas sobre dietas sem glúten que foram difundidas pela imprensa popular, tornando o glúten o vilão da vez no campo da alimentação.[26] E, obviamente, a indústria de alimentos processados sem glúten, que hoje vale bilhões, tem interesse financeiro na confusão do público.[27] Sempre que há muito dinheiro em jogo, é difícil confiar em alguém, por isso — como sempre —, atenha-se à ciência. E que tipo de evidência nós temos da existência de uma doença que se presume estar tão disseminada?

O primeiro desafio duplo-cego, randomizado e placebo-controlado ao glúten foi publicado em 2011. Os cientistas avaliaram se pacientes que reclamavam de sintomas como os da síndrome do intestino irritável e que alegavam se sentir melhor ao seguir uma alimentação livre de glúten — embora não tivessem doença celíaca — conseguiam distinguir a presença (ou não) de glúten nos pães ou muffins que lhes eram dados. Todos os participantes começaram a experiência tendo ficado sem comer glúten e sem apresentar sintomas durante duas semanas e, em seguida, passaram a consumir um dos dois tipos de pão e muffin. Mesmo aqueles que comeram o placebo sem glúten se sentiram pior, o que significa que eles, apesar de terem mantido a dieta sem glúten, reclamaram de cólicas e inchaço. Esse fenômeno é chamado de efeito nocebo. O efeito placebo ocorre quando os pacientes recebem algo inútil e se sentem melhor; já o efeito nocebo ocorre quando eles recebem algo inofensivo e se sentem pior. Entretanto, os integrantes do estudo que de fato consumiram glúten se sentiram ainda pior do que os outros. Por causa disso, os pesquisadores concluíram que poderia realmente existir uma intolerância ao glúten não celíaca.[28]

Contudo, esse foi um estudo pequeno e, embora os cientistas tenham alegado que era impossível aos participantes distinguir os produtos sem glúten dos com glúten, é possível que os pacientes, na verdade, pudessem fazê-lo. Então, em 2012, pesquisadores italianos criaram um teste duplo-cego com 920 pacientes com diagnóstico de sensibilidade ao glúten não celíaca. Cada um deles recebeu uma cápsula cheia de farinha de trigo ou uma cápsula com um pó placebo. Mais

GRÃOS INTEGRAIS | 429

de dois terços deles não passaram no teste: ou tomaram o placebo e se sentiram pior, ou tomaram o trigo e se sentiram melhor. Mas para aqueles que passaram no teste a dieta sem trigo apresentou um benefício evidente, o que confirma a "existência de ST [sensibilidade ao trigo] não celíaca".[29] Note, porém, que eles disseram sensibilidade ao *trigo*, e não ao *glúten*. Em outras palavras, talvez o glúten em si não fosse a causa dos sintomas intestinais.

A maioria das pessoas sensíveis ao trigo também é sensível a diversos outros alimentos. Por exemplo, constatou-se que dois terços das pessoas com sensibilidade ao trigo são sensíveis também à proteína do leite de vaca. O ovo parece ser o segundo principal culpado.[30] Se as pessoas forem submetidas a uma alimentação pobre em substâncias que desencadeiam sintomas de intestino irritável e *em seguida* adotarem uma que tenha glúten, não há nenhum efeito, o que põe em dúvida a existência da sensibilidade ao glúten não celíaca.[31]

É curioso que, apesar de serem informados de que evitar o consumo de glúten pelo visto não ajuda a reduzir os sintomas intestinais, muitos participantes decidiram manter a dieta sem glúten, já que, segundo disseram, se "sentiam melhor" subjetivamente. Isso levou os pesquisadores a questionar se evitar o glúten poderia melhorar o humor de quem sofre de sensibilidade ao trigo e, de fato, a exposição ao glúten por um curto prazo pareceu induzir sintomas de depressão nesses pacientes.[32] Independentemente de ser uma doença da mente ou do intestino, a sensibilidade ao glúten não celíaca já não é vista como um distúrbio que possa ser descartado.[33]

A próxima pergunta, então, é: qual é o percentual da população que deve evitar o consumo de trigo e de outros grãos com glúten? Um indivíduo em cada mil pode ter alergia a trigo,[34] e quase um em cada cem sofre de doença celíaca,[35] um número que parece estar aumentando. Ainda assim, as chances de um americano receber o diagnóstico de doença celíaca durante o período de um ano é de menos de um em cada dez mil.[36] Nossa melhor estimativa sobre a prevalência da sensibilidade ao trigo está no mesmo nível geral da doença celíaca: um pouco acima de 1%.[37] Portanto, apenas 2% da população parecem ter problemas com a ingestão de trigo, mas isso potencialmente representa milhões de indivíduos que podem estar sofrendo há anos e que poderiam ser curados por meio da alimentação, mas não eram diagnosticados de forma adequada nem auxiliados por profissionais da área da saúde até pouco tempo atrás.[38]

Para os 98% da população que não têm problemas com o consumo do trigo, não há qualquer evidência indicando que uma dieta sem glúten gere algum benefício.[39] Na verdade, há evidências que indicam que uma alimentação livre de glúten pode afetar de maneira adversa a saúde intestinal de quem não tem doença celíaca, sensibilidade ao trigo nem alergia a trigo. Constatou-se que um mês de alimentação sem glúten afeta de forma adversa a flora intestinal e a função imunológica desses indivíduos, causando um crescimento exagerado de bactérias nocivas no trato intestinal.[40] Por ironia, isso se deve aos efeitos benéficos dos componentes com os quais indivíduos sensíveis ao trigo têm problema — como os frutanos "Fodmaps" [sigla em inglês para oligossacarídeos, dissacarídeos, monossacarídeos e polióis fermentáveis], que agem como prebióticos e alimentam as bactérias boas dos intestinos, ou o próprio glúten, o que pode melhorar a função imunológica.[41] A incorporação da proteína do glúten à dieta por um período inferior a uma semana pode aumentar de modo significativo a atividade da célula exterminadora natural,[42] o que melhora a capacidade do corpo de combater o câncer e as infecções virais.

Contudo, a maior ameaça que as dietas sem glúten pode representar é o fato de poderem dificultar o diagnóstico da doença celíaca, a forma muito mais séria de intolerância ao trigo. Ao tentarem detectar a doença celíaca, os médicos procuram identificar as inflamações causadas pelo glúten. Mas, se os pacientes que reclamam de problemas digestivos vão ao médico após eliminar grande parte do glúten da dieta, então talvez o profissional não consiga detectar a doença.[43] Mas qual é a relevância de um diagnóstico formal se o paciente já adota uma alimentação sem glúten? Antes de qualquer coisa, trata-se de uma doença genética, então, a partir dessa informação, os familiares do paciente saberão que devem se submeter a exames. No entanto, o mais importante é que muita gente que segue as chamadas dietas sem glúten na verdade não está deixando de comer glúten. Até mesmo vinte partes por milhão de glúten podem ser tóxicas para os portadores de doença celíaca. Às vezes, mesmo alimentos rotulados como "sem glúten" podem não ser seguros para as vítimas da enfermidade.[44]

O que fazer se você suspeita de que seja sensível ao glúten? Em primeiro lugar, *não* inicie uma dieta livre de glúten. Caso apresente sintomas de intestino irritável crônico — como inchaço, dor abdominal e ritmo intestinal irregulares —, peça ao seu médico um exame específico para doença celíaca. Se for confirmado que você sofre da doença, *aí sim* inicie uma dieta estritamente sem glúten. Caso o resultado seja negativo, a recomendação atual é experimentar, primeiro, uma alimentação mais saudável, que inclua frutas, legumes, verduras, grãos integrais e leguminosas, evitando o tempo todo ingerir alimentos processados.[45] O motivo pelo qual as pessoas se sentem melhor ao adotarem uma dieta sem glúten — e por isso concluem que têm problema com ele — é o fato de elas terem parado de repente de comer tanto fast-food e outras porcarias processadas. Em outras palavras, se você comer um bolinho recheado frito e ficar com dor de estômago, o culpado pode não ser o glúten.

Se adotar uma alimentação saudável não ajudar, sugiro que você tente descartar outras causas de dor gastrointestinal crônica. Ao estudarem as pessoas que evitam o trigo e/ou glúten, os pesquisadores constataram que um terço delas não parecia ter sensibilidade ao glúten, mas outros distúrbios, como o crescimento excessivo de bactérias no intestino delgado e a intolerância a frutose ou a lactose ou um distúrbio neuromuscular como a gastroparesia ou a disfunção do assoalho pélvico.[46] Após esses males serem descartados, *aí sim* sugiro àqueles que apresentarem sintomas suspeitos e crônicos a experimentarem uma dieta livre sem glúten.

Nenhum dado atual sugere que a população em geral deva evitar o glúten, mas no caso de quem tem *diagnóstico* de doença celíaca, alergia a trigo ou sensibilidade a trigo, as dietas sem glúten podem fazer toda a diferença.[47]

Coma integral... em minutos

Consumir grãos integrais pode significar mais do que simplesmente substituir o pão e o arroz brancos pelas versões integrais. Há todo um universo maravilhoso de grãos integrais. Talvez você já tenha experimentado quinoa, mas que tal comer canihua ou fonio? Até o arroz selvagem (que na verdade nem é arroz) pode não parecer tão esquisito quanto um grão chamado freekeh. Divirta-se provando amaranto, painço, sorgo ou teff para expandir seu horizonte. O trigo-sarraceno é o favorito da minha mãe.

Assim como ocorre no caso dos legumes e das verduras, guie-se pela cor quando for à mercearia. Se puder, prefira a quinoa vermelha à branca, o milho azul ao amarelo e o amarelo ao branco. Além da comparação do teor antioxidante, há evidências experimentais de que o arroz pigmentado — o vermelho, o roxo ou o negro — traz mais benefícios do que o integral. Constatou-se, por exemplo, que, além de ter cinco vezes mais antioxidantes,[48] as variedades coloridas de arroz têm uma atividade muito maior contra alergias *in vitro*,[49] bem como efeitos superiores contra as células de câncer[50] e de leucemia.[51]

Quando o assunto é praticidade, há vários grãos de cozimento rápido: amareto, painço, aveia comum, quinoa e teff podem ser preparados em menos de vinte minutos. No caso dos grãos de cocção mais lenta, como a cevada, o farro e aveia cortada, considere preparar uma grande quantidade com antecedência, no fim de semana, para só ter que reaquecê-los durante a semana. Ou compre uma panela de arroz elétrica — nos Estados Unidos, existem modelos à venda que custam menos de 20 dólares.

O macarrão integral cozinha em dez minutos. Melhorias nas tecnologias de produção criaram uma nova geração de macarrões integrais que já não têm aquela textura grossa e farinácea de pouco tempo atrás. Minha marca favorita é a Bionaturae, porque os produtos têm um gosto delicioso, que lembra noz — experimente-os com meu *pesto* para Marcar Oito Xis.

Pesto do dr. Greger para Marcar Oito Xis

2 xícaras de folhas de manjericão frescas
¼ de xícara de nozes recém-tostadas
2 dentes de alho frescos
¼ de um limão-siciliano sem casca
¼ de colher de chá de raspas da casca de limão-siciliano
6 milímetros de raiz de cúrcuma fresca (ou ¼ de colher de chá de cúrcuma em pó)
¼ de xícara de feijão-carioca
¼ de xícara de água ou do líquido de uma lata de feijão
1 colher de sopa de missô branco
Pimenta ao gosto

Bata todos os ingredientes no processador de alimentos até a mistura ficar lisa.
Regue sobre 1,5 xícara de macarrão integral cozido.

O milho de pipoca é um grão integral cujo preparo leva menos de cinco minutos. Uma pipoqueira de ar quente é outro utensílio barato e útil. Há uma infinidade de coisas saborosas, doces e picantes que pode ser acrescentada à pipoca. Gosto da combinação de *chlorella* com levedura nutricional (por causa da cor verde, a minha família chama essa mistura de "milho zumbi"). Com um frasco de spray, dá para pulverizar de leve os temperos secos para que grudem na pipoca feita em ar quente. Gosto de usar vinagre balsâmico. Mantenha distância dos temperos artificiais de manteiga. A princípio, acreditava-se que a substância química diacetil, presente no sabor artificial de manteiga, fosse um perigo para a saúde ocupacional, ocasionando a morte de trabalhadores que tinham contato com a substância por uma doença que ficou conhecida como "pulmão de pipoca".[52] Hoje sabemos que quem consome produtos que levam esse ingrediente também corre o risco, com base em uma série de casos de doença pulmonar grave atribuídos ao consumo de pipoca amanteigada de micro-ondas.[53]

Existem grãos integrais que ficam prontos em até um minuto: potes e saquinhos de arroz integral e quinoa pré-cozidos, que podem ser aquecidos no micro-ondas e não precisam sequer ser refrigerados: é só esquentar e comer.

A Regra Cinco para Um

No que se refere a produtos já embalados feitos com grãos, tudo o que tiver estampado no rótulo palavras como "multigrãos", "moído na pedra", "100% trigo", "triguilho", "sete grãos" ou "farelo de cereais" no geral *não* é um produto com grãos integrais — estão tentando esconder do consumidor o uso de grãos refinados. Nesse caso, a cor pode não ajudar, já que ingredientes como o "suco de passas concentrado" são usados para escurecer o pão branco e dar-lhe a aparência de mais saudável. Mesmo que o primeiro ingrediente da lista apareça como "integral", o restante pode ser porcaria.

Sugiro que se use a Regra Cinco para Um. Para comprar produtos de grãos integrais, mais saudáveis, verifique na tabela de informação nutricional do pacote se a proporção de gramas de carboidratos para gramas de fibras alimentares é de até cinco para um (veja a Figura 7). Por exemplo, vejamos se o Wonder Bread 100% integral passa no teste: a tabela no pacote indica que cada porção contém trinta gramas de carboidratos e três gramas de fibras. Trinta dividido por três dá dez. Bem, dez é um número maior do que cinco, portanto o Wonder Bread integral volta para a prateleira, embora, tecnicamente, seja um produto de grãos integrais. Compare com o ezequiel, um pão de grãos germinados cuja receita é baseada na Bíblia: ele tem quinze gramas de carboidratos e três gramas de fibras, portanto passa no teste. Outro aprovado é o *english muffin* Ezekiel, que fica uma delícia com geleia de frutas e manteiga de alguma oleaginosa. Embora a pesquisa sobre os possíveis benefícios dos grãos germinados ainda esteja engatinhando, os dados disponíveis parecem promissores.[54]

Informação nutricional	
Tamanho da porção 1 porção (100g)	
Por porção	**% Valor diário**
Calorias 80	
Calorias de gordura 5	
Gordura total 0,5g	1%
Sódio 75mg	3%
Carboidratos 15g	5%
Fibra alimentar 3g	12%
Proteína 4g	

Informação nutricional	
Tamanho da porção 2 fatias (75g)	
Por porção	**% Valor diário**
Calorias 190	
Calorias de gordura 18	
Gordura total 2g	3%
Sódio 300mg	13%
Carboidratos 37g	12%
Fibra alimentar 2g	8%
Proteína 6g	

Figura 7

Aplique a regra Cinco para Um também aos cereais do café da manhã, outro gênero alimentício que pode levar o consumidor a achar que quase tudo é saudável. Os Multi-Grain Cheerios, por exemplo, parecem bons, mas têm uma proporção superior a sete. E a partir daí a coisa só piora, com os Frosted Cheerios e Fruity Cheerios, que têm proporções de carboidratos para fibras superiores a dez para um. Compare-os com o cereal Uncle Sam, cuja proporção cai para menos de quatro para um. Outros aprovados são os cereais de grãos "estourados" sem adição de açúcar, como a cevada estourada; contudo, os grãos integrais mais saudáveis são os menos processados, os chamados grãos inteiros.

Embora as bagas de trigo, o trigo retalhado, a farinha de trigo integral e os cereais de trigo estourado possam ser 100% trigo integral, o corpo os processa de formas muito distintas. Quando são moídos e transformados em farinha ou estourados, os grãos são digeridos mais depressa e por completo. Isso aumenta o índice glicêmico deles e deixa menos restos para as bactérias benéficas do cólon.

Os cientistas analisaram tal fenômeno dividindo pessoas em dois grupos. Um grupo comeu oleaginosas, sementes e leguminosas mais ou menos inteiras. O outro ingeriu os mesmos alimentos, só que moídos e transformados em farinhas e pastas. O primeiro grupo consumiu oleaginosas em vez de manteigas feitas a partir delas, grão-de-bico inteiro em vez de homus e muesli em vez de muesli moído até ficar com textura cremosa. Note que todos os participantes comeram alimentos integrais, só que de formas diferentes.

O que aconteceu? O tamanho das fezes do grupo da dieta de grãos integrais inteiros duplicou, sendo bem maiores do que as do grupo de grãos integrais moídos, embora todos tivessem consumido os mesmos alimentos na mesma quantidade.[55] Mas como isso é possível? Sobram muito mais restos para alimentar a flora intestinal quando comemos grãos inteiros. Pouca gente percebe que a maior parte das fezes não é formada por alimentos não digeridos, mas por bactérias: vários trilhões delas.[56] Deve ser por isso que as fezes pesam quase 57 gramas a mais para cada 28 gramas de fibras que comemos. Esse peso não é formado apenas por água: nós estamos alimentando as bactérias benéficas para que possam crescer e se multiplicar.[57]

Conforme foi demonstrado pelo estudo, quando comemos grãos inteiros, mesmo que os mastiguemos bastante, pedaços de sementes e grãos transportam amido e outras guloseimas até o cólon, para a flora se fartar.[58] Mas, quando os grãos são processados de uma forma não natural e transformados em farinha, quase todo o amido é digerido no intestino delgado e acabamos fazendo os nossos micróbios passarem fome. Quando isso acontece com frequência, pode gerar disbiose, um desequilíbrio em que as bactérias ruins prevalecem e aumenta a nossa suscetibilidade a doenças inflamatórias ou a câncer de cólon.[59] Moral da história: os grãos integrais são ótimos, mas os grãos integrais inteiros são melhores ainda.

Em vez de um cereal de arroz integral estourado, que tal usar o próprio arroz integral? Comer arroz integral no café da manhã pode parecer estranho, mas tigelas de grãos quentes são alimentos tradicionais no café da manhã de muitas partes do mundo. Há versões saborizadas, e também dá para adoçá-lo com frutas vermelhas frescas, congeladas ou liofilizadas. Há sites que vendem morango liofilizado a granel por menos de 1 dólar a xícara.

Aveia

A aveia é o grão integral clássico do café da manhã. Assim como os vegetais crucíferos e a semente de linhaça possuem compostos benéficos que não são encontrados em nenhum outro alimento, a aveia contém uma classe única de compostos anti-inflamatórios chamados avenantramidas. Acredita-se que eles são em parte responsáveis pelo odor e sabor frescos desse grão,[60] bem como pela capacidade da loção de aveia de aliviar coceiras e irritações na pele.[61] Estudos realizados em fragmentos de pele humana provenientes de cirurgia plástica e submetidos a substâncias químicas inflamatórias revelaram que o extrato de aveia pode suprimir inflamações[62] — tanto que pelo visto hoje o grão é o tratamento mais comum para certas erupções de pele graves induzidas por quimioterapia.[63] Ironicamente, constatou-se que duas linhagens de células de câncer que se mostraram resistentes a esse tipo de quimioterapia[64] são sensíveis a avenantramidas *in vitro*, o que sugere que as pessoas deveriam aplicar aveia também no interior do organismo.[65] A aveia é mais do que apenas um grão integral.[66]

A aveia é o café da manhã que levo comigo quando viajo. Se não tiver uma Starbucks por perto onde eu possa comprar um pouco de farinha de aveia, preparo aveia instantânea com frutas secas na cafeteira do quarto de hotel. Em casa, se você quiser incrementar sua rotina de aveia, pesquise no Google "aveia gostosa" para encontrar todo tipo de prato interessante. Eu já vi alguns com cogumelos *sauté*, ervas, espinafre, curry e legumes assados — tem tudo o que você puder imaginar!

Nos Doze por Dia pede-se que se consuma três porções de grãos integrais por dia. Isso pode parecer muito, mas, ao olhar o tamanho das porções recomendadas, você verá que é fácil. Um prato de macarrão em um restaurante italiano tem em média o equivalente a seis porções![67] O hábito de comer aveia de manhã é uma ótima maneira de começar o dia, e a variedade de grãos integrais fáceis de cozinhar faz com que seja prático, a qualquer hora, combater o risco de desenvolver doenças crônicas.

Bebidas

As bebidas favoritas do dr. Greger

Chá-preto, chai, chá de camomila com baunilha, café, chá Earl Grey, chá-verde, chá de hibisco, chocolate quente, chá de jasmim, chá de erva-cidreira, chá matcha, chá oolong de flor de amêndoa, chá de hortelã-pimenta, chá de rooibos, água e chá-branco.

Tamanho da porção
Um copo (360 mililitros)

Recomendação diária
5 porções

Há muitas diretrizes alimentares sobre o que devemos comer, mas e as bebidas? Nos Estados Unidos foi criado o Beverage Guidance Panel para que fossem apresentadas "recomendações sobre os benefícios e riscos para a saúde e nutricionais de várias categorias de bebida". O grupo incluiu pesos-pesados como o dr. Walter Willett, chefe do Departamento de Nutrição da Faculdade de Saúde Pública de Harvard e professor de medicina da Faculdade de Medicina de Harvard.

Os especialistas do grupo classificaram as categorias de bebidas em uma escala de seis níveis, da melhor para a pior. Não foi surpresa que os refrigerantes tenham ficado em último lugar. Já o leite integral foi agrupado com a cerveja, com uma recomendação de quantidade zero por dia. A justificativa para isso incluiu as preocupações com a ligação do consumo de leite com o câncer de próstata, bem como com o agressivo câncer de ovário, talvez "relacionadas a seu bem documentado efeito sobre concentrações em circulação do fator de crescimento semelhante à insulina tipo 1" (veja o Capítulo 13). O chá e o café — de preferência sem adoçante nem creme — foram considerados as segundas bebidas mais saudáveis, perdendo apenas para a água, a número um.[1]

A água

Há mais de dois mil anos, Hipócrates declarou: "Se pudéssemos dar a cada indivíduo a quantidade certa de alimentos e exercícios, nem muito pouco nem em excesso, teríamos encontrado o caminho mais seguro para a saúde."[2] A água é a bebida mais saudável, mas que quantidade dela é muito pouco e quanto é excessivo? A água foi descrita como um assunto "negligenciado, não devidamente valorizado e pouco pesquisado",[3] porém, vários estudos que exaltam a necessidade de uma hidratação apropriada têm sido financiados pela indústria de água engarrafada.[4] Acontece que a recomendação recorrente de "beber pelo menos oito copos de água por dia" tem, na verdade, poucas evidências científicas que a corroborem.[5]

Esse conselho é mencionado em um artigo de 1921 em que o autor mediu sua produção de urina e suor e determinou que perdia 3% do peso corporal em água por dia, o que resulta em oito copos.[6] Assim, por muito tempo as diretrizes para a ingestão necessária de água da humanidade se basearam em medições de urina e suor de um único indivíduo.

Mas agora de fato dispomos de amplas evidências sugerindo que a ingestão insuficiente de água pode estar associada a diversos problemas, entre eles quedas e fraturas, insolação, doença cardíaca, distúrbios pulmonares, doença renal, pedra nos rins, câncer de bexiga e cólon, infecções do trato urinário, constipação, síndrome do olho seco, cárie, declínio da função imunológica e formação de catarata.[7] Entretanto, o problema de muitos desses estudos é o fato de o baixo consumo de água também estar associado a vários comportamentos que não são saudáveis, como a baixa ingestão de frutas, legumes e verduras, o consumo maior de fast-food e até mesmo menos "compras em mercados de agricultores".[8] E pense nisso: quem bebe muita água? Pessoas que se exercitam muito. Portanto, talvez não seja de se admirar que grandes bebedores de água tenham índices de doença menores.

Somente estudos randomizados grandes e caros poderiam fornecer respostas definitivas a tais questões. Mas, considerando que a água não pode ser patenteada, parece improvável que essas pesquisas sejam realizadas.[9] Como resultado, só nos restam estudos que apenas relacionam doenças à baixa ingestão de água. Mas será que as pessoas adoecem porque não ingerem água suficiente ou elas não bebem o bastante porque estão doentes? Foram realizados alguns grandes estudos prospectivos em que a ingestão de líquidos foi medida antes de a enfermidade se desenvolver. Por exemplo, uma pesquisa de Harvard com quase 48 mil homens verificou que o risco de câncer de bexiga diminuiu 7% para cada copo de líquido consumido a mais por dia. Uma alta ingestão de água — de, digamos, oito copos por dia — poderia reduzir em 50% o risco de câncer de bexiga, o que pode salvar milhares de vidas.[10]

Talvez a melhor evidência que temos de uma recomendação específica da quantidade de água que deve ser ingerida esteja no Estudo de Saúde Adventista. Vinte mil homens e mulheres foram analisados. Os que beberam pelo menos cinco copos de água por dia apresentaram metade do risco de morrer de doença cardíaca, comparados aos que beberam até dois copos por dia. Metade do grupo era formada por vegetarianos, portanto, eles também estavam obtendo mais água por consumirem mais frutas, legumes e verduras. Assim como foi visto no estudo de Harvard, essa proteção se manteve mesmo após outros fatores terem sido controlados, como a alimentação e a prática de exercícios, o que sugere que a água de fato era a causa, talvez por diminuir a "viscosidade" do sangue (ou seja, por melhorar o fluxo sanguíneo).[11]

Se a proteção contra o câncer e a doença cardíaca não for o bastante para motivá-lo a ingerir mais água, talvez a perspectiva de beijar melhor seja. Ao esfregar pele artificial contra os lábios de mulheres jovens, os pesquisadores constataram que os lábios hidratados eram mais sensíveis a um toque leve.[12]

Com base nas evidências mais confiáveis de que dispomos hoje, autoridades da Europa, do Instituto de Medicina dos Estados Unidos e da Organização Mundial de Saúde recomendam o consumo de oito a onze copos de água por dia para as mulheres e de dez a quinze para os homens.[13] Contudo, tais recomendações incluem água de todas as fontes, e não somente das bebidas. Nós obtemos o equivalente a quatro copos a partir dos alimentos e da água que o corpo produz por conta própria,[14] então essas diretrizes se traduzem, em linhas gerais, em uma recomendação de beber de quatro a sete copos de água por dia para as mulheres e de seis a onze para os homens (tendo por base a prática de apenas uma atividade física de intensidade moderada em temperatura ambiente moderada).[15]

Também obtemos água de todas as outras bebidas que consumimos — incluindo as cafeinadas —, exceto das bebidas alcoólicas mais fortes, como o vinho e os destilados. O café,[16] o chá[17] e a cerveja podem deixar o corpo com mais água do que antes, já o vinho desidrata.[18] Entretanto, observe que nas pesquisas sobre câncer e doença cardíaca já mencionadas os benefícios à saúde foram quase que exclusivamente associados a um consumo maior de água, e não de outras bebidas — eu tratei dos problemas das bebidas alcoólicas nos Capítulos 8 e 11.

Resumo da ópera: a não ser que se tenha uma doença como insuficiência cardíaca ou renal, ou que o médico aconselhe a limitação da ingestão de líquidos, minha recomendação é a de que se beba cinco copos de água filtrada por dia. Prefiro a água filtrada não apenas por ter um custo econômico e ambiental menor, como também porque, aqui nos Estados Unidos, ela pode ter menos substâncias químicas e menos contaminação por micróbios do que a água engarrafada. [19]

Beber água pode nos deixar mais inteligentes?

O cérebro é 75% água. [20] Quando ficamos desidratados, ele de fato encolhe.[21] Mas como isso pode afetar a função cerebral?

Com base em amostras de urina colhidas em grupos de crianças de nove a onze anos, em Los Angeles e Manhattan, constatou-se que quase dois terços das crianças podem chegar à escola em estado de desidratação leve,[22] o que, por sua vez, pode afetar de forma negativa o desempenho escolar. Se pegarmos um grupo de crianças em idade escolar e determinarmos aleatoriamente que bebam um ou nenhum copo de água antes de fazerem um teste, adivinhe qual grupo se sairá bem melhor? O que recebeu água. Os pesquisadores concluíram que tais resultados sugerem que "mesmo crianças em estado de desidratação leve não induzida por privação de água intencional ou por estresse por calor e vivendo em clima frio podem se beneficiar com uma ingestão maior de água e melhorar seu desempenho cognitivo".[23]

O estado de hidratação do organismo também pode afetar o humor. Mostrou-se que a restrição à ingestão de líquidos aumenta a sonolência e a fadiga, reduz os níveis de vigor e vigilância e aumenta a sensação de confusão. Entretanto, assim que os participantes do estudo têm permissão para voltar a consumi-los, os efeitos nocivos à vigilância, ao humor e à clareza de pensamento são revertidos quase que de imediato.[24] A absorção de água começa bem depressa, levando cinco minutos da boca à corrente sanguínea, alcançando o pico em vinte minutos.[25] É curioso notar que a água gelada é absorvida 20% mais depressa que a água na temperatura do corpo.[26]

Como saber se você está desidratado? Pergunte ao seu corpo. Beber um pouco de água e urinar a maior parte dela logo depois é a maneira de o organismo dizer que está abastecido. Mas o fato de beber um bocado de água e o corpo ficar com a maior parte dela indica que o tanque está baixo. Os cientistas usaram esse conceito para desenvolver uma ferramenta de avaliação de desidratação: esvazie a bexiga, beba três copos de água e verifique a quantidade de urina uma hora depois. Foi determinado que quando a pessoa bebe três copos e urina menos de um copo uma hora depois, há uma boa chance de que esteja desidratada.[27]

Mas a água pode ser *sem graça*. Tente acrescentar frutas ou legumes e verduras frescos, como spas e hotéis sofisticados fazem. Gosto de usar morango congelado em vez de cubos de gelo. Às vezes, adiciono gotas de um suco concentrado potente, como o de cereja ácida ou romã. Fatias de pepino, lascas de gengibre, um pauzinho de canela, lavanda e uma ou duas folhas de hortelã também são complementos refrescantes. Ultimamente, minhas fusões de sabores preferidas consistem em misturar na água fatias de tangerina com manjericão fresco ou amoras-pretas congeladas com sálvia fresca.

Bolhas! Um de meus colegas deixa um gaseificador na mesa e faz sua própria água com gás por 25 centavos de dólar o copo. Além de tornar a água mais interessante, a carbonatação também ajuda a aliviar sintomas gastrointestinais. Um estudo randomizado que comparou os efeitos da água com gás com os da comum constatou que beber água com gás reduz os sintomas de constipação e dispepsia, incluindo inchaço e náusea.[28]

E se você colocasse na água grãos ou folhas — quer dizer, grãos de café ou folhas de chá? Assim você não teria toda a água de que precisa e ainda ganharia um bônus de nutrientes? Uma xícara de café preto ou chá comum ou de outras ervas tem apenas duas calorias, podendo fornecer nutrição a um custo calórico baixo. Pense nas bebidas saudáveis como o oposto da junk-food: esta fornece calorias com nutrição escassa, enquanto as bebidas saudáveis oferecem nutrição com calorias escassas. Mas o quão saudáveis são o café e o chá?

Café

Já falei dos benefícios do café para o fígado (Capítulo 8), a mente (Capítulo 12) e o cérebro (Capítulo 14). E para a longevidade em geral? Quem toma café vive mais do que quem não toma?

BEBIDAS | 441

O NIH-AARP, o maior estudo prospectivo sobre alimentação e saúde já realizado, pôs essa pergunta à prova. É verdade, beber muito café *está* associado a uma vida mais longa, porém, o efeito é relativamente modesto. Indivíduos que tomavam pelo menos seis xícaras por dia tiveram um índice de mortalidade de 10% a 15% mais baixo devido a menos mortes por doença cardíaca, doença respiratória, derrame, ferimentos e acidentes, diabetes e infecções.[29] Contudo, quando uma pesquisa examinou pessoas com menos de 55 anos, foi constatado o efeito oposto: verificou-se que beber mais de seis xícaras de café por dia *aumenta* o risco de morte. Os pesquisadores então declararam: "Logo, talvez seja apropriado recomendar aos mais jovens, em particular, que se evite um grande consumo de café (menos de 28 xícaras por semana ou menos de 4 xícaras em um dia típico)."[30]

A conclusão, com base nos estudos mais confiáveis realizados até hoje, é a de que o consumo de café pode de fato estar associado a uma pequena redução na mortalidade,[31] na ordem de um risco de morte prematura 3% menor para cada xícara de café ingerida por dia.[32] Não se preocupe, isso não é um conselho do tipo "tome café para permanecer acordado... e vivo" — tais descobertas são mais tranquilizadoras para quem está preocupado com o vício em café do que prescritivas.

Café não é para todo mundo. Por exemplo, tome cuidado se você tem a doença do refluxo gastroesofágico (DRE). Embora um estudo populacional não tenha identificado qualquer ligação entre o consumo de café e sintomas subjetivos de DRE, como azia e regurgitação,[33] os cientistas que enfiaram tubos na garganta de pacientes para medir o pH constataram que a bebida parece induzir um significativo refluxo de ácido, enquanto o chá, não. Pelo visto, a cafeína não é a culpada, pois a água cafeinada não causa problemas. Todavia, o processo de descafeinação do café parece reduzir o nível de qualquer que seja o composto responsável pelo mal, já que o café descafeinado causou menos refluxo. Os pesquisadores aconselharam os portadores de DRE a considerar a troca para o café descafeinado ou, ainda melhor, o consumo de chá no lugar do café.[34]

A ingestão diária de café também é associada a um risco um pouco maior de fratura óssea entre as mulheres, mas, curiosamente, a um risco menor de fraturas entre os homens.[35] Contudo, não foi identificada nenhuma associação entre o café e o risco de fratura de *quadril*. De modo inverso, o chá pode reduzir o risco de fratura de quadril,[36] mas parece não surtir um efeito significativo sobre o risco de fratura em geral.[37] Essa é uma distinção importante, já que as fraturas de quadril são associadas a uma expectativa de vida menor, mais do que os outros tipos de fratura óssea.[38]

Vítimas de glaucoma,[39] ou até quem apenas tem histórico da doença na família,[40] talvez também queiram manter distância do café cafeinado. A ingestão de café é associada à incontinência urinária tanto em mulheres[41] quanto em homens.[42] E há relatos de casos de indivíduos com epilepsia que tiveram menos ataques depois de cortar o café da dieta, portanto, no caso dos portadores de transtornos convulsivos, vale a pena evitá-lo.[43] Por fim, não precisamos entrar no mérito de que quem tem dificuldade para dormir não deve tomar muito café. Uma única xícara à noite pode causar uma deterioração significativa da qualidade do sono.[44]

O mistério envolvendo o fato de alguns estudos mostrarem que o consumo de café aumentou o colesterol enquanto outros não chegaram à mesma conclusão foi esclarecido quando se descobriu que o composto considerado responsável pelo aumento do colesterol é solúvel em gordura. O composto culpado, o cafestol, está presente nos óleos de grãos de café que ficam presos no filtro de papel; desse modo, o café coado não aumenta o colesterol tanto quanto o feito na prensa francesa, o fervido sem filtragem do pó e o turco. Nem o grau de torra nem a descafeinação parecem fazer diferença, embora os grãos de robusta [conilon] tenham menos cafestol do que os de arábica. Se suas taxas de colesterol não estão ótimas, você deve considerar beber apenas o café filtrado ou usar o café instantâneo, que também não possui tais compostos.[45] Se esses ajustes não derem resultado, considere cortar o café de vez, pois até o café passado no filtro de papel pode elevar um pouco os níveis de colesterol.[46]

Acreditava-se que a cafeína pudesse aumentar o risco de uma arritmia cardíaca irregular chamada fibrilação atrial, mas essa suposição se baseava em relatos de casos de ingestão aguda de quantidades muito grandes de cafeína[47] (incluindo um caso atribuído em parte a uma "ingestão abusiva de chocolate" por uma mulher).[48] Por causa disso, a noção equivocada de que o consumo de cafeína poderia desencadear ritmos cardíacos anormais se tornou de "senso comum", uma alegação que gerou mudanças na prática médica. Entretanto, nos últimos tempos, estudos revelaram que a ingestão de cafeína *não* parece aumentar o risco de fibrilação atrial.[49] Além disso, a cafeína em "dose baixa" — o que foi definido como menos de seis xícaras de café por dia — pode até gerar um efeito protetor no ritmo cardíaco.[50]

O consumo moderado de cafeína por adultos saudáveis (e mulheres que não estejam grávidas) não apenas é seguro como, conforme foi constatado, aumenta a energia e a vigilância e melhora o desempenho físico, motor e cognitivo.[51] Apesar desses benefícios, o editorial de uma revista médica afirmou que os médicos devem "moderar qualquer mensagem que sugira que a cafeína seja benéfica

BEBIDAS | 443

[...] considerando a proliferação de bebidas energéticas que contêm quantidades altíssimas de cafeína"[52] De fato, ingerir uma dúzia de bebidas energéticas cafeinadas em poucas horas pode causar uma overdose fatal de cafeína.[53] Dito isso, tomar algumas xícaras de café por dia pode, na verdade, prolongar um pouco a sua expectativa de vida[54] e até ter o potencial de reduzir um pouco o risco geral de câncer.[55]

Contudo, eu não posso recomendar o consumo de café. Por quê? Porque cada xícara de café tomada é uma oportunidade perdida de ingerir uma bebida que pode ser ainda mais saudável: uma xícara de chá-verde.

Chá

Os chás preto, verde e branco são feitos das folhas da mesma planta sempre-viva. Já os chás de erva são feitos a partir de qualquer *outra* planta do mundo que não seja a do chá.

Mas o que há de tão especial na planta do chá? Os fitonutrientes exclusivos dela são tão poderosos que podem reverter doenças mesmo quando são apenas aplicados à pele. Por exemplo, a aplicação tópica de chá-verde na forma de unguento em verrugas genitais resulta em impressionantes 100% de eliminação em mais da metade dos pacientes analisados.[56] Não é de se admirar que esse tratamento maravilhoso esteja agora oficialmente incorporado às diretrizes para tratamento de doenças sexualmente transmissíveis dos Centros para Controle e Prevenção de Doenças.[57] Houve até o relato do caso impressionante de uma mulher cujos cânceres de pele parecem ter sido interrompidos com a aplicação tópica de chá-verde.[58] Se o chá-verde consegue fazer isso na parte externa do corpo, o que ele conseguiria fazer no interior do organismo?

Já discuti no Capítulo 11 o impacto que o chá-verde pode ter na prevenção do câncer de mama. A ingestão de chá pode conferir proteção contra cânceres ginecológicos, como o de ovário[59] e o de endométrio,[60] bem como reduzir o colesterol,[61] a pressão arterial[62], a taxa glicêmica[63] e a gordura corporal.[64] Além disso, pode proteger o cérebro do declínio cognitivo[65] e de derrames.[66] O consumo de chá também é associado a um risco menor de diabetes[67] e perda de dente[68], assim como a uma redução de até 50% do risco de morte por pneumonia.[69] Quem sofre de alergias sazonais também pode se beneficiar com a ingestão de chá. Estudos randomizados mostraram que o consumo de três xícaras de chá-verde Benifuuki japonês por dia a partir de seis[70] a dez[71] semanas antes da temporada dos pólens ocasiona uma redução significativa dos sintomas de alergia. Não é nada para se torcer o nariz!

Na crista da onda

A invenção do eletroencefalograma (EEG) para medir a atividade das ondas cerebrais foi descrita como "um dos desenvolvimentos mais surpreendentes, notáveis e significativos da história da neurologia clínica".[72] Os cientistas descobriram que os seres humanos têm quatro estados mentais principais: dois quando estão dormindo e dois acordados. As ondas delta, nas quais o cérebro pulsa eletricamente devagar, a uma onda por segundo, são típicas apenas do sono profundo. Depois existem as ondas teta, do sono. Com cinco ciclos por segundo, esse estado mental ocorre quando o indivíduo está sonhando. Os dois estados de quando se está acordado são o alfa e o beta. O estado alfa é relaxado, consciente e atento, como quando a pessoa fecha os olhos e medita. Já o beta é o estado estimulado, agitado, no qual a maioria de nós leva a vida.

Contudo, o alfa é o desejável — alerta e focado, porém calmo. Mas como se chega lá? Noventa minutos após você começar a relaxar em um lugar agradável, tranquilo, é possível iniciar a geração de uma atividade alfa significativa (embora praticantes de meditação como os monges budistas possam alcançar esse estado muito antes e mantê-lo até de olhos abertos). Para adquirir essa habilidade, é necessário meditar todos os dias durante alguns anos — ou apenas beber chá. Minutos após consumir essa bebida, qualquer um pode atingir esse mesmo padrão relaxado, porém alerta, de ondas cerebrais.[73] Essa alteração drástica na atividade cerebral talvez explique por que o chá é a bebida mais popular do mundo depois da água.

Os chás branco e verde são menos processados do que o preto, o que provavelmente faz com que sejam preferíveis.[74] O branco é feito de folhas jovens e tem esse nome por causa dos pelos prateados-brancos dos brotos imaturos; já o verde é feito de folhas mais maduras. Qual é o mais saudável? A resposta depende do acréscimo de limão-siciliano. Se o chá não leva limão-siciliano, o verde parece ser a melhor escolha. Mas, quando a fruta é adicionada, o branco passa à frente.[75] O motivo é que, embora o chá-branco tenha mais fitonutrientes, pode ser que estes só sejam liberados em um certo nível de pH.[76]

Em termos de potencial de prevenção contra o câncer, tanto o chá-verde quanto o chá-branco apresentaram resultados de proteção contra danos ao DNA *in vitro* causados pelo PhIP, o carcinógeno da carne cozida descrito no Capítulo

BEBIDAS | 445

11. O chá-branco, porém, se saiu melhor ao bloquear 100% dos danos ao DNA, comparado ao chá-verde, que, na mesma concentração, bloqueou a metade. A "potente atividade antimutagênica do chá-branco em comparação à do chá-verde" foi alcançada em um tempo de infusão em água quente de um minuto. Na maioria dos chás analisados, a infusão por mais de um minuto não gerou nenhum efeito adicional. Todavia, no que se refere à atividade antioxidante, talvez seja melhor não esquentar a água.[77]

A infusão a frio é um jeito popular de preparar o chá em Taiwan, em especial durante o verão. O chá de infusão a frio não é como o convencional, que se prepara quente e espera que esfrie. Em vez disso, o chá é colocado em água fria e deixado para descansar à temperatura ambiente ou na geladeira por pelo menos duas horas. Verificou-se que esse método reduz o teor de cafeína, e parece que diminui o amargor e melhora o aroma da bebida.[78] Mas o que a infusão a frio faz no que se refere ao teor nutricional? Seria de se imaginar que a água fria não atrairia muitos antioxidantes. Afinal, presume-se que a extração de nutrientes seja o principal motivo de se preparar o chá em água quente, não é? Um grupo de cientistas se incumbiu de comparar a atividade antioxidante do chá quente com a do frio. Basicamente, eles misturaram colesterol LDL (o "ruim") com radicais livres e observaram o tempo que o colesterol levou para oxidar na presença dos chás frio e quente.

Em um resultado surpreendente, o chá-branco da infusão a frio se saiu significativamente melhor na redução da velocidade da oxidação.[79] (Não foi constatado nenhum efeito significativo da temperatura de preparo sobre a atividade antioxidante do chá-verde.) Os pesquisadores supuseram que a temperatura tradicional em que se prepara o chá é tão alta que destrói alguns dos antioxidantes mais sensíveis do chá-branco. Eu não fervo mais o meu chá; deixo-o descansar da noite para o dia na geladeira. A infusão a frio economiza tempo de preparo e energia — e talvez seja até mais saudável.

Entretanto, não tem por que se preocupar com a quantidade de nutrição extraída das folhas de chá se elas simplesmente forem comidas. O *matcha* é um chá-verde produzido por meio da moagem das folhas de chá, que são transformadas em um pó fino que deve ser adicionado à água. Por que desperdiçar nutrição jogando fora o saquinho de chá depois de utilizá-lo se dá para beber as folhas? Pense da seguinte maneira: beber o chá infundido é como ferver uma panela de couve-manteiga, depois descartar toda a verdura e beber apenas a água do cozimento. Obviamente parte da nutrição foi transferida para a água, mas não seria melhor comer as folhas? É por isso que agora uso folhas de chá inteiras nos meus *smoothies* (veja a página 420). Essa também é uma ótima forma de incorporar o chá a sua alimentação caso bebê-lo de estômago vazio gere desconforto. Se você se acostumar com o sabor do *matcha* (seu gosto me lembra capim), pode levar alguns pacotes para onde quer que vá e simplesmente adicioná-lo à garrafa de água e sacudi-la. Com o consumo de quase nenhuma caloria, você pode beber folhas verde-escuras o dia inteiro.

Se o chá-verde é tão bom, por que não tomar comprimidos de extrato de chá-verde? Por causa de dezenas de relatos de casos de toxicidade hepática ligada à ingestão dessas cápsulas[80] — mais uma demonstração de que é melhor comer o alimento integral do que um célebre concentrado de "ingredientes ativos". Há um chá, porém, do qual eu manteria distância. Com base em alguns casos com consequências graves, envolvendo risco de morte, ligados ao kombucha, um tipo de chá fermentado, o consumo dessa bebida "deve ser desencorajado", segundo o relato de caso de uma pessoa que entrou em coma após tomar a bebida.[81]

Há algum alerta em relação ao consumo regular de chá? O fluoreto contido nele pelo visto é um fator limitador. A planta do chá concentra fluoreto proveniente do solo, o que é um dos motivos pelos quais a ingestão de chá ajuda na prevenção das cáries,[82] mas o excesso dessa substância pode ser tóxico. Um caso recente relatado na *New England Journal of Medicine* descreveu uma mulher que começou a sentir dor óssea depois de dezessete anos tomando todos os dias um jarro de chá feito com de cem a 150 saquinhos.[83] Isso é um exagero.

Para prevenir a fluorose esquelética, adultos não devem ingerir mais do que o equivalente a vinte saquinhos de chá-preto por dia durante vinte anos consecutivos, ou trinta saquinhos de chá-verde por dia, ou oitenta saquinhos de chá-branco por dia.[84] Para prevenir a fluorose dentária — uma descoloração do dente inofensiva, mas de um mosqueado feio — talvez seja melhor restringir o consumo das crianças a não mais do que três saquinhos de chá-preto por dia (ou quatro de chá-verde, ou doze de chá-branco)[85] enquanto seus dentes ainda estiverem se desenvolvendo, até em torno dos nove anos.[86]

O melhor adoçante

No Capítulo 12, eu citei uma pesquisa que sugeriu que a adição de açúcar pode anular alguns benefícios das bebidas, enquanto a adição de adoçantes artificiais como o aspartame e a sacarina pode até ter efeitos piores. Será que existe um adoçante que promova a saúde? Os únicos dois adoçantes concentrados da luz verde são o melaço e o açúcar de tâmara. Outros adoçantes naturais calóricos, como o mel, o açúcar menos processado da cana-de-açúcar e os xaropes de bordo, de agave e de arroz integral, não parecem ter muito a oferecer em termos de nutrição.[87] O açúcar de tâmara é um alimento integral — são simplesmente tâmaras secas moídas e transformadas em pó —, assim como as pastas de tâmara e ameixa seca, que podem ser feitas em casa ou compradas prontas. Todos eles são boas opções para usar em assados, mas, no caso das bebidas, o sabor do melaço talvez seja forte demais e os adoçantes feitos com alimentos integrais não são dissolvidos por completo.

Mas e a estévia? Nos anos 1990, pesquisas feitas no Japão constataram que o esteviosídeo, ingrediente "ativo" da estévia, pareceu ser inofensivo. Mas, nas entranhas de ratos, bactérias intestinais o transformaram em uma substância tóxica chamada esteviol, que pode aumentar muito os danos mutagênicos ao DNA *in vitro*.[88] Infelizmente os seres humanos têm a mesma atividade bacteriana que a dos ratos em seus intestinos.[89] Entretanto, é a dose que faz o veneno. A Organização Mundial de Saúde considera que até 1,8 miligrama de compostos de estévia por cerca de 450 gramas de peso corporal é uma quantidade segura. Mas, considerando a predileção dos americanos por doces, se adoçarmos tudo com estévia poderíamos exceder o limite de segurança. Mas ingerir até duas bebidas adoçadas com estévia por dia deve ser considerado inofensivo.[90]

Os álcoois de açúcar sorbitol e xilitol são inofensivos em si, mas, como não são absorvidos pelo corpo, acabam indo parar no cólon, onde podem atrair líquidos e causar diarreia. É por isso que só são usados comercialmente em pequenas quantidades, como em balas de menta e chicletes, e não em bebidas. Todavia, um composto semelhante a eles — o eritritol — é absorvido pelo organismo e pode ter a inocuidade do xilitol sem gerar o efeito laxante.

O eritritol está presente naturalmente na pera e na uva, mas a indústria usa levedura para produzi-lo. Ele não causa cárie[91] e não foi implicado em fibromialgia,[92] partos prematuros,[93] dor de cabeça,[94] hipertensão,[95] distúrbios cerebrais[96] nem distúrbios de plaquetas,[97] como ocorreu com outros adoçantes de baixa caloria. Além disso, ele pode apresentar algumas propriedades antioxidantes.[98] Mas, como qualquer produto muito processado, sua utilidade deve se restringir a incentivar o aumento do consumo de alimentos da luz verde. Por exemplo, se a única maneira de você comer meia toranja é salpicando um pouco de açúcar nela, então talvez seja melhor comer a fruta adoçada do que fruta nenhuma — embora salpicar eritritol fosse ainda melhor. Tendo em mente essa lógica, uso o eritritol para aumentar a minha ingestão de cranberry (lembra do Suco Rosa do Capítulo 8?), cacau em pó (veja a página 311) e chá de hibisco.

Meu ponche de hibisco

Em 2010, foi publicada uma análise dos antioxidantes presentes em trezentas bebidas. Examinou-se de tudo, do Red Bull ao vinho tinto.[99] E o vencedor é... o chá de hibisco! Falei dos seus potentes efeitos anti-hipertensivos no Capítulo 7. Minha pressão arterial sempre foi "normal" para os padrões americanos, mas eu queria que ela fosse ótima, então o hibisco se tornou um alimento diário básico para mim. Experimente esta receita:

Acrescente um punhado de hibiscos secos ou quatro saquinhos de um chá cujo principal ingrediente seja o hibisco a oito xícaras de água. Em seguida, incorpore o suco de um limão-siciliano e três colheres de sopa de eritritol e leve o chá à geladeira da noite para o dia, para uma infusão a frio. De manhã, coe o hibisco ou retire os saquinhos de chá, mexa bem e beba ao longo do dia. Tento tomá-lo todos os dias em que estou em casa.

Para as coisas ficarem ainda melhores, junte espuma verde: bata uma xícara do chá com um feixe de folhas de hortelã frescas no liquidificador na velocidade alta e se delicie. Assim você terá folhas verde-escuras no que pode ser a bebida mais antioxidante do mundo, e o gosto lembra o de um ponche de frutas. Seus filhos vão adorar!

Como se deve fazer com qualquer comida ou bebida ácida, não deixe de lavar a boca com água após o consumo, para evitar que os ácidos naturais dissolvam o esmalte dos seus dentes.[100] *Não* escove os dentes durante uma hora depois de comer ou beber algo ácido, pois o esmalte deles pode estar amolecido e sofrer mais danos com a escovação.[101] Se você bebe continuamente líquidos ácidos durante o dia, sugiro que use um canudo para desviar a bebida dos dentes.[102]

Entretanto, tenha cuidado. Em teoria, até os adoçantes mais inofensivos podem ser nocivos de três maneiras. Com o passar dos anos, vários estudos de larga escala identificaram uma correlação entre o uso de adoçantes artificiais e ganho de peso.[103] A explicação mais comum para essa descoberta que desafia a lógica é uma causalidade reversa: as pessoas não são gordas porque bebem refrigerante diet; elas bebem refrigerante diet porque são gordas.

Mas há pelo menos outras três explicações alternativas menos favoráveis. A primeira delas é chamada de "compensação exagerada por redução calórica esperada". Quando se troca o refrigerante comum das pessoas pelo diet sem que elas saibam nem percebam o que houve, a ingestão de calorias delas diminui.[104] Isso faz sentido, já que elas não estão bebendo mais todo aquele açúcar. Mas e se elas forem avisadas da troca? Quem consome adoçantes artificiais pode conscientemente acabar ingerindo *mais* calorias; pode achar que por ter tomado uma bebida com zero caloria pode se permitir um segundo pedaço de torta. De fato, é isso o que as pesquisas mostraram. Por exemplo, se dermos cereais adoçados com aspartame a pessoas no café da manhã, mas só informamos à metade delas que foi usado adoçante artificial em seu preparo, na hora do almoço o grupo das que foram informadas acabará comendo significativamente mais do que o grupo que não sabia do uso de aspartame.[105] Lembro-me desse conceito toda vez que vejo alguém em um restaurante de fast-food pedindo um refrigerante diet para acompanhar a refeição.

Uma segunda explicação para o ganho de peso com o consumo de adoçantes artificiais se baseia no modo como a humanidade evoluiu. Quando o cérebro registra a sensação de doçura na língua, milhões de anos de evolução o fazem se lembrar de aumentar o apetite do indivíduo o máximo possível — afinal, alimentos vegetais naturalmente doces, como as frutas e a batata-doce, estão entre os mais saudáveis. Quando bebemos uma lata de refrigerante diet, o cérebro acha que acabamos de tropeçar em um arbusto de mirtilos e envia sinais urgentes para que comamos muito e depressa antes que alguém se aproveite dessa abundância. Ao mesmo tempo, o corpo sabe que, se ingerirmos calorias demais, poderemos ficar gordos demais e com isso não conseguiremos correr mais depressa do que o tigre-dente-de-sabre. Então, quando sente que absorveu calorias o suficiente, o intestino envia sinais ao cérebro para que nos exorte a parar de comer. Mas, quando ingerimos adoçantes de baixa caloria, sentimos o efeito familiar do aumento da fome devido à sensação de doçura na língua, mas pode nos faltar o efeito supressor da fome gerado pela chegada das calorias ao intestino. O resultado pode ser um aumento de apetite que pode nos levar a comer mais do que comeríamos normalmente.[106] Essa é a segunda maneira pela qual o consumo de refrigerante diet pode contrariar a lógica e gerar ganho de peso.

A terceira maneira diz respeito ao fato de o adoçante manter o nosso desejo, e dependência, de toda sorte de comida doce. Quando consumimos de modo contínuo qualquer adoçante — com ou sem calorias —, nos tornamos incapazes de treinar nossa inclinação por determinados sabores a se afastar de alimentos muito doces.[107] Digamos que você use eritritol em casa. Isso é ótimo, mas o que acontece quando chegam as férias e você já não tem acesso fácil a esse adoçante? Sua preferência por alimentos muito doces viaja com você, o que pode acabar se traduzindo em um consumo maior de alimentos nada saudáveis.

Resumo da ópera: o eritritol parece seguro, mas só se não for usado como desculpa para se comer mais porcarias. Com uma grande doçura vem uma grande responsabilidade.

Beba cinco copos de água por dia, seja ela a água filtrada pura ou a aromatizada com frutas, folhas de chá ou ervas. Manter-se hidratado pode elevar o humor (e o vigor!), melhorar o raciocínio e até reduzir o risco de desenvolver doença cardíaca, câncer de bexiga e outras enfermidades. Saúde!

Exercícios físicos

Atividades de intensidade moderada

Andar de bicicleta, canoagem, dança, esqui *downhill*, esgrima, jogar queimado, caminhada, malabarismo, limpar a casa, patinar no gelo, patinar in-line, pular em um trampolim, andar de pedalinho, jogar *frisbee*, andar de patins, fazer cestas de basquete, cavar neve, skate, mergulhar com snorkel, surfar, nadar, tênis em dupla, nadar com macarrão, hidroginástica, jardinagem, esqui aquático, ioga.

Atividades vigorosas

Caminhadas longas com mochila ou rápidas e na subida, basquete, futebol americano, hóquei, futebol, rúgbi, tênis (individual), raquetebol, corrida, lacrosse, ciclismo *uphill*, malhar com peso em circuito, pular corda, polichinelo, esqui cross-country, flexão de braço e barra, escalada, mergulho subaquático, patinação de velocidade, *squash, step,* natação e correr dentro d'água.

Tamanho das porções:
90 minutos de atividades de intensidade moderada
40 minutos de atividades vigorosas

Recomendação diária
1 porção

Mais de dois terços dos adultos americanos estão acima do peso.[1] Pense nisso. Menos de uma em cada três pessoas mantém um peso saudável. Além disso, em 2030, mais da *metade* da população do país será clinicamente obesa. Nos últimos trinta anos, o número de casos de obesidade infantil triplicou, e a maioria das crianças com sobrepeso permanecerá nesse estado na idade adulta.[2] Conforme já foi mencionado, podemos estar criando a primeira geração de crianças americanas cuja expectativa de vida será menor do que a de seus pais.[3]

A indústria alimentícia gosta de citar o sedentarismo como principal causa da obesidade, e não a promoção e o consumo de seus produtos muito calóricos.[4] No entanto, as pesquisas sugerem que, na verdade, a taxa de atividade física pode ter *aumentado* nos Estados Unidos nas últimas décadas.[5] Sabemos que o número de casos de obesidade está crescendo até em áreas onde as pessoas se exercitam mais.[6] É provável que isso se deva ao fato de a taxa da atividade comer estar superando a da atividade física.[7]

Em comparação aos hábitos alimentares dos anos 1970, as crianças de hoje estão consumindo todos os dias o equivalente calórico a uma lata de refrigerante a mais e a uma porção pequena de batata frita a mais, enquanto os adultos estão comendo o equivalente calórico a um Big Mac a mais. Para compensar as calorias que estamos ingerindo a mais em relação a algumas décadas atrás, nós, americanos, precisaríamos caminhar mais duas horas por dia, todos os dias da semana.[8]

As pesquisas sugerem que a maioria das pessoas acredita que cuidar da alimentação e praticar exercícios físicos o suficiente são igualmente importantes para o controle do peso.[9] Contudo, é muito mais fácil comer do que se mexer. Para queimar as calorias de um único naco de manteiga ou margarina, é preciso acrescentar oitocentos metros à caminhada noturna. Cada sardinha a mais na salada dá mais quatrocentos metros fazendo cooper. Se comer duas coxas de frango, você terá que se mexer e correr quase cinco quilômetros para compensar — isso se o frango for ensopado e sem pele.[10]

Os cientistas que aceitam subvenções da Coca-Cola Company[11] chamam o sedentarismo de "o maior problema de saúde pública do século XXI".[12] Na verdade, nos Estados Unidos o sedentarismo ocupa o segundo lugar em termos de fator de risco de morte e o sexto no que se refere aos fatores de risco de deficiência.[13] E ele mal se enquadra entre os dez principais fatores em âmbito mundial.[14] Conforme aprendemos, a alimentação é de longe nosso maior assassino, seguida do tabagismo.[15]

Obviamente isso não significa que as pessoas devam ficar sentadas no sofá o dia inteiro. Conforme foi visto neste livro, além de nos ajudar a ter um peso corporal saudável, a prática de exercícios físicos pode conter e talvez reverter

EXERCÍCIOS FÍSICOS | 453

o declínio cognitivo leve, estimular o sistema imunológico, prevenir e tratar a hipertensão e melhorar o humor e a qualidade do sono, entre muitos outros benefícios. Se a população dos Estados Unidos se exercitasse o bastante para reduzir apenas 1% do índice de massa corporal (IMC) nacional, seria possível prevenir dois milhões de casos de diabetes, bem como 1,5 milhão de casos de doença cardíaca e até 127 mil casos de câncer.[16]

Defenda a sua saúde

Seus pais estavam certos quando falavam do risco de assistir à televisão demais — embora esse hábito talvez não apodreça tanto o cérebro quanto faz com o corpo. Com base em um estudo realizado com nove mil adultos que foram acompanhados ao longo de sete anos, os pesquisadores calcularam que cada hora a mais passada diante da TV por dia pode ser associada a um aumento de 11% no risco de morte.[17] O tempo diante das telas em geral — incluindo jogar video games — pelo visto é um fator de risco de morte prematura.[18] Então isso significa que você deve eliminar sua TV e seu PlayStation antes que eles eliminem você?

O problema não são os aparelhos eletrônicos em si, mas o comportamento sedentário associado ao seu uso. É claro que nem todos os comportamentos sedentários são ruins.[19] O ato de dormir, por exemplo — nada poderia ser mais sedentário do que isso! A questão parece ser o sedentarismo de *ficar sentado*. Depois de acompanhar a saúde de mais de cem mil americanos ao longo de quatorze anos, uma investigação da Sociedade Americana do Câncer constatou que homens que ficam sentados por pelo menos seis horas por dia têm um índice geral de mortalidade 20% maior, comparados àqueles que ficam sentados por até três horas, enquanto as mulheres que ficam sentadas por mais de seis horas têm um índice de mortalidade 40% maior.[20] Uma metanálise de 43 estudos desse tipo constatou que ficar sentado em excesso estava associado a uma expectativa de vida menor,[21] e isso ocorre "independentemente do nível de atividade física". Em outras palavras, indivíduos que vão à academia religiosamente após o trabalho ainda podem ter a expectativa de vida reduzida se passarem o restante do dia sentados. Permanecer nessa posição durante pelo menos seis horas por dia parece aumentar o índice de mortalidade entre aqueles que correm ou nadam uma hora por dia, todos os dias, sete dias por semana.[22]

Não estou dizendo que todos nós devemos largar os nossos empregos, que nos obrigam a ficar sentados, mas que há outras opções. Por exemplo, experimente mudar para uma mesa mais alta que lhe permita trabalhar em pé, o que eleva a frequência cardíaca e pode queimar até cinquenta calorias a mais por hora. Isso pode não parecer muito, mas simplesmente ficar três horas em pé por dia no trabalho corresponde à queima de trinta mil calorias extras por ano — o equivalente a correr dez maratonas.[23] Quer você esteja no escritório, lendo um jornal em casa ou, sim, até assistindo à TV, por que não arranjar uma forma de ficar em pé enquanto faz isso? A maior parte deste livro foi escrita enquanto eu caminhava 24 quilômetros por dia em uma esteira elétrica instalada sob a minha mesa alta. As mesas que já vêm com a esteira acoplada são caras, porém, as lojas de segunda mão estão repletas de equipamentos de exercícios antigos. Minha mesa com esteira é simplesmente uma esteira elétrica colocada embaixo de uma estante de plástico barata.

Se faz muito tempo que você é sedentário, comece devagar. Com certeza você já ouviu o famoso mantra: "Antes de começar este ou qualquer outro programa de exercícios, não deixe de consultar seu médico." Isso é a mais pura verdade no que se refere a exercícios vigorosos, porém, a maioria das pessoas pode, de forma segura, começar a caminhar de dez a quinze minutos algumas vezes por dia. Contudo, se você tem problemas de equilíbrio, tende a ter tonteira ou sofre de uma doença crônica ou sua saúde é instável, é melhor mesmo consultar primeiro um profissional de saúde antes de iniciar uma atividade física.

E se você realmente tiver que ficar sentado o dia inteiro?

Por que ficar sentado é tão ruim? Um dos motivos pode ser a disfunção endotelial, a incapacidade de o revestimento interno dos vasos sanguíneos sinalizarem que as artérias devem relaxar como seria de se esperar em resposta ao fluxo sanguíneo. Assim como os músculos atrofiam quando não são utilizados, o "use para não perder" também pode se aplicar à função arterial. Um fluxo sanguíneo maior promove a saúde do endotélio.[24] É o fluxo sanguíneo que mantém a estabilidade e a integridade do revestimento interno das artérias. Sem a força desse fluxo constante que acompanha o esforço da batida do coração, você pode acabar se tornando um alvo fácil para doenças de disfunção arterial.

E quando permanecer sentado o dia inteiro faz parte das duas atribuições no trabalho? Pesquisas sugerem que mesas com esteira elétrica podem melhorar a saúde de quem trabalha em escritório sem prejudicar o seu desempenho.[25] No entanto, nem sempre é possível acomodar uma mesa alta no local de trabalho. Evidências preliminares de estudos de observação,[26] bem como de interventivos,[27] sugerem que interrupções regulares no tempo que se passa sentado podem gerar benefícios. E esses intervalos não precisam ser longos. Podem ser até de um minuto e não necessariamente envolver exercícios árduos — apenas subir e descer escadas pode ser o suficiente. Outra opção quando se está em um ambiente de trabalho sedentário é fazer "reuniões caminhando", em vez das tradicionais, em que todos ficam sentados.

E se você trabalha sentado e não tem como fazer intervalos frequentes, como no caso dos motoristas de caminhão? Será que há um jeito de melhorar a função endotelial mesmo sentado no banco? Se você for fumante, precisa largar o cigarro antes de mais nada. Fumar um único cigarro pode prejudicar significativamente a função endotelial.[28] No que se refere à alimentação, tomar chá-verde a cada duas horas pode ajudar a manter o bom funcionamento do endotélio,[29] assim como comer refeições com verduras e outros alimentos ricos em nitrato (veja o Capítulo 7).

O cúrcuma também pode ajudar. Um estudo comparativo direto constatou que a ingestão diária de curcumina — componente do cúrcuma — pode melhorar a função endotelial tão bem quanto até uma hora por dia de exercícios aeróbicos.[30] Isso significa que dá para ficar esparramado no sofá desde que se coma batata com curry? Não, ainda é preciso se movimentar o máximo possível — a combinação de curcumina *e* atividade física parece ter efeito ainda maior do que qualquer uma das duas opções sozinhas.[31]

Tratando dores musculares com vegetais

Otimizar sua recuperação após se exercitar é considerado o Santo Graal da ciência dos exercícios.[32] Todo mundo que pratica atividade física regularmente sabe o que é dor muscular. Há a sensação de queimação durante um exercício árduo, o que pode estar relacionado ao aumento da quantidade de ácido lático nos músculos, e depois começa a sensação retardada de dor muscular, do tipo que se tem nos dias posteriores à prática de uma atividade física intensa. É provável que essa sensação retardada de dor se deva à inflamação causada por microlacerações nos músculos, e ela pode afetar negativamente o desempenho atlético nos dias posteriores ao exercício pesado. Será que dá para recorrer aos fitonutrientes anti-inflamatórios quando se está sofrendo uma reação inflamatória? Os bioflavonoides das frutas cítricas podem ajudar no caso do aumento de ácido lático,[33] mas talvez seja necessário buscar o reforço do flavonoide antocianina, presente nas frutas vermelhas, para acabar com a inflamação.

Biópsias de músculos de atletas confirmaram que a ingestão de mirtilo, por exemplo, reduz de forma substancial as inflamações induzidas por atividade física.[34] Pesquisas sobre a cereja mostram que esse efeito anti-inflamatório pode significar um tempo de recuperação menor, reduzindo a perda de força decorrente do excesso de exercícios para os bíceps de 22% para apenas 4% em universitários do sexo masculino nos quatros dias subsequentes.[35] O efeito das frutas vermelhas que traz alívio aos músculos não funciona apenas para quem faz levantamento de peso; estudos posteriores revelaram que o consumo de cereja também ajuda na redução da dor muscular de corredores de longa distância[36] e auxilia na recuperação após maratonas.[37]

Verificou-se também que a ingestão de duas xícaras de melancia antes da prática de uma atividade física intensa reduz de modo significativo a sensação retardada de dor muscular. Os cientistas concluíram que compostos funcionais presentes em frutas, legumes e verduras podem "ter um papel crucial na criação de novos produtos naturais e funcionais", como bebidas, sucos e barrinhas energéticas.[38] Mas por que criar *novos* produtos quando a natureza já criou tudo de que precisamos?

Como prevenir o estresse oxidativo induzido pelos exercícios físicos

Conforme foi explicado na Parte 1 deste livro, ao se usar oxigênio para queimar combustível no corpo, podem ser gerados radicais livres, assim como ocorre quando os carros queimam combustível, e desse modo geram subprodutos da combustão que saem pelo escapamento. Isso acontece até quando estamos em marcha lenta, vivendo o dia a dia com tranquilidade. E se acelerarmos, passando a praticar exercícios e a de fato queimar combustível? Será que criaríamos mais estresse oxidativo e, portanto, precisaríamos ingerir ainda mais alimentos ricos em antioxidantes?

Estudos demonstraram que ultramaratonistas apresentam sinais de danos no DNA em 10% das células analisadas durante e até duas semanas depois da corrida.[39,40] Mas a maioria de nós não é ultramaratonista. Será que sessões curtas de atividade física também danificam o DNA?

Sim, danificam. É possível que os danos ao DNA aumentem após apenas cinco minutos praticando ciclismo de forma moderada ou intensa.[41] Como

EXERCÍCIOS FÍSICOS | 457

estão sempre de olho em novas oportunidades, as empresas farmacêuticas e de suplementos buscaram maneiras de bloquear os danos oxidativos induzidos pela prática de exercícios físicos por meio de comprimidos de antioxidantes. No entanto, ironicamente o consumo das cápsulas ocasionou um estado de *pró*-oxidação. Por exemplo, homens que faziam exercícios para bíceps e tomaram mil miligramas de vitamina C acabaram tendo *mais* danos musculares e mais estresse oxidativo.[42]

Em vez de usar suplementos, que tal ingerir alimentos ricos em antioxidantes para acabar com os radicais livres? Os cientistas colocaram pessoas em esteiras elétricas e aumentaram a intensidade do aparelho até que elas quase desabassem. Enquanto foi constatado um aumento de radicais livres no grupo de controle, os participantes que comeram agrião duas horas antes de se exercitar acabaram tendo menos radicais livres após o teste do que quando começaram. Depois de dois meses comendo uma porção diária de agrião, não houve nenhum dano ao DNA, independentemente do quanto os participantes apanhavam na esteira.[43] Portanto, com uma alimentação saudável dá para ter o melhor dos dois mundos: todos os benefícios da prática de um exercício árduo sem o excesso de danos provocados pelos radicais livres. Como foi explicado em uma análise da *Journal of Sports Sciences*, quem mantém uma dieta à base de vegetais pode, de forma natural, "ter um sistema de defesa antioxidante melhor para combater o estresse oxidativo induzido por exercícios".[44] Quer seja para malhar mais ou viver mais, os dados são evidentes. Sua qualidade de vida e sua longevidade melhoram quando você escolhe os alimentos da luz verde.

O quanto você deve se exercitar?

As atuais diretrizes oficiais relativas à prática de atividade física recomendam aos adultos pelo menos 150 minutos de exercícios aeróbicos moderados por semana, o que dá um pouco mais de vinte minutos por dia.[45] Isso é menos do que o proposto pelas recomendações anteriores do chefe operacional do serviço de saúde pública,[46] dos Centros para Controle e Prevenção de Doenças e do Colégio Americano de Medicina do Esporte,[47] que eram de pelo menos trinta minutos por dia. As autoridades do campo dos exercícios físicos parecem ter caído na mesma armadilha das autoridades da área de nutrição, recomendando o que acreditam ser plausível, em vez de apenas informar o que a ciência afirma e deixar que os cidadãos decidam. Elas já enfatizam que qualquer quantidade de atividade física é melhor do que nenhuma,[48] então por que não parar de ser condescendente com o povo e dizer logo toda a verdade?

É verdade que caminhar 150 minutos por semana é melhor do que caminhar sessenta minutos por semana. Parece que seguir a recomendação atual de 150 minutos reduz o índice de mortalidade de uma pessoa em 7%, em comparação a ser sedentário. Já meros sessenta minutos de caminhada por semana diminuem o índice de mortalidade em apenas 3%. Mas trezentos minutos de caminhada por semana geram uma queda de *14%* nesse índice.[49] Portanto, caminhar o dobro — quarenta minutos por dia em vez dos vinte recomendados — duplica o benefício. E uma hora de caminhada por dia pode reduzir a mortalidade em 24%![50] (Uso a caminhada como exemplo por ela ser uma atividade física que quase todo mundo pode fazer, mas o mesmo vale para outros exercícios de intensidade moderada, como varrer o jardim ou andar de bicicleta.)[51]

Uma metanálise de volume de atividade física e longevidade verificou que o equivalente a uma hora de caminhada rápida por dia (6,4 quilômetros por hora) é bom, mas que noventa minutos são ainda melhores.[52] E mais de noventa minutos? Infelizmente tão poucas pessoas se exercitam assim todos os dias que não foram realizados estudos suficientes para formar uma categoria mais elevada. Se sabemos que se exercitar noventa minutos por dia é melhor do que sessenta, que por sua vez é melhor do que trinta, por que recomendar apenas vinte minutos? Compreendo que apenas metade dos americanos cumpre até mesmo os vinte minutos por dia recomendados,[53] por isso as autoridades têm a esperança de apenas estimular um pouco as pessoas para a direção certa. É como as diretrizes alimentares nos aconselhando a "comer menos doces". Se pelo menos elas pudessem falar de forma clara.

Foi o que tentei fazer neste livro.

Conclusão

Meu amigo Art era uma daquelas pessoas que todo mundo gosta de ter por perto. Bem-sucedido, generoso, gentil e alegre, ele era mais do que a imagem pública do império de negócios envolvendo alimentos naturais que havia fundado. Ele fazia mesmo o que apregoava. E como fazia. Ávido praticante de snowboard e mountain bike, Art seguia uma dieta à base de vegetais e alimentos integrais havia mais de duas décadas. Era um dos caras mais saudáveis que conheci.

Ele morreu enquanto eu escrevia este livro.

Com apenas 46 anos, ele foi encontrado morto no boxe do banheiro do retiro de saúde do qual era dono. Meu coração não conseguiu lidar com a dor de perder meu amigo, então minha cabeça assumiu o controle, com a mente girando em torno das possíveis causas de sua morte. Achei que se descobrisse o que acontecera poderia ajudar a família a lidar com o luto.

Considerei todos os raros distúrbios cardíacos congênitos que podem causar morte súbita em atletas jovens. Talvez tivesse sido a síndrome de Brugada? Lembrei-me do caso de um maratonista que desfaleceu devido a esse raro transtorno genético,[1] que pode ser desencadeado por calor.[2] Pesquisei e, de fato, havia um caso anterior associado ao banho quente,[3] então parecia plausível que isso tivesse abreviado a vida de Art.

O calor da água realmente foi a causa de sua morte, mas não da maneira como eu suspeitara. O delegado telefonou alguns dias depois, naquela semana, para nos contar que outras pessoas haviam desmaiado naquele mesmo boxe. Essas vítimas foram levadas para um hospital próximo e felizmente sobreviveram.

Descobriu-se que Art morrera de intoxicação por monóxido de carbono — um aquecedor de água recém-instalado não estava ventilando direito. Foi uma tragédia insuportável. Não consegui parar de pensar nele.

A morte de Art me fez perceber que não importa o quanto nos alimentemos bem ou o quão saudável seja nosso estilo de vida, sempre há a possibilidade de sermos atropelados por um ônibus — metafórica ou literalmente. Precisamos nos certificar de olhar para os dois lados na vida e antes de atravessar a rua. Precisamos cuidar de nós mesmos. Precisamos usar o cinto de segurança e o capacete de bicicleta e praticar sexo com mais segurança. (Afinal, a prática leva à perfeição!)

E precisamos fazer com que cada dia valha a pena, com muito ar fresco, risadas e amor — amor por nós mesmos, pelos outros e pelo que quer que estejamos fazendo com a nossa vida, que é tão preciosa. Foi isso que Art me ensinou.

Em busca do prazer

A ideia da saúde preventiva é que você faça algo agora para que nada de ruim aconteça no futuro. Você passa o fio dental nos dentes não porque isso o faz se sentir melhor, mas porque, ao fazer isso, mais tarde não se sentirá pior. Você pode considerar os hábitos saudáveis descritos neste livro como preventivos — você mantém uma alimentação mais saudável agora para evitar doenças no futuro.

Entretanto, uma dieta saudável faz mais do que isso.

A indústria alimentícia ganha seus bilhões manipulando os centros de prazer do nosso cérebro, o chamado sistema de recompensa da dopamina. A dopamina é o neurotransmissor desenvolvido pelo cérebro para recompensar o indivíduo por um bom comportamento, ajudando a motivar seu desejo por coisas como comida, água e sexo — todos necessários para a perpetuação da nossa espécie. Essa resposta natural foi e continua sendo pervertida pela lógica do lucro.

A indústria alimentícia — assim como as empresas de tabaco e outros grandes traficantes — tem criado produtos que se utilizam do mesmo sistema de recompensa da dopamina, que mantém as pessoas presas ao cigarro e à cocaína. Pessoas mascam folha de coca há pelo menos oito mil anos sem qualquer sinal de vício,[4] mas surge um problema quando certos componentes são isolados e concentrados na cocaína — quando as folhas de coca são *processadas*. O mesmo pode valer para o açúcar. Afinal, é raro alguém se empanturrar com banana. O fato de o açúcar estar separado do alimento integral pode ser a razão por que é mais provável que você aumente a dose de refrigerante do que a porção de batata-doce, ou por que é improvável que você coma milho na espiga em excesso, mas não fique farto do xarope de milho cheio de frutose.

Com frequência o consumo exagerado de alimentos adoçados com açúcar tem sido comparado a um vício em drogas. Até pouco tempo atrás, esse paralelo se baseava mais em evidências casuais do que em fundamentos científicos sólidos.

CONCLUSÃO | 461

Mas agora há o recurso da tomografia por emissão de pósitrons, uma tecnologia de imagem que permite aos médicos medir a atividade cerebral em tempo real. Tudo isso começou com um estudo que identificou uma sensibilidade menor à dopamina em obesos. Quanto maior era o peso do indivíduo analisado, menos ele parecia responder à dopamina.[5] A mesma redução de sensibilidade é vista em viciados em cocaína e dependentes do álcool.[6] O cérebro é estimulado de forma tão exagerada que acaba tentando diminuir a intensidade.

Para o nosso cérebro primata, era saudável e adaptativo ter o desejo de comer uma banana quando não havia muita comida por perto, mas hoje, em que essa fruta está disponível em forma de *bala*, essa adaptação evolutiva se tornou uma desvantagem.[7] A fórmula original da Coca-Cola realmente incluía folha de coca, mas agora talvez a quantidade de açúcar possa ser a substância que age como elemento viciante.

O cérebro responde de forma semelhante à gordura. Trinta minutos após serem alimentados com um iogurte cheio de nata, participantes de uma pesquisa exibiram uma atividade cerebral semelhante[8] à daqueles que beberam direto água com açúcar.[9] Pessoas que tomam sorvete (açúcar *e* gordura) regularmente têm uma resposta de dopamina fraca no cérebro quando tomam um milk-shake. Isso é comparável ao modo como os viciados precisam usar uma quantidade cada vez maior de drogas para obter o mesmo efeito. Um estudo de neuroimagem constatou que o consumo frequente de sorvete "está relacionado a uma redução da resposta na região da recompensa [centro do prazer] de humanos análoga à tolerância observada no vício em drogas". Quando sua resposta de dopamina fica fraca demais, é possível que você passe a comer de forma exagerada em um esforço para alcançar o grau de satisfação obtido antes, o que contribui para um ganho de peso não saudável.[10]

O que os alimentos gordurosos e os açucarados têm em comum? Ambos são densos em energia. A questão talvez seja mais a concentração das calorias do que o número delas. O consumo de alimentos da luz verde, que naturalmente têm calorias diluídas, não gera uma resposta de dopamina fraca, porém, uma alimentação densa em calorias com o mesmo número de calorias o faz.[11] É como a diferença entre a cocaína e o crack: no que se refere à química, os dois são a mesma coisa, mas ao fumar crack o usuário supre o cérebro de uma dose maior mais rapidamente.

Tendo em mente a nossa nova compreensão sobre a base biológica do vício em comida, hoje se apela para que a obesidade seja considerada oficialmente um distúrbio mental.[12] Afinal, a obesidade e o vício compartilham a incapacidade de controlar o comportamento apesar de o indivíduo ter consciência das consequências prejudiciais à saúde — um dos critérios definidores do uso abusivo de substâncias (um fenômeno chamado de "armadilha do prazer").[13] É claro que redefinir a obesidade como um vício seria prestar um favor às empresas farmacêuticas, que já estão elaborando uma série de medicamentos para mexer na química do seu cérebro.[14]

Por exemplo, quando pesquisadores tentaram dar um bloqueador de opiáceos a comilões (uma manobra semelhante à que às vezes é usada com viciados em heroína, que recebem bloqueadores de opiáceos para minimizar os efeitos do narcótico), os comilões comeram bem menos petiscos gordurosos e açucarados — estes não pareceram satisfazê-los tanto quando os receptores de opiáceos foram bloqueados.[15] Além da criação de novos remédios, especialistas em vício têm insistido que a indústria alimentícia "deve receber incentivos para desenvolver alimentos de baixa caloria mais atraentes, palatáveis e com preços acessíveis para que as pessoas possam aderir a programas de dieta por muito tempo".[16] Isso não é necessário: a Mãe Natureza já faz. É para isso que serve a seção de hortifrúti.

Em vez de tomar remédio, você pode prevenir o entorpecimento do centro de prazer recorrendo aos alimentos da luz verde. Isso pode fazer com que sua sensibilidade à dopamina retorne a níveis normais e assim você consiga voltar a sentir o mesmo prazer com o mais simples dos alimentos. Quando você come com frequência produtos de origem animal densos em calorias e porcarias como sorvete, não são apenas os seus botões gustativos que se alteram, mas a química do seu cérebro. Após devorar várias barras de chocolate, não apenas o gosto de um pêssego maduro pode já não ser tão doce para sua língua, como seu cérebro regula para baixo os receptores de dopamina para compensar os repetidos choques de gordura e açúcar. Na verdade, uma alimentação excessivamente saborosa pode levá-lo a sentir menos prazer também em outras atividades.

Há um motivo para o fato de os viciados em cocaína parecerem ter uma capacidade neurológica prejudicada para a estimulação sexual[17] e de os fumantes terem a capacidade de responder a estímulos positivos prejudicada.[18] Circuitos cerebrais relacionados interligam todas essas sensações. Como elas envolvem vias dopaminérgicas sobrepostas, o que colocamos no nosso corpo — o que comemos e bebemos — afeta o modo como sentimos todos os prazeres da vida. Experimente e veja. Experimente e *sinta*.

Você percebe aonde quero chegar com isso?

Uma dieta à base de vegetais e alimentos integrais e a restauração da sensibilidade à dopamina no cérebro a níveis saudáveis e normais ajudam você a tirar o máximo de proveito da vida e lhe permitem sentir alegria, satisfação e prazer maiores em todas as coisas que faz — e não apenas naquilo que come.

CONCLUSÃO | 463

Deixe-me ajudar

Espero ter conseguido convencer você de que nutrição não é o assunto chato que parecia ser na sua época de escola. Ela é dinâmica e está repleta de oportunidades para melhorar sua vida. Contudo, essa abundância pode criar um problema. Só em 2014, foram publicados na literatura médica mais de 25 mil artigos sobre nutrição. Quem tem tempo para analisar todos eles?

Todo ano, eu e minha equipe lemos as edições de todas as revistas sobre nutrição de língua inglesa no mundo, portanto você não precisa ter esse trabalho. Em seguida, reúno todas as descobertas mais interessantes, inovadoras e práticas que encontramos para criar novos vídeos e artigos todos os dias para o meu site sem fins lucrativos, o NutritionFacts.org.

Tudo o que está no NutritionFacts.org é disponibilizado sem a cobrança de absolutamente nada. Não há nenhuma área especial para membros em que é preciso pagar uma taxa para receber informações extras que salvam vidas. O que os sites que se baseiam em associados parecem estar dizendo, em essência, é que, se você não lhes der dinheiro, eles deterão informações que poderiam tornar sua família mais saudável. Isso para mim é inaceitável. Os avanços nas ciências da saúde devem estar disponíveis e acessíveis a todos.

Se nos recusamos a vender produtos, propagandas ou endossos, como pagamos as contas? O NutritionFacts.org é uma organização sem fins lucrativos 501(c)(3) — com direito a isenções fiscais — que cresce se valendo do modelo da Wikipédia de somente aceitar doações de visitantes que valorizam o conteúdo. Atingimos tantos milhões de pessoas que, mesmo que apenas uma pessoa em cada mil dê uma pequena contribuição dedutível de imposto, conseguimos pagar toda a equipe e o custo do servidor. (Eu não aceito nenhuma compensação pelo meu trabalho no NutrionFacts.org; tenho o privilégio de poder doar meu tempo como um trabalho de amor.) A esperança é a de oferecer um serviço público tão valioso que os visitantes se sintam sensibilizados a apoiar esse recurso que muda e *salva* vidas e ajudar a mantê-lo gratuito para todos o tempo inteiro.

Convido você a visitar e tornar o NutritionFacts.org parte de sua vida. Tenho *todos os dias* novos vídeos e artigos sobre as últimas novidades em nutrição levando em conta as evidências científicas disponíveis atualmente. Você pode se cadastrar para receber e-mails diários, semanais ou mensais destacando todas as informações novas, divertidas e deliciosas. Fico feliz quando me contam que isso se tornou um ritual dominical para muitas famílias. O site existe para servir a você.

Assumindo a responsabilidade

Meu objetivo é lhe fornecer informações para capacitá-lo e inspirá-lo a fazer mudanças saudáveis em sua vida, mas, em última instância, tudo depende de você. Saiba, porém, que só há uma maneira de se alimentar que comprovadamente reverte doenças cardíacas na maioria dos pacientes: uma dieta centrada em alimentos vegetais integrais. Toda vez que alguém tentar lhe vender uma nova dieta, faça apenas uma pergunta simples: "Foi provado que essa dieta reverte doenças cardíacas?" (Você sabe qual é a causa mais provável de morte para você e todos que você ama?) Se não foi provado, por que você consideraria segui-la?

Se é isso o que uma dieta à base de vegetais e alimentos integrais pode fazer — reverter a principal causa de morte nos Estados Unidos —, então não deveria ser ela a dieta padrão até que se prove o contrário? E o fato de ela também ser tão efetiva na prevenção, no tratamento e no controle de outras das principais causas de morte é um argumento decisivo a seu favor.

Por favor, tente.

Isso pode salvar a sua vida.

Comer para não morrer pode lhe parecer um título estranho para um livro. Afinal, todo mundo vai morrer um dia. Ele é sobre como não morrer de forma *prematura*. Se há uma lição a ser aprendida, é a de que você tem um tremendo poder sobre o destino da sua saúde. A grande maioria das mortes prematuras pode ser prevenida com mudanças simples na alimentação e no estilo de vida.

Em outras palavras, uma vida longa e saudável é, em grande medida, uma questão de escolha. Em 2015, o dr. Kim Williams assumiu o cargo de presidente da Escola Americana de Cardiologia. Perguntaram-lhe por que ele tinha escolhido seguir uma dieta estritamente à base de vegetais, no que ele respondeu: "Eu não me importo em morrer. Só não quero que seja por minha culpa."[19]

Este livro é sobre isso: assumir a responsabilidade por sua saúde e pela saúde de sua família.

Agradecimentos

Gostaria de expressar muitos agradecimentos: aos meus coautores e editores, Gene, Jennifer, Miranda, Miyun, Nick e Whitney, que ajudaram a transformar minhas pequenas porções de ciência em uma refeição narrativa coerente, de quatro pratos; aos meus verificadores de informações: Alissa, Allison, Frances, Helena, Martin, Michelle, Seth, Stephanie e Valerie, e a todos os voluntários do NutritionFacts.org que me ajudaram com o livro, Brad, Cassie, Emily, Giang, Jerold, Kari, Kimberley, Laura, Lauren, Luis, Tracy e especialmente Jennifer — você é a melhor assistente pessoal e amiga que um médico poderia ter. Agradeço também a Brenda e Vesanto, por seus *insights* certeiros e seu vasto conhecimento.

Fazer este livro não teria sido possível sem minha equipe maravilhosa — Joe, Katie, Liz e Tommasina —, sem todos da Sociedade Humanitária dos Estados Unidos que me apoiaram no que se referia ao trabalho, e sem Andrea, minha companheira de vida, e nossa família querida, que me apoiaram no que se referia à vida doméstica. O NutritionFacts.org não teria sido possível sem a Jesse & Julie Rasch Foundation, o talento em design e codificação de Christi Richards e as milhares de pessoas que fizeram doações a fim de que meu trabalho pudesse alcançar milhões.

Embora tenha sido minha avó quem fez de mim o médico que sou hoje, foi minha mãe quem fez de mim a pessoa que sou hoje. Eu amo você, mãe!

APÊNDICE

Suplementos

Ao obter nutrientes de alimentos da luz verde, você não apenas minimiza a exposição a componentes alimentares nocivos, como o sódio, a gordura saturada e o colesterol, como maximiza a ingestão de quase todos os nutrientes necessários: os carotenoides da vitamina A; a vitamina C; a vitamina E; e as vitaminas B, incluindo a tiamina, a riboflavina e o folato; bem como o magnésio, o ferro e o potássio, sem falar nas fibras.[1] As escalas de classificação das dietas de acordo com sua qualidade sempre avaliam as dietas preponderantemente à base de vegetais como sendo as mais saudáveis.[2]

Dito isso, devido ao modo como vivemos em nosso mundo moderno, há deficiências importantes que precisam ser corrigidas.

Por exemplo, a vitamina B12 não é produzida por plantas, mas por micróbios que cobrem a Terra. Mas, neste mundo moderno esterilizado, hoje cloramos o suprimento de água para matar qualquer bactéria. Se, por um lado, você não obtém muita vitamina B12 da água, também não desenvolve cólera — o que é bom! De modo semelhante, evoluímos para produzir toda a vitamina D de que precisamos por meio da exposição ao sol, mas já não andamos muito nus para cima e para baixo na África equatorial. Talvez você esteja na alta latitude norte, vestido e em ambiente fechado; se for esse o caso, você precisará suplementar sua alimentação com essa "vitamina do sol". Assim, é preciso dar atenção especial a essas duas vitaminas.

2.500 mcg (µg) de vitamina B12 (cianocobalamina) pelo menos uma vez por semana

Devido aos padrões higiênicos modernos, garantir uma fonte regular e confiável de vitamina B12 é *crucial* para qualquer um que mantém uma dieta à base de vegetais.[3] Embora quem inicia esse tipo de padrão alimentar já tendo um estoque adequado dela possa demorar anos para desenvolver uma deficiência,[4] as consequências da deficiência de vitamina B12 podem ser devastadoras, com casos relatados de paralisia,[5] psicose,[6] cegueira[7] e até morte.[8] Recém-nascidos de mães que mantêm uma dieta à base de vegetais e não tomam suplementos podem desenvolver a deficiência a uma velocidade muito maior, com resultados desastrosos.[9]

No caso dos adultos com menos de 65 anos, o jeito mais fácil de obter vitamina B12 é tomando pelo menos um comprimido de suplemento de 2.500 mcg toda semana. Se você tomá-la demais, apenas terá uma urina cara. Bem, nem tão cara assim: um suprimento de vitamina B12 para cinco anos pode custar menos de 20 dólares.[10] Caso prefira ter o hábito de tomá-la todos os dias, a dose diária é de 250 mcg.[11] Repare que essas doses são específicas para cianocobalamina, a forma suplementar preferível de vitamina B12, já que não há evidências suficientes que sustentem a eficácia das outras formas, como a metilcobalamina.[12]

À medida que envelhecemos, pode haver uma diminuição da nossa capacidade de absorver vitamina B12.[13] Para quem tem mais de 65 anos e mantém uma alimentação à base de vegetais, a suplementação provavelmente deve ser aumentada de pelo menos 2.500 mcg por semana (ou 250 mcg por dia) para até 1.000 mcg de cianocobalamina todos os dias.[14,15]

Em vez de tomar suplementos de B12, é possível obter uma quantidade suficiente dessa vitamina em alimentos fortificados com ela, mas aí você teria que comer três porções por dia de alimentos que fornecem pelo menos 25% de Valor Diário (na tabela de informações nutricionais),[16] ingerindo cada porção pelo menos quatro a seis horas depois da anterior.[17] A única fonte da luz verde de que tenho conhecimento é a levedura nutricional fortificada com B-12, da qual duas colheres de chá três vezes por dia seriam suficientes. Entretanto, no caso da maioria das pessoas, é provável que seja mais barato e conveniente tomar um suplemento.

Minhas outras recomendações de suplementos nesta seção podem ser consideradas sugestões para situações específicas, mas obter uma quantidade suficiente de vitamina B12 é inegociável para quem centra sua dieta em alimentos da luz verde.

Vitamina D do sol ou suplementos

Para quem não pode tomar sol o bastante recomendo consumir um suplemento de 2.000 UI de vitamina D todos os dias,[18] de preferência com a maior refeição do dia.[19]

No hemisfério norte, abaixo de uma latitude de cerca de 30° (sul de Los Angeles, Dallas ou Atlanta), quinze minutos por dia de exposição ao sol do meio do dia nos antebraços e no rosto, sem protetor solar, devem produzir vitamina D suficiente para caucasianos com menos de sessenta anos. Aqueles que têm a pele mais escura[20] ou que são mais velhos[21] talvez precisem de pelo menos trinta minutos.

Mais ao norte, na latitude de 40° (Portland, Chicago ou Nova York), de novembro a fevereiro os raios solares estão em um ângulo em que não geram vitamina D. Não importa por quanto tempo pegue sol nu na Times Square no Ano-Novo, você não produzirá nenhuma vitamina D.[22]

Acima da latitude de 50° (em Londres, Berlim, Moscou e Edmonton, no Canadá), esse "inverno de vitamina D" pode se estender por até seis meses do ano.

Portanto, suplementos de vitamina D são recomendados para moradores de latitudes mais altas durante os meses de inverno e o ano todo para quem não toma sol o bastante no meio do dia, independentemente da localização. Isso vale também para quem mora em cidades com neblina misturada à fumaça, como Los Angeles e San Diego.[23]

Não recomendo o uso de camas de bronzeamento.* Estas podem ser ineficazes[24] e perigosas.[25] As lâmpadas emitem principalmente raios UVA,[26] o que aumenta o risco de se desenvolver câncer de pele melanoma sem se produzir vitamina D.[27]

Consuma alimentos ricos em iodo

O iodo — um mineral essencial para o funcionamento da tireoide — é encontrado predominantemente no mar e em quantidades variáveis nos solos do mundo. Para garantir que todas as pessoas tivessem uma quantidade suficiente dele, passou-se a fortificar o sal de mesa com iodo a partir dos anos 1920. Portanto, ao adicionar sal à comida, use o sal iodado (e *não* o sal marinho, ou o sal "natural", que contém sessenta vezes menos iodo).[28] Mas, como o sódio é considerado a segunda maior causa de mortes no mundo no que se refere à alimentação,[29] o sal iodado deve ser considerado uma fonte da luz vermelha.

Há duas fontes de iodo da luz amarela: os frutos do mar e o leite de vaca. (O iodo se infiltra no leite, proveniente de substâncias químicas antissépticas que o contêm e são usadas para desinfetar as tetas da vaca para prevenir mastite.)[30] A fonte da luz verde com maior concentração são as algas marinhas, que têm o iodo dos frutos do mar, mas sem os poluentes solúveis em gordura que se estabelecem na cadeia alimentar aquática.

---

* No Brasil, a Anvisa proibiu em 2009 o uso de equipamentos de bronzeamento artificial. (N. da R.T.)

Os vegetais marinhos são as folhas verde-escuras subaquáticas. Incentivo você a experimentar formas de incluí-los em sua dieta. A ingestão diária de iodo recomendada é de 150 mcg, que corresponde ao teor presente em duas folhas de nori,[31] a alga marinha usada para fazer sushi. Hoje há todo tipo de petisco de alga marinha no mercado, mas a maioria, se não todos, parece ter também ingredientes da luz vermelha. Por isso, compro nori puro e eu mesmo tempero as folhas, esfregando nelas água de gengibre em conserva e salpicando um pouco de raiz-forte japonesa (wasabi) em pó antes de tostá-las de novo a 150 graus Celsius por cerca de cinco minutos.

Salpicar meia colher de chá de alga arame ou dulse durante o preparo dos seus pratos também pode lhe fornecer a cota de iodo do dia. A dulse é vendida em belos flocos roxos que podem ser polvilhados na comida. Faço um alerta *contra* a hijiki[32] (também grafada como hiziki), pois foi constatado que ela sofre de contaminação com arsênico. Também peço cautela com a kelp, que pode ter iodo *demais* — meia colher de chá de kelp pode exceder o limite diário. Pelo mesmo motivo, você não deve desenvolver o hábito de comer mais de quinze folhas de nori ou mais de uma colher de sopa de arame ou dulse por dia.[33] Iodo demais pode gerar uma atividade excessiva na glândula tireoide.[34]

Para quem não gosta de algas marinhas, o feijão em lata da marca Eden tem uma pequena quantidade de kelp adicionada, de tal modo que os níveis médios de iodo são de 36,3 mcg a 71,2 por porção de meia xícara, dependendo do tipo de feijão.[35] Esses níveis não apenas são seguros — seria necessário comer vinte latas por dia para ter iodo em excesso —, como, ao comê-los, você cumpriria minha recomendação de três porções diárias de leguminosas com feijão Eden e satisfaria sua cota diária de iodo.

Uma última observação sobre o iodo: embora as pessoas que evitam algas marinhas e laticínios não pareçam ter um prejuízo da função da tireoide,[36,37] é importante tomar uma atitude durante a gravidez, pois esse mineral é crucial para o desenvolvimento apropriado do cérebro.[38] Concordo com a recomendação da Associação Americana da Tireoide de que toda gestante e lactante americana receba todo dia, no pré-natal, uma vitamina contendo 150 mcg de iodo.[39]

Considere tomar diariamente 250 mg de ômega-3 de cadeia longa sem poluentes (derivado de levedura ou alga)

De acordo com duas das mais confiáveis autoridades em nutrição — a Organização Mundial de Saúde e a Autoridade Europeia de Segurança Alimentar [EFSA, na sigla em inglês] —, devemos obter pelo menos 0,5% das nossas calorias em

SUPLEMENTOS | 471

ômega-3 de cadeia curta ALA.[40] Isso é fácil: aquela colher de sopa de sementes de linhaça moídas dos Doze por Dia dá conta disso. O nosso corpo pode, então, pegar o ômega-3 de cadeia curta das sementes de linhaça (ou das sementes de chia ou de nozes) e alongá-lo, transformando-o nos ômegas-3 de cadeia longa EPA e DHA, presentes na gordura de peixes. A questão, porém, é se o corpo consegue produzir o suficiente para que se tenha uma ótima saúde do cérebro.[41,42] Até que haja mais informações, recomendo que se tome diretamente 250 mg de ômega-3 de cadeia longa sem poluentes.

Não recomendo o consumo de óleo de peixe, já que foi constatado que, mesmo purificado ("destilado"), ele é contaminado por quantidades consideráveis de PCBs e outros poluentes a tal ponto que, tomados conforme a orientação, os óleos de salmão, arenque e atum excederiam a ingestão de toxicidade diária tolerável.[43] Isso talvez explique os estudos que identificaram efeitos adversos do consumo de peixes na função cognitiva de adultos e crianças. Mas muitas dessas pesquisas ou foram feitas na jusante de uma área de mineração de ouro contaminada por mercúrio, usado no processo de mineração,[44] ou incluíram participantes que comiam carne de baleia ou peixes capturados próximo a fábricas de produtos químicos ou derramamentos tóxicos.[45] Mas e o peixe que comemos em restaurantes ou são vendidos na mercearia?

Um grupo de moradores da elite da Flórida (na maioria executivos de empresas) foi analisado. Eles comiam uma quantidade tão grande de frutos do mar que pelo menos 43% deles excediam o limite de segurança da Agência de Proteção Ambiental para mercúrio, o que parecia ter um efeito. Os pesquisadores constataram que a ingestão excessiva de frutos do mar — o que eles definiram como mais de três ou quatro porções por mês de peixes como atum, caranho ou vermelho — eleva os níveis de mercúrio e pelo visto causa disfunção cognitiva. O efeito não era grande — apenas uma queda de 5% no desempenho cognitivo —, mas era "uma perda [de função executiva] que provavelmente ninguém gostaria de ter, ainda mais alguém preocupado com a própria saúde e ambicioso no campo profissional".[46]

Felizmente é possível ter os benefícios sem arcar com os riscos obtendo ômega-3 de cadeia longa[47] em algas, que são onde os peixes o obtêm primeiro.[48] Ao excluir o peixe como intermediário e obtendo EPA e DHA direto da fonte, na base da cadeia alimentar, você não teria que se preocupar com a contaminação por poluentes. Na verdade, as algas usadas em suplementos são cultivadas em tanques e não entram em contato com o mar.[49] É por isso que recomendo uma fonte sem contaminação para que se tenha o melhor dos dois mundos: taxas de ômega-3 associadas à preservação do cérebro[50] e minimização da exposição a poluentes industriais.

E a respeito de...?

Todas as outras vitaminas, minerais e nutrientes devem ser providos pelas montanhas de nutrição que se recebe ao centrar a dieta em alimentos vegetais integrais. E muitos desses nutrientes são os que os americanos tendem a não obter em quantidade suficiente — ou seja, as vitaminas A, C e E e os minerais magnésio e potássio, bem como as fibras.[51] Noventa e três por cento dos americanos não obtêm vitamina E o bastante. Noventa e sete por cento dos americanos adultos não obtêm fibras o bastante.[52] *Noventa e oito* por cento das dietas americanas são deficientes em potássio.[53] Você, meu amigo, será aquele um em cada mil que faz as coisas direito.

Se você tem uma pergunta específica sobre algum nutriente obscuro — como "E o meu molibdênio ou as minhas menaquinonas?" —, em vez de me fazer entediar todos os outros leitores com minúcias, permita-me indicar a você o melhor livro de referência disponível sobre nutrição à base de vegetais, dos preeminentes dietistas Brenda Davis e Vesanto Melina.[54] Os autores fornecem ótimos detalhes e há até capítulos sobre gravidez, amamentação e criação de meninos e meninas cheios de saúde.

As dietas à base de vegetais e fortificadas com vitamina B12 geram benefícios à saúde em todas as fases do ciclo da vida.[55] O dr. Benjamin Spock, o mais respeitado pediatra de todos os tempos, escreveu o que talvez seja o best-seller americano do século XX: *Meu filho, meu tesouro: Como criar seus filhos com bom senso e carinho*. Na sétima edição americana, a última antes de o dr. Spock falecer, aos 94 anos, ele defendeu que as crianças sejam criadas com uma dieta à base de vegetais, sem nenhuma exposição a carnes ou laticínios. O dr. Spock vivera o suficiente para ver o início da epidemia de obesidade infantil. Ele declarou: "Crianças que crescem obtendo sua nutrição em alimentos vegetais têm uma tremenda vantagem em saúde e uma probabilidade muito menor de desenvolver problemas de saúde com o passar dos anos."[56]

Notas

Para não sobrecarregar o texto ao fim deste livro, as notas foram incluídas em um arquivo disponível no site www.intrinseca.com.br/comerparanaomorrer.

NOTES

Índice

abacate, 136, 348

açafrão, 80-81, 245-246, 411

açaí, 194

ácido araquidônico, 241-242

ácido salicílico, 291-293

ácido úrico, 277

açúcar no sangue, 20, 128-129

    aumento de gorduras e, 131

    dieta à base de vegetais para controlar o, 140, 146-147, 340, 424

    remédios para baixar o, 143-144, 146

    vinagre para, 369-370

açúcares, 304, 335, 339-342, 366, 460-462

aditivos alimentares, 210-212

adoçantes artificiais, 245-247, 446-450

adoçantes, 446-447

afinadores de sangue, 362

África, 36-37, 43, 89, 154, 258

Afro-americanos, 230, 262

agentes anticâncer, 56, 91, 110

agentes quimiopreventivos, 55

AGEs. *Ver* produtos finais de glicação avançada

água engarrafada, 439

água salgada, 388

água, 437-440, 450

AHA. *Ver* Associação Americana do Coração

AICR. *Ver* Instituto Americano de Pesquisa em Câncer

Aids, 104

aipo, 387-388

alcalinidade, 204-205, 206, *208*, 208-209

alergias, 60, 116-117, 351, 305, 403, 443

alface, 384-385

algas marinhas, 469-470

alho, 110, 265, 288, 335-336, 383, 384, 385

alimentação canibalesca, 103, 280-281

alimentos à base de animais, 22. *Ver também* carne bovina, carne cozida; peixe; carne de porco; aves domésticas; carne processada

    AGEs e, 83-84

    antibióticos nos, 125-126, 196

    calorias nos, 139, 139, 142-143

    cânceres associados a, 57-58, 89-91, 93-94, 99-100, 197, 221, 222-224, 229-230, 266-267, 329, 386, 422

    deficiência de fibras com, 64-65

    envelhecimento e, 25

    excesso de ferro com, 93-94

    falta de antioxidantes nos, 71

476 | COMER PARA NÃO MORRER

flatulência e, 334-335
ganho de peso e, 142-143, 145
IMC com, 133
inflamação com, 44, 204, 241-242
intoxicação alimentar em, 117-125, 182, 210
pressão da indústria por, 47-48
problemas renais com, 202, 206-207
refluxo gastroesofágico com, 99-100
risco de doença com, 59, 60, 76-78, 93-94, 135, 135-136, 140-141
risco para a gravidez com, 57-58
saúde mental e, 241-243
alimentos congelados, 341, 356-357
alimentos crus, 166, 355, 379, 386, 408
alimentos em conserva, 329-330
alimentos fritos, 57-58, 386-387
alimentos germinados, 331-332, 359
alimentos orgânicos, 32, 92, 292-293, 327, 389-390
alimentos processados, 460
cuidado com fosfato nos, 210-211
definição de, 310-312
doenças ligadas aos, 22, 64-65
gordura trans nos, 40
grão integrais comparados aos, 434
níveis de sódio nos, 159-161
alimentos, 153, 303, 362. *Ver também* alimentos à base de animais; alimentos fritos; alimentos congelados
alergias a, 351
calorias por porção de, 138-139, 139
custo dos saudáveis, 304
estímulo ao sistema imunológico com, 114-115, 126
influência epigenética de, 30-31
metais pesados nos, 270-271, 278, 281, 390
na dieta ácida, 207-208, 208
para prevenção de doenças, 184-188, 200-201, 355

para proteção contra a radiação, 286-288
poluentes nos, 142, 269-273, 275-276, 281, 282, 471-472
prevenção de danos ao DNA com, 53, 55, 56, 188, 286-288, 354-355, 378
ricos em fibras, 324-325
sistema de classificação dos, 304-305, 305
superiores aos remédios, 27-28, 29, 31, 62, 91-92, 161, 167, 169, 205, 264, 290-293
superiores aos suplementos, 61-62, 71, 193, 205, 249-250, 286-287, 359, 376, 409-410, 446, 467
alívio da dor, 148-149, 414-416, 456
Allium, vegetais. *Ver* alho; cebola
Alzheimer, mal de, 277
AGEs e, 81-83
alimentos à base de animais e, 75-78
dieta e prevenção do, 73-74, 78-84, 41
exercícios e, 83-84
genética comparada a dieta no, 76-78
mortes anuais por, 26, 63-64
provocado por aterosclerose, 74-75
americanos, 20-21, 23, 304. *Ver também* dieta americana padrão
doença cardíaca entre os, 18-19, 37, 41
expectativa de vida dos, 19
pressão arterial dos, 154-155
amianto, 96, 97
amiloide, 64, 75-76, 279
aminas heterocíclicas, 57, 197, 222-224, 229
aminoácidos, 378-379
amla, 419-420
amora-preta, 339
anemia, 94
aneurisma, 154
angina, 12, 36, 43, 45
antiácidos, 100

ÍNDICE | 477

antibióticos, 125-126, 196

antidepressivos. *Ver* remédios que precisam de prescrição médica

antioxidantes, 91
  alimentos ricos em, 71-73, 168, 186, 358-359
  como alimentos para o cérebro, 56–57
  das frutas vermelhas, 111, 338-339, 342-343, 344
  em ervas e temperos, 55, 72, 194, 244, 404-405, 417-419, 421, 424
  em verduras, 363, 364-365
  estresse oxidativo e, 70-71
  mais presente nos alimentos do que em suplementos, 61, 193, 286-287, 359
  medindo, 420
  na casca da maçã, 71, 228-229, 338-339
  na vitamina C, 71, 214
  nas bebidas, 387, 390
  no suco de limão, 71
  os pigmentos como, 110, 185-186
  óxido nítrico e, 169-170
  proteção contra a depressão com, 249-250
  redução de inflamação com, 73, 456
  risco de derrame e, 68-73
  tabagismo e, 54-55

apolipoproteína E4 (ApoE4), 77-78

Aricept. *Veja* donepezila

arroz, 162, 310

arsênico, 271

artérias, 35-36, 44

artrite, 123, 405

asma, 51-52, 59-62, 111-112

aspartame, 246-247

Aspirina, 290-293, 375, 407

Associação Americana do Coração (AHA), 20-21, 23, 38-39, 154, 156, 161, 376

ataque cardíaco
  alimentos prevenindo, 362
  Aspirina e risco de, 290, 292

aterosclerose levando a, 35-36
  prevenção em voga de, 20

ataques de epilepsia, 442

aterosclerose, 36, 155
  colesterol LDL e, 39-40
  como causa de Alzheimer, 74-75
  disfunção erétil com, 401-402

Atkins, corporação, 126

atletas, 113-114, 165, 172, 459

autismo, 355

aveia, 184-185, 325, 435

aves domésticas, 83, 104, 378
  carga ácida com, 208, *208*
  conteúdo de gordura nas, 145
  infecções no trato urinário relacionadas a, 121-122
  intoxicação alimentar com, 118-120, 210
  níveis de sódio nas, 159
  risco de câncer com, 96-97, 100, 196, 242, 257, 262
  toxinas nas, 273
  trabalhadores e risco de câncer, 97, 197-198

Ayurveda, 419, 420

azeitonas e azeite de oliva, 136, 347-348, 398

bacon, 58

banana, 348

Barnard, Neal, 49, 316

barrinhas de frutas e oleaginosas, 392-393

batata, 380-381, 385

batata-doce, 67, 380

bebês, 111

bebidas, *320*, 321
  benéficas, 168-169, 436-446, 448, 449
  receitas de, 186, 440, 448

betacaroteno, 110, 193

beterraba, 170-173

bexiga, infecções na. *Ver* infecções do trato urinário

bicarbonato de sódio, 205

Blackburn, Elizabeth, 25-26

bloqueadores de canais de cálcio, 161, 167

bloqueadores de carcinógenos, 55, 364-365

brócolis, 332

    aumento da imunidade com, 108-109

    desintoxicação do fígado com, 230

    prevenção de danos ao DNA com, 354-355

    prevenção do câncer com, 53-54, 231-232

    suplementos, 359

bronquite, 51-52, 58-59

broto de alfafa, 371

broto de brócolis, 231-232, 359-360

Burkitt, Denis, 89

bypass gástrico, cirurgia de, 144

C. diff. Ver *Clostridium difficile*

cacau em pó, 310-311, 396

cachorro-quente, 213

café, 437, 438, 441-442

    longevidade com, 440-441

    mal de Parkinson e, 274, 281-282

    proteção do fígado com, 187-188

    risco de suicídio e, 247

    taxas de colesterol e, 442

cafeína, 441-443. *Veja também* café; chá

cálcio, 206-207, 304, 306, 325

calorias, 138-139, *139*, 142-143, 144-145, 399-401

câncer colorretal, 52

    diagnóstico e prevenção do, 85, 86, 293-295

    dieta como causa e cura para o, 23, 88, 89-93, 292

    no Japão comparado a nos Estados Unidos, 30

câncer de cólon. *Ver* câncer colorretal

câncer de esôfago, 85, 98-100, 101-102

câncer de fígado, 187-188

câncer de mama, 52, 399, 443

    álcool e risco de, 218-219

    colesterol LDL ligado a, 224-225

    consumo de carne e risco de, 221, 222-224, 229-230

    detecção de, 215

    dieta à base de vegetais para, 22-23, 215-216, 217, 226-230, 236-237

    dieta rica em fibras e prevenção de, 227-228

    estatinas e risco de, 42

    exercícios e prevenção de, 221

    genética e, 235-236

    melatonina e risco de, 219-221

    mortes anuais por, 27

    semente de linhaça e redução de, 232-234, 394

    soja e, 234-237, 336

    supressão de células-tronco em, 231-232

câncer de pâncreas, 52, 85, 95-98

câncer de próstata

    cirurgia para, 253

    dieta à base de vegetais e reversão de, 31, 258-261, 267

    dieta e risco de, 253-258

    laticínios e ovos e, 254-256, 262

    mortes anuais por, 27

    regulação de crescimento celular e, 265-267, 355

    semente de linhaça e, 262-263, 394

câncer de pulmão, 27, 44, 50-54, 58

câncer retal. *Ver* câncer colorretal

câncer, 21, 26

    alergias e risco de, 116-117

    alimentos à base de vegetais para, 22-23, 54, 85, 86, 87, 90, 101-102, 110-111, 215-216, 217, 226-230, 237, 258-262, 325, 355, 364, 383-385

    alimentos de origem animal e, 57-58, 89-91, 93-94, 99-100, 197, 221, 222-

224, 229-230, 254-256, 266-267, 329, 386, 422

Allium para combater o, 329, 383, 385

Aspirina e risco de, 290-291

aumento de hormônios e, 254-255

benefícios da água para, 437-439

brócolis para prevenção de, 53-54, 231-232

em populações asiáticas, 29-30, 86, 236-237, 262, 292

ervas e temperos para, 55-57, 58, 86-87, 98, 195-196, 383, 384, 385, 405, 412, 419

estudos clínicos sobre, 90, 101-102, 195-196, 232, 233-234

estudos de Ornish sobre, 31, 258, 260-262

exercícios e, 259, 452-453

genética e, 30, 85, 92, 235-236

ovo e risco de, 242-243, 254-258, 262

proteção do chá contra, 443

radiação diagnóstica e, 285-286

redução de fibras e risco de, 64, 88, 89, 227-228

relacionado a aves domésticas, 96-97, 100, 196, 242, 257, 262

cânceres do sangue

alimentos à base de vegetais para tratar o, 192-196, 199

categorias de, 191

crianças e, 190-191

mortes anuais por, 27, 191

vírus animais e, 196-198

cânceres do sistema digestório, 27, 85, 95-96, 98-99, 101-102

canela, 72, 194, 424

capacidade de memória, 79, 83-84

Captopril, 169

carboidrato, consumo de, 131, 245

carcinógenos, 55-56, 57-58, 197, 212-214

cardamomo, 111

carne bovina, 120-121, 208, *208*, 242

carne cozida, 57-58, 83, 197, 222-224, 422

carne de porco, 123-124, 182, 208, 242

carne processada, 153, 213-214, 271

carotenoides, 193, 249, 367, 376-377

causa iatrogênica. *Veja* erro médico

CDC. *Ver* Centros para Controle e Prevenção de Doenças

cebola, 244, 265, 329, 338, 383, 385

células B, 106

células exterminadoras naturais, 110-111

células-tronco, 231-232

cenoura, 384-385, 387-388

Centros para Controle e Prevenção de Doenças (CDC), 211, 457

comportamentos de estilo de vida para ser saudável de acordo com os, 24

sobre intoxicação alimentar, 117, 118, 124

sobre o consumo de álcool, 177

sobre o índice de diabetes, 151

cereja ácida, 342

cesariana, operação, 111-112

chá de hibisco, 168-169, 448

chá, 437, 438, 440, 455

fluoreto no, 446

folhas de, 420, 443, 445-446

proteção contra o câncer no, 443

tipos e porções de, 436, 443, 444-445

chá-verde, 236-237, 244, 282

chia, sementes de, 350, 396

chlorella, 114-115, 181, 432

cirrose. *Ver* doença hepática

cirurgia, 143-145, 253, 274, 405

clorofila, 338, 363-365

Clostridium difficile (*C. diff*), 124-125

Coca-Cola, 48, 309, 452, 461

coentro, 412-413

coenzima Q10 (CoQ10), 364-365

cogumelos, 116, 219, 237, 378-379

colesterol HDL, 55

colesterol LDL, 138, 445
alimentos para baixar o, 46, 55, 64, 65, 341, 350, 392-393
Alzheimer ligado ao, 76
câncer de mama ligado ao, 224-225
níveis para a saúde, 41
risco de doença cardíaca e, 40-41
colesterol no sangue, 20, 289. *Ver também* colesterol HDL; colesterol LDL
café e, 442
dieta à base de vegetais e, 37, 43, 46
disfunção sexual com, alto, 402
doenças ligadas ao, alto, 40-42, 75-76, 77-78, 179-180, 202
efeito da couve-crespa no, 54-55
gravidez e, 40
colina, 257-258
colonoscopia, 86, 293-294, 295-296
Comissão McGovern, 47
comportamentos de estilo de vida, 12, 24, 26, 292
dos americanos, 18-19, 20-21, 23, 304-305
superam a genética, 29-30, 78, 260-261
comunidade médica, 18, 48-49, 189-190
condicionamento sabor-sabor, 366
constipação, 88-89, 278-279
consumo de álcool, 93, 438-439
doença hepática pelo, 176, 177-178
risco de câncer de mama pelo, 218-219
risco de câncer do sistema digestório e, 95-96, 98-99
consumo de carne. *Ver* alimentos à base de animais
consumo de gordura
câncer de pâncreas e, 96
carboidratos comparados a, 131
doenças ligadas a, 40, 79, 99-100, 131, 179-180, 187
verduras combinadas a, 367
vício em, 461-462

contaminação fecal, 120-121, 122-123
CoQ10. *Ver* coenzima Q10
couve-crespa, 54-55, 107, 214, 358, 384
couve-de-bruxelas, 383, 384
couve-flor, 54, 336, 357, 374, 383
couve-manteiga, 214, 230
cranberry, 80, 185-186, 339
cravo-da-índia, 194, 244, 419
crianças, 117-118
asma em, 52, 59-60
desidratação em, 439
diabetes em, 132-134
dieta à base de vegetais para, 134, 472
HPAs e desenvolvimento de, 57-58
ingestão de fibras por, 65
leucemia em, 189-190
obesidade e pré-diabetes em, 132-134, 472
toxinas transmitidas a, 270-271
cúrcuma, 321, 454-455. *Ver também* curcumina
alimentos em sinergia com, 408-409
cuidados com, 409-410, 411
estudos clínicos sobre, 55, 56-57, 405-406, 409-410
redução da flatulência com, 335
sugestões para o consumo de, 406-409
suplemento comparado ao alimento integral, 409-410
cúrcuma, 288, 292, 405-406
prevenção e tratamento do câncer com, 55-57, 58, 86-87, 98, 195-196
suplemento comparado ao alimento integral, 409-410

danos ao DNA, 410, 447
alimentos prevenindo, 53, 55, 56, 188, 286-288, 354-355, 378
alimentos reparando, 351-352
carne e, 58, 197
clorofila prevenindo, 364

ÍNDICE | 481

ervas e temperos prevenindo, 406, 408, 418

pesticidas e, 279

radicais livres e, 70

danos musculares, 42

DART, teste, 39

DASH, dieta, 163-164

DDT, 369, 270-271, 275

demência, 74, 77

densidade óssea, 90, 255-256, 441

Departamento de Agricultura dos Estados Unidos, 23, 66-67, 121, 145, 253, 307

depressão. *Ver* saúde mental; suicídio

derrame isquêmico, 64

derrame, 277

    duração do sono e risco de, 68

    mortes por, 63

    prevenção por meio da dieta, 22, 64-68, 362, 398, 427

    redução do risco com antioxidantes, 68-72

derrames hemorrágicos, 64

desintoxicação. *Ver* toxinas

diabetes tipo 1, 128, 129, 132

diabetes tipo 2, 91, 151. *Ver também* pré-diabetes

    alimentos processados e, 22

    calorias para, 144-145

    causas de, 131

    dieta à base de vegetais com, 126, 130, 134-136, *135*, 137, 138-143, 146-149, 151-152, 355, 426

    estatinas e risco de, 42

    exercícios e, 452-453

    genética e, 128-129, 138, 151

    ligação dos pesticidas em alimentos com, 141-142

    mortes anuais por, 27

    na Ásia, 140-141

    onívoros e, 134-135, *135*, 136

    risco de doença cardíaca com, 140

riscos da medicação, 143-144

sintomas de, 129

suco de fruta e risco de, 346

terapias para, 144-145, 424

tratamento de neuropatia em, 148-149

dieta à base de vegetais, 24, 25, 49. *Ver também* dieta vegana; dieta vegetariana

    angina e, 45

    associada a exercícios, 456-457

    benefícios semelhantes ao da Aspirina com, 291-293

    câncer de próstata e, 31, 258-261, 267

    controle de colesterol com, 37, 43, 46, 54-55

    controle do açúcar no sangue com, 140, 146-147, 340, 424

    controle do peso com, 133-134, 138-143, 146-147

    definição e linhas gerais da, 312, 319-323

    função renal com, 203-204, 205, 214

    insuficiência de ferro na, 95

    lista diária para, 319-323, 320

    melhora da asma com, 60-62

    níveis de dopamina com, 462

    nutrição pela, 142, 304-305, 306-307, 361, 372

    para crianças, 472

    poder antioxidante da, 72

    prevenção do Alzheimer com, 74, 78-84, 411

    prevenção do refluxo gastroesofágico com, 100

    prevenção e controle de DPOC com, 59

    prevenção e tratamento de doenças com, 22-23, 26, 290, 297, 306

    prevenção e tratamento do câncer com, 54, 85, 86, 87, 90, 101-102, 110-111, 192-196, 199, 228-229, 231-232, 258-262, 325, 355, 364, 383-385

prevenção e tratamento do câncer de mama com, 22-23, 215-216, 217, 226-230, 236-237
proteção contra radiação com, 286-288
redução de toxinas com, 109, 271-272, 277-278, 355
resistência do sistema imunológico com, 107-113
risco de câncer de sangue com, 192-196, 199
risco de Parkinson e, 276
risco e tratamento de diabetes com, 128, 134-136, 135, 136, 138-143, 146-149, 151-152, 355, 426
saúde mental com, 241-245, 252
tratamento da diabetes com, 126, 130, 134-136, 135, 137, 138-143, 146-149, 151-152, 355, 426
tratamento da doença cardíaca com, 11-12, 26, 37, 43, 91, 301-302, 426-427, 464
tratamento da hipertensão com, 148, 162-174, 330, 380
tratamento da neuropatia com, 148-149
variedade de benefícios na, 72, 374-376, 383
dieta americana padrão, 20-21
câncer com, 89-90, 224, 258-259
doenças causadas pela, 35-36, 60-61, 132, 202, 214
falta de nutrição na, 23, 65, 66, 345
participação da indústria alimentícia na, 307-309, 460
pressão arterial com, 154-155, 164-165, 174
refeição típica na, 376, 420
saúde mental e humor com, 77, 132
sódio na, 159
transição da, 314-315, 331
dieta lactovegetariana, 163
dieta mediterrânea, 79, 179-180, 275, 398

dieta pesco-vegetariana, 134, 135, *135*
dieta vegana, 312-313
angina e, 45
IMC e, 134
movimentos intestinais com, 89
nutrição na, 142
ocorrência de diabetes e, 134-135, *135*, 136, 141
poluentes na, 278
pressão arterial e, 165
dieta vegetariana, 223, 308, 312-313
alcalinidade com, 204-205
enzima que queima gordura na, 143
IMC e, 133-134
incidência de câncer do sangue com, 192
movimentos intestinais com, 89
ocorrência de diabetes com, 135, *135*, 141
pressão arterial com, 164
transição da ingestão de carne para, 22
dieta. *Ver também* dieta à base de vegetais; dieta americana padrão; dieta vegana; dieta vegetariana
causa e prevenção do câncer com, 23, 85, 88, 89-93, 100, 216-217, 292-293
com base em evidências científicas, 28, 316-318, 464
como causa e cura de doenças, 13, 17, 18, 21-23, 26-31, 37-38, 43, 52, 53, 62, 64-65, 74, 78-84, 275-281, 289-290, 337
conselhos médicos sobre, 49
desenvolvimento da criança e, 134, 472
força de vontade e hábitos com, 313-316
importância do quadro geral em, 311-313
para a saúde mental, 240-247, 252, 429
qualidade da, 22-23, 26

ÍNDICE | 483

redução de inflamações com, 91, 435

risco de morte e, 24, 153, 155, 373, 395-396, 452

vícios em, 460-462

dietas ácidas, 204-205, *208*, 208-209

dietista registrado, 48-49

dinheiro

corrupção com, 14, 47-48

indústria de *junkfood*, 48-49

relacionado a remédios que precisam de prescrição médica, 18

segurança alimentar e, 119-120, 123-125, 211-212

dioxinas, 272-273

diretrizes alimentares, 163, 436. *Ver também* Doze por Dia

da Kaiser Permanente, 29, 312, 314

sugeridas pelo governo, 47, 159, 161, 304-308, 324

disfunção erétil, 151, 163, 170, 349, 401-402

distúrbio vascular, 75

diuréticos, 161, 162

diverticulose, 101, 403

DNA, 24-25, 81

doação de sangue, 94-95

doença cardíaca, 178, 209, 442. *Ver também* derrame

alimentos processados e, 22

benefícios da água para tratar a, 437-439

consumo de carne e, 93-94

diabéticos e, 140

dieta à base de vegetais para, 11-12, 26, 37, 43, 91, 301-302, 426-427, 464

estudos de Ornish sobre, 12, 43, 45, 301-302

exercícios e, 12, 452-453

frutas vermelhas e prevenção de, 337

grãos integrais como tratamento para, 162

influência do colesterol LDL sobre, 40-41

ingestão de sódio e, 156-157

morte por, 17, 20, 27, 35, 36, 63, 153

mulheres e, 42-43, 297

ocorrências globais de, 36-37, 43

potássio e, 66

relação de danos renais com, 201-202

doença celíaca, 427-430

doença da vaca louca, 104

doença de Graves, 123

doença de Huntington, 276-277

doença do fígado. *Ver também* hepatite viral

alimentos para prevenção da, 184-188, 355

carne de porco ligada a, 182

fast-food e, 179, 180

frutas vermelhas e, 337

gordurosa não alcoólica, 179-180, 187

morte por, 27, 175-176

obesidade como causa da, 175-176

por estatinas, 42

relacionada a álcool, 176, 177-178

tipos de, 176-177

doença pulmonar obstrutiva crônica (DPOC), 51, 58-59

doença pulmonar, 21, 27, 51, 59, 60-61, 62. *Ver também* asma; doença pulmonar obstrutiva crônica

doença renal, 154, 277

alimentos à base de animais ligados a, 202, 206-207

alimentos para prevenção de, 200

doença cardíaca por, 201-202

excesso de fósforo e, 209-211

mortes anuais por, 27, 202-203

provocada pela alimentação, 201-202, 212-214

relação entre cigarro e cachorro-quente e, 213

doença respiratória, 58

484 | COMER PARA NÃO MORRER

doenças autoimunes, 123

doenças cerebrais, 26, 63, 64, 73-74, 78-84, 337

doenças infecciosas, 27
 higienização das mãos para prevenir, 105
 indústria da carne e, 103-104
 prevenção de, 105, 113-115, 283-284
 sistema imunológico e, 104-107

doenças provocadas pelo estilo de vida, 20-21, 28

donepezila, 81

dopamina, 460-462

dor de cabeça, 414, 415-416

dor no peito. *Ver* angina

Doze por Dia, 318, 319-323, *320*

DPOC. *Ver* doença pulmonar obstrutiva crônica

durião, 352-353

E. coli, 117, 121-122

eczema, 60

edamame, 330-331

Edison, Thomas, 18, 29

efeitos colaterais
 da *chlorella,* 114-115
 dos antiácidos, 100
 dos medicamentos para diabetes, 144
 dos remédios para hipertensão, 161, 162-163, 169-170
 dos remédios para saúde mental, 244, 246, 251
 dos remédios que precisam de prescrição médica, 27, 42-43, 45, 90, 200, 264, 283, 284, 351, 362, 415

empoderamento, 15, 23, 30, 31

endotoxinas, 44-45

enfisema, 51-52, 58-59

envelhecimento, 36, 117-118
 celular, 25-26
 estresse oxidativo como causa de, 70-71
 fluxo sanguíneo e, 73, 74

genética e, 24-25
sirtuínas e, 81-82
teoria dos radicais livres, 68-69

enxofre, aditivos com, 350

EPIC, estudo, 196

EPIC-PANACEA, 143, 145

epigenética, 30

Epstein-Barr, vírus, 114

ergotioneína, 378-379

eritritol, 186, 447-448, 449-450

erro médico, 283-286

ervas e temperos, 293, *320*
 cuidados com, 422-424
 na gravidez, 411, 412, 417
 para a saúde do cérebro e o humor, 80-81, 244, 245-246
 para câncer, 55-57, 58, 86-87, 98, 195-196, 383, 384, 385, 405, 412, 419
 para redução de inflamações, 405-406, 413, 418
 poder antioxidante das, 55, 72, 194, 244, 404-405, 417-419, 421, 424
 prevenção de danos ao DNA com, 406, 408, 418
 recomendações de, 404-405, 411-421

ervilha, 331

esôfago de Barrett, 99

espinafre, 384

Esselstyn, Caldwell, Jr., 43

estatinas, 20, 41, 289, 365

estévia, 447

estresse oxidativo, 70-71, 158, 456-457

estresse. *Ver* saúde mental

estrogênio, 219, 223, 225, 232-233
 receptores de, 227, 229, 234-235, 327
 soja e, 234-236

Estudo de Carga de Doença Global, 153, 345, 373, 395

estudos clínicos, 194. *Ver também* Estudo de Carga de Doença Global; estudo NIH-AARP

ÍNDICE | 485

sobre a cúrcuma, 55, 56-57, 405-406, 409-410

sobre a doença cardíaca, 41

sobre a doença hepática, 184-185, 188

sobre a doença mental, 245, 248, 250-251

sobre a pressão arterial, 156-157, 161-162, 168-169, 336

sobre a proteína de origem animal, 204, 206-207

sobre a semente de linhaça, 167, 233

sobre a síndrome de ovário policístico, 418

sobre a taxa de açúcar no sangue, 369

sobre as diabetes, 137, 139, 140-141

sobre as frutas vermelhas, 342, 343

sobre bebidas, 441, 444

sobre o Alzheimer, 80

sobre o autismo, 355

sobre o câncer, 90, 101-102, 195-196, 232, 233-234

sobre o gengibre, 415-416

sobre o glúten, 428-429

sobre o mal de Parkinson, 281-282

sobre o óleo de peixe, 38

sobre oleaginosas, 396-401

sobre os probióticos, 111-112

sobre os rins, 204

estudos sobre migração, 30, 76

exercícios físicos, 282, *320*, 321

aumento da imunidade com, 113-116, 351

benefícios dos, 452-453

como fator de saúde, 21, 23, 24

dieta à base de vegetais com, 456-457

envelhecimento celular e, 26

estresse oxidativo nos, 456-457

melhora da memória com, 83-84

moderação nos, 113-114

para tratar a depressão, 248

prevenção do câncer de mama com, 221

reversão de doença cardíaca e, 12, 452-453

tipos e duração dos, 451, 454-455, 457-458

tratamento de diabetes com, 452-453

tratamento do câncer com, 259, 452-453

expectativa de vida, 19

"fadiga de decisão", 313

fast-food, 179, 180

FDA. *Veja* Food and Drug Administration

Feijão. *Ver* leguminosa

feno-grego, 411-412

ferro heme. *Ver* ferro

ferro, 89-90, 93-95, 324

fezes. *Ver* movimentos intestinais

fibras, 304. *Ver também* proporção carboidrato-fibras

alimentos ricos em, 324-325

hérnia de hiato e, 100-102

prebióticos em, 112

proteção contra o câncer colorretal e, 88, 89

redução do risco de derrame com, 64-65

risco de câncer de mama e, 227-228

riscos de deficiência de, 64-65, 102, 227-228

fitatos, 89-91, 210

fitoestrógenos, 232, 234-235, 262-263

fitonutrientes, 87. *Ver também* carotenoides

crescimento de tumor bloqueado por, 91

defesa contra toxinas com, 109-110

nas frutas, 67-68, 80

nas verduras, 363, 370

no chá, 443, 444

perfis únicos de, 374-376

flatulência, 334-336

fluoreto, 446

fluxo sanguíneo, 67, 73, 74
folato, 250, 325
Food and Drug Administration (FDA), 42, 250
força de vontade, 313-316
formação médica, 13-14, 17-18, 28, 151
fósforo, 209-211
Foster Farms, 118-119
framboesa, 339
frango. *Ver* aves domésticas
frutas vermelhas, *320*, 321
    ação anti-inflamatória das, 73, 456
    açúcar no sangue e, 340
    aumento da imunidade com, 110-111, 337
    capacidade de memória e, 79
    congeladas comparadas a frescas, 341
    estudos clínicos sobre, 342, 343
    melhora da visão com, 342, 343
    poder antioxidante das, 111, 338-339, 342-343, 344
    prevenção de doenças com, 280, 282, 337
    reversão de câncer colorretal com, 92-93
    tipos e porção diária de, 337
frutas, 320. *Ver também* frutas vermelhas
    alcalinidade com, *208*, 208-209
    benefício do consumo de uma variedade de, 374-376, 383
    cítricas, benefícios das, 67-68, 351-352
    dieta sem, 153, 345
    doença pulmonar e, 59, 60-61
    fitonutrientes nas, 67-68, 80
    higienização, 388
    integrais superiores aos sucos, 310, 346
    nas bebidas, 440
    receitas com, 341, 342
    reparo do DNA com, 351-352
    sugestões de, 345, 350-351, 352-353
fumaça de carne, 57-58
fumante passivo, 52-53, 57-58

fumar, hábito de, 25, 57, 87, 309. *Ver também* cigarro
    cânceres por, 51, 52-53, 55-56, 97,98, 99, 212
    como fato de saúde, 20, 23, 24, 345
    DPOC por, 59
    vegetais crucíferos e, 53-54, 55
fumar, parar de, 44, 49, 53, 62
função da tireoide, 469-470
função do fígado, 176
função endotelial, 454-455
função renal, 201, 202-205, 214

galactose, 256
ganho de peso, 143, 145, 448-449
genética, 18. *Ver também* epigenética
    Alzheimer e, 76-78
    câncer e, 30, 85, 92, 235-236
    coentro e, 412-413
    diabetes e, 129-130, 138, 151
    dieta e estilo de vida superiores a, 29-30, 78, 260-261
    envelhecimento e, 24-25
gengibre, 335, 415-417
gerontotoxinas, 81-83
glândula pineal, 220
glóbulos brancos sanguíneos, 106, 107, 108
glúten, 427-431
GMSI, 195-196
gojiberry, 288, 342-343
gordura abdominal, 137, 150, *150*, 370
gordura animal, 40, 77, 179-180, 273
gordura monoinsaturada, 136
gordura saturada, 136, 138, 227, 304, 306
gordura trans, 40, 149, 211-212, 304, 307
gordura. *Ver também* gordura animal; colesterol no sangue; gorduras ômega-3; gordura saturada; gordura trans
    com cúrcuma, 407
    corporal, 134-135, 136, 141-142, 150-151

ÍNDICE | 487

enzima para queimar, 143
nas aves domésticas, 145
nas oleaginosas, 400-401
tipos de, 136
gorduras ômega-3, 38-39, 470-471
grãos integrais, 89, 293, *320*, 321
inflamação e, 427
pressão arterial saudável com, 161-162
processados comparados aos, 434-435
saúde do fígado com, 184-185
sugestões de, 431-432
tipos e porções diárias de, 426, 435
GRAS, 211
gravidez, 111-112
colesterol no sangue e, 40
ervas e temperos na, 411, 412, 417
hepatite E e, 183
iodo e, 470
poluentes e, 270-271
risco dos alimentos à base de animais na, 57-58
gripe suína, 104
gripe, 105

hábitos, 313-316
hemoglobina A1c, 146
hemorroidas, 88, 101
hepatite viral, 180-183, 187-188
hérnia de hiato, 88, 100-101
hérnia. *Ver* hérnia de hiato
hesperidina, 67
hexaclorobenzeno, 141-142
hidrocarbonetos policíclicos aromáticos (HPAs), 57
hiperplasia prostática benigna (HPB), 263-265
hipertensão, 20, 289
beterraba para, 170-173
dieta DASH para, 163-164
estudos clínicos sobre, 156-157, 161-162, 168-169, 336

fibras e redução da, 64, 65
grãos integrais no tratamento da, 161-162
mortes devido a, 27, 153, 154
na dieta padrão, 154-155, 164-165, 174
remédios para, 161, 162-163, 169-170
riscos de, 153-155
sódio e, 155-161, 329-330
soja como defesa contra, 329-330
tratamento com dieta à base de vegetais para, 148, 162-174, 330, 380
tratamento com nitratos para, 170-173
homens, 270, 278, 280, 326-327, 437-439, 441-442. *Ver também* disfunção erétil; câncer de próstata
hormônios do crescimento, 254-255, 265-267
hortelã, 186, 288, 296, 367, 417, 420, 448
HPAs. *Ver* hidrocarbonetos policíclicos aromáticos
HPB. *Ver* hiperplasia prostática benigna

IgA, 113-114
IGF-1, 265-267
Índia, 86, 87
índice de massa corporal (IMC), 133-134, 145, *150*, 150-151
indigestão, 415
indústria alimentícia, 452. *Ver também* indústria da carne
influência na alimentação padrão, 307-309, 460
lucros e alegações da, 48-49, 120, 124, 309, 316
não divulgação de informações pela, 159, 258
segurança alimentar e, 211-212
indústria da carne
alimentação canibalesca na, 103, 280-281
Departamento de Agricultura dos Estados Unidos e interesses da, 253

doenças infecciosas e, 103-104

poder da, 47-48, 103-104, 125-126, 307

sobre a *Salmonella*, 121

indústria do sal, 158-159

indústria farmacêutica, 13, 28-29

infecções do trato urinário, 121-123

inflamação

cereja ácida e, 342

com consumo de carne, 44-45, 204, 241

de artérias, 44

dieta para redução da, 91, 435

ervas e temperos para, 405-406, 413, 418

grãos integrais e, 427

provocada por gordura saturada, 136

reduzida pelas frutas vermelhas, 73, 456

reduzida por cogumelos, 116-117

reduzida por verduras, 73

inibidores de ECA, 161, 168

Instituto Americano de Pesquisa em Câncer (AICR), 213, 217, 224, 305, 325, 383

insulina, 129-130, 131-132, 136

intestino, 85, 88, 92, 94, 108

intoxicação alimentar, 117, 126

com broto de alfafa, 371-372

infecções do trato urinário e, 121-123

nas carnes, 118-120, 123-125, 182-183, 210

ovo e, 117-118

por superbactérias, 124-125

iodo, 469-470

Journal of the American Medical Association, 38, 39, 48

Kaiser Permanente, 29, 312, 314

kelp, 469-470

Kempner, Walter, 157

kiwi, 350-351

kombucha, 446

Komen, Susan G., 309

laticínios, 196-197, 437, 469

asma e, 60

câncer e fraturas ósseas por causa dos, 254-256

carga de ácido com, 208, *208*

flatulência e, 335

gordura saturada nos, 306

ligação do mal Parkinson com, 275-277

poluentes nos, 271, 275-276, 280, 282

pressão arterial e, 164

legumes e verduras cozidos, 355-357, 365-368, 386-388, 408-409

legumes e verduras

benefícios da variedade na dieta, 374-376, 383

estratégias para fazer as crianças comerem, 381-382

higienização, 388

no combate ao câncer, 383-385

opções de refeições com, 379-380, 390

tipos e porções diárias de, 373

leguminosas, 32, 378, 398, 470

aumento da expectativa de vida com, 334

defesa contra toxinas, 109

enlatadas, 332

flatulência com, 334-336

para hipertensão, 166

perda de peso ligada a, 137, 333

prebióticos em, 112

prevenção de câncer com, 89, 90-91

prevenção de derrame e, 66-67

receitas com, 325, 333-334

tipos e porção diária de, 320, *320*, 324

Lei de Liberdade de Informação (FOIA), 250-251, 258

leite. *Ver* laticínios

lentilha, 331-332

ÍNDICE | 489

leucemia. *Ver* cânceres do sangue

levedura nutricional, 115, 432

licopeno, 110, 249, 310, 386

lignanas, 232-233, 262-263

linfoma de Hodgkin, 191

linfoma não Hodgkin. *Ver* cânceres do sangue

linfoma, 191, 355

literatura médica, 15, 463

lucros, 28, 120, 124, 309, 316, 349

maçã, 83, 100, 109, 346
   antioxidante na casca da, 71, 228-229, 338-339
   redução do câncer com, 228-229
   seca, 350

magnésio, 304-305

mal de Parkinson
   café para, 274, 281-282
   cigarro e, 274-275
   constipação ligada ao, 278-279
   consumo de laticínios e, 275-277
   dicas para redução do risco de, 282
   dieta à base de vegetais e, 277-281
   frutas vermelhas e prevenção do, 280, 282
   morte por, 27, 268
   poluentes e risco de, 269, 275-276, 282

mamografia, 216

manga, 348-349

manteiga de amendoim, 381, 399

manteiga. *Ver* laticínios

MAO. *Ver* monoamina oxidase

Mayo Clinic, 19, 105, 193

McDonald's, 48, 82, 159, 179, 180

medicina chinesa, 158

médicos, 17-18, 28-29, 49, 294-295. *Ver também* sistema de saúde; comunidade médica

MeIQx, 197

melaço, 446-447

melancia, 166, 349, 456

melatonina, 219-221

menstruação, 245, 416

mercúrio, 102, 271-272, 278, 471

metais pesados. *Ver também* mercúrio
   mulheres e, 269-270
   nos alimentos, 270-271, 278, 281, 390
   nos suplementos, 410, 420

metástase, 54, 257, 355

métodos de cozimento, 386-387

microverduras, 370-371

mieloma, 191, 199

mirtilo
   capacidade de memória e, 79
   poder antioxidante do, 111, 339
   risco de mal de Parkinson e, 280, 282

missô, 325, 329-330

mitocôndria, 69, 136, 378

molhos, 396, 432

monoamina oxidase (MAO), 243-244

Monsanto, 277, 326-328

morango, 101-102, 219, 280, 339, 396

morte
   fatores alimentares e, 24, 153, 155, 373, 395-396, 452
   por Alzheimer, 27, 63
   por câncer, 27, 30, 50-51, 85, 190-191
   por diabetes, 27
   por doença cardíaca, 17, 20, 27, 35, 36, 63, 153
   por doença do fígado, 27, 175-176
   por doença renal, 27, 202-203
   por erro médico, 283-285
   por hipertensão, 27, 153, 154
   por intoxicação alimentar, 117
   por mal de Parkinson, 27, 268
   por remédios que precisam de prescrição médica, 283
   principais causas de, 17, 18, 21, 26-27
   responsabilidade por, 464
   suicídio, 27, 239

mostarda, folhas e sementes de, 356, 409

movimentos intestinais, 88-89, 101. *Ver também* constipação

mulheres, 141, 254, 399, 438, 441-442. *Ver também* câncer de mama; menstruação
benefícios das oleaginosas para as, 402
deficiência de ferro nas, 95
doença cardíaca e, 42-43, 297
estudo de doença renal nas, 202
estudo de ingestão de gordura por, 79
poluentes no corpo das, 270-271

náusea, 417

neuropatia, 148-149

neurotoxinas, 276

NIH-AARP, estudo, 93-94, 96, 197, 247, 441

nitratos, 170-173, 213, 214

nitritos, 213-214

nitroglicerina, 43, 170

nitrosaminas, 58, 212-214

Novick, Jeff, 161, 315

nozes, 367, 396-398, 400, 432, 471

noz-moscada, 244, 423

nutrição, 14-15
doenças relacionadas a, 21-22, 303
formação em, nas faculdades de medicina, 13-14, 17-18, 28, 151
literatura sobre, 15, 463
livro de referência para, 472
na dieta à base de vegetais, 142, 304-305, 306-307, 361, 372
na dieta americana padrão, 23, 65, 66, 345

nutrientes solúveis em gordura, 367

NutritionFacts.org, 15, 126, 151, 173, 226, 252, 463

O dilema do onívoro (Pollan), ,310

obesidade, 134-135, 427, 452
alimentos processados e, 22

doença do fígado devido a, 175-176
em crianças, 132-134, 472

OGMs, 326-328

oleaginosas e sementes, 136, 311, 328-329
alergias a, 403
batidas, 396
estudos clínicos sobre, 396-401
função sexual com, 401-402
gordura em, 399-400
para controle do colesterol, 46
perda de peso com, 399-401
saúde mental com, 244-245
tipos e porções diárias, *320*, 321, 395

óleo de peixe, 39, 271, 471

óleos, 347-348

ON. *Ver* óxido nítrico

onívoros, 89, 134-135, *135*, 136

orégano e manjerona, 72, 244, 418

Organização Mundial de Saúde, 20, 105, 218, 438, 447

organoclorados, 275-276, 277

Ornish, Dean, 25-26, 140
estudos sobre a doença cardíaca feitos por, 12, 43, 45, 301-302
estudos sobre o câncer feitos por, 31, 258, 260-262

osteoartrite, 194, 405, 408

osteoporose, 90, 255-256

overdose de drogas, 176-177, 396

ovo, 48, 343
ataques de asma e, 60
colesterol LDL e, 40
falta de antioxidantes no, 72
linhaça como substituta do, 394
poluentes no, 271, 273
risco de câncer e, 242-243, 254-258, 262
Salmonella no, 117-118

óxido nítrico (ON), 169-173

pâncreas, 128, 129

paradoxo nigeriano, 78

ÍNDICE | 491

PCBs, 142, 269, 271, 276, 471

pedra nos rins, 206-208, 411

peixes, 58, 207, 208, *208*, 469

ácido araquidônico nos 242

cultivados, risco dos, 141, 272-273

poluentes nos, 271-272, 471

perda de peso, 150

aveia e, 185

com a dieta à base de vegetais, 133-134, 138-143, 146-147

consumo de feijão ligado a, 137, 333

oleaginosas e, 398-401

suplementos para, 183-184

vinagre para, 369-370

peso corporal, 20, 22, 165. *Ver também* índice de massa corporal; obesidade

pesticidas, 279, 292

OGMs e, 326-328

redução dos, 388

risco de câncer devido a, 390

risco de diabetes e, 141-142

risco de Parkinson e, 269-27, 275-276, 281-282

Philip Morris, 48, 52

pigmentos fitonutrientes, 374

poder dos, 110, 185-186, 338, 431

saúde mental com, 249

verduras e, 363

pimenta caiena, 413-415

pimenta, 335, 407

pimentão, 275, 282, 383, 387

pipoca, 426, 432

pistache, 400, 401-402

placa aterosclerótica, 35-38, 40, 43, 45

pneumonia, 105, 110

pólipos, 87, 90-91, 92

Pollan, Michael, 310

poluentes nos alimentos, 142, 269-273, 275-276, 281, 282, 471-472

poluentes orgânicos lipofílicos persistentes (POPs), 281

poluentes. *Ver* poluentes alimentares; toxinas

POPs. *Ver* poluentes orgânicos lipofílicos persistentes

populações asiáticas, 312

câncer nas, 29-30, 86, 236-237, 262, 292

diabetes nas, 140-141

doença cardíaca nas, 36, 43

próstata aumentada nas, 264

potássio, 66-67, 305, 325

prebióticos, 112, 430

pré-diabetes, 132-134, 137

PREDIMED, estudo, 397-398

pressão arterial normal, 155, 163

Pritikin, Nathan, 11-12, 43, 258

probióticos, 111, 112

processo de cura, 44

produtos finais de glicação avançada (AGEs), 81-83

Projeto China-Cornell-Oxford, 36

pró-oxidante, 59

proporção carboidrato-fibras, *433*, 433-434

proporção entre carne e legumes e verduras, 90

próstata aumentada, 263-265

proteína animal, 203-204, 206-207, 261-262, 266-267

proteína vegetal texturizada (PVT), 265

proteína. *Ver também* proteína animal

função renal e, 202-204

leguminosas, 324-325

malformação da, 279-280

proporção da animal para a vegetal, 261-262

Prozac, 246, 251

PSA, níveis de, 260-261

PVT. *Ver* proteína vegetal texturizada

queijo. *Ver* laticínios

quimioterapia, 31, 56, 58

rabanete, 354, 357, 383

radiação médica diagnóstica. *Ver* radiação.

radiação, 285-288, 418

radicais livres, 68-69, 70, 79, 136, 249

raios X, 288

raiz-forte europeia, 357

ranolazina (Ranexa), 45

raspa de fruta cítrica, 351-352

receitas, 328-329

    com cogumelos, 379

    com cúrcuma, 408

    com frutas, 341, 342

    com gengibre, 417

    com grãos integrais, 431, 435

    com leguminosas, 325, 333-334

    com mix de temperos, 421

    com oleaginosas e sementes, 396

    com sementes de linhaça, 393-394

    com tempeh, 325-326

    com vegetais crucíferos, 358-359

    com verduras, 367-368

    de bebidas, 186, 440, 448

    de pesto, 432

    de salada que combate o câncer, 384-385

    de salada, 370

    de sobremesas, 334, 341-342

    fáceis e baratas, 315, 367-368

    fontes na internet de, 314-315

recursos na internet, 15, 71, 314, 315, 358, 463

refluxo gastroesofágico, 85, 99-100, 441

refrigerantes, 153, 179, 199, 247, 436, 448-449

relação cintura/estatura (RCE), 150-151, *150*

remédios de venda livre, 176-177, 290-291

remédios que precisam de prescrição médica, 352

    benefícios dos, 288-290

    efeitos colaterais dos, 27, 42-43, 45, 90, 144, 161, 162-163, 169-170, 200, 244, 246, 251, 264, 283, 284, 351, 362, 415

    mercado americano de, 19

    morte por, 283

    para açúcar no sangue, 143-144, 146

    para depressão, 238-239, 244, 248, 250-251

    tratamento com alimentos comparado aos, 27-28, 29, 31, 62, 91-92, 161, 167, 169, 205, 264, 290-293

repolho, 54, 194, 209, 358-359, 384

resistência à insulina, 126-132, 136

retossigmoidoscopia, 294

rinoconjuntivite, 60

Roundup, 326-327

rúcula, 171, 214, 354

sabor artificial, 432

Sacks, Frank, 163

sais de fosfato, 210-211

sal. *Ver* sódio

saladas, 370-371, 384

salmão, 141-142

Salmonella, 117-121, 371-372

saúde mental. *Ver também* suicídio

    açafrão para, 245-246

    adoçantes artificiais e, 247

    antioxidantes e, 249-250

    cebola e, 244

    chá-verde e, 244

    dieta e, 240-247, 252, 429

    efeitos colaterais dos remédios, 244, 246, 251

    estudos clínicos sobre, 245, 248, 250-251

    exames para, 241

    exercícios para, 248

    prescrição de remédios para, 238-239, 244, 248, 250-251

    radicais livres e, 246

    saúde física ligada a, 240

ÍNDICE | 493

segurança alimentar, 119-120, 123-125, 211-212

semente de linhaça, 265, *320*, 471
redução do câncer com, 232-234, 262-263, 393-394
sugestões com, 391, 392-394
tratamento da hipertensão com, 166-168

sementes de papoula, 422-423

sensibilidade a trigo, 429

sentado, ficar, 453, 454-455

serotonina, 244-245

SII. *Ver* síndrome do intestino irritável

síndrome do intestino irritável (SII), 351, 414, 428-429

síndrome do ovário policístico (SOP), 369, 418

sirtuínas, 81-82

sistema de saúde, 12-15, 28-29, 295

sistema imunológico
depressão e, 240
dieta à base de vegetais estimulando, 107-113
exercícios e alimentação estimulando o, 113-117, 126, 351
frutas vermelhas para o, 110-111, 337
função do, 106-107
prevenção de infecções e, 104-107

smoothies, 318, 366, 420, 445

sobremesas, 322, 334, 341

sobrepeso. *Ver* obesidade; ganho de peso

sódio, 166, 304, 469
no feijão enlatado, 332-333
pressão arterial e, 155-161, 329-330
risco de câncer com excesso de, 329

soja, 262, 333
cálcio na, 325
câncer de mama e, 234-237, 336
não processada, 326-328
OGMs na, 326-328
pressão arterial e, 329-330

Solanaceae, 275

sono, 68, 442, 444

SOP. *Ver* síndrome do ovário policístico

sorbitol, 447

Spock, Benjamin, 472

Spurlock, Morgan, 179

Stadtman, Earl, 68

Starfield, Barbara, 296

substitutos para a carne, 58, 205, 330-331

substitutos para o leite, 255, 311

suco de germe de trigo, 360

suco de limão, 71

sucos de frutas, legumes e verduras, 71, 172, 360
alimentos integrais comparados a, 310, 346
risco de Alzheimer e, 80

suicídio, 27, 239, 242, 246-247

sulforafano, 355-357, 359

Super Size Me: a dieta do palhaço, 179

superbactérias, 124-125

superóxido, 70

suplementos
alimentos superiores aos, 61-62, 71, 193, 205, 249-250, 286-287, 359, 376, 409-410, 446, 467.
cuidados com os, 114-115, 183-184, 409-410, 420, 446, 470-471
recomendações de, 467-471

tabaco, 212-213, 274-275

tâmara, 346-347, 408, 446-447

telômeros, 24-25, 26

tempeh, 58, 325-326

temperos. *Ver* ervas e temperos

tensão pré-menstrual (TPM), 245

"The simple 7", 20, 23

tofu. *Ver* soja

tom de pele, 377

tomate, 249-250, 321, 374-375, 385. *Ver também* licopeno

tomografia computadorizada, 285-286

toranja, 352

toxinas. *Ver também* metais pesados; pesticidas

defesa gerada por fitonutrientes contra, 109

eliminação pelas gorduras monoinsaturadas, 136

ingestão de fibras e, 102

na gordura saturada, 138

nas pessoas, 269-271

nos alimentos, 141-142

nos suplementos, 410

reduzidas com alimentos à base de vegetais 109, 271-272, 277-278, 355

TPM. *Ver* tensão pré-menstrual

trabalhadores da indústria da carne, 96-97, 197-198

triptofano, 244

tumor. *Ver* câncer; pólipos

uva, 219, 244

V8, suco, 172

vacinações, 271

vagem, 388

varfarina, 362

varizes esofágicas, 175

vegetais crucíferos, 53, 54-55, *320. Ver também* brócolis; couve-crespa

benefícios dos crus em cozidos, 355-357

defesa do sistema imunológico com, 108-109

proteção e reversão de câncer, 262, 384-385

receitas com, 358-359

supressão de células-tronco com, 231-232

tipos e porção diária de, 321, 354

veias varicosas, 88, 101

verduras, 32, *320*, 362

alcalinidade das, *208*, 208-209

benefício para o tratamento do câncer no sangue de, 192-193, 199

em saladas, 370-371

fitonutrientes nas, 363, 370-371

influência anti-inflamatória das, 73

nitratos nas, 171-172

poder antioxidante das, 363, 364-365

potássio nas, 66-67

sugestões para cozimento das, 365-368

tipos e porções diárias das, 361

vesícula biliar, 410-411

vício em alimentos, 460-462

vício em drogas, 460-461

vinagre, 369-370, 388

vinho, 166, 219, 438-439

vírus de animais, 96-97, 196-198

visão, 149, 343, 344, 355

vitamina A, 193, 304

vitamina B12, 467-468

vitamina C, 304, 386, 387

absorção de ferro com, 95

dieta à base de vegetais e, 24

na forma de suplemento, 193

poder antioxidante da, 71, 214

vitamina D, 220, 304, 468-469

vitamina E, 61, 193, 304

vitamina K, 304

vitaminas do Complexo B. *Ver* folato

Winfrey, Oprah, 103, 126

xilitol, 447

Yersinia, 123-124

zoonose, 122, 182

1ª edição	ABRIL DE 2018
reimpressão	SETEMBRO DE 2024
impressão	SANTA MARTA
papel de miolo	LUX CREAM 60 G/M²
papel de capa	CARTÃO SUPREMO ALTA ALVURA 250 G/M²
tipografia	BEMBO